중학교

한문 자습서

안재철 교과서편

이 자습서의 활용 방법

단기간에 성적을 올릴 수 있는 자습서

소단원별로 교과서 해설에서 평가 문제로 이어지는 논스톱 체제와 교과 학습 후 핵심 내용을 스스로 정리하는 코너를 마련하여 단기간에 시험 성적을 올릴 수 있도록 하였습니다.

친절한 교과서 해설과 학교 시험 출제 포인트를 담은 자습서

교과서 모든 한자에 음을, 본문 한자에는 뜻까지 제시하여 본문 이해를 도왔습니다. 또한, 기초 한자 문제부터 핵심 대표문제, 고난도, 서술형 문제까지 학교 시험 맞춤 유형을 제시하여 체계적으로 시험에 대비할 수 있도록 하였습니다.

[대단원 도입]

소단원 미리 보기를 통해 대단원을 구성하는 소단원을 소개하고, 소단원 학습 요소를 제시하여 배울 내용을 유추하여 살펴볼 수 있도록 하였습니다.

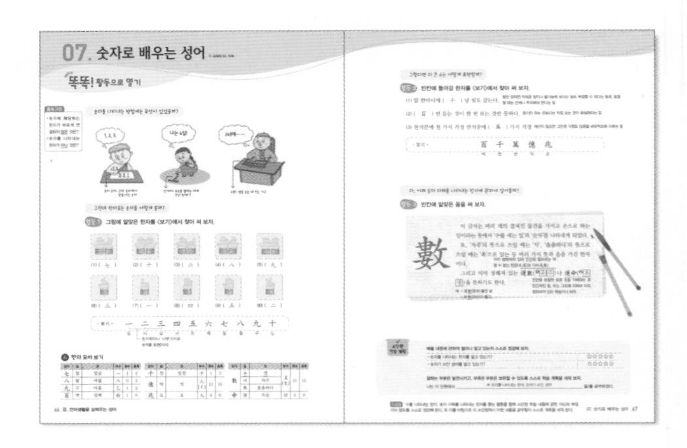

[똑똑! 활동으로 열기]

출제 유형 활동 내용에 따라 기출 유형의 발문을 제시하여 어떠한 유형의 문제가 출제되는지 확인하고 시험 대비를 할 수 있도록 하였습니다.
한자 모아 보기 한자의 음과 뜻 외에 부수와 획수를 추가로 제시하여 한자 학습에 도움이 되도록 하였습니다.

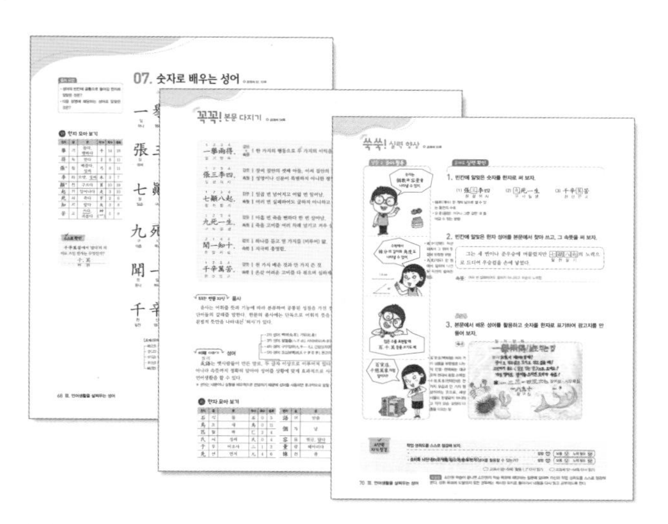

[본문 / 꼭꼭! 본문 다지기 / 쑥쑥! 실력 향상]

본문 문장에 쓰인 한자의 음과 뜻, 한자의 쓰임 등을 제시하여 본문 내용을 쉽게 풀이하고 익힐 수 있도록 하였습니다.

날개단의 예시 어휘에 대한 풀이를 제시하였고, 한문 지식의 이해를 돕는 상세 설명 및 다양한 예를 추가로 제시하여 효과적인 학습을 할 수 있도록 하였습니다.

출제 유형 본문 내용에 따라 기출 유형의 발문을 제시하여 어떠한 유형의 문제가 출제되는지 확인하고 시험 대비를 할 수 있도록 하였습니다.

피드백 부족한 부분을 스스로 점검하고 보충할 수 있도록 해당 내용이 설명되어 있는 교과서 쪽수를 친절하게 안내하였습니다.

[생생! 문화 여행 & 통통! 프로젝트 활동 / 탄탄! 대단원 마무리]

상세한 해설과 정답을 바로 확인할 수 있도록 제시하여 효율적인 학습을 할 수 있도록 하였습니다.

도움말 활동을 원활히 수행하도록 돕는 도움말을 제시하여 자학자습이 가능하도록 하였습니다.

예시 답 다른 유형의 활동 예시를 추가로 제시하여 활동에 도움이 될 수 있도록 하였습니다.

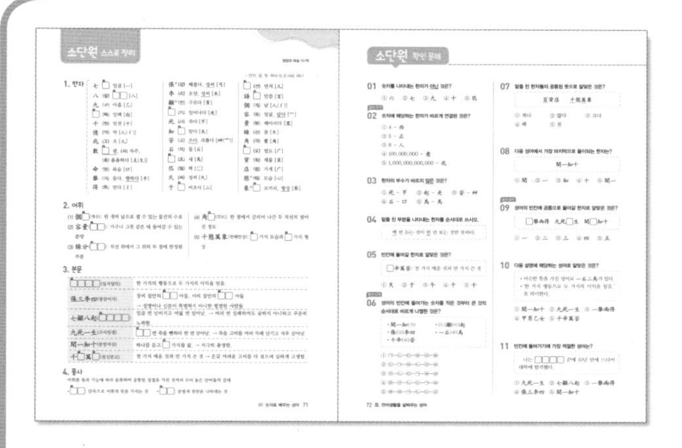

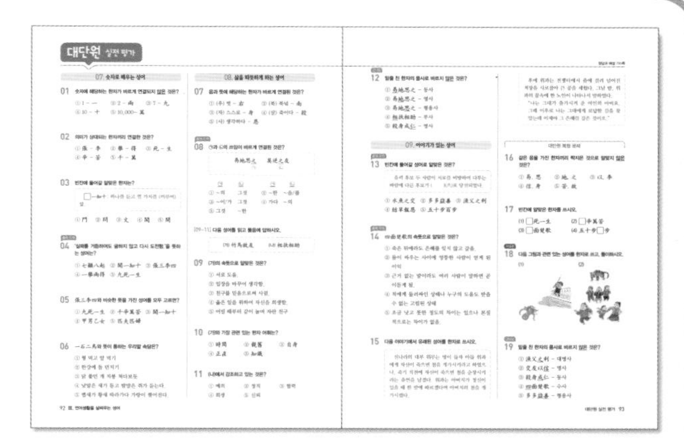

[소단원 스스로 정리 / 소단원 확인 문제]

소단원 스스로 정리 소단원의 한자, 어휘, 문장, 한문 지식으로 빈칸 채우기를 해 봄으로써 배운 내용을 스스로 정리할 수 있도록 하였습니다.

소단원 확인 문제 학교 시험 문제 형식에 맞추어 '한자-어휘-문장'의 순서대로 배치하였고, 소단원의 주요 내용을 다양한 형식의 문제로 제시하여 시험 준비에 도움이 될 수 있도록 하였습니다.

[대단원 실전 평가]

소단원의 핵심 내용을 다시 한번 확인하고, 학교 시험 기출 유형을 각 소단원별로 구성하여 시험 범위에 따라 시험 준비를 효과적으로 할 수 있도록 하였습니다. 또한 대단원 복합 문제를 통해 확장된 문제를 풀어봄으로써 학교 시험에 철저하게 대비할 수 있도록 하였습니다.

차례

I. 한문을 시작하며

II. 일상에서 만나는 어휘

III. 언어생활을 살찌우는 성어

IV. 울림이 있는 짧은 글

V. 선인들의 특별한 이야기

VI. 한시의 멋과 향기

VII. 시공을 초월한 가르침

VIII. 우리의 삶과 역사

교과서 8, 9쪽

I. 한문을 시작하며

이 단원을 통해

- 한자의 모양 · 음 · 뜻을 구별한다.
- 한자의 부수를 알고 자전에서 한자를 찾는 데 활용한다.
- 한자를 순서에 맞게 바르게 쓴다.
- 한자가 만들어진 원리를 구별한다.
- 한문 기록에 담긴 우리의 전통문화를 바르게 이해하고, 미래 지향적인 새로운 문화 창조의 원동력으로 삼으려는 태도를 형성한다.
- 한자 문화권의 문화에 대한 기초적 지식을 통해 상호 이해와 교류를 증진시키려는 태도를 형성한다.

01. 처음 만나는 한문

02. 한자가 만들어진 원리

한자와 한문은 옛글 속에서만 존재하는 것이 아니라, 오랫동안 사용되어 오면서 우리 언어생활의 일부로 자리 잡았다. 한자와 한문을 배우는 것은 언어생활을 풍성하게 하며, 선인들의 전통과 문화를 배우는 밑거름이 된다.

소단원 미리 보기

소단원	소단원 소개	소단원 학습 요소
01. 처음 만나는 한문	한자·한문에 대한 기본 지식을 통해 한자·한문 학습에 대한 기초를 다지는 단원이다.	• 한자의 3요소 • 한자의 필순 • 한자 학습의 필요성 • 한자의 부수 • 자전 찾기
02. 한자가 만들어진 원리	한자가 만들어진 원리에 대한 학습을 통해 한자의 모양과 음, 뜻을 익히는 데 도움을 주는 단원이다.	• 한자의 짜임(상형, 지사, 회의, 형성)

01. 처음 만나는 한문

新 한자 모아 보기

한자	음	뜻	부수	획수	총획
漢	한	한나라	水(氵)	11	14
字	자	글자	子	3	6
川	천	내	川	0	3
文	문	글월	文	0	4
日	일	날, 해	日	0	4
出	출	나다	凵	3	5

한자	음	뜻	부수	획수	총획
形	형	모양	彡	4	7
音	음	소리	音	0	9
義	의	옳다, 뜻	羊	7	13
三	삼	셋	一	2	3
十	십	열	十	0	2
人	인	사람	人	0	2

한자	음	뜻	부수	획수	총획
風	풍	바람	風	0	9
中	중	가운데	丨	3	4
尤	우	더욱	尢	1	4
逢	봉	만나다	辵(辶)	7	11
記	기	기록하다	言	3	10
氣	기	기운	气	6	10

학습 요소 ■ 한자의 3요소 ■ 한자의 필순 ■ 한자 학습의 필요성 ■ 한자의 부수 ■ 자전 찾기

한자를 익힐 때 중요한 점을 알려 줄래?

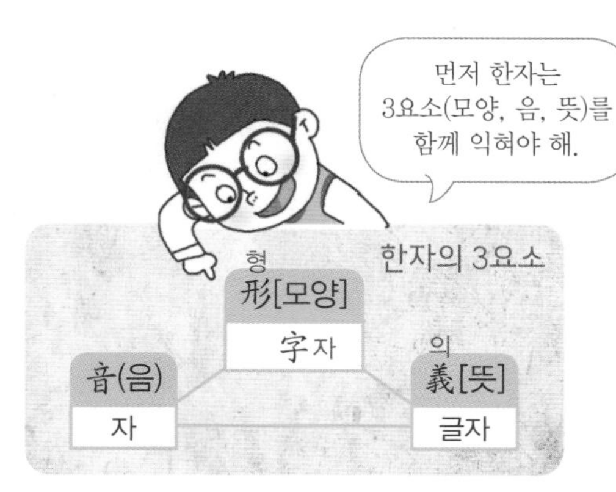

먼저 한자는 3요소(모양, 음, 뜻)를 함께 익혀야 해.
한자의 3요소
형
形[모양]
字자
音(음)
자
의
義[뜻]
글자

그리고 한자는 필순에 맞게 써야 해.
글씨를 쓸 때의 획(劃)의 순서

한자의 일반적인 필순

- 왼쪽에서 오른쪽으로 쓴다. 예 丿 川 川 천
- 위에서 아래로 쓴다. 예 一 二 三 삼
- 가로획과 세로획이 교차될 때에는 가로획을 먼저 쓴다. 예 一 十 십
- 삐침과 파임이 만날 때에는 삐침을 먼저 쓴다. 예 丿 人 인
- 좌우의 모양이 같을 때에는 가운데를 먼저 쓴다. 예 丨 屮 屮 出 出 산
- 안쪽과 바깥쪽이 있을 때에는 바깥쪽을 먼저 쓴다. 예 丿 几 凡 凡 凤 凤 風 風 風 풍
- 꿰뚫는 획은 나중에 쓴다. 예 丨 口 口 中 중
- 오른쪽 위의 점은 나중에 찍는다. 예 一 ナ 九 尤 우
- 받침은 나중에 쓴다. 예 丿 ク 夂 夂 夆 夆 夆 夆 逢 逢 逢 봉

한자와 한문을 왜 공부해야 할지 함께 생각해 볼까?
한자로 이루어진 단어의 의미를 정확히 파악할 수 있어.
일기
日記: 그날의 기록
日氣: 그날의 기상 상태 (날씨)
일기

특히 동음이의어(소리는 같으나 뜻이 다른 단어)의 의미를 파악하는 데 도움이 된다.

오늘의 日記 일기

아침에 日氣(일기) 예보를 못 보고 우산을 두고 나가는 바람에 소나기에 흠뻑 젖었다.

예
- 父子[아버지 (부), 아들 (자)]: 아버지와 아들을 아울러 이르는 말
- 富者[부유하다 (부), 사람 (자)]: 재물이 많아 살림이 넉넉한 사람

그리고 선인들의 삶과 지혜가 담겨 있는 한문 자료를 학습하면 건전한 가치관과 바람직한 인성을 기를 수 있을 거야.

또 전통문화를 바르게 이해하고 창조적으로 계승하고 발전시킬 수 있겠지.

▲ 격몽요결: 조선 시대에 율곡 이이가 지은, 어린이용 학습서

▲ 팔만대장경: 고려 고종 때 부처의 힘으로 외적을 물리치기 위해 만든 대장경

한자 문화권의 문화에 대한 지식을 익혀 상호 이해와 교류 증진에 기여할 수 있어.

한자를 통해 문화를 발전시켜 온 동아시아 지역

한자 문화권

한국, 중국, 일본, 대만, 베트남, 싱가포르 등

한자 찾기

○ 교과서 12, 13쪽

출제 유형

- 한자의 부수가 바르게 연결된 것은?
- 자전에서 한자를 찾는 방법이 바른 것은?

[부수의 특징]
① 현재 쓰이는 부수는 총 214개이다.
② 모든 한자에는 반드시 부수가 있다.
③ 부수의 위치는 다양하다.
④ 다른 한자와 결합될 때 그 모양이 변하기도 한다.
예 火 → 灬, 手 → 扌, 刀 → 刂, 犬 → 犭, 艸 → 艹, 水 → 氵

아래의 세 가지 방법을 이용하여 자전에서 한자를 찾아보자.

부수색인 이용

: 한자의 부수를 알 때

厶	마늘모	324		4획	
又	또우	327	曰	가로왈	1004
	3획		月	달월	1012
口	입구	334	木	나무목	1023
囗	큰입구	415	欠	하품흠	1126
土	흙토	431	止	그칠지	1137

① [부수색인]의 '4획' 부분에서 木(목)을 찾아 해당 쪽 펼치기

부수를 뺀 나머지 부분의 획수

총획

【林】림

筆順 一 十 才 木 木 朩 村 材 林

字解 ① 수풀 림 숲. ② 많을 림 중다(衆多)한 모양. ③ 들 림 야외(野外).

字原 會意. 木+木. 나무가 늘어선 모양에서, '풀'의 뜻을 나타냄.

② 林(림)에서 부수를 뺀 나머지 부분인 木(목)의 획수(4획) 확인하기

③ 나머지 부분의 획수가 4획인 한자들 중에서 林(림)을 찾아 음과 뜻 확인하기

자음 색인 이용

가나다순으로 한자를 배열함.

: 한자의 음을 알 때

설		泄	1203	薛	1974
乷	68	洩	1217	褻	2075
卨	313	渫	1258	設	2111
屑	624	爇	1362	說	2130
枻	1049	紲	1723	雪	2494
楔	1085	舌	1882	齧	2725

① [자음 색인]의 '설' 항목에서 舌(설)을 찾아 해당 쪽 펼치기

【舌】설

筆順 一 二 千 千 舌 舌

字解 ① 혀 설 ② 성 설 성(姓)의 하나.

字原 象形. 입으로 내민 혀의 모양을 형상화하여, '혀'의 뜻을 나타냄.

② 舌(설)을 찾아 뜻 확인하기

총획색인 이용

: 한자의 부수와 음을 모두 모를 때

	8획		水	沓	1186	牛	牦	1377
日	昆	972		泰	1196		牧	1377
	旻	972		沫	1197		物	1377
	昂	972		沬	1197		牥	1379
	昌	972		泭	1197		牪	1379
	昃	972		河	1198		牲	1379

① [총획색인]의 '8획' 항목에서 昌(창)을 찾아 해당 쪽 펼치기

【昌】창

筆順 丨 冂 日 日 旦 昌 昌 昌

字解 ① 창성할 창 번성함. ② 착할 창 선미(善美)함. ③ 아름다울 창 용모가 고움.

字原 象形. 빛을 내쏘는 해를 본뜬 것으로, 주목할 만한 평장함의 뜻에서, '성하다, 햇빛, 좋다'의 뜻을 나타냄.

② 昌(창)을 찾아 음과 뜻 확인하기

新 한자 모아 보기

한자	음	뜻	부수	획수	총획
典	전	법	八	6	8
部	부	떼	邑(阝)	8	11
首	수	머리	首	0	9
玉	옥	구슬	玉	0	5
篇	편	책	竹	9	15
木	목	나무	木	0	4

한자	음	뜻	부수	획수	총획
本	본	근본	木	1	5
林	림	수풀	木	4	8
心	심	마음	心	0	4
悟	오	깨닫다	心(忄)	7	10
水	수	물	水	0	4
舌	설	혀	舌	0	6

한자	음	뜻	부수	획수	총획
昌	창	창성하다	日	4	8
地	지	땅	土	3	6
土	토	흙	土	0	3
乃	내	이에	丿	1	2

[컴퓨터나 스마트폰을 이용하여 한자를 찾을 때 주의할 점]

① 한자의 모양을 정확히 알아야 한다. 음, 뜻만으로 한자를 찾을 경우 여러 글자가 검색되어 정확하게 찾기 힘들다.

　예 음이 '우', 뜻이 '돕다'인 한자를 찾을 경우 *右, 祐, 佑* 세 글자가 검색된다.

② 한자를 정자체로 찾아야 한다. 우리나라는 한자의 획을 간략하게 만들어 사용하는 중국, 일본과 달리 획을 생략하지 않는 정자체를 사용한다.

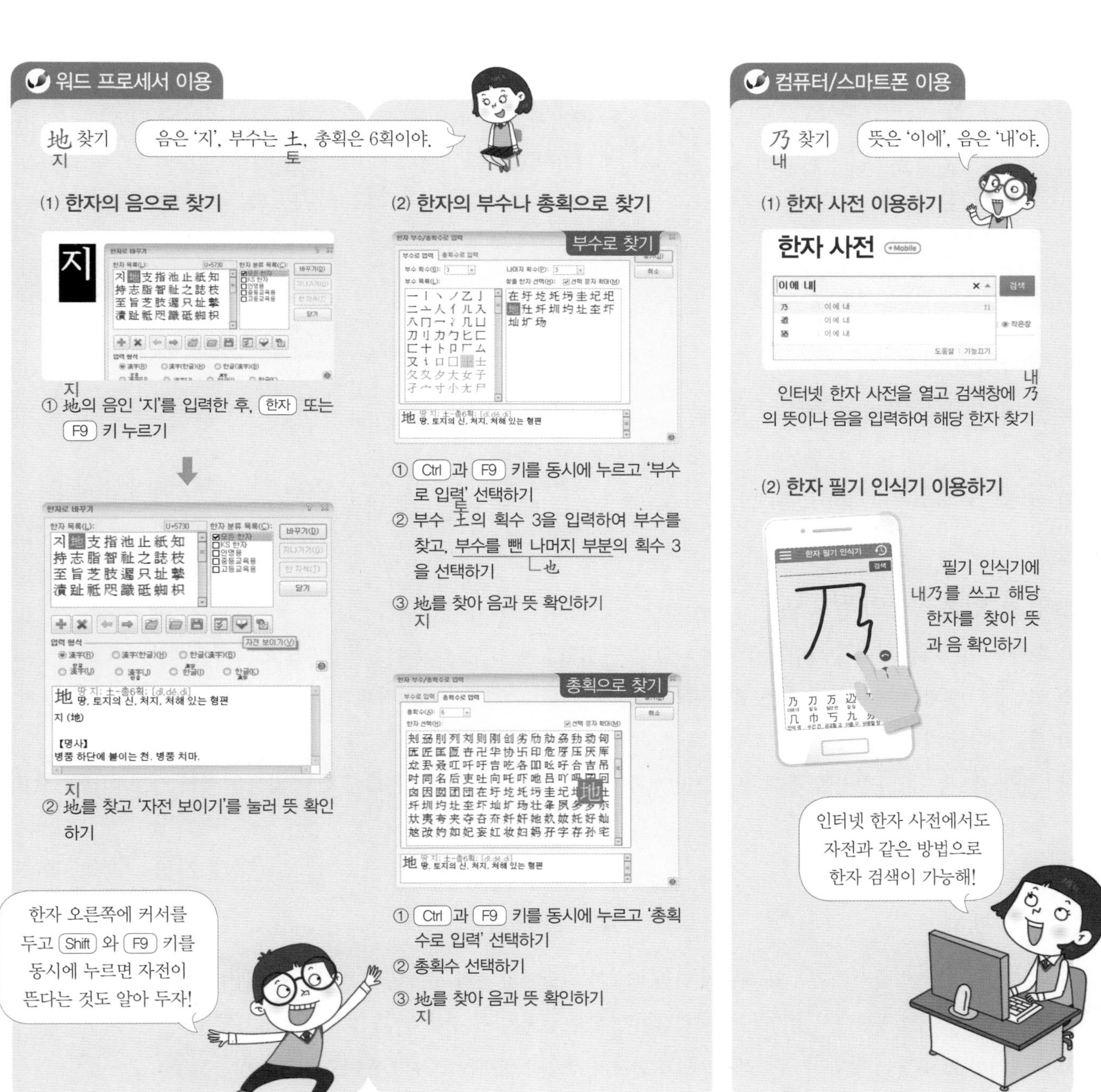

워드 프로세서 이용

地(지) 찾기　음은 '지', 부수는 土(토), 총획은 6획이야.

(1) 한자의 음으로 찾기

① 地(지)의 음인 '지'를 입력한 후, 한자 또는 F9 키 누르기

② 地(지)를 찾고 '자전 보이기'를 눌러 뜻 확인하기

(2) 한자의 부수나 총획으로 찾기

부수로 찾기

① Ctrl 과 F9 키를 동시에 누르고 '부수로 입력' 선택하기

② 부수 土(토)의 획수 3을 입력하여 부수를 찾고, 부수를 뺀 나머지 부분의 획수 3을 선택하기 (└也)

③ 地(지)를 찾아 음과 뜻 확인하기

총획으로 찾기

① Ctrl 과 F9 키를 동시에 누르고 '총획수로 입력' 선택하기

② 총획수 선택하기

③ 地(지)를 찾아 음과 뜻 확인하기

컴퓨터/스마트폰 이용

乃(내) 찾기　뜻은 '이에', 음은 '내'야.

(1) 한자 사전 이용하기

인터넷 한자 사전을 열고 검색창에 乃(내)의 뜻이나 음을 입력하여 해당 한자 찾기

(2) 한자 필기 인식기 이용하기

필기 인식기에 乃(내)를 쓰고 해당 한자를 찾아 뜻과 음 확인하기

활동 우리 학교의 이름을 한자로 적고, 다양한 매체를 이용하여 그 뜻을 찾아보자.

[예시 답안] • 이름: *星花中學校*　• 뜻: 별처럼 빛나고 꽃처럼 아름다운 학생들이 공부하는 중학교

소단원 스스로 정리

정답과 해설 284쪽

• 한자, 음, 뜻, 부수의 순서로 제시

1. 한자

漢 (한) ❶□□□ [水(氵)]
字 (자) 글자 [子]
川 (천) 내 [川]
❷□ (문) 글월 [文]
日 (일) 날, 해 [❸□]
❹□ (출) 나다 [凵]
形 (형) ❺□□ [彡]
❻□ (음) 소리 [音]
義 (의) 옳다, 뜻 [羊]
三 (삼) 셋 [一]
十 (십) 열 [十]
人 (인) 사람 [人]

風 (풍) 바람 [風]
中 (중) 가운데 [丨]
尤 (우) 더욱 [尢]
逢 (봉) 만나다 [辵(辶)]
記 (기) 기록하다 [言]
氣 (기) 기운 [气]
典 (전) 법 [八]
部 (부) 떼 [❼□(阝)]
❽□ (수) 머리 [首]
玉 (옥) 구슬 [玉]
篇 (편) 책 [竹]

木 (목) 나무 [木]
本 (본) ❾□□ [木]
林 (림) 수풀 [木]
心 (심) 마음 [心]
悟 (오) 깨닫다 [❿□(忄)]
水 (수) 물 [水]
舌 (설) 혀 [舌]
昌 (창) 창성하다 [日]
地 (지) ⓫□ [土]
土 (토) 흙 [土]
乃 (내) 이에 [丿]

2. 한자와 한문

(1) 漢字(❶□□): 낱낱의 글자 예 日: 해 (일) / 出: 나다 (출)
(2) ❷□□(한문): 한자로 쓴 문장이나 글 예 日出(일출): 해가 뜨다.
(3) 한자의 3요소: ❸□□[形], 음(音), ❹□[義] 예 字 – ❺□ – 글자

3. 한자, 한문 학습의 필요성

(1) 한자로 이루어진 단어의 의미를 정확히 파악할 수 있음. 예 日記: 그날의 ❶□□ / 日氣: 그날의 기상 상태
(2) 선인들의 삶과 지혜가 담겨 있는 한문 자료를 통해 건전한 가치관과 바람직한 인성을 기를 수 있음.
(3) 전통문화를 바르게 이해하고 창조적으로 계승하고 발전시킬 수 있음.
(4) ❷□□ □□□(한자를 통해 문화를 발전시켜 온 동아시아 지역)의 문화에 대한 지식을 익혀 상호 이해와 교류 증진에 기여할 수 있음.

4. 한자 찾기

(1) 字典(❶□□): 한자를 부수와 획수에 따라 배열하고 글자의 음과 뜻을 풀이한 책. 玉篇(❷□□)이라고도 함.
(2) 部首(❸□□): 자전에서 글자를 찾는 길잡이가 되는 글자의 한 부분
(3) 자전에서 한자 찾는 방법:
- 부수색인 이용: 한자의 부수를 알 때 예 林의 부수는 木임.
- ❹□□ 색인 이용: 한자의 음을 알 때 예 舌의 음은 '설'임.
- 총획색인 이용: 한자의 부수와 음을 모두 모를 때 예 昌의 총획은 8획임.

소단원 확인 문제

정답과 해설 284쪽

출제 유력

01 ㉠~㉢에 들어갈 한자의 3요소를 각각 쓰시오.

모양	㉠	本	逢
음	(토)	㉡	(봉)
뜻	흙	근본	㉢

출제 유력

02 한자의 뜻이 바르지 않은 것은?

① 典 – 법 ② 風 – 바람
③ 出 – 나다 ④ 形 – 구슬
⑤ 悟 – 깨닫다

03 음이 같은 한자끼리 짝지어진 것은?

① 典 – 篇 ② 三 – 十 ③ 乃 – 川
④ 人 – 日 ⑤ 水 – 首

04 빈칸에 공통으로 들어갈 한자로 가장 적절한 것은?

> 오늘의 □記
>
> 아침에 □氣 예보를 못 보고 우산을 두고 나가는 바람에 소나기에 흠뻑 젖었다.

① 日 ② 土 ③ 木 ④ 川 ⑤ 字

05 한자와 한문에 대한 설명으로 적절하지 않은 것은?

① 우리나라, 중국, 일본은 한자 문화권이다.
② 우리나라는 한글보다 한자를 먼저 사용했다.
③ 한자는 더 이상 새로운 글자가 만들어지지 않는다.
④ 한자는 오랜 세월 동안 수많은 사람에 의해 만들어졌다.
⑤ 한자와 한문을 공부하면 한자로 이루어진 단어의 의미를 정확히 파악할 수 있다.

06 한자 어휘의 독음이 바르지 않은 것은?

① 玉篇(옥편) ② 部首(부수)
③ 字典(사전) ④ 日出(일출)
⑤ 漢文(한문)

07 다음 설명에 해당하는 말을 쓰시오.

> • 자전에서 글자를 찾는 길잡이가 되는 글자의 한 부분이다.
> • 다른 한자와 결합될 때 모양이 바뀌기도 한다.

출제 유력

08 한자의 부수가 바르게 연결된 것은?

① 逢 – 夂 ② 本 – 一 ③ 漢 – 川
④ 地 – 也 ⑤ 悟 – 心

09 다음은 자전에서 한자를 찾는 방법이다. 빈칸에 알맞은 말을 각각 쓰시오.

(1) 한자의 음을 알 때: □□ □□ 이용
(2) 한자의 부수를 알 때: □□□□ 이용
(3) 한자의 부수와 음을 모두 모를 때: □□ □□ 이용

10 자전의 부수색인을 이용하여 林을 찾으려 한다. ㉠~㉣을 순서에 맞게 배열하시오.

> ㉠ 林의 음과 뜻을 확인한다.
> ㉡ 林에서 부수를 뺀 나머지 부분인 木의 획수(4획)을 확인한다.
> ㉢ [부수색인]의 '4획' 부분에서 木을 찾아 해당 쪽을 펼친다.
> ㉣ 나머지 부분의 획수가 4획인 한자들 중에서 林을 찾는다.

02. 한자가 만들어진 원리

출제 유형
- 한자가 만들어진 원리에 대한 설명이 바른 것은?
- 한자의 뜻, 음이 바르게 연결된 것은?
- 두 자를 합하여 만든 한자의 음이 바른 것은?

상형

교과서 14쪽

초기의 한자는 생활 속에서 흔히 볼 수 있는 사물의 모습을 본떠서 만드는 경우가 많았어.

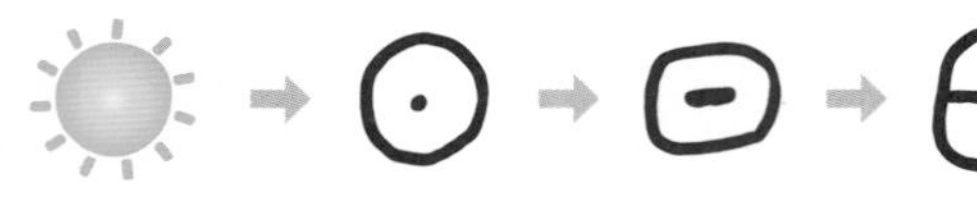

日 (일) 해 — '해'의 모양을 본떠서 글자를 만듦.

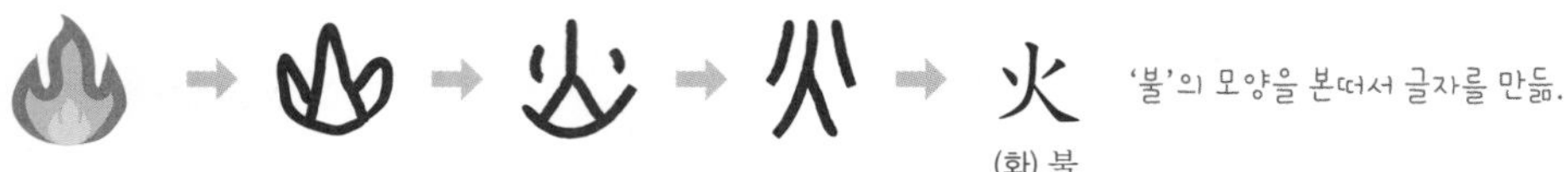

火 (화) 불 — '불'의 모양을 본떠서 글자를 만듦.

耳 (이) 귀 — '귀'의 모양을 본떠서 글자를 만듦.

手 (수) 손 — '손'의 모양을 본떠서 글자를 만듦.

羊 (양) 양 — '양'의 모양을 본떠서 글자를 만듦.

魚 (어) 물고기 — '물고기'의 모양을 본떠서 글자를 만듦.

[상형의 원리를 활용하여 만든 표지판]

예

▲ 샤워실

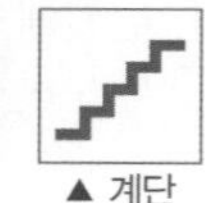
▲ 계단

▲ CCTV

[교과서 외 상형자]
- 川 (천) 내
- 牛 (우) 소
- 木 (목) 나무
- 山 (산) 산
- 馬 (마) 말
- 鳥 (조) 새

구체적인 사물의 모양을 본떠서 글자를 만드는 것을 상형(象形)이라고 하고, 이런 원리로 만든 글자를 상형자(象形字)라고 한다. 상형자는 자연, 신체, 동물 등을 나타낸 것이 많다.

활동 1 그림에 해당하는 한자를 써 보자.

선영이는 ❶ (日) 요일에 동물원에서 ❷ (手) 으로 ❸ (羊) 에게 풀을 먹여 주었다.

新 한자 모아 보기

한자	음	뜻	부수	획수	총획
火	화	불	火	0	4
耳	이	귀	耳	0	6
手	수	손	手	0	4
羊	양	양	羊	0	6

한자	음	뜻	부수	획수	총획
魚	어	물고기	魚	0	11
一	일	하나	一	0	1
二	이	두	二	0	2
上	상	위	一	2	3

한자	음	뜻	부수	획수	총획
下	하	아래	一	2	3
末	말	끝	木	1	5

학습 요소 ■ 한자의 짜임(상형, 지사, 회의, 형성)

지사

○ 교과서 15쪽

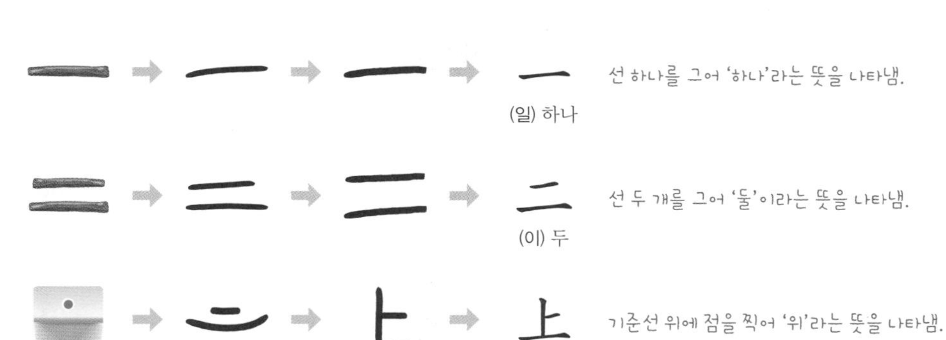

下 기준선 아래에 점을 찍어 '아래'라는 뜻을 나타냄.
(하) 아래

本 나무의 뿌리 부분에 점을 찍어 '근본'이라는 뜻을 나타냄.
(본) 근본

비슷한 모양의 한자: 未 아니다 (미)
– 나뭇가지 끝을 짧게 표시하여 아직 다 자라지 않았음을 뜻함.

末 나뭇가지의 끝부분에 점을 찍어 '끝'이라는 뜻을 나타냄.
(말) 끝

구체적인 모양이 없어 그림으로 표현하기 어려운 것들은 어떻게 나타냈을까?
??

[지사의 원리를 활용하여 만든 표지판]

회전 교차로 / 직진 / 우회전 / 유턴 / 양 측방 통행 / 좌회전

[교과서 외 지사자]
- 中 (중) 가운데
- 凹 (요) 오목하다
- 凸 (철) 볼록하다

추상적인 생각이나 뜻을 점이나 선으로 나타내어 글자를 만드는 것을 지사(指事)라고 하고, 이런 원리로 만든 글자를 지사자(指事字)라고 한다. 지사자는 수량, 위치 등을 나타낸 것이 많다.

활동 2 친구의 방이 어디인지 찾아 기호를 써 보자. ⓒ

회의

○ 교과서 16쪽

그런데 상형과 지사만으로는 다양한 뜻을 모두 표현할 수가 없었어. 그래서 기존 한자들을 결합하여 새로운 한자를 만들게 되었지. 기존 한자의 뜻과 뜻을 모아 새로운 한자를 만드는 방법을 살펴볼까?

뜻		뜻		새로운 한자	
木 나무 목	+	木 나무 목	→	林 (림) 수풀	나무와 나무가 모여 이룬 '숲'이라는 뜻을 나타냄.
夕 저녁 석	+	口 입 구	→	名 (명) 이름	밤에 상대가 누구인지 알기 위해 부르는 '이름'이라는 뜻을 나타냄.
人 사람 인	+	木 나무 목	→	休 (휴) 쉬다	사람이 나무에 기대어 '쉬다'라는 뜻을 나타냄.
田 밭 전	+	力 힘 력	→	男 (남) 남자	밭에서 힘을 써서 일하는 '남자'라는 뜻을 나타냄.

[교과서 외 회의자]
- 宀[집 (면)] + 女[여자 (녀)]
  → 安 [편안하다(안)]: 집에서 여자가 앉아 있어 '편안하다'는 뜻
- 人(亻)[사람 (인)] + 言[말씀 (언)]
  → 信[믿다 (신)]: 사람의 말은 믿음이 있어야 한다는 데서 '믿음'이라는 뜻
- 火[불 (화)] + 火[불 (화)]
  → 炎[불꽃 (염)]: 불과 불이 모여 이룬 '불꽃'이라는 뜻

※ 세 글자를 합하여 만들어진 회의자도 있다.
예 森 빽빽하다 (삼), 蟲 벌레 (충)

- 日[해 (일)] + 月[달 (월)]
  → 明[밝다 (명)]: 해와 달이 있어 '밝다'는 뜻
- 女[여자 (녀)] + 子[아들, 남자 (자)]
  → 好[좋다 (호)]: 여자가 아들을 안고 있어 또는 (여자와 남자가 함께 있어) '좋다'는 뜻

이미 만들어진 둘 이상의 글자를 결합하여 새로운 글자를 만들되, 그 글자들이 지닌 뜻을 합쳐서 새로운 뜻을 나타내는 것을 회의(會意)라고 하고, 이런 원리로 만든 글자를 회의자(會意字)라고 한다. 회의자는 각 글자의 뜻으로 전체 글자의 뜻을 짐작할 수 있다.

활동 3 꿀벌이 꽃을 찾아가는 길에 만나는 한자가 두 글자씩 결합하여 만들어지는 한자를 〈보기〉에서 찾아 써 보자. 明, 好

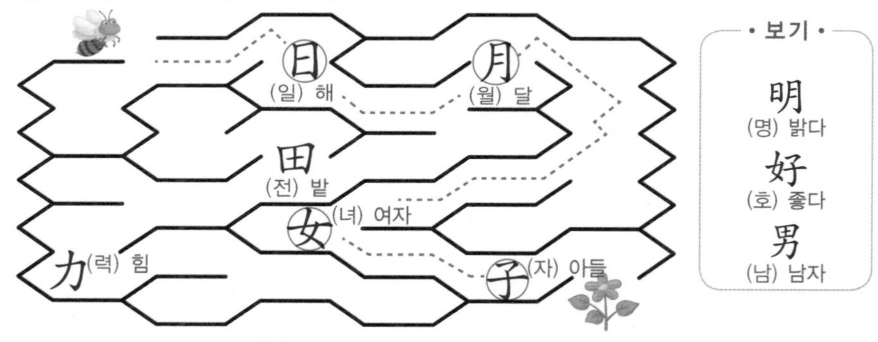

新 한자 모아 보기

한자	음	뜻	부수	획수	총획
夕	석	저녁	夕	0	3
口	구	입	口	0	3
名	명	이름	口	3	6
休	휴	쉬다	人	4	6
田	전	밭	田	0	5
力	력	힘	力	0	2
男	남	남자	田	2	7
月	월	달	月	0	4
女	녀	여자	女	0	3

한자	음	뜻	부수	획수	총획
子	자	아들	子	0	3
明	명	밝다	日	4	8
好	호	좋다	女	3	6
門	문	문	門	0	8
問	문	묻다	口	8	11
聞	문	듣다	耳	8	14
主	주	주인	丶	4	5
住	주	살다	人(亻)	5	7

한자	음	뜻	부수	획수	총획
注	주	붓다	水(氵)	5	8
言	언	말씀	言	0	7
成	성	이루다	戈	3	7
支	지	지탱하다, 지지	支	0	4
漁	어	고기 잡다	水(氵)	11	14
誠	성	정성	言	7	14
枝	지	가지	支	4	8
忠	충	충성	心	4	8

형성

○ 교과서 17쪽

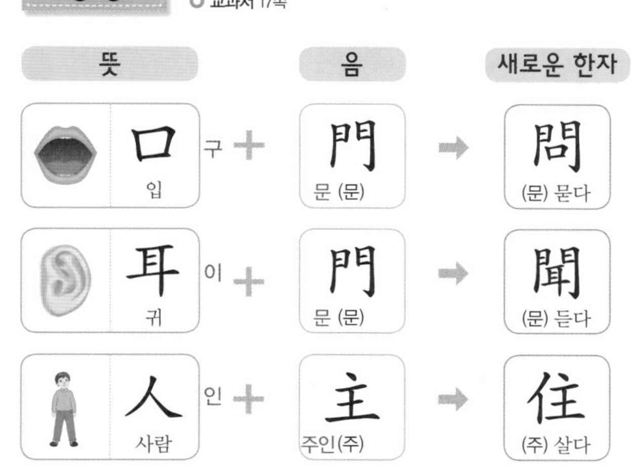

뜻	음	새로운 한자	
口 입 (구)	+ 門 문 (문)	→ 問 (문) 묻다	口의 뜻[입]과 門의 음(문)을 합하여 問[(문) 묻다]을 만듦.
耳 귀 (이)	+ 門 문 (문)	→ 聞 (문) 듣다	耳의 뜻[귀]과 門의 음(문)을 합하여 聞[(문) 듣다]을 만듦.
人 사람 (인)	+ 主 주인(주)	→ 住 (주) 살다	人의 뜻[사람]과 主의 음(주)을 합하여 住[(주) 살다]를 만듦.
水 물 (수)	+ 主 주인(주)	→ 注 (주) 붓다	水의 뜻[물]과 主의 음(주)을 합하여 注[(주) 붓다]를 만듦.

※ 형성자는 의미 부분에 해당하는 한자가 부수가 되는 경우가 많다.

[교과서 외 형성자]

- 水(氵)[물 (수)] + 羊[양 (양)] → 洋[큰 바다 (양)]
- 水(氵)[물 수] + 靑[푸르다 (청)] → 淸[맑다 (청)]
- 日[해 (일)]+靑 [푸르다 (청)] → 晴[개다 (청)]
- 言[말씀 (언)]+靑[푸르다 (청)] → 請 [청하다 (청)]

※ 淸, 晴, 請 세 글자는 음이 같고, 뜻 부분에 해당하는 글자에 따라 의미가 달라진다.

이미 만들어진 글자를 결합하여 새로운 글자를 만들되, 일부는 뜻을 나타내고 일부는 음을 나타내는 것을 형성(形聲)이라고 하고, 이런 원리로 만든 글자를 형성자(形聲字)라고 한다. 형성자를 이룰 때 한자의 음이 변하는 경우도 있으며, 형성자는 한자 중 가장 비율이 높다.

활동 4 위쪽의 한자가 사다리를 따라 내려가 아래쪽 한자와 만나서 만들어지는 한자를 〈보기〉에서 찾고, 그 음을 써 보자.

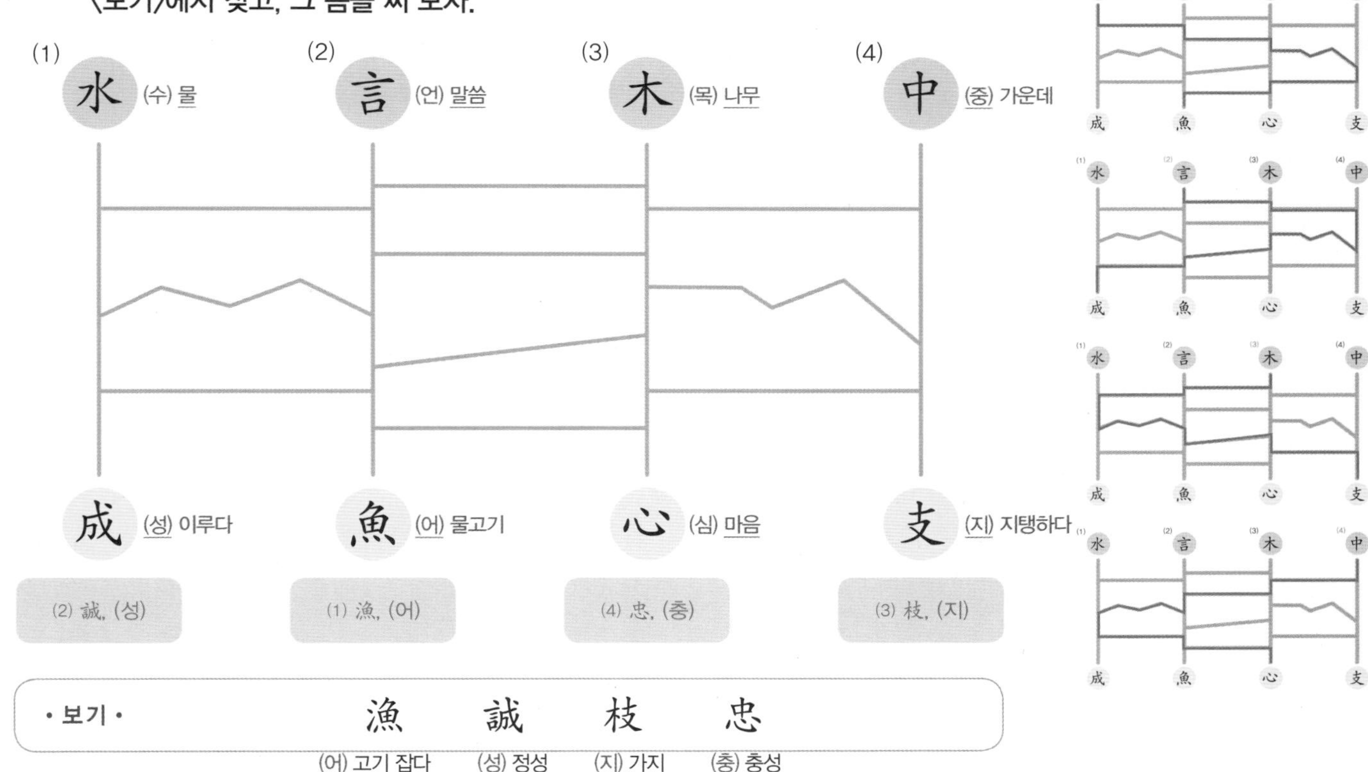

• 보기 • 漁 (어) 고기 잡다 　誠 (성) 정성 　枝 (지) 가지 　忠 (충) 충성

소단원 스스로 정리

정답과 해설 284쪽

• 한자, 음, 뜻, 부수의 순서로 제시

1. 한자

火 (화) 불 [火]
耳 (이) 귀 [耳]
❶ ☐ (수) 손 [手]
羊 (양) 양 [羊]
魚 (어) 물고기 [❷ ☐]
一 (일) 하나 [一]
二 (이) 두 [二]
上 (상) 위 [一]
下 (하) 아래 [一]
末 (말) ❸ ☐ [木]
夕 (석) 저녁 [夕]
口 (구) 입 [口]

❹ ☐ (명) 이름 [口]
休 (휴) 쉬다 [人(亻)]
田 (전) 밭 [田]
力 (력) ❺ ☐ 힘 [力]
男 (남) 남자 [田]
月 (월) 달 [月]
女 (녀) 여자 [女]
子 (자) 아들 [子]
明 (명) 밝다 [❻ ☐]
好 (호) ❼ ☐☐ [女]
門 (문) 문 [門]
❽ ☐ (문) 묻다 [口]

聞 (문) ❾ ☐☐ [耳]
主 (주) 주인 [丶]
住 (주) 살다 [人(亻)]
注 (주) 붓다 [水(氵)]
言 (언) ❿ ☐☐ [言]
⓫ ☐ (성) 이루다 [戈]
支 (지) 지탱하다, 지지 [支]
⓬ ☐ (어) 고기 잡다 [水(氵)]
誠 (성) 정성 [言]
枝 (지) 가지 [支]
忠 ⓭ ☐ 충성 [心]

2. 한자의 발생과 발전

생활 속에서 흔히 볼 수 있는 ❶ ☐☐의 모양을 본떠서 한자를 만듦.
➡
구체적인 모습이 없어 그림으로 표현하기 어려운 ❷ ☐☐적인 개념을 점이나 선으로 나타내어 한자를 만듦.
➡
기존 한자들을 결합하여 새로운 한자를 만듦.
- 기존 한자들의 뜻과 뜻을 모아 새로운 한자를 만듦.
- 기존 한자들의 뜻과 음을 모아 새로운 한자를 만듦.

3. 한자가 만들어진 원리

	의미	특징	예
상형자	구체적인 사물의 ❶ ☐☐을 본떠서 만든 글자	자연, 신체, 동물 등을 나타낸 것이 많음.	日, 火, 耳, 手, 羊, 魚
❷ ☐☐☐	추상적인 생각이나 뜻을 점이나 선으로 나타내어 만든 글자	수량, 위치 등을 나타낸 것이 많음.	一, 二, 上, 下, 本, 末
회의자	이미 만들어진 둘 이상의 글자를 결합하여 새로운 글자를 만들되, 그 글자들이 지닌 ❸ ☐을 합쳐 새로운 뜻을 나타내는 글자	각 글자의 뜻으로 전체 글자의 뜻을 짐작할 수 있음.	林, 名, 休, 男, 明, 好
❹ ☐☐☐	이미 만들어진 글자를 결합하여 새로운 글자를 만들되, 일부는 뜻을 나타내고 일부는 음을 나타내는 글자	• 형성자를 이룰 때 한자의 음이 변하는 경우가 있음. • 형성자는 한자 중 가장 비율이 높음.	問, 聞, 住, 注, 漁, 誠, 枝, 忠

01 한자의 음과 뜻이 바른 것은?

① 羊 – (어) 물고기　② 末 – (본) 근본
③ 聞 – (문) 묻다　④ 男 – (자) 아들
⑤ 主 – (주) 주인

02 한자의 음이 다른 것끼리 짝지어진 것은?

① 言 – 誠　② 二 – 耳　③ 門 – 問
④ 名 – 明　⑤ 支 – 枝

03 다음은 한자가 만들어진 원리에 대한 설명이다. 빈칸에 들어갈 말을 각각 쓰시오.

(1) 구체적인 사물의 모양을 본떠서 글자를 만드는 것을 □□(이)라고 한다.
(2) 추상적인 생각이나 뜻을 점이나 선으로 나타내어 글자를 만드는 것을 □□(이)라고 한다.
(3) 이미 만들어진 둘 이상의 글자를 결합하여 새로운 글자를 만들되, 그 글자들이 지닌 뜻을 합쳐서 새로운 뜻을 나타내는 것을□□(이)라고 한다.
(4) 이미 만들어진 글자를 결합하여 새로운 글자를 만들되, 일부는 뜻을 나타내고 일부는 음을 나타내는 것을 □□(이)라고 한다.

04 ㉠과 ㉡에 들어갈 한자가 바르게 연결된 것은?

· → → → → ㉠
· → → → → ㉡

	㉠	㉡
①	日	耳
②	月	日
③	日	月
④	月	耳
⑤	日	夕

05 ㉠과 ㉡에 알맞은 한자를 각각 쓰시오.

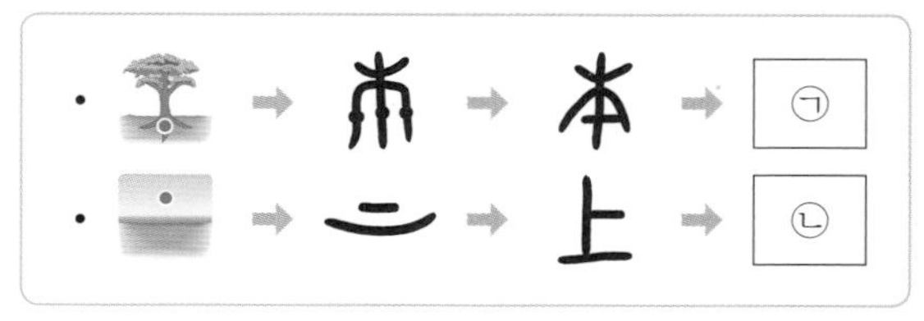

06 다음 표지판과 같은 원리로 만들어진 한자가 아닌 것은?

▲ 직진
▲ 좌회전
▲ 유턴
→ 화살표 등의 기호를 이용하여 추상적인 의미를 나타낸 표지판

① 上　② 下　③ 木　④ 末　⑤ 本

서술형

07 ㉠~㉡에 알맞은 한자를 쓰고, 한자가 만들어지게 된 원리에 대해 설명하시오.

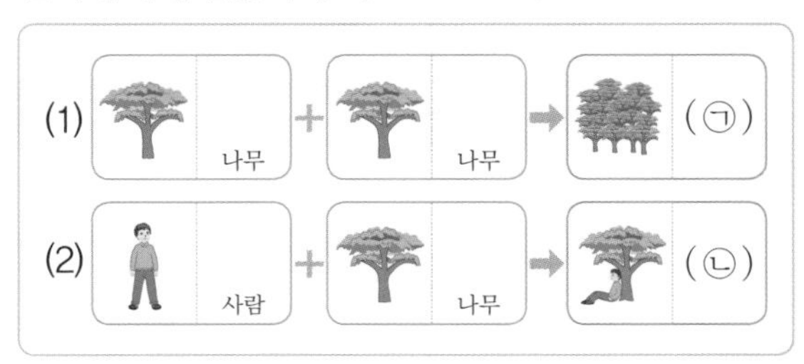

08 다음 표의 빈칸을 채우시오.

한자	한자의 음 부분	한자의 뜻 부분
(1) 問		
(2) 注		

○ 교과서 18쪽

"한 · 중 · 일의 漢字(한자)"

한자의 기원은 중국이지만 오랜 세월을 거쳐 각 나라의 상황에 맞게 발전해 가는 동안 한자의 모양이나 한자 어휘의 의미 등이 서로 달라지기도 하였다. 한 · 중 · 일의 한자는 어떤 점이 다른지, 또 어떤 점이 유사한지 알아보자.

한 · 중 · 일에서 같은 한자를 다르게 표기하는 경우

전통적으로 써 오던 그대로의 한자, 정체자(正體字), 번체자(繁體字)라고도 함.

한국에서는 한자의 복잡한 획을 생략하지 않은 정자체(正字體)를, 중국과 일본에서는 한자의 획을 간략하게 하여 만든 간체자(簡體字)와 신자체(新字體)를 각각 쓰고 있다.

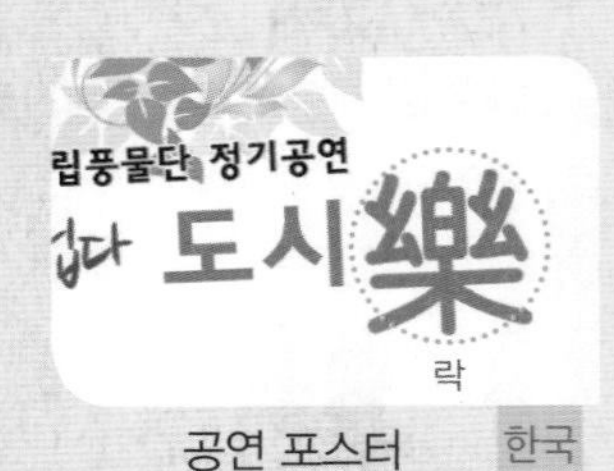

공연 포스터 한국

상품명 중국

간판 일본

한 · 중 · 일에서 같은 한자 어휘가 다른 뜻으로 쓰이는 경우

한자의 뜻은 한국, 중국, 일본 모두 비슷한 경우가 많지만, 같은 한자가 결합하여 이루어진 어휘라도 뜻이 서로 다른 경우도 있다.

일일공부

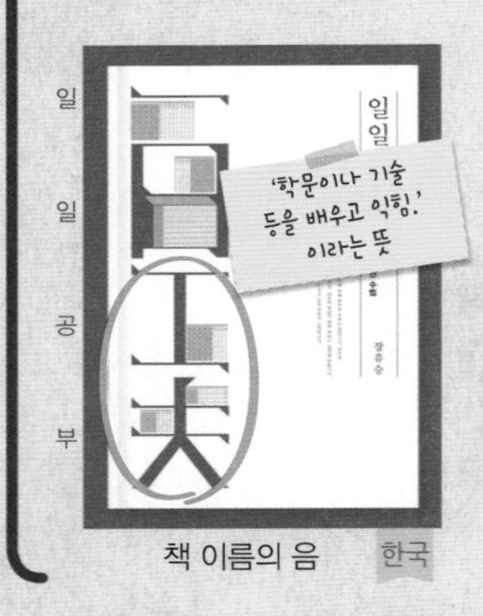

책 이름의 음 한국

조주공부차

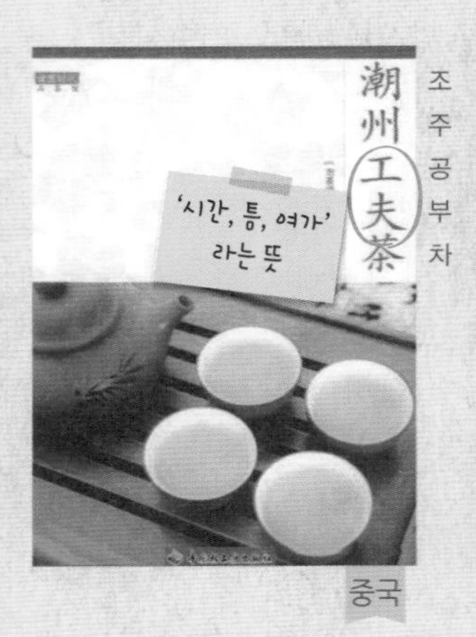

중국

명차실공부

名茶室の工夫
'궁리함, 깊이 생각함.' 이라는 뜻

일본

이처럼 한국, 중국, 일본의 한자는 차이점도 있지만, 대부분의 한자의 뜻이 같고 많은 한자의 음이 비슷할 정도로 지금도 많은 공통점을 지니고 있다. 따라서 한자를 공부하면 한자 문화권에서의 의사소통과 문화 이해가 원활해진다.

활동 한국 · 중국 · 일본에서 다르게 표기되는 한자나, 다른 뜻으로 쓰이는 한자 어휘를 찾아 발표해 보자.

[예시 답안] • 한국·중국·일본에서 다르게 표기되는 한자

뜻	한국	중국	일본
약	藥(약)	药(야오 yào)	薬(야꾸 やく)

• 한국·중국·일본에서 다른 뜻으로 쓰이는 한자 어휘: 愛人

한자 어휘	한국	중국	일본
愛人	사랑하는 사람	자기 남편이나 아내	내연 관계

탄탄! 대단원 마무리

교과서 19쪽

요점 정리

1 한자의 3요소

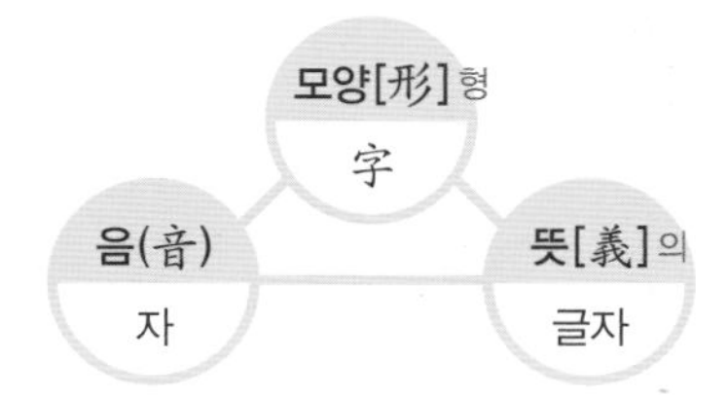

2 부수와 자전

(1) 부수: 자전에서 글자를 찾는 길잡이가 되는 글자의 한 부분

(2) 자전: 한자를 부수와 획수에 따라 배열하고 글자의 음과 뜻을 풀이한 책

(3) 자전 찾는 방법

- 부수색인 이용: 한자의 부수를 알고 있는 경우
- 자음 색인 이용: 한자의 음을 알고 있는 경우
- 총획색인 이용: 한자의 음과 부수를 모두 모르는 경우

3 한자가 만들어진 원리

(1) 상형자: 구체적인 사물의 모양을 본떠서 만든 글자

예 日(일), 火(화), 耳(이), 手(수), 羊(양), 魚(어)

(2) 지사자: 추상적인 생각이나 뜻을 점이나 선으로 나타내어 만든 글자

예 一(일), 二(이), 上(상), 下(하), 本(본), 末(말)

(3) 회의자: 이미 만들어진 둘 이상의 글자를 결합하여 새로운 글자를 만들되, 그 글자들이 지닌 뜻을 합쳐서 새로운 뜻을 나타낸 글자

예 林(림), 名(명), 休(휴), 男(남)

(4) 형성자: 이미 만들어진 둘 이상의 글자를 결합하여 새로운 글자를 만들되, 일부는 뜻을 나타내고 일부는 음을 나타낸 글자

예 問(문), 聞(문), 住(주), 注(주)

4 한자 문화권

한자 문화권은 한자를 통해 문화를 발전시켜 온 동아시아 지역(한국, 중국, 일본 등)을 뜻한다. 한자 문화권 국가와의 상호 이해와 교류를 증진시키기 위해서는 한자 문화권의 문화에 대한 기초적 지식을 갖추어야 한다.

핵심 평가

1. 한자의 3요소에 맞게 빈칸을 채워 보자.

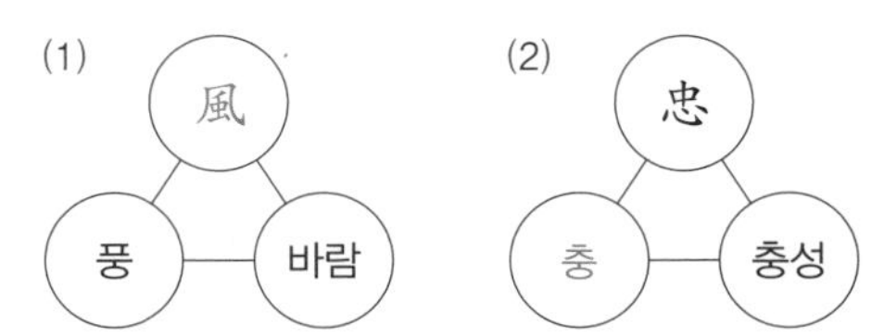

한자의 3요소는 모양, 음, 뜻이다.

2. 자전에서 '부수색인'을 이용하여 住를 찾으려 한다. 住의 부수와 나머지 획수를 각각 써 보자.

• 부수: 人 • 나머지 획수: 5

住의 부수는 人(亻)이며, 부수를 제외한 나머지 부분의 획수(主)는 5획이다.

3. 자전의 '자음 색인'에서 가장 먼저 나오는 한자를 써 보자. 文

漢(한)	字(자)	文(문)	日(일)	心(심)

자음 색인은 가나다순으로 한자를 배열하므로, 文 – 心 – 日 – 字 – 漢의 순서로 나온다.

4. 대상의 모습을 본떠 만든 한자를 골라 보자. ①

① 手수 ② 二이 ③ 下하
④ 男남 ⑤ 問문

① 신체의 일부인 손의 모습을 본떠 만든 상형자 ②, ③ 추상적인 생각이나 뜻을 점이나 선으로 나타낸 지사자 ④ 밭[田]에서 힘[力]을 써서 일하는 남자[男]라는 뜻을 나타낸 회의자 ⑤ 음을 나타내는 글자[門]와 뜻을 나타내는 글자[口]를 결합한 형성자

5. 빈칸에 알맞은 말을 써 보자.

> 한자를 통해 문화를 발전시켜 온 동아시아 지역을 [한][자] [문][화][권](이)라고 한다.

대단원 자기 점검

학업 성취도를 스스로 점검해 보고, 부족한 부분을 보충해 보자.

점검 항목	잘함	보통	노력 필요	찾아보기
• 한자의 모양 · 음 · 뜻을 구별할 수 있다.				11쪽
• 한자의 부수를 알고 자전에서 한자를 찾는 데 활용할 수 있다.				12쪽
• 한자가 만들어진 원리를 구별할 수 있다.				14~17쪽
• 한자 문화권에 대한 기초적 지식을 갖추고 있다.				11쪽

도움말 대단원 학습이 끝나면 대단원의 학습 목표에 해당하는 질문에 답하며 자신의 학업 성취도를 스스로 점검해 본다. 성취 목표에 도달하지 못한 경우에는 제시된 위치로 돌아가서 내용을 다시 읽고 공부하도록 한다.

대단원 실전 평가

01. 처음 만나는 한문

01 한자와 한문에 대한 설명으로 적절하지 않은 것은?

① 한자의 3요소는 음, 뜻, 부수이다.
② 우리말에는 한자로 이루어진 어휘가 많다.
③ 우리나라는 한글이 만들어지기 전에 한자를 빌려 사용했다.
④ 한자는 낱낱의 글자이고, 한문은 한자로 쓴 문장이나 글이다.
⑤ 한국, 중국, 일본 등 한자를 통해 문화를 발전시켜 온 지역을 한자 문화권이라고 한다.

02 ㉠과 ㉡에 알맞은 음과 뜻을 쓰시오.

> 한자는 글자마다 일정한 모양·음·뜻을 갖추고 있다. 篇의 음은 (㉠), 뜻은 (㉡)이다.

03 한자의 필순에 대한 설명으로 알맞은 것은?

① 逢 – 받침은 먼저 쓴다.
② 三 – 아래에서 위로 쓴다.
③ 川 – 오른쪽에서 왼쪽으로 쓴다.
④ 出 – 좌우의 모양이 같을 때에는 가운데를 먼저 쓴다.
⑤ 風 – 안쪽과 바깥쪽이 있을 때에는 안쪽을 먼저 쓴다.

04 한자를 쓸 때, 가장 마지막에 쓰는 부분이 잘못 연결된 것은?

① 十 – 丨 ② 中 – 丨 ③ 尤 – 丶
④ 逢 – 辶 ⑤ 人 – 丿

05 자전의 부수색인을 이용하여 地를 찾으려 한다. 부수색인에서 찾아야 할 부수로 알맞은 것은?

① 乙 ② 土 ③ 力 ④ 也 ⑤ 地

고난도

06 다음은 자전에서 昌을 찾은 내용이다. 昌에 대한 설명이 알맞은 것은?

> 4 ⑧【昌】창
> 筆順 丨 冂 日 日 旦 昌 昌 昌
> 字解 ① 창성할 창 번성함. ② 착할 창 선미(善美)함. ③ 아름다울 창 용모가 고움.
> 字原 象形. 빛을 내쏘는 해를 본뜬 것으로, 주목할 만한 굉장함의 뜻에서, '성하다, 햇빛, 좋다'의 뜻을 나타냄.

① 뜻은 '창'이다.
② 부수는 口이다.
③ 총획은 8획이다.
④ 음은 '창성하다'이다.
⑤ 부수를 뺀 나머지 부분의 획수는 8획이다.

07 ㉠과 ㉡의 한자 표기가 바르게 연결된 것은?

> • 내가 쓴 ㉠일기를 책으로 출판하였다.
> • ㉡일기예보와는 달리 계속 비가 내렸다.

	㉠	㉡		㉠	㉡
①	日記	日氣	②	日氣	日記
③	日記	一氣	④	日氣	一氣
⑤	一氣	日記			

02. 한자가 만들어진 원리

08 한자의 음과 뜻이 바르게 연결되지 않은 것은?

① 夕(석) 저녁 ② 言(언) 말씀
③ 好(호) 좋다 ④ 注(주) 살다
⑤ 聞(문) 듣다

09 뜻이 상대되는 한자끼리 짝지어진 것은?

① 女 – 男 ② 手 – 羊 ③ 門 – 口
④ 言 – 主 ⑤ 成 – 支

출제 유력

10 한자가 만들어진 원리에 대한 설명으로 알맞은 것은?

① 형성자는 수량, 위치를 나타낸 것이 많다.
② 手, 上, 魚는 한자가 만들어진 원리가 같다.
③ 지사자는 자연, 신체, 동물을 나타낸 것이 많다.
④ 상형자는 둘 이상의 글자를 결합하여 만들었다.
⑤ 회의자는 각 글자의 뜻으로 전체 글자의 뜻을 짐작할 수 있다.

11 다음 표지판과 같은 원리로 만들어진 한자끼리 짝지어진 것은?

▲ 여자

▲ 남자

▲ 장애인

→ 사물의 모양을 본떠서 의미를 전달하는 표지판

① 日 - 下 ② 水 - 一 ③ 川 - 口
④ 火 - 末 ⑤ 山 - 林

서술형

12 다음 한자들을 만든 원리를 설명하시오.

上 下 本 末

고난도

13 男에 대한 설명으로 적절하지 않은 것은?

① 한자의 음은 '남'이다.
② 한자가 만들어진 원리는 회의이다.
③ 田과 力을 합하여 만든 글자이다.
④ 忠과 한자가 만들어진 원리가 같다.
⑤ 밭에서 힘을 써서 일하는 '남자'를 뜻한다.

14 ㉠과 ㉡에 들어갈 한자의 뜻을 각각 쓰시오.

• 耳 + 門 → (㉠) • 人 + 主 → (㉡)

15 다음 〈조건〉을 모두 충족하는 한자는?

• 음은 '문'이다.
• 총획은 11획이다.
• 두 글자를 합하여 만든 글자이다.

① 男 ② 問 ③ 門 ④ 枝 ⑤ 聞

16 빈칸에 들어갈 한자의 음이 바른 것은?

水 + 主 → □

① 수 ② 우 ③ 주 ④ 구 ⑤ 휴

대단원 복합 문제

출제 유력

17 제시된 한자의 공통점을 〈보기〉에서 바르게 고른 것은?

林 明

보기

ㄱ. 음 ㄴ. 뜻 ㄷ. 부수
ㄹ. 회의자 ㅁ. 형성자 ㅂ. 총획수

① ㄱ, ㄴ ② ㄴ, ㄷ ③ ㄷ, ㅁ
④ ㄹ, ㅂ ⑤ ㅁ, ㅂ

고난도

18 한자에 대해 바르게 이해하고 있는 사람은?

① 하늘: 한국, 중국, 일본의 한자는 그 형태와 의미가 완전히 같아.
② 바다: 형성자는 음을 나타내는 한자가 부수가 되는 경우가 많아.
③ 잔디: 구체적인 사물의 모습을 본떠서 만든 글자를 지사자라고 하지.
④ 보라: 회의자는 추상적인 생각이나 뜻을 점이나 선으로 나타낸 글자야.
⑤ 슬기: 한자는 자전뿐 아니라 컴퓨터나 스마트폰을 이용해서도 찾을 수 있어.

교과서 20, 21쪽

II. 일상에서 만나는 어휘

이 단원을 통해

- 단어의 짜임을 구별한다.
- 한자로 이루어진 일상용어를 맥락에 맞게 활용한다.
- 한자로 이루어진 다른 교과 학습 용어를 맥락에 맞게 활용한다.
- 한문 기록에 담긴 선인들의 지혜, 사상 등을 이해하고, 현재적 의미에서 가치가 있는 것을 내면화하여 건전한 가치관과 바람직한 인성을 함양한다.
- 한문 기록에 담긴 우리의 전통문화를 바르게 이해하고, 미래 지향적인 새로운 문화 창조의 원동력으로 삼으려는 태도를 형성한다.

대단원 들여다보기

한글이 창제되기 전에는 한자를 이용하여 생활, 정서, 사상 등을 기록해 왔기 때문에, 우리가 사용하는 어휘에는 한자로 이루어진 것이 매우 많다. 가정생활이나 학교생활 등 일상에서 자주 접하는 한자 어휘를 익혀 바르게 사용해 보자.

입춘대길: 입춘에 크게 길하다.
건양다경: 따뜻한 봄(맑은 날)에 경사스러운 일이 많이 생기다.
立春大吉
建陽多慶

소단원 미리 보기

소단원	소단원 소개	소단원 학습 요소
03. 행복한 우리 집	가족 관련 한자와 어휘, 단어의 짜임(주술, 병렬)을 알아보는 단원이다.	• 가족과 관련된 한자와 어휘 • 단어의 짜임(주술 관계, 병렬 관계) • 일상용어
04. 사랑의 학교	학교 관련 한자와 어휘, 단어의 짜임(수식, 술목, 술보)을 알아보는 단원이다.	• 학교와 관련된 한자와 어휘 • 단어의 짜임(수식 관계, 술목 관계, 술보 관계) • 일상용어
05. 속담 속의 절기	속담을 통해 절기를 이해하고 관련 용어를 일상에서 활용하는 단원이다.	• 절기와 생활 • 일상용어 • 전통문화의 계승과 발전
06. 역사 속의 천간, 지지	천간과 지지가 결합된 방식을 이해하고 학습 용어를 배우는 단원이다.	• 간지와 생활 • 학습 용어 • 전통문화의 계승과 발전

03. 행복한 우리 집

○ 교과서 22, 23쪽

똑똑! 활동으로 열기

출제 유형
- 食口, 家族의 음과 뜻이 바르게 연결된 것은?
- 어휘에서 家의 뜻으로 알맞은 것은?
- 가족 관계를 나타내는 한자 어휘로 알맞은 것은?

식솔(食率), '가족(家族)', '식구(食口)'로 순화

한 집안에 딸린 구성원을 뭐라고 하지?

활동 1 다음과 같은 뜻을 지닌 어휘의 음을 써 보자.

(1) 한집에서 함께 살면서 끼니를 같이하는 사람
: 食口(식 구)

(2) 주로 부부를 중심으로 한, 친족 관계에 있는 사람들의 집단. 또는 그 구성원
: 家族(가 족)

집을 나타내는 한자인 家(가)에는 그 외에도 여러 가지 뜻이 있어.

활동 2 家(가)가 각각의 어휘에서 어떤 뜻으로 사용되었는지 연결해 보자.

[家의 여러 가지 뜻]
① 집 예 家屋(가옥)
② 가족, 가정 예 家寶(가보)
③ 전문가 예 作曲家(작곡가)
④ 조정 예 國家(국가)
⑤ 학자, 학파 예 法家(법가)

(1) 들판에 人家(인가) 몇 채가 드문드문 있다. — 집
사람이 사는 집

(2) 여행 중에 우연히 한 家庭(가정)의 초대를 받았다. — 가족, 집안
① 한 가족이 생활하는 집 ② 가까운 혈연관계에 있는 사람들의 생활 공동체

(3) 큰언니의 꿈은 시나리오 作家(작가)가 되는 거야. — 전문가
문학 작품, 사진, 그림, 조각 따위의 예술품을 창작하는 사람

新 한자 모아 보기

한자	음	뜻	부수	획수	총획
食	식	먹다	食	0	9
家	가	집	宀	7	10
族	족	겨레	方	7	11
庭	정	뜰	广	7	10
作	작	짓다	人(亻)	5	7

한자	음	뜻	부수	획수	총획
兄	형	맏	儿	3	5
弟	제	아우	弓	4	7
夫	부	남편	大	1	4
婦	부	아내	女	8	11
父	부	아버지	父	0	4

한자	음	뜻	부수	획수	총획
母	모	어머니	毋	1	5
姊	자	손위 누이	女	5	8
妹	매	손아래 누이	女	5	8
祖	조	할아버지	示	5	10

가족 관계를 나타내는 어휘에는 어떤 것들이 있지?

빈칸에 들어갈 어휘를 〈보기〉에서 찾아 써 보자.

(1) 남편과 아내
: 夫婦
부 부

(2) 아버지와 어머니
: 父母
부 모

(3) 할아버지와 할머니
: 祖父母
조 부 모

(4) 형과 남동생
: 兄弟
형 제

(5) 언니와 여동생
: 姊妹
자 매

(6) 오빠와 여동생
: 男妹
남 매

• 보기 • 兄弟(형제) 夫婦(부부) 父母(부모) 姊妹(자매) 男妹(남매) 祖父母(조부모)

※ 祖父(조부): 할아버지
祖母(조모): 할머니

배울 내용에 관하여 얼마나 알고 있는지 스스로 점검해 보자.

• 집, 가족을 나타내는 한자와 어휘를 알고 있는가?	☆☆☆☆☆
• 가족 관계를 나타내는 어휘를 알고 있는가?	☆☆☆☆☆

잘하는 부분은 발전시키고, 부족한 부분은 보완할 수 있도록 스스로 학습 계획을 세워 보자.

나는 이 단원에서 ___예 집, 가족을 나타내는 한자와 어휘 / 가족 관계를 나타내는 어휘___ 을/를 공부하겠다.

도움말 가정, 가족과 관련된 한자와 어휘를 묻는 활동을 통해 소단원 학습 내용에 관한 자신의 배경지식 정도를 스스로 점검해 본다. 또 이를 바탕으로 이 소단원에서 어떤 내용을 공부할지 스스로 계획을 세워 본다.

출제 유형

- 가족과 관련된 한자 어휘의 음과 뜻이 바르게 연결된 것은?
- 家和萬事成의 풀이로 알맞은 것은?
- 단어의 짜임이 나머지와 다른 하나는?
- 학습 용어와 일상용어의 예로 알맞은 것은?

학습 요소 ▪ 가족과 관련된 한자와 어휘 ▪ 단어의 짜임(주술 관계, 병렬 관계) ▪ 일상용어

03. 행복한 우리 집

○ 교과서 24, 25쪽

慈愛로우신 父母님,
(慈 자 사랑, 愛 애 사랑 / 父 부 아버지, 母 모 어머니)

孝誠스러운 子女들.
(孝 효 효도, 誠 성 정성 / 子 자 아들, 女 녀 여자(딸))

서로를 所重히 여기는 우리 家族.
(所 소 것(바), 重 중 귀중하다 / 家 가 집, 族 족 겨레)

우리 집의 가훈은 家和萬事成입니다.
(家 가 집, 和 화 화합하다, 萬 만 일만, 事 사 일, 成 성 이루다)

萬(만)은 '일만'이라는 수를 나타내기도 하지만, '매우 많음.'을 뜻하기도 함.
예 萬事(만사): '모든 일, 온갖 일'을 뜻함.

성어의 유래 子孝雙親樂(자효쌍친락), 家和萬事成(가화만사성).
→ 자식이 효도하면 양친이 즐거워하고, 집안이 화목하면 모든 일이 이루어진다. 『명심보감』「治家(치가)」

新 한자 모아 보기

한자	음	뜻	부수	획수	총획
慈	자	사랑	心	10	14
愛	애	사랑	心	9	13
孝	효	효도	子	4	7
所	소	것(바), 곳	戶	4	8
重	중	무겁다, 귀중하다	里	2	9
和	화	화합하다	口	5	8
萬	만	일만	艸(艹)	9	13
事	사	일, 섬기다	亅	7	8

스스로 확인

家和萬事成의 뜻은 무엇인가?

가정이 화목하면 모든 일이 이루어짐.

꼭꼭! 본문 다지기

교과서 26쪽

慈愛(자애). (아랫사람에게 베푸는) 사랑

父母(부모). 아버지와 어머니

孝誠(효성). 어버이를 섬기는 정성

子女(자녀). 아들과 딸

所重(소중). 귀중하게 여기는 것

家族(가족). 주로 부부를 중심으로 한, 친족 관계에 있는 사람들의 집단. 또는 그 구성원

家和萬事成(가화만사성). 집안이 화목하면 모든 일이 이루어짐.

- 父母(부모) ≒ 兩親(양친): 부친과 모친을 아울러 이르는 말 ('어버이'를 뜻함.)
- 女(녀)의 여러 가지 뜻
  - ① 여자 예 女子(여자): 여성으로 태어난 사람 ('사람'을 뜻함.)
  - ② 딸 예 母女(모녀): 어머니와 딸을 아울러 이르는 말
- 所(소): ~하는 것
- 重(중)의 여러 가지 뜻
  - ① 무겁다 예 輕重(경중): ① 가벼움과 무거움. 또는 가볍고 무거운 정도 ② 중요하지 않음과 중요함.
  - ② 귀중하다 예 所重(소중): 귀중하게 여기는 것

똑똑한 한문 지식

단어의 짜임에는 주술, 술목, 술보, 수식, 병렬 등이 있음.

단어의 짜임

(1) 주술 관계: 주어(서술어의 진술을 받는 대상)와 서술어(주어에 대해 진술하는 내용)의 관계로 이루어진 단어

예
- 家和(가화): 家[집안](주어) + 和[화목하다](서술어) → 집안이 화목함.
- 事成(사성): 事[일](주어) + 成[이루다](서술어) → 일이 이루어짐.
- 日出(일출): 日[해](주어) + 出[나다](서술어) → 해가 뜸.

(2) 병렬 관계: 성분이 같은 말들이 나란히 놓여 이루어진 단어

예
- 父母(부모): 父[아버지] + 母[어머니] → 아버지와 어머니 (서로 상대되는 뜻의 한자)
- 慈愛(자애): 慈[사랑] + 愛[사랑] → 사랑 (서로 비슷한 뜻의 한자)
- 夫婦(부부): 夫[남편] + 婦[아내] → 남편과 아내 (서로 상대되는 뜻의 한자)
- 子女(자녀): 아들과 딸

한자 어휘의 종류

(1) 일상용어: 보통으로 늘 쓰는 말

예
- 姓名(성명): 성과 이름
- 男子(남자): 남성으로 태어난 사람

(2) 학습 용어: 다른 교과에서 사용되는 어휘 중 해당 학문이나 전문 분야에서 특별한 뜻으로 사용되는 말

예
- 火山作用(화산작용): 땅속 깊은 곳에 있는 마그마가 지표 또는 지표 가까이에서 일으키는 작용
- 重力(중력): 지구 위의 물체가 지구로부터 받는 힘

新 한자 모아 보기

한자	음	뜻	부수	획수	총획
兩	량	두	入	6	8
親	친	친하다, 어버이	見	9	16
輕	경	가볍다	車	7	14
姓	성	성씨	女	5	8
山	산	산	山	0	3

한자	음	뜻	부수	획수	총획
用	용	쓰다	用	0	5
外	외	바깥	夕	2	5
寸	촌	마디	寸	0	3
結	결	맺다	糸	6	12
婚	혼	혼인하다	女	8	11

한자	음	뜻	부수	획수	총획
叔	숙	아저씨	又	6	8
曾	증	일찍, 거듭	日	8	12
孫	손	손자	子	7	10

쑥쑥! 실력 향상

○ 교과서 27쪽

생활 속 용어 활용

외증조할머니,
外三寸이 드디어 여자 친구와
結婚하네요.
신부
신랑
앞으로는 外三寸
여자 친구가 아니라
外叔母라고 불러야 해.
外叔母
아들 낳았대요.
曾孫子가 생기셨네요.
아기 덕분에
우리 家族이 활기가
넘치겠구나.

- 外三寸(외삼촌): 어머니의 남자 형제를 이르거나 부르는 말
- 結婚(결혼): 남녀가 정식으로 부부 관계를 맺음.
- 外叔母(외숙모): 외삼촌의 아내
- 曾孫子(증손자): 손자의 아들. 또는 아들의 손자
- 家族(가족): 주로 부부를 중심으로 한, 친족 관계에 있는 사람들의 집단. 또는 그 구성원

문제로 실력 확인

1. 가족 구성원을 나타내는 말을 한자로 써 보자.

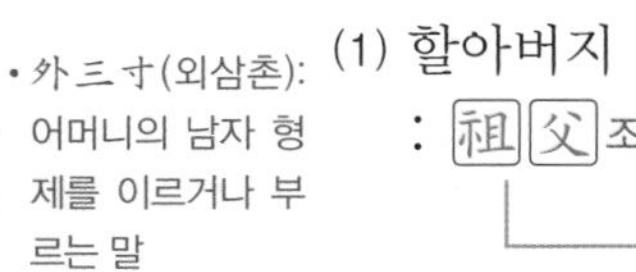

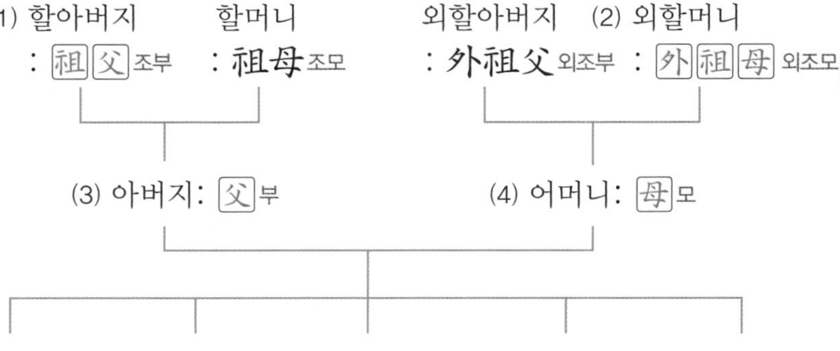

(1) 할아버지: 祖父 조부 / 할머니: 祖母 조모 / 외할아버지: 外祖父 외조부 / (2) 외할머니: 外祖母 외조모

(3) 아버지: 父 부 / (4) 어머니: 母 모

(5) 형/오빠: 兄 형 / (6) 누나/언니: 姉 자 / 나 / (7) 남동생: 弟 제 / (8) 여동생: 妹 매

2. 男妹와 단어의 짜임이 같은 것을 〈보기〉에서 모두 찾아 ○ 표시를 해 보자.

男妹 └ 병렬 관계

• 보기 • 慈愛(자애) 父母(부모) 子女(자녀) 家和(가화) 事成(사성)

(정답: 慈愛, 父母, 子女에 ○ 표시 / 家和, 事成 └ 주술 관계)

창의형

3. 가족의 사랑을 다룬 영화나 드라마를 찾아 줄거리를 소개해 보자.

예시

- 제목: 「괴물」
- 줄거리: 한강에서 매점을 운영하는 현서 가족. 어느 날 한강에 괴물이 나타났다. 괴물을 피해 도망하느라 아수라장이 된 상황에서 현서가 사라진다. 괴물 때문에 한강의 곳곳이 폐쇄되지만 할아버지, 아버지, 삼촌, 고모는 현서를 찾아 나서는데…….

결국, 현서는 괴물 때문에 죽지만, 아버지는 현서와 함께 도망쳤던 아이를 데려와 가족으로 함께 살게 된다.

소단원 자기 점검

학업 성취도를 스스로 점검해 보자.

	잘함	보통	노력 필요
• 가족과 관련된 한자와 어휘를 알고 활용할 수 있는가?			
• 단어의 짜임(주술 관계, 병렬 관계)을 이해하고 구별할 수 있는가?			

▢ 교과서 22~26쪽 다시 읽기 ▢ 교과서 26쪽 '똑똑한 한문 지식' 다시 읽기

도움말 소단원 학습이 끝나면 소단원의 학습 목표에 해당하는 질문에 답하며 자신의 학업 성취를 스스로 점검해 본다. 성취 목표에 도달하지 못한 경우에는 제시된 위치로 돌아가서 내용을 다시 읽고 공부하도록 한다.

소단원 스스로 정리

정답과 해설 286쪽

• 한자, 음, 뜻, 부수의 순서로 제시

1. 한자

食 (식) 먹다 [食]
❶ ☐ (가) 집 [宀]
族 (족) 겨레 [方]
庭 (정) ❷ ☐ [广]
作 (작) 짓다 [人(亻)]
兄 (형) 맏 [儿]
弟 (제) 아우 [弓]
夫 (부) 남편 [大]
❸ ☐ (부) 아내 [女]
父 (부) 아버지 [父]
母 (모) 어머니 [毋]
姊 ❹ ☐ 손위 누이 [女]

妹 ❺ ☐ 손아래 누이 [女]
祖 (조) ❻ ☐☐☐☐ [示]
慈 (자) 사랑 [心]
愛 (애) 사랑 [心]
❼ ☐ (효) 효도 [子]
所 (소) 것(바), 곳 [戶]
重 (중) 무겁다, 귀중하다 [里]
和 (화) 화합하다 [口]
萬 (만) 일만 [艸(艹)]
❽ ☐ (사) 일, 섬기다 [亅]
兩 (량) 두 [入]
親 ❾ ☐ 친하다, 어버이 [見]

輕 (경) 가볍다 [車]
姓 (성) 성씨 [女]
山 (산) 산 [山]
❿ ☐ (용) 쓰다 [用]
外 (외) 바깥 [夕]
寸 (촌) 마디 [寸]
結 (결) 맺다 [糸]
婚 (혼) 혼인하다 [女]
叔 (숙) 아저씨 [又]
曾 (증) 일찍, 거듭 [日]
孫 (손) 손자 [⓫ ☐]

2. 어휘

(1) ❶ ☐☐(식구): 한 집에서 함께 살면서 끼니를 같이 하는 사람
(2) 家族(❷ ☐☐): 주로 부부를 중심으로 한, 친족 관계에 있는 사람들의 집단. 또는 그 구성원
(3) ❸ ☐☐(가정): 한 가족이 생활하는 집, 가까운 혈연관계에 있는 사람들의 생활 공동체
(4) ❹ ☐☐(부부): 남편과 아내
(5) 父母(❺ ☐☐): 아버지와 어머니
(6) 祖父母(❻ ☐☐☐): 할아버지와 할머니
(7) ❼ ☐☐(형제): 형과 남동생
(8) 姊妹(❽ ☐☐): 언니와 여동생
(9) ❾ ☐☐(남매): 오빠와 여동생

3. 본문

❶ ☐☐(자애)로우신 父母(부모)님, 孝誠(❷ ☐☐)스러운 子女(자녀)들.	❶ ☐☐(자애): 아랫사람에게 베푸는 사랑 孝誠(❷ ☐☐): 어버이를 섬기는 정성
서로를 所重(❸ ☐☐)히 여기는 우리 家族(가족).	所重(❸ ☐☐): 귀중하게 여기는 것
우리 집의 가훈은 家和萬事成(가화만사성)입니다.	家和萬事成(가화만사성): 집안이 ❹ ☐☐하면 모든 ❺ ☐이 이루어짐.

4. 단어의 짜임

(1) ❶ ☐☐ 관계: 주어와 서술어의 관계로 이루어진 단어 — 예 家和(가화), 事成(사성) (집안이 화목하다 / 일이 이루어지다)
(2) ❷ ☐☐ 관계: 성분이 같은 말들이 나란히 놓여 이루어진 단어 — 예 父母(부모), 慈愛(자애) (아버지·어머니 / 사랑·사랑)

소단원 확인 문제

01 다음 표의 ㉠~㉢에 들어갈 말을 쓰시오.

모양	㉠	孝	和
소리	제	㉡	화
뜻	아우	효도	㉢

02 한자의 음과 뜻이 바르게 연결된 것은?

① 事(사) 일 ② 所(자) 사랑
③ 寸(식) 먹다 ④ 夫(부) 아내
⑤ 曾(조) 할아버지

출제 유력

03 밑줄 친 한자의 뜻을 〈보기〉에서 찾아 쓰시오.

(1) 이곳은 人家에서 멀리 떨어져 있다.

(2) 우리는 결혼해서 단란한 家庭을 이루었다.

(3) 젊은 作家들이 모여 공동 전시회를 열었다.

보기
집 가족 전문가

04 빈칸에 들어갈 한자로 가장 적절한 것은?

□父: 할아버지

① 妹 ② 重 ③ 孫 ④ 祖 ⑤ 外

05 한자 어휘의 독음이 바른 것은?

① 慈愛(경애) ② 叔母(조모)
③ 孝誠(정성) ④ 兩親(양친)
⑤ 結婚(혼인)

06 한자 어휘의 뜻이 바른 것은?

① 兩親: 좋은 부모
② 輕重: 길고 짧음.
③ 曾孫子: 외할아버지
④ 所重: 귀중하게 여기는 것
⑤ 祖父母: 어머니와 아버지

07 다음 설명에 해당하는 한자 어휘로 가장 적절한 것은?

한집에서 함께 살면서 끼니를 같이하는 사람

① 食口 ② 家族 ③ 家庭
④ 曾孫子 ⑤ 祖父母

08 빈칸에 공통적으로 들어갈 한자 어휘로 적절한 것은?

- '어버이날'은 □□의 사랑을 기념하여 제정한 날이다.
- 자식을 길러 보아야 비로소 □□의 은혜를 알 수 있다.

① 兄弟 ② 姉妹 ③ 父母
④ 夫婦 ⑤ 孫子

09 빈칸에 공통적으로 들어갈 한자 어휘를 쓰시오.

- 그는 슬하에 □□이/가 세 명 있다.
- □□은/는 아들과 딸을 지칭하는 말이다.

출제 유력

10 다음 뜻에 해당하는 한자 어휘가 잘못 연결된 것은?

① 성과 이름 – 姓名
② 어머니와 딸 – 母女
③ 어머니의 남자 형제 – 外三寸
④ 한 가족이 생활하는 집 – 家族
⑤ 남녀가 정식으로 부부 관계를 맺음. – 結婚

[11-14] 다음 글을 읽고 물음에 답하시오.

> ㉠<u>慈愛</u>로우신 父母님,
> 孝誠스러운 子女들.
> 서로를 ㉡<u>所重</u>히 여기는 우리 ㉢<u>가족</u>.
> 우리 집의 가훈은 ㉣<u>家和萬事成</u>입니다.

11 ㉠의 단어의 짜임을 쓰시오.

12 ㉡의 독음이 바른 것은?

① 효도　② 화목　③ 중요
④ 효성　⑤ 소중

13 ㉢을 한자로 바르게 표기한 것은?

① 姊妹　② 家族　③ 兄弟
④ 親族　⑤ 親家

서술형

14 ㉣의 풀이를 쓰시오.

출제 유력

15 단어의 짜임이 나머지와 <u>다른</u> 하나는?

① 父母　② 事成　③ 夫婦
④ 子女　⑤ 兄弟

16 다음 내용에 해당하는 단어로 짝지어진 것은?

> 주어와 서술어의 관계로 이루어진 단어

① 日出, 家和　② 男女, 父母
③ 男妹, 姊妹　④ 慈愛, 事成
⑤ 母女, 輕重

17 한자 어휘의 활용이 적절한 것은?

① 형과 나는 사이좋은 男妹이다.
② 언니와 나는 사이좋은 兄第이다.
③ 할아버지와 아버지는 祖孫관계이다.
④ 소식을 듣고 萬事 제쳐놓고 병원에 갔다
⑤ 외삼촌의 부인은 外叔父라고 불러야 한다.

[18-21] 다음 가족 관계도를 보고 물음에 답하시오.

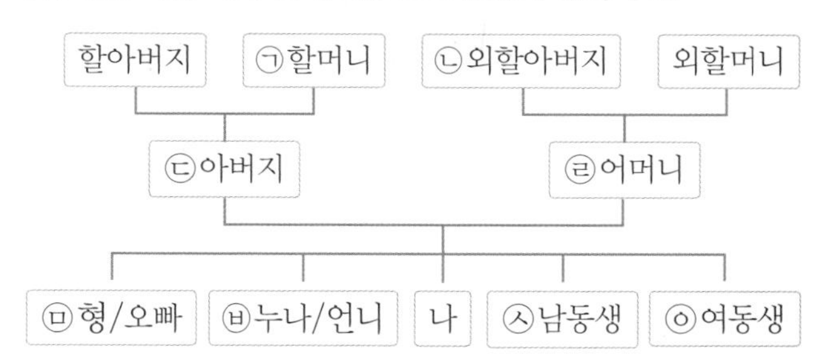

18 ㉠과 ㉡을 나타내는 한자 어휘가 바르게 연결된 것은?

	㉠	㉡		㉠	㉡
①	祖母	外祖父	②	祖母	外祖母
③	祖父	外祖母	④	祖父	外祖父
⑤	祖孫	祖父母			

19 ㉢과 ㉣의 관계를 나타내는 한자 어휘로 알맞은 것은?

① 兄弟　② 祖孫　③ 男妹
④ 子女　⑤ 夫婦

20 ㉤과 ㉧의 관계를 나타내는 어휘를 한자로 쓰시오.

21 ㉥과 ㉦을 나타낸 한자가 바르게 연결된 것은?

	㉥	㉦		㉥	㉦
①	兄	婦	②	姊	弟
③	姊	兄	④	妹	弟
⑤	妹	兄			

04. 사랑의 학교 ○ 교과서 28, 29쪽

똑똑! 활동으로 열기

출제 유형

- 학교와 관련된 한자 어휘의 빈칸에 공통으로 들어갈 한자로 알맞은 것은?
- 학교와 관련된 한자 어휘의 뜻이 바르게 연결된 것은?

學(학)이라는 한자는 학교생활과 관련이 많아. 學(학)이 앞에 오는 어휘에는 어떤 것이 있을까?

활동 1 〈보기〉에서 한자를 골라 빈칸에 넣어 어휘를 만들어 보자.

(1) 배우는 곳: 學校(학교)　(2) 배우는 사람: 學生(학생)　(3) 배우는 일: 學業(학업)

• 보기 • 業업　校교　生생

- 學校: 일정한 목적·교과 과정·설비·제도 및 법규에 의하여 교사가 계속적으로 학생에게 교육을 실시하는 기관
- 學生: 학교에 다니면서 공부하는 사람
- 學業: ① 공부하여 학문을 닦는 일 ② 주로 학교에서 일반 지식과 전문 지식을 배우기 위하여 공부하는 일

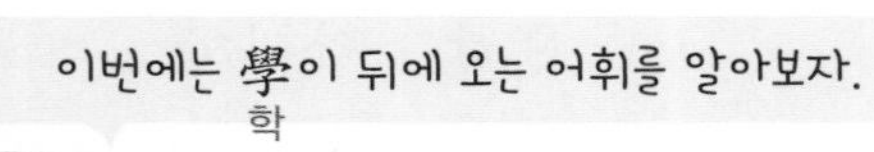

이번에는 學(학)이 뒤에 오는 어휘를 알아보자.

활동 2 앞의 한자 뒤에 學(학)을 연결하여 어휘를 만들어 보자.

(1) 入입　(2) 開개　(3) 放방

㉠ 放學(방학): 일정 기간 동안 수업을 쉬는 일

㉡ 入學(입학): 학교에 들어감.

㉢ 開學(개학): 한동안 쉬었다가 다시 수업을 시작함.

[樂의 여러 가지 음과 뜻]
- (락) 즐겁다 예 苦樂(고락): 괴로움과 즐거움
- (악) 노래 예 農樂(농악): 농부들의 음악
- (요) 좋아하다 예 樂山樂水(요산요수): 산을 좋아하고 물을 좋아함.

新 한자 모아 보기

한자	음	뜻	부수	획수	총획
學	학	배우다	子	13	16
業	업	일	木	9	13
校	교	학교	木	6	10
生	생	낳다, 살다, 사람	生	0	5
入	입	들다	入	0	2
開	개	열다	門	4	12

한자	음	뜻	부수	획수	총획
放	방	놓다	攴(攵)	4	8
教	교	가르치다	攴(攵)	7	11
室	실	집, 방	宀	6	9
運	운	옮기다, 움직이다	辵(辶)	9	13

한자	음	뜻	부수	획수	총획
動	동	움직이다	力	9	11
場	장	마당	土	9	12
樂	락	즐겁다	木	11	15
	악	노래			
	요	좋아하다			

우리 학교에는 어떤 장소들이 있을까?

활동 3 장소를 나타내는 한자 어휘를 〈보기〉에서 찾아 써 보자.

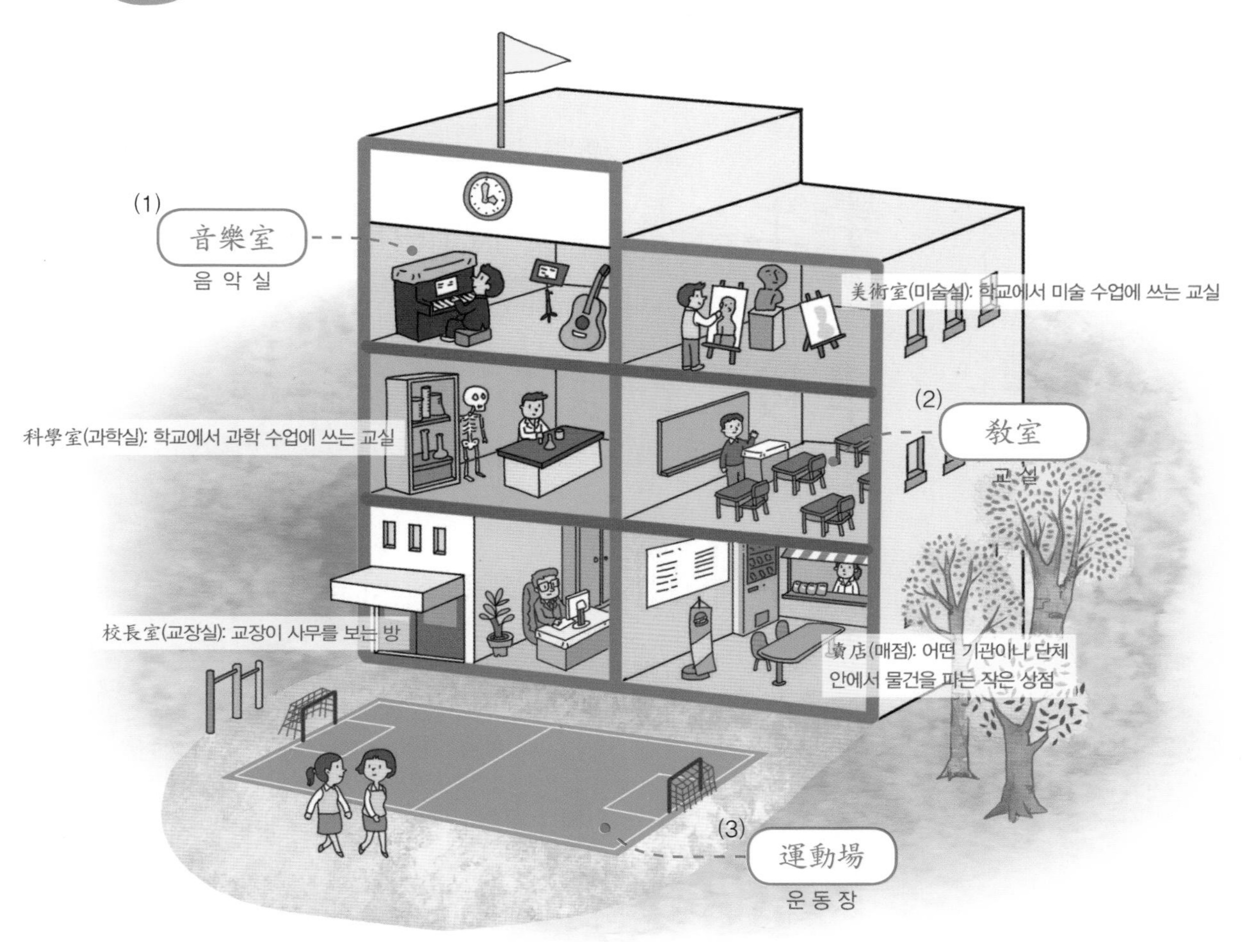

·보기·	教室 (교실)	運動場 (운동장)	音樂室 (음악실)
	유치원, 초등학교, 중·고등학교에서 학습 활동이 이루어지는 방	체조, 운동 경기, 놀이 따위를 할 수 있도록 여러 가지 기구나 설비를 갖춘 넓은 마당	학교에서 음악 수업에 쓰는 교실

소단원 학습 계획

배울 내용에 관하여 얼마나 알고 있는지 스스로 점검해 보자.

• 학교와 관련된 한자와 어휘를 알고 있는가?	☆☆☆☆☆
• 교육 활동이 이루어지는 장소를 알고 있는가?	☆☆☆☆☆

잘하는 부분은 발전시키고, 부족한 부분은 보완할 수 있도록 스스로 학습 계획을 세워 보자.

나는 이 단원에서 ⓔ 학교와 관련된 한자와 어휘, 교육 활동이 이루어지는 장소 을/를 공부하겠다.

도움말 학교와 관련된 한자와 어휘, 학교의 장소 등을 묻는 활동을 통해 소단원 학습 내용에 대한 자신의 배경지식 정도를 스스로 점검해 본다. 또 이를 바탕으로 이 소단원에서 어떤 내용을 공부할지 스스로 계획을 세워 본다.

학습 요소 ■ 학교와 관련된 한자와 어휘 ■ 단어의 짜임(수식 관계, 술목 관계, 술보 관계) ■ 일상용어

출제 유형

- 학교와 관련된 한자 어휘의 뜻이 바르게 연결된 것은?
- 教學相長에 대한 설명이 바른 것은?
- 한자 어휘의 표기가 바르지 않은 것은?

04. 사랑의 학교

교과서 30, 31쪽

教師(교사: 가르치다 스승)는 사랑으로 學生(학생: 배우다 사람)을 가르치고,

學生(학생: 배우다 사람)은 感謝(감사: 느끼다 사례하다)하는 마음으로 배우는 곳.

學校(학교: 배우다 학교)는 師弟同行(사제동행: 스승 제자 함께 다니다)을 통해

教學相長(교학상장: 가르치다 배우다 서로 자라다)이 이루어지는 곳입니다.

성어의 유래 옥은 쪼지 않으면 그릇이 되지 못하고, 사람은 배우지 않으면 도를 모른다. 이런 까닭으로 옛날에 왕이 된 자는 나라를 세우고 백성들에게 임금 노릇을 함에 교(教)와 학(學)을 우선으로 삼았다. 비록 좋은 안주가 있더라도 먹지 않으면 그 맛을 알지 못하고, 비록 지극한 도가 있더라도 배우지 못하면 그 좋음을 모른다. 이런 까닭으로 배운 후에 부족함을 알고 가르친 후에야 막힘을 알게 된다. 부족함을 안 후에 스스로 반성할 수 있고, 막힘을 안 후에 스스로 힘쓸 수 있으니, 그러므로 말하기를 "남을 가르치는 일과 스승에게서 배우는 일이 서로 도와서 자기의 학업을 증진시킨다."라고 한다. 『예기(禮記)』

新 한자 모아 보기

한자	음	뜻	부수	획수	총획
師	사	스승	巾	7	10
感	감	느끼다	心	9	13
謝	사	사례하다	言	10	17
同	동	같다, 함께	口	3	6
行	행	다니다, 행하다	行	0	6
相	상	서로	目	4	9
長	장	길다, 자라다	長	0	8

스스로 확인

'가르치는 것과 배우는 것은 서로 자라게 함.'이라는 뜻의 한자 어휘는 무엇인가?

教學相長
교 학 상 장

꼭꼭! 본문 다지기

교과서 32쪽

教師(교사). 가르치는 스승

學生(학생). 배우는 사람

感謝(감사). (고마움을) 느끼어 사례함.

學校(학교). 배우는 곳

師弟同行(사제동행). 스승과 제자가 함께 감.
스승과 제자가 한마음으로 연구하여 나아감.'의 뜻으로 쓰이기도 함.

[行의 여러 가지 음과 뜻]
① 다니다 (행) 예 通行(통행)
② 행하다 (행) 예 行動(행동)
③ 가게 (행) 예 銀行(은행)
④ 줄 (항) 예 行列(항렬)

教學相長(교학상장). 가르치는 것과 배우는 것은 서로 자라게 함.
① 사람에게 가르쳐 주거나 스승에게 배우거나 모두 자신의 학업을 증진시킴.
② 가르치는 일과 배우는 일이 서로 자신의 공부를 진보(進步)시킴.

똑똑한 한문 지식 단어의 짜임

(1) **수식 관계**: 수식어와 피수식어의 관계로 이루어진 단어

예
- 教室(교실): 教[가르치다](수식어) + 室[방](피수식어): 가르치는 방
- 同行(동행): 同[함께](수식어) + 行[가다](피수식어): 함께 감.
- 學生(학생): 學[배우다](수식어) + 生[사람](피수식어): 배우는 사람

(2) **술목 관계**: 서술어와 목적어의 관계로 이루어진 단어

예
- 好學(호학): 好[좋아하다](서술어) + 學[배우다](목적어): 배움을 좋아함.
- 讀書(독서): 讀[읽다](서술어) + 書[책](목적어): 책을 읽음.
- 放學(방학): 放[놓다](서술어) + 學[배우다](목적어): 수업을 쉼.

※ • 술목 관계는 어순이 우리말과 다른데, 목적어를 먼저 새기고, 서술어를 나중에 새김.
• 목적어는 풀이할 때, 대부분 '~을/를'로 풀이됨.

(3) **술보 관계**: 서술어와 보어의 관계로 이루어진 단어

예
- 多情(다정): 多[많다](서술어) + 情[정](보어): 정이 많음.
- 難解(난해): 難[어렵다](서술어) + 解[풀다](보어): 풀기가 어려움.
- 入學(입학): 入[들다](서술어) + 學[배우다](보어): 학교에 들어감.

※ 술보 관계는 어순이 우리말과 다른데 보어를 먼저 새기고, 서술어를 나중에 새김. 국어 문법에서 '되다, 아니다' 앞에 나오는 말을 보어라 하지만 한문에서는 국어 문법에서와 다른 개념임.

- 生(생)의 여러 가지 뜻
  ① 낳다 예 生產(생산)
  ② 살다, 삶 예 人生(인생)
  ③ 사람 예 學生(학생)

- 謝(사)의 여러 가지 뜻
  ① 사례하다 예 感謝(감사)
  ② 사과하다 예 謝罪(사죄)

- 弟(제)의 여러 가지 뜻
  ① 아우 예 兄弟(형제)
  ② 제자 예 弟子(제자)

- 長(장)의 여러 가지 뜻
  ① 길다 예 長短(장단)
  ② 어른 예 家長(가장)
  ③ 우두머리 예 室長(실장)
  ④ 자라다 예 成長(성장)
  ⑤ 잘하다 예 長技(장기)

- 生產(생산): ① 인간이 생활하는 데 필요한 각종 물건을 만들어 냄. ② 아이나 새끼를 낳는 일을 예스럽게 이르는 말
- 人生(인생): ① 사람이 세상을 살아가는 일 ② 어떤 사람과 그의 삶 모두를 낮잡아 이르는 말 ③ 사람이 살아 있는 기간
- 謝罪(사죄): 지은 죄나 잘못에 대하여 용서를 빎.
- 兄弟(형제): 형과 아우를 아울러 이르는 말
- 弟子(제자): 스승으로부터 가르침을 받거나 받은 사람
- 長短(장단): ① 길고 짧음. ② 장단점
- 家長(가장): 한 가정을 이끌어 나가는 사람
- 室長(실장): 연구실, 분실 따위의 '실' 자가 붙은 부서의 우두머리
- 成長(성장): 사람이나 동식물 따위가 자라서 점점 커짐.
- 長技(장기): 가장 잘하는 재주

- 수식어: 뒤에 오는 말을 꾸며 주는 말
- 피수식어: 앞에 오는 말의 꾸밈을 받는 말
- 목적어: (동작, 행위, 소유를 나타내는) 서술어의 대상이 되는 말 예 有[있다 (유)], 無[없다 (무)]
- 보어: (동작, 행위, 상태를 나타내는) 서술어를 보충하여 부족한 뜻을 완전하게 해 주는 말

新 한자 모아 보기

한자	음	뜻	부수	획수	총획
產	산	낳다	生	6	11
罪	죄	허물	网(罒)	8	13
短	단	짧다	矢	7	12
技	기	재주	手(扌)	4	7

한자	음	뜻	부수	획수	총획
讀	독	읽다	言	15	22
	두	구절			
書	서	책, 글	曰	6	10
多	다	많다	夕	3	6
情	정	뜻	心(忄)	8	11
難	난	어렵다	隹	11	19

한자	음	뜻	부수	획수	총획
解	해	풀다	角	6	13
登	등	오르다, 나가다	癶	7	12
席	석	자리	巾	7	10
質	질	바탕	貝	8	15
番	번	차례	田	7	12

쑥쑥! 실력 향상

○ 교과서 33쪽

생활 속 용어 활용

모두 登校했나요? 出席 점검할게요.

• 登校(등교): 학생이 학교에 감.

• 出席(출석): 어떤 자리에 나아가 참석함.

姓名을 부르면 대답해 주세요. 강민지?
네!

• 姓名(성명): 성과 이름을 아울러 이르는 말. 성은 가계(家系)의 이름이고, 명은 개인의 이름임.

자, 오늘 수업은 여기까지. 質問 있나요?

• 質問(질문): 알고자 하는 바를 얻기 위해 물음.

3番 문제 한 번만 더 설명해 주세요.

• 番(번): 어떤 범주에 속한 사람이나 사물의 차례를 나타내는 단위

문제로 실력 확인

1. 밑줄 친 구절의 뜻이 드러나도록 빈칸에 알맞은 어휘를 한자로 써 보자.

끼 있는 스승, 꿈 있는 제자의 열띤 공연

사랑 중학교는 최근 학생, 학부모, 교직원이 모인 가운데 '제 3회 [師][弟][同][行] 작은 문화제'를 열었다. 평소 학업으로 바쁜 학생들이 문화 활동을 통해 정서를 순화하고 인성을 함양하며, 즐겁고 뜻있는 여가 시간을 가질 수 있도록 기획된 행사이다. 이날 행사에서는 <u>학생과 교사가 함께 무대를 꾸며</u> 지켜보는 이들에게 큰 웃음과 감동을 선사했다.

— 사제동행: 스승과 제자가 함께 감.

2. 단어의 짜임이 같은 것끼리 연결해 보자.

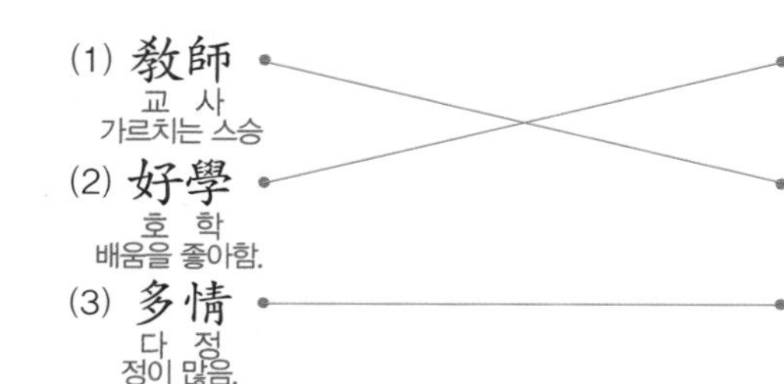

(1) 教師 (교사) 가르치는 스승

(2) 好學 (호학) 배움을 좋아함.

(3) 多情 (다정) 정이 많음.

㉠ 讀書 (독서) 책을 읽음. — 서술어와 목적어의 관계 → 술목 관계

㉡ 學生 (학생) 배우는 사람 — 수식어와 피수식어의 관계 → 수식 관계

㉢ 難解 (난해) 풀기가 어려움. — 서술어와 보어의 관계 → 술보 관계

[정답] (1) — ㉡, (2) — ㉠, (3) — ㉢

창의형

3. 〈보기〉의 어휘를 3개 이상 활용하여 우리 학교를 소개하는 글을 지어 보자.

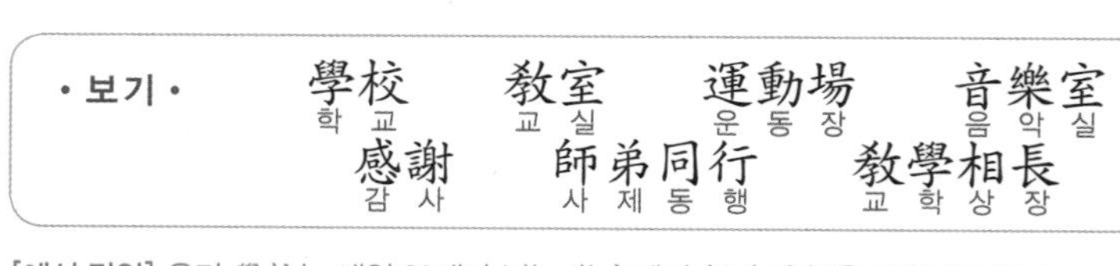
• 보기 • 學校(학교) 教室(교실) 運動場(운동장) 音樂室(음악실) 感謝(감사) 師弟同行(사제동행) 教學相長(교학상장)

[예시 답안] 우리 學校는 매일 30개가 넘는 教室에서 師弟同行을 실천하고 있다.

소단원 자기 점검

학업 성취도를 스스로 점검해 보자.

• 학교와 관련된 한자와 어휘를 알고 활용할 수 있는가?	잘함 / 보통 / 노력 필요
• 단어의 짜임(수식 관계, 술목 관계, 술보 관계)을 이해하고 구별할 수 있는가?	잘함 / 보통 / 노력 필요

▢ 교과서 28~32쪽 다시 읽기 ▢ 교과서 32쪽 '똑똑한 한문 지식' 다시 읽기

도움말 소단원 학습이 끝나면 소단원의 학습 목표에 해당하는 질문에 답하며 자신의 학업 성취도를 스스로 점검해 본다. 성취 목표에 도달하지 못한 경우에는 제시된 위치로 돌아가서 내용을 다시 읽고 공부하도록 한다.

소단원 스스로 정리

정답과 해설 287쪽

1. 한자

• 한자, 음, 뜻, 부수의 순서로 제시

❶□ (학) 배우다 [子]
業 ❷□ 일 [木]
校 (교) 학교 [木]
❸□ (생) 낳다, 살다, 사람 [生]
入 (입) 들다 [入]
開 (개) ❹□□ [門]
放 (방) 놓다 [攴(攵)]
教 ❺□ 가르치다 [攴(攵)]
室 (실) 집, 방 [宀]
運 (운) 옮기다, 움직이다 [辵(辶)]
動 (동) 움직이다 [力]
場 ❻□ 마당 [土]

❼□ (락) 즐겁다, (악) 노래, (요) 좋아하다 [木]
師 (사) 스승 [巾]
感 (감) 느끼다 [心]
謝 (사) 사례하다 [❽□]
同 ❾□ 같다, 함께 [口]
行 (행) 다니다, 행하다 [行]
相 (상) 서로 [目]
長 (장) 길다, 자라다 [❿□]
産 (산) 낳다 [生]
罪 (죄) 허물 [网(罒)]
短 (단) 짧다 [矢]

技 (기) 재주 [手(扌)]
讀 (독) 읽다, (두) 구절 [言]
書 ⓫□ 책, 글 [曰]
多 (다) 많다 [夕]
情 (정) 뜻 [心(忄)]
難 ⓬□ 어렵다 [隹]
解 (해) 풀다 [角]
登 (등) 오르다, 나가다 [癶]
席 (석) 자리 [巾]
質 (질) 바탕 [貝]
番 (번) 차례 [田]

2. 어휘

(1) 學業(❶□□): 배우는 일
(2) ❷□□(입학): 학교에 들어감.
(3) 放學(❸□□): 일정 기간 동안 수업을 쉬는 일
(4) 開學(❹□□): 한동안 쉬었다가 다시 수업을 시작함.
(5) ❺□□(등교): 학생이 학교에 감.
(6) 質問(❻□□): 알고자 하는 바를 얻기 위해 물음.

3. 본문

教師(❶□□)는 사랑으로 ❷□□(학생)을 가르치고, ❷□□(학생)은 感謝(❸□□)하는 마음으로 배우는 곳.	• 教師(❶□□): 가르치는 스승 • ❷□□(학생): 배우는 사람 • 感謝(❸□□): 고마움을 느끼어 사례함.
❹□□(학교)는 師弟同行(❺□□□□)을 통해 教學❻□□(교학상장)이 이루어지는 곳입니다.	• ❹□□(학교): 배우는 곳 • 師弟同行(❺□□□□): 스승과 제자가 함께 감. • 教學❻□□(교학상장): 가르치는 것과 배우는 것은 서로 자라게 함.

4. 단어의 짜임

(1) ❶□□ 관계: 수식어와 피수식어의 관계로 이루어진 단어 예 教室(교실), 同行(동행)
(2) ❷□□ 관계: 서술어와 목적어의 관계로 이루어진 단어 예 好學(호학), 讀書(독서)
(3) 술보 관계: 서술어와 ❸□□의 관계로 이루어진 단어 예 多情(다정), 難解(난해)

소단원 확인 문제

01 한자의 음이 같은 한자끼리 짝지어진 것은?

① 同 – 行　② 生 – 長　③ 動 – 場
④ 敎 – 校　⑤ 多 – 技

02 한자의 음과 뜻이 바르게 연결되지 않은 것은?

① 業 (업) 일　② 相 (상) 서로
③ 室 (교) 학교　④ 感 (감) 느끼다
⑤ 登 (등) 오르다

03 다음은 퍼즐의 일부이다. ㉠에 들어갈 한자는?

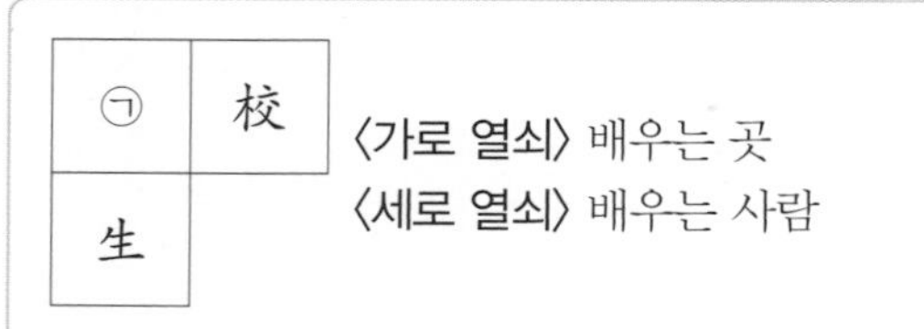

㉠
校
生
〈가로 열쇠〉 배우는 곳
〈세로 열쇠〉 배우는 사람

① 敎　② 學　③ 長　④ 弟　⑤ 師

출제 유력

04 ㉠~㉢에 들어갈 한자가 바르게 연결된 것은?

> ㉠□學: 학교에 들어감.
> ㉡□學: 일정 기간 동안 수업을 쉬는 일
> ㉢□學: 한동안 쉬었다가 다시 수업을 시작함.

	㉠	㉡	㉢
①	入	登	敎
②	入	放	開
③	放	開	入
④	放	入	登
⑤	登	敎	放

05 한자 어휘의 독음이 바른 것은?

① 學業: 학교　② 敎學: 교학
③ 敎室: 교장　④ 運動場: 음악실
⑤ 音樂室: 운동장

[6-8] 다음 글을 읽고 물음에 답하시오.

> ㉠敎師은/는 사랑으로 ㉡學生을/를 가르치고,
> 學生은 ㉢감사하는 마음으로 배우는 곳.

06 ㉠과 ㉡의 독음이 모두 바른 것은?

	㉠	㉡		㉠	㉡
①	교사	학생	②	교사	공부
③	교실	학생	④	교실	공부
⑤	학교	선생			

07 ㉢을 한자로 바르게 표기한 것은?

① 人生　② 謝罪　③ 生産
④ 成長　⑤ 感謝

08 ㉠과 ㉡에 들어갈 한자를 순서대로 쓰시오.

> • 師(㉠)同(㉡)
> • 풀이: 스승과 제자가 함께 감.

출제 유력

09 다음 글을 읽고 해당하는 한자 성어의 한자와 독음을 쓰시오.

> 배운 후에 부족함을 알고 가르친 후에야 막힘을 알게 된다. 부족함을 안 후에 스스로 반성할 수 있고, 막힘을 안 후에 스스로 힘쓸 수 있으니, 그러므로 말하기를 "남을 가르치는 일과 스승에게서 배우는 일이 서로 도와서 자기의 학업을 증진시킨다."라고 한다.

[10-13] 다음 글을 읽고 물음에 답하시오.

(가) 서술어와 목적어의 관계로 이루어진 단어
  예 ㉠讀書
(나) 수식어와 피수식어의 관계로 이루어진 단어
  예 ㉡同行
(다) 서술어와 보어의 관계로 이루어진 단어
  예 ㉢多情

10 (가)의 설명에 해당하는 단어의 짜임은?

① 수식 관계 ② 병렬 관계 ③ 주술 관계
④ 술목 관계 ⑤ 술보 관계

출제 유력

11 (나)의 예로 추가하기에 알맞은 것은?

① 師弟 ② 長短 ③ 好學
④ 難解 ⑤ 教室

12 ㉠과 ㉡의 독음이 모두 바른 것은?

	㉠	㉡		㉠	㉡
①	다독	동행	②	독서	동행
③	다독	학업	④	독서	학업
⑤	학업	교학			

13 ㉢의 풀이로 알맞은 것은?

① 정이 많다. ② 책을 읽다.
③ 배움을 좋아하다. ④ 풀기가 어렵다.
⑤ 가르치고 배우다.

14 다음 내용과 가장 관련 있는 한자 어휘는?

- 만 권의 책을 읽고, 만 리 길을 여행하라.
- 책 없는 집은 영혼 없는 몸뚱이와 같다.
- 좋은 책을 읽는 것은 수많은 고상한 사람과 대화를 나누는 것과 같다.

① 讀書 ② 教師 ③ 難解
④ 好學 ⑤ 多情

[15-18] 다음 글을 읽고 물음에 답하시오.

선생님: 모두 ㉠登校했나요? 이제 ㉡出席 점검할게요. ㉢학생의 ㉣성명을 부르면 대답해 주세요.
〈중략〉
선생님: 자, 수업은 여기까지! ㉤質問 있나요?
학생: 선생님, 5㉮번 문제 다시 설명해 주세요.

15 ㉠과 ㉡의 독음으로 적절한 것은?

	㉠	㉡		㉠	㉡
①	등교	좌석	②	하교	좌석
③	등교	출석	④	하교	출석
⑤	학교	출입			

16 ㉢과 ㉣의 한자 표기가 모두 바른 것은?

	㉢	㉣		㉢	㉣
①	學生	成名	②	教生	姓名
③	教生	成名	④	學生	姓名
⑤	學業	教室			

17 ㉤의 풀이로 알맞은 것은?

① 성과 이름
② 배우는 사람
③ 학생이 학교에 감.
④ 어떤 자리에 나아가 참석함.
⑤ 알고자 하는 바를 얻기 위해 물음.

18 ㉮를 한자로 바르게 표기한 것은?

① 姓 ② 名 ③ 室 ④ 相 ⑤ 番

05. 속담 속의 절기

○ 교과서 34, 35쪽

똑똑! 활동으로 열기

출제 유형
- 한자 어휘의 독음이 바른 것은?
- 빈칸에 들어갈 절기로 알맞은 것은?
- 다음 내용과 가장 관련 깊은 절기는?

우리 생활 속에서 찾을 수 있는 절기의 모습에는 어떤 것이 있을까?

활동 1 빈칸에 들어갈 절기를 〈보기〉에서 찾아 써 보자.

(1) [冬][至]에는 팥죽을 먹어야 진짜 한 살 더 먹는단다.
동 지

(2) 오늘은 개구리가 겨울잠에서 깨어난다는 [驚][蟄](이)래.
경 칩

(3) 스웨덴에서는 낮이 가장 길다는 [夏][至]에 축제를 연대.
하 지

• 보기 •
夏至 하지　冬至 동지　驚蟄 경칩

밤이 가장 긺.

절기가 어떻게 만들어졌는지, 또 어떻게 활용되었는지 알고 있니?

활동 2 빈칸에 알맞은 음을 써 보자.

한 해를 스물넷으로 나눈, 계절의 표준이 되는 것
태양계의 중심이 되는 항성

節氣(❶[절][기])는 太陽(❷[태][양])의 움직임에 따라 한 해를 스물넷으로 나눈 것으로, 春夏秋冬(❸[춘][하][추][동]) 사계절의 표준이 된다. 우리 조상들은 계절과 날씨의 변화 등을 알려 주는 24절기를 기준으로 農事(❹[농][사])를 지었다.

봄·여름·가을·겨울의 네 계절

곡류, 과채류 따위의 씨나 모종을 심어 기르고 거두는 따위의 일

新 한자 모아 보기

한자	음	뜻	부수	획수	총획
夏	하	여름	夊	7	10
至	지	이르다	至	0	6
冬	동	겨울	冫	3	5
驚	경	놀라다	馬	13	23
蟄*	칩	숨다	虫	11	17
節	절	마디, 절기	竹	9	15

한자	음	뜻	부수	획수	총획
太	태	크다	大	1	4
陽	양	볕	阜(阝)	9	12
春	춘	봄	日	5	9
秋	추	가을	禾	4	9
農	농	농사	辰	6	13

한자	음	뜻	부수	획수	총획
清	청	맑다	水(氵)	8	11
立	립	서다	立	0	5
寒	한	차다	宀	9	12
露	로	이슬	雨	12	20
小	소	작다	小	0	3
雪	설	눈	雨	3	11

우리나라에는 절기와 농사에 관련된 속담들이 많이 있어.

활동 3 절기와 특징, 관련 속담을 연결해 보자.

[절기]	[특징]	[관련 속담]	
(1) 淸明 청명	㉮ 4월 5일경으로 만물이 맑고 밝아지는 시기	㉠ **입하** 바람에 씨나락 몰린다.	입하에 바람이 불면 못자리에 뿌려 놓은 볍씨가 한쪽으로 몰리게 되어 좋지 않다는 뜻이다.
(2) 立夏 입하	㉯ 11월 22일경으로 비가 눈이 되고 얼음이 어는 시기	㉡ **소설** 추위는 빚을 내서라도 한다.	소설에 날씨가 추워야 보리 농사가 잘된다는 말이다.
(3) 寒露 한로	㉰ 5월 6일경으로 여름이 시작되는 시기	㉢ **청명**에는 부지깽이를 꽂아도 싹이 난다.	청명에는 부지깽이와 같이 생명력이 다한 나무를 꽂아도 다시 살아난다는 뜻으로, 청명에 심으면 무엇이든 잘 자란다는 말이다.
(4) 小雪 소설	㉱ 10월 8일경으로 찬 이슬이 맺히는 시기	㉣ **한로** 상강에 겉보리 간다.	한로에 보리 파종을 해야 하며 늦어도 상강 전에는 파종을 마쳐야 한다는 뜻으로, 보리를 안전하게 재배하기 위한 적기 파종의 중요성을 강조한 말이다.

(정답 연결: (1)-㉮-㉢, (2)-㉰-㉠, (3)-㉱-㉣, (4)-㉯-㉡)

소단원 학습 계획

배울 내용에 관하여 얼마나 알고 있는지 스스로 점검해 보자.

• 절기에 관하여 알고 있는가?	☆☆☆☆☆
• 절기와 관련된 속담과 그 뜻을 알고 있는가?	☆☆☆☆☆

잘하는 부분은 발전시키고, 부족한 부분은 보완할 수 있도록 스스로 학습 계획을 세워 보자.

나는 이 단원에서 ___예) 절기의 의미, 절기와 관련된 속담___ 을/를 공부하겠다.

도움말 절기를 나타내는 한자 어휘, 절기의 특징, 절기와 관련된 속담에 관한 활동을 통해 소단원 학습 내용에 관한 자신의 배경지식 정도를 스스로 점검해 본다. 또 이를 바탕으로 이 소단원에서 어떤 내용을 공부할지 스스로 계획을 세워 본다.

학습 요소 ▪ 절기와 생활 ▪ 일상용어 ▪ 전통문화의 계승과 발전

05. 속담 속의 절기

교과서 36, 37쪽

출제 유형

- 절기에 대해 바르게 이해하지 못한 사람은?
- 절기가 속한 계절이 바르게 연결된 것은?
- 다음 내용에 해당하는 절기는?

新 한자 모아 보기

한자	음	뜻	부수	획수	총획
雨	우	비	雨	0	8
芒*	망	까끄라기	艸(艹)	3	7
種	종	씨	禾	9	14
處	처	곳	虍	5	11
暑	서	덥다	日	9	13
大	대	크다	大	0	3

스스로 확인

보리는 芒種 전에 베라.
농사와 직접적으로 관련 있는 속담은 무엇인가?

2월 19일경. 눈이 녹아 비로 내림. / 3월 5일경. 개구리가 겨울잠에서 깸.

雨水 驚蟄에 대동강 물이 풀린다.

雨(우, 비) 水(수, 물) 驚(경, 놀라다) 蟄(칩, 숨다)

우리나라 북쪽에 위치한 대동강에는 봄이 늦게 온다. 따라서 이 속담은 우수, 경칩이 되면 우리나라 전 지역이 겨울이 물러나고 봄기운이 완연하다는 뜻이다.

6월 6일경. 보리를 베고 모내기를 함.

보리는 芒種 전에 베라.

芒(망, 까끄라기) 種(종, 씨)

8월 23일경. 더위가 물러남.

모기도 處暑가 지나면 입이 비뚤어진다.

處(처, 곳) 暑(서, 덥다)

1월 20일경. 추위가 심함. / 1월 5일경. 추위가 시작됨.

大寒이 小寒의 집에 가서 얼어 죽는다.

大(대, 크다) 寒(한, 차다) 小(소, 작다) 寒(한, 차다)

※ 소한이 지나 대한이 일 년 가운데 가장 춥다고 하지만 이는 중국의 기준이고, 우리나라에서는 다소 사정이 달라 소한 무렵이 가장 춥다. "춥지 않은 소한 없고 포근하지 않은 대한 없다.", "소한의 얼음이 대한에 녹는다."라는 속담도 있는데 이는 대한이 소한보다 오히려 덜 춥다는 것을 알려 준다.

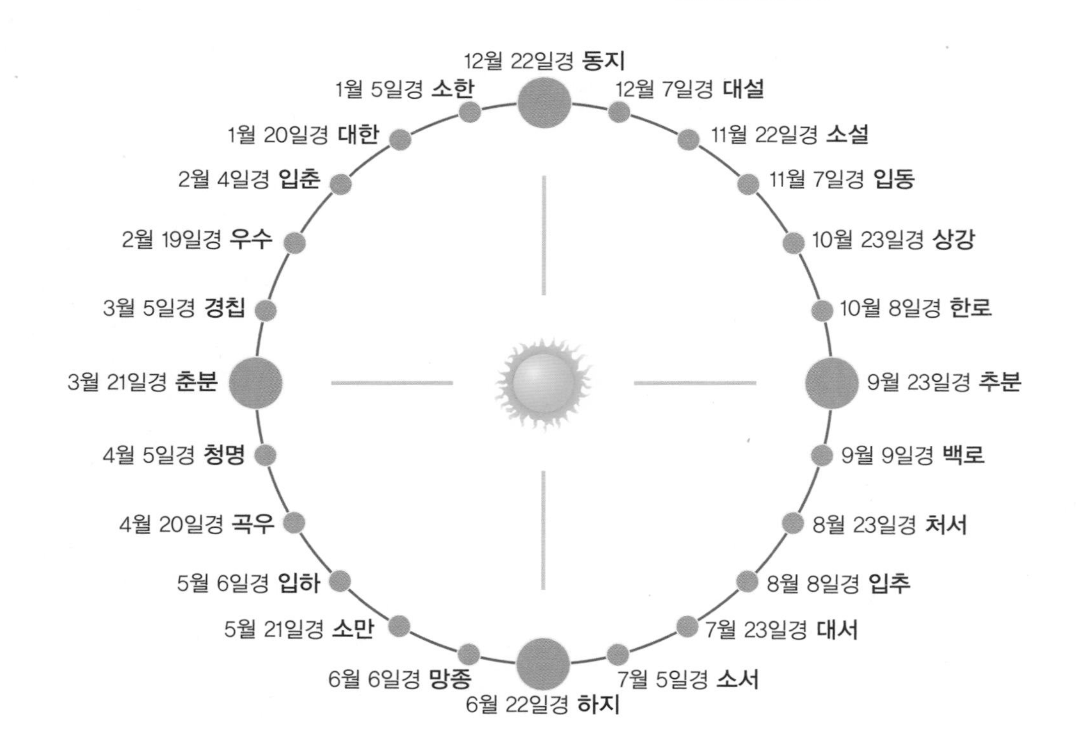

꼭꼭! 본문 다지기 ○ 교과서 38쪽

雨水(우수) 驚蟄(경칩)에 대동강 물이 풀린다. 뜻 | 우수와 경칩을 지나면 아무리 춥던 날씨도 누그러진다.

보리는 芒種(망종) 전에 베라. 뜻 | 망종까지 보리를 모두 베어야 논에 벼도 심고 밭갈이도 하게 된다.

모기도 處暑(처서)가 지나면 입이 비뚤어진다. 뜻 | 처서가 지나면 날씨가 선선해지므로 모기도 기세가 약해진다.

大寒(대한)이 小寒(소한)의 집에 가서 얼어 죽는다. 뜻 | 대한이 소한보다 추워야 할 것이나 사실은 소한 무렵이 더 춥다.

계절	절기	특징	계절	절기	특징
춘 春 [봄]	立春(입춘)	봄이 시작됨.	추 秋 [가을]	立秋(입추)	가을이 시작됨.
	雨水(우수)	눈이 녹아 비로 내림.		處暑(처서)	더위가 물러남.
	驚蟄(경칩)	개구리가 겨울잠에서 깸.		白露(백로)	맑은 이슬이 맺힘.
	春分(춘분)	낮과 밤의 길이가 같음.		秋分(추분)	낮과 밤의 길이가 같음.
	淸明(청명)	만물이 맑고 밝아짐.		寒露(한로)	찬 이슬이 내림.
	穀雨(곡우)	곡식을 기르는 비가 내림.		霜降(상강)	서리가 내림.
하 夏 [여름]	立夏(입하)	여름이 시작됨.	동 冬 [겨울]	立冬(입동)	겨울이 시작됨.
	小滿(소만)	만물이 조금씩 생장함.		小雪(소설)	눈이 내리기 시작함.
	芒種(망종)	보리를 베고 모내기를 함.		大雪(대설)	눈이 많이 내림.
	夏至(하지)	낮이 가장 긺.		冬至(동지)	밤이 가장 긺.
	小暑(소서)	더위가 시작됨.		小寒(소한)	추위가 시작됨.
	大暑(대서)	더위가 심함.		大寒(대한)	추위가 심함.

▲24절기 표

이해 더하기 절기와 생활

절기는 태양의 황도(黃道)상의 위치에 따라 1년의 날씨를 24개로 구분한 것으로, 季節마다 각각 6개의 절기가 들어간다. 절기는 태양의 운동을 바탕으로 정해진 것이므로 음력이 아닌 양력의 날짜와 거의 일치한다.

조상들은 날씨와 계절의 변화를 알려 주는 절기를 농사에 활용하였으며, 동지에 팥죽을 쑤어 먹는 등 절기에 따른 다양한 풍속을 지내며 생활하였다.

계절: 규칙적으로 되풀이되는 자연 현상에 따라서 일 년을 구분한 것

황도(黃道): 지구가 태양을 도는 큰 궤도

▲청명의 풍속: 아이가 자라 혼인할 때 농을 만들어 줄 재목감으로 오동나무를 심음.

新 한자 모아 보기

한자	음	뜻	부수	획수	총획
分	분	나누다	刀	2	4
穀	곡	곡식	禾	10	15
滿	만	차다	水(氵)	11	14
白	백	희다	白	0	5

한자	음	뜻	부수	획수	총획
霜	상	서리	雨	9	17
降	강	내리다	阜(阝)	6	9
	항	항복하다			
季	계	계절	子	5	8

[降의 여러 가지 음과 뜻]
- (강) 내리다 예 降雨(강우): 비가 내림.
- (항) 항복하다 예 降伏(항복): 항복하여 엎드림.

한자	음	뜻	부수	획수	총획
祝	축	빌다	示	5	10
賀	하	하례하다	貝	5	12
吉	길	길하다	口	3	6
伏	복	엎드리다, 복날	人(亻)	4	6

쑥쑥! 실력 향상 ○ 교과서 39쪽

['입춘, 입하, 입추, 입동'의 '입'을 入이 아니라 立으로 쓰는 이유]
① 이전 계절의 기운이 강해서 숙이고 있다가 고개를 내밀듯 새로운 계절의 기운이 일어선다는 의미에서 '들어간다'는 入이 아니라 '선다'는 立을 쓴다.
② '입춘'의 立은 '서다'가 아니라, '곧, 즉시'라는 의미이다. '입춘'은 '곧 봄이 온다.'라는 뜻이다.

생활 속 용어 활용

立春에는
봄이 온 것을 祝賀하거나
기원하는 내용을 적는 풍습이 있대.

- 立春(입춘): 이십사절기의 하나. 대한(大寒)과 우수(雨水) 사이에 들며, 이때부터 봄이 시작된다고 함.
- 祝賀(축하): 남의 좋은 일을 기뻐하고 즐거워한다는 뜻으로 인사함. 또는 그런 인사

입춘첩 말이지?
대개 立春大吉이라고
적어 벽이나 대문에 붙이지.

- 立春大吉(입춘대길): 입춘을 맞이하여 길운을 기원하며 벽이나 문짝 따위에 써 붙이는 글귀

그런데 초복, 중복, 말복 같은 伏날도 24절기에 해당하나?

- 伏(복)날: 초복, 중복, 말복이 되는 날. 이 날이면 그해의 더위를 물리친다 하여 개장국이나 영계백숙을 먹는 사람이 많음.

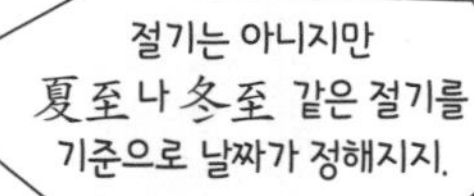
절기는 아니지만
夏至나 冬至 같은 절기를
기준으로 날짜가 정해지지.

- 夏至(하지): 이십사절기의 하나. 망종과 소서 사이에 들며, 북반구에서는 낮이 가장 길고 밤이 가장 짧음.
- 冬至(동지): 이십사절기의 하나. 대설(大雪)과 소한(小寒) 사이에 들며, 북반구에서는 일 년 중 낮이 가장 짧고 밤이 가장 김.

문제로 실력 확인

1. 절기가 속하는 계절을 한자로 써 보자.

(1) 穀雨(곡우) 春 (2) 芒種(망종) 夏 (3) 白露(백로) 秋 (4) 大雪(대설) 冬

2. 절기가 포함된 속담의 뜻을 써 보자.

(1) 雨水(우수) 驚蟄(경칩)에 대동강 물이 풀린다.

우수와 경칩을 지나면 아무리 춥던 날씨도 누그러진다.

(2) 大寒(대한)이 小寒(소한)의 집에 가서 얼어 죽는다.

대한이 소한보다 추워야 할 것이나 사실은 소한 무렵이 더 춥다.

창의형

3. 한문 입춘첩과 한글 입춘첩을 각각 만들어 보자.

(예시)

立春大吉

입춘대길

소단원 자기 점검

학업 성취도를 스스로 점검해 보자.

• 절기의 명칭과 시기, 절기 관련 속담의 뜻을 알고 있는가?	잘함 / 보통 / 노력 필요
• 절기에 담긴 선인들의 지혜와 생활 풍속을 알고 있는가?	잘함 / 보통 / 노력 필요

보통, 노력 필요 → 교과서 34~38쪽 다시 읽기

도움말 소단원 학습이 끝나면 소단원의 학습 목표에 해당하는 질문에 답하며 자신의 학업 성취도를 스스로 점검해 본다. 성취 목표에 도달하지 못한 경우에는 제시된 위치로 돌아가서 내용을 다시 읽고 공부하도록 한다.

소단원 스스로 정리

정답과 해설 288쪽

• 한자, 음, 뜻, 부수의 순서로 제시

1. 한자

夏 ❶□ 여름 [夂]
至 (지) 이르다 [至]
❷□ (동) 겨울 [冫]
驚 (경) 놀라다 [馬]
蟄* (칩) 숨다 [虫]
節 (절) 마디, 절기 [竹]
太 (태) 크다 [大]
陽 (양) 볕 [阜(阝)]
❸□ (춘) 봄 [日]
秋 (추) 가을 [禾]
農 (농) 농사 [辰]
清 (청) 맑다 [❹□]

立 (립) 서다 [立]
寒 (한) 차다 [宀]
露 ❺□ 이슬 [雨]
小 (소) 작다 [小]
雪 (설) 눈 [❻□]
❼□ (우) 비 [雨]
芒* (망) 까끄라기 [艸(艹)]
種 (종) 씨 [禾]
處 (처) 곳 [虍]
暑 ❽□ 덥다 [日]
大 (대) 크다 [大]
分 (분) 나누다 [❾□]

穀 (곡) 곡식 [禾]
滿 (만) 차다 水[(氵)]
白 (백) 희다 [白]
霜 (상) ❿□□ [雨]
降 (강) 내리다, (항) 항복하다 [阜(阝)]
季 (계) 계절 [子]
祝 (축) 빌다 [示]
賀 (하) 하례하다 [貝]
吉 (길) 길하다 [口]
伏 ⓫□ 엎드리다, 복날 [人(亻)]

2. 어휘

• 節氣(❶□□): 太陽(❷□□)의 움직임에 따라 한 해를 스물넷으로 나눈 것. ❸□□(계절)의 표준이 되며, 農事(❹□□)에 활용됨.

3. 본문

❶□□(우수) 驚蟄(경칩)에 대동강 물이 풀린다.	우수와 경칩을 지나면 아무리 춥던 날씨도 누그러진다.
보리는 芒種(❷□□) 전에 베라.	❷□□까지 보리를 모두 베어야 논에 벼도 심고 밭갈이도 하게 된다.
모기도 處暑(❸□□)가 지나면 입이 비뚤어진다.	❸□□가 지나면 날씨가 선선해지므로 모기도 기세가 약해진다.
❹□□(대한)이 ❺□□(소한)의 집에 가서 얼어 죽는다.	대한이 소한보다 추워야 할 것이나 사실은 소한 무렵이 더 춥다.

4. 절기

❶□[봄]			夏[❷□□]		
立春(입춘)	雨水(우수)	驚蟄(경칩)	立夏(입하)	小滿(소만)	芒種(망종)
春分(춘분)	清明(청명)	穀雨(❸□□)	夏至(하지)	小暑(소❹□)	大暑(대❹□)

❺□[가을]			冬[❻□□]		
立秋(입추)	處暑(처서)	白露(❼□□)	立冬(입동)	小❽□(소설)	大❽□(대설)
秋分(추분)	寒露(❾□□)	霜降(상강)	冬至(동지)	小❿□(소한)	大❿□(대한)

소단원 확인 문제

01 한자의 음과 뜻이 바르게 연결되지 않은 것은?

① 節 (계) 계절 ② 淸 (청) 맑다
③ 滿 (만) 차다 ④ 吉 (길) 길하다
⑤ 分 (분) 나누다

02 한자의 음이 모두 바르게 연결된 것은?

	雨	雪	霜	露
①	우	설	로	상
②	우	설	상	로
③	설	상	우	로
④	설	상	로	우
⑤	상	로	설	우

03 빈칸에 들어갈 한자로 가장 적절한 것은?

> □節: 봄, 여름, 가을, 겨울

① 秋 ② 氣 ③ 太 ④ 季 ⑤ 至

출제 유력
04 한자 어휘의 독음이 바른 것은?

① 淸明: 처서 ② 處暑: 대서
③ 雨水: 우수 ④ 小暑: 소한
⑤ 芒種: 경칩

출제 유력
05 다음 설명에 해당하는 절기는?

> • 밤이 가장 길고 낮이 가장 짧은 날이다.
> • 이날에는 팥죽을 먹는 풍속이 있다.

▲ 팥죽

① 冬至 ② 立冬 ③ 小寒
④ 大寒 ⑤ 大雪

출제 유력
06 빈칸에 들어갈 절기로 알맞은 것은?

> 어제는 개구리가 겨울잠에서 깨어난다는 □□(이)었습니다. 하지만 오늘 아침부터는 꽃샘추위가 찾아왔습니다.

① 立春 ② 雨水 ③ 驚蟄
④ 春分 ⑤ 淸明

07 빈칸에 공통으로 들어갈 절기로 알맞은 것은?

> • □□이/가 지나면 발을 물꼬에 담그고 산다.
> • 스웨덴에서는 낮이 가장 길다는 □□에 축제를 연다.

① 冬至 ② 夏至 ③ 春分
④ 秋分 ⑤ 立夏

[8-10] 다음 글을 읽고 물음에 답하시오.

> ㉠□□은/는 ㉡太陽의 움직임에 따라 한 해를 스물넷으로 나눈 것으로 ㉢□□□□ 사계절의 표준이 된다.

08 ㉠에 들어갈 한자 어휘로 가장 적절한 것은?

① 節氣 ② 穀雨 ③ 淸明
④ 季節 ⑤ 寒露

09 ㉡의 독음이 바른 것은?

① 절기 ② 농사 ③ 청명
④ 계절 ⑤ 태양

10 ㉢에 들어갈 한자가 아닌 것은?

① 春 ② 夏 ③ 秋 ④ 氣 ⑤ 冬

11 빈칸에 들어갈 절기를 〈보기〉에서 찾아 한자로 쓰시오.

보기

立春　芒種　寒露　立夏　大暑

(1) 보리는 □□ 전에 베라.
(2) □□ 상강에 겉보리 간다.
(3) □□ 바람에 씨나락 몰린다.

12 빈칸에 공통으로 들어갈 절기로 알맞은 것은?

- □□ 경칩에 대동강 물이 풀린다.
- □□은/는 눈이 녹아 비로 내리는 때이다.

① 雨水　② 穀雨　③ 寒露
④ 小雪　⑤ 驚蟄

13 빈칸에 공통으로 들어갈 절기의 한자와 독음을 쓰시오.

- 모기도 □□이/가 지나면 입이 비뚤어진다.
- □□은/는 더위가 물러난 때이다.

14 ㉠과 ㉡에 들어갈 절기가 바르게 연결된 것은?

속담: ㉠□□이 ㉡□□의 집에 가서 얼어 죽는다.

	㉠	㉡
①	大雪	小雪
②	小寒	大寒
③	大寒	寒露
④	小寒	大雪
⑤	大寒	小寒

15 다음 절기가 속하는 계절이 바르게 연결된 것은?

① 秋分 – 봄　② 夏至 – 여름
③ 立春 – 가을　④ 驚蟄 – 겨울
⑤ 清明 – 가을

16 여름에 해당하는 절기가 아닌 것은?

① 大暑　② 處暑　③ 小暑
④ 立夏　⑤ 夏至

17 빈칸에 공통으로 들어갈 한자로 가장 적절한 것은?

- 春□: 3월 21일경. 이날은 낮과 밤의 길이가 같다고 한다.
- 秋□: 9월 23일경. 낮과 밤의 길이가 같아지는 날이다.
- 관련 속담: 덥고 추운 것도 春□와/과 秋□까지이다.

① 雨　② 季　③ 節　④ 氣　⑤ 分

18 다음 내용과 관련 깊은 절기는?

만물이 맑고 밝아지는 때이다. 날이 풀리기 시작해 화창해지기 때문에 농가에서는 이 무렵 바쁜 농사일이 시작된다.
또한, 아이가 자라 혼인할 때 농을 만들어 줄 재목감으로 오동나무를 심는 세시 풍속이 있다.

① 立春　② 清明　③ 立夏
④ 小滿　⑤ 小暑

출제 유력

19 절기에 대해 바르게 이해하지 못한 사람은?

① 율하: 태양의 운동을 바탕으로 1년의 날씨를 구분했지.
② 마루: 사계절에 해당하는 절기가 네 개씩 있지.
③ 지아: 伏날은 절기는 아니지만, 절기를 기준으로 날짜가 정해진대.
④ 인우: 우리 조상들은 날씨와 계절의 변화를 알려 주는 절기를 농사에 활용하였지.
⑤ 보람: 절기 풍속의 예로는 동지에 팥죽을 쑤어 먹거나 입춘에 입춘첩을 붙이는 것을 들 수 있어.

06. 역사 속의 천간, 지지

교과서 40, 41쪽

똑똑! 활동으로 열기

출제 유형
- 천간에 해당하는 한자를 고르면?
- ㉠과 ㉡에 해당하는 지지가 바르게 연결된 것은?

땅을 지키는 열두 가지 동물을 알고 있니? 띠를 나타내는 동물 말이야. 이것들을 지지(地支)라고 하지.

활동 1 빈칸에 알맞은 음을 써 보자.

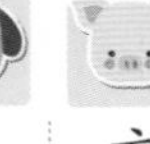

子	丑	寅	卯	辰	巳	午	未	申	酉	戌	亥
❶(자)	축	❷(인)	묘	❸(진)	사	❹(오)	미	❺(신)	유	❻(술)	해

이 동물들은 시간을 나타내는 데도 쓰였어.

활동 2 지지로 시간을 나타낸 표를 보고, 빈칸에 알맞은 숫자나 한자를 써 보자.

12개의 지지(地支)로 24시간을 나타내므로, 하나의 지지는 두 시간에 해당함.

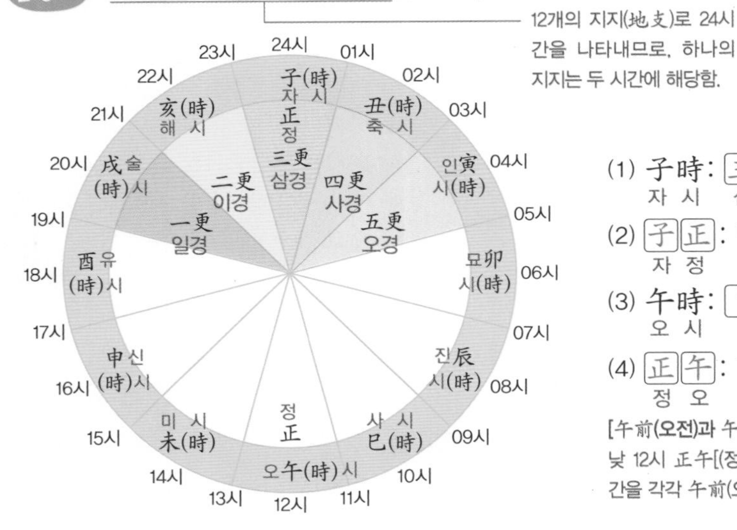

(1) 子時(자시): 三更(삼경)(이)라고도 함.

(2) 子正(자정): 밤 12시

(3) 午時(오시): 11시 ~ 13시

(4) 正午(정오): 낮 12시

[午前(오전)과 午後(오후)]
낮 12시 正午[(정오)]를 기준으로 前後(전후) 12시간을 각각 午前(오전)과 午後(오후)로 구분한다.

新 한자 모아 보기

한자	음	뜻	부수	획수	총획
丑	축	둘째 지지	一	3	4
寅	인	셋째 지지	宀	8	11
卯	묘	넷째 지지	卩	3	5
辰	진	별, 다섯째 지지	辰	0	7
	신	때			
巳	사	여섯째 지지	己	0	3

한자	음	뜻	부수	획수	총획
午	오	낮, 일곱째 지지	十	2	4
未	미	아니다, 여덟째 지지	木	1	5
申	신	아홉째 지지	田	0	5
酉	유	열째 지지	酉	0	7
戌	술	열한째 지지	戈	2	6
亥	해	열두째 지지	亠	4	6

한자	음	뜻	부수	획수	총획
正	정	바르다	止	1	5
更	갱	다시	曰	3	7
	경	고치다, 시각			
四	사	넷	口	2	5
五	오	다섯	二	2	4
時	시	때	日	6	10

1부터 10까지의 차례를 나타내는 천간(天干)이라는 순서가 있어. 천간과 지지를 결합하면 육십갑자가 만들어지지.

활동 3 천간과 지지를 순서대로 결합하여 육십갑자 표를 완성해 보자.

천간(天干)과 지지(地支)를 순서대로 결합하면 처음의 갑자(甲子)로 돌아가는 데 60년이 걸려 육십갑자라 한다.

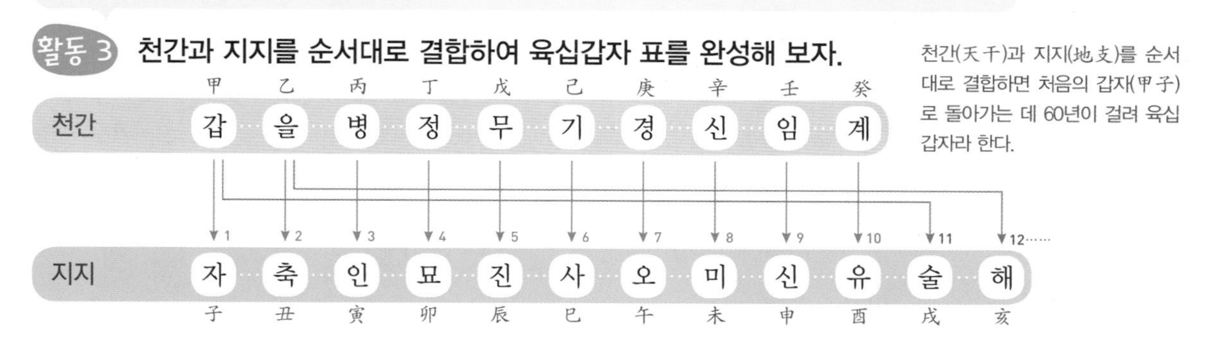

육십갑자 표

1 갑자 甲子	11 갑술 甲戌	21 (갑신) 甲申	31 (갑오) 甲午	41 갑진 甲辰	51 갑인 甲寅
2 을축 乙丑	12 을해 乙亥	22 을유 乙酉	32 을미 乙未	42 을사 乙巳	52 을묘 乙卯
3 병인 丙寅	13 (병자) 丙子	23 병술 丙戌	33 병신 丙申	43 병오 丙午	53 병진 丙辰
4 정묘 丁卯	14 정축 丁丑	24 정해 丁亥	34 정유 丁酉	44 정미 丁未	54 정사 丁巳
5 무진 戊辰	15 무인 戊寅	25 무자 戊子	35 무술 戊戌	45 (무신) 戊申	55 (무오) 戊午
6 기사 己巳	16 (기묘) 己卯	26 기축 己丑	36 기해 己亥	46 기유 己酉	56 (기미) 己未
7 경오 庚午	17 경진 庚辰	27 경인 庚寅	37 경자 庚子	47 (경술) 庚戌	57 경신 庚申
8 (신미) 辛未	18 신사 辛巳	28 신묘 辛卯	38 신축 辛丑	48 신해 辛亥	58 신유 辛酉
9 임신 壬申	19 임오 壬午	29 임진 壬辰	39 임인 壬寅	49 임자 壬子	59 임술 壬戌
10 계유 癸酉	20 계미 癸未	30 계사 癸巳	40 계묘 癸卯	50 (계축) 癸丑	60 계해 癸亥

소단원 학습 계획

배울 내용에 관하여 얼마나 알고 있는지 스스로 점검해 보자.

• 천간과 지지에 관하여 알고 있는가?	☆☆☆☆☆
• 육십갑자의 결합 방법을 알고 있는가?	☆☆☆☆☆

잘하는 부분은 발전시키고, 부족한 부분은 보완할 수 있도록 스스로 학습 계획을 세워 보자.

나는 이 단원에서 ______ 예 천간, 지지, 육십갑자 ______ 을/를 공부하겠다.

도움말 지지를 통해 띠와 시간을 나타내고, 천간과 지지를 결합하여 육십갑자를 만들어 보는 활동을 통해 소단원 학습 내용에 관한 자신의 배경지식 정도를 스스로 점검해 본다. 또 이를 바탕으로 이 소단원에서 어떤 내용을 공부할지 스스로 계획을 세워 본다.

학습 요소 ■ 간지와 생활 ■ 학습 용어 ■ 전통문화의 계승과 발전

출제 유형

- 천간과 지지에 대한 설명이 바른 것은?
- 빈칸에 들어갈 육십갑자로 알맞은 것은?
- 다음 표를 참고하여 육십갑자를 계산하시오.

06. 역사 속의 천간, 지지

○ 교과서 42, 43쪽

新 한자 모아 보기

한자	음	뜻	부수	획수	총획
天	천	하늘	大	1	4
干	간	방패, 천간	干	0	3
甲	갑	갑옷, 첫째 천간	田	0	5
乙	을	새, 둘째 천간	乙	0	1
丙	병	남녘, 셋째 천간	一	4	5
丁	정	고무래, 장정, 넷째 천간	一	1	2
戊	무	무성하다, 다섯째 천간	戈	1	5
己	기	몸, 여섯째 천간	己	0	3
庚	경	별, 일곱째 천간	广	5	8
辛	신	맵다, 여덟째 천간	辛	0	7
壬	임	북방, 아홉째 천간	士	1	4
癸	계	북방, 열째 천간	癶	4	9
倭*	왜	왜나라	人(亻)	8	10
亂*	란	어지럽다	乙(乚)	12	13
改	개	고치다	攴(攵)	3	7
革	혁	가죽, 고치다	革	0	9
獨	독	홀로	犬(犭)	13	16

天干은 (= 十干(십간)) 천 간 (하늘 천간)
→ 하늘을 상징하는 열 개의 줄기. 육십갑자에서 위 단위를 결정하는 요소

甲 乙 丙 丁 戊 己 庚 辛 壬 癸이다.

갑(첫째 천간) 을(둘째 천간) 병(셋째 천간) 정(넷째 천간) 무(다섯째 천간) 기(여섯째 천간) 경(일곱째 천간) 신(여덟째 천간) 임(아홉째 천간) 계(열째 천간)

地支는 (= 十二支(십이지)) 지 지 (땅 지지)
→ 땅을 상징하는 열두 개의 갈래. 육십갑자에서 아래 단위를 결정하는 요소

子 丑 寅 卯 辰 巳 午 未 申 酉 戌 亥이다.

자(첫째 지지) 축(둘째 지지) 인(셋째 지지) 묘(넷째 지지) 진(다섯째 지지) 사(여섯째 지지) 오(일곱째 지지) 미(여덟째 지지) 신(아홉째 지지) 유(열째 지지) 술(열한째 지지) 해(열두째 지지)

※ 우리나라는 태음력을 주로 사용하다가 1895년 갑오개혁부터 태양력을 사용하기 시작하였다. 따라서 이때부터는 천간, 지지 연호보다는 서기 연호를 사용해 오고 있다.

壬辰倭亂.
임 진 왜 란
아홉째 천간 다섯째 지지 왜나라 어지럽다
→ 임진년(1592년)에 일본이 침입한 전란

甲午改革. (改革 ≒)
갑 오 개 혁
첫째 천간 일곱째 지지 고치다 고치다
→ 갑오년(1894년)에 개혁한 일

己未獨立運動. (運動 ≒)
기 미 독 립 운 동
여섯째 천간 여덟째 지지 홀로 서다 움직이다 움직이다
→ 기미년(1919년)에 독립할 목적으로 일으킨 운동

역사 속의 중요한 사건을 간지로 표현한 명칭. 이때 간지는 사건이 발생한 연도를 나타낸다.

스스로 확인

壬辰倭亂이 일어난 해는 어느 동물의 해인가?

용

꼭꼭! 본문 다지기 ○ 교과서 44쪽

天干(천간). 하늘을 상징하는 열 개의 줄기
→ 육십갑자에서 위 단위를 결정하는 요소

甲乙丙丁戊己庚辛壬癸.
갑 을 병 정 무 기 경 신 임 계

※ 모양은 비슷하지만 다른 한자이니 유의해야 함.
戊 (무) 다섯째 천간
戌 (술) 열한째 지지

地支(지지). 땅을 상징하는 열두 개의 갈래
→ 육십갑자에서 아래 단위를 결정하는 요소

子丑寅卯辰巳午未申酉戌亥.
자 축 인 묘 진 사 오 미 신 유 술 해

壬辰倭亂(임진왜란). 임진년(1592년)에 일본이 침입한 전란
조선 선조 25년(1592)에 일본이 침입한 전쟁. 선조 31년(1598년)까지 7년 동안 두 차례에 걸쳐 침입하였으며, 1597년에 재침략한 것을 정유재란으로 달리 부르기도 한다.

甲午改革(갑오개혁). 갑오년(1894년)에 추진된 조선의 개혁 운동
조선 고종 31년(1894) 7월부터 고종 33년(1896) 2월 사이에 추진되었던 개혁 운동. 개화당이 정권을 잡아 3차에 이르는 개혁을 통하여, 재래의 문물제도를 근대식으로 고치는 등 정치·경제·사회 전반에 걸쳐 혁신을 단행하였다.

己未獨立運動(기미독립운동). 기미년(1919년)에 독립할 목적으로 일으킨 운동
1919년, 곧 기미년 3월 1일에 한국이 일본의 강제적인 식민지 정책으로부터 자주독립할 목적으로 일으킨 민족 독립운동

- 天干(천간) = 十干(십간)
숫자 1~10까지의 순서를 나타내기도 함.
(책의 순서, 불특정인을 호칭할 때 등)

- 地支(지지) = 十二支(십이지)
- 天干(천간)과 地支(지지)를 조합한 것을 干支(간지)라고 함.

모양이 비슷한 한자
- 干 (간) 방패, 천간
- 千 (천) 일천
- 午 (오) 낮, 일곱째 지지

- 甲 (갑) 갑옷, 첫째 천간
- 申 (신) 아홉째 지지

- 己 (기) 몸, 여섯째 천간
- 巳 (사) 여섯째 지지

- 己未獨立運動(기미독립운동) = 3.1 운동

이해 더하기 서기 연도를 干支(간지)로 계산하는 방법

天干(천간)은 서기 연도의 끝자리로 알 수 있다.

天干(천간)	甲 갑	乙 을	丙 병	丁 정	戊 무	己 기	庚 경	辛 신	壬 임	癸 계
서기 연도의 끝자리	4	5	6	7	8	9	0	1	2	3

地支(지지)는 서기 연도를 12로 나눈 나머지로 알 수 있다.

地支(지지)	子 자	丑 축	寅 인	卯 묘	辰 진	巳 사	午 오	未 미	申 신	酉 유	戌 술	亥 해
나머지	4	5	6	7	8	9	10	11	0	1	2	3

예 2020년은 끝자리가 0이므로 天干(천간)은 庚(경)이고, 2020을 12로 나누면 몫이 168이고 나머지는 4이므로 地支(지지)는 子(자)가 된다. 따라서 2020년은 庚子(경자)년이 된다.

新 한자 모아 보기

한자	음	뜻	부수	획수	총획
六	륙	여섯	八	2	4
回	회	돌아오다	口	3	6

쑥쑥! 실력 향상 ⭘ 교과서 45쪽

• 六十甲子(육십갑자): 천간(天干)의 갑(甲)·을(乙)·병(丙)·정(丁)·무(戊)·기(己)·경(庚)·신(辛)·임(壬)·계(癸)와 지지(地支)의 자(子)·축(丑)·인(寅)·묘(卯)·진(辰)·사(巳)·오(午)·미(未)·신(申)·유(酉)·술(戌)·해(亥)를 순차로 배합하여 예순 가지로 늘어놓은 것

생활 속 용어 활용

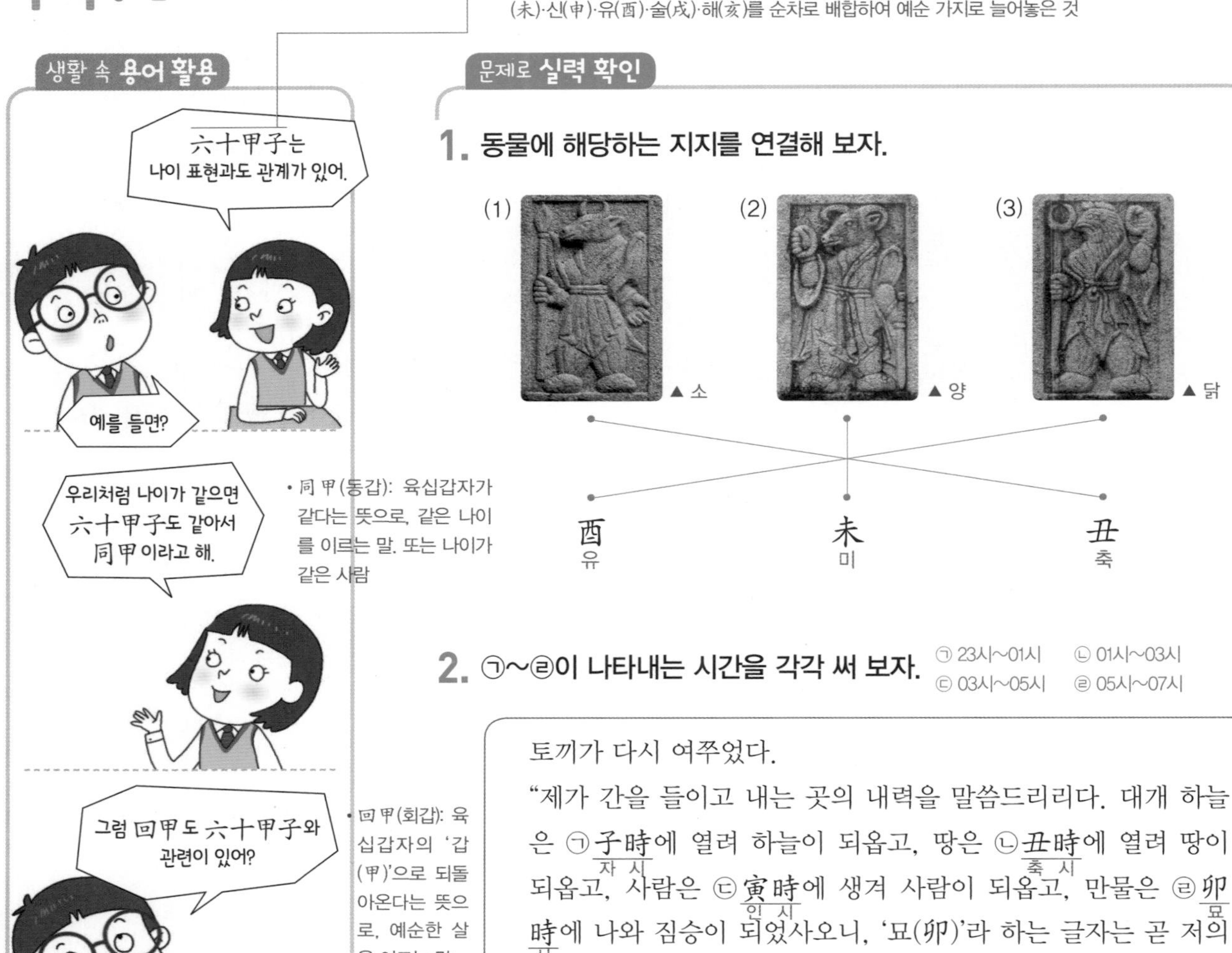

六十甲子는 나이 표현과도 관계가 있어.
예를 들면?
우리처럼 나이가 같으면 六十甲子도 같아서 同甲이라고 해.
그럼 回甲도 六十甲子와 관련이 있어?
滿 60세가 되어 六十甲子가 돌아오기 때문에 回甲이라고 하는 거야.

• 同甲(동갑): 육십갑자가 같다는 뜻으로, 같은 나이를 이르는 말. 또는 나이가 같은 사람

• 回甲(회갑): 육십갑자의 '갑(甲)'으로 되돌아온다는 뜻으로, 예순한 살을 이르는 말. ≒ 환갑(還甲), 화갑(華甲)

• 滿(만): 날, 주, 달, 해 따위의 일정하게 정해진 기간이 꽉 참을 이르는 말

문제로 실력 확인

1. 동물에 해당하는 지지를 연결해 보자.

(1) ▲ 소　(2) ▲ 양　(3) ▲ 닭

酉 유　未 미　丑 축

2. ㉠~㉣이 나타내는 시간을 각각 써 보자.

㉠ 23시~01시　㉡ 01시~03시
㉢ 03시~05시　㉣ 05시~07시

> 토끼가 다시 여쭈었다.
> "제가 간을 들이고 내는 곳의 내력을 말씀드리리다. 대개 하늘은 ㉠子時(자시)에 열려 하늘이 되옵고, 땅은 ㉡丑時(축시)에 열려 땅이 되옵고, 사람은 ㉢寅時(인시)에 생겨 사람이 되옵고, 만물은 ㉣卯時(묘시)에 나와 짐승이 되었사오니, '묘(卯)'라 하는 글자는 곧 저의 별명입니다."
>
> 작자 미상, 「토끼전」

창의형

3. 서기 연도를 간지로 계산하고, 그 연도에 일어난 역사적 사건을 조사해 보자.

서기 연도	간지	역사적 사건
예시 (1) 1882년	壬午 임오	임오군란(壬午軍亂)
(2) 1895년	乙未 을미	을미사변(乙未事變)
(3) 1905년	乙巳 을사	을사늑약(乙巳勒約)

- 임오군란: 조선 고종 19년(1882)인 임오년에 구식 군대의 군인들이 신식 군대인 별기군과의 차별 대우와 밀린 급료에 불만을 품고 군제 개혁에 반대하며 일으킨 난리
- 을미사변: 조선 고종 32년(1895)에 일본의 자객들이 경복궁을 습격하여 명성 황후를 죽인 사건
- 을사늑약: 조선 광무 9년(1905)에 일본이 한국의 외교권을 빼앗기 위하여 강제적으로 맺은 조약

소단원 자기 점검

학업 성취도를 스스로 점검해 보자.

질문	잘함	보통	노력 필요
• 천간과 지지를 일상생활에서 활용한 선인들의 지혜를 알고 있는가?	잘함	보통	노력 필요
• 지지가 나타내는 띠와 시간을 알고 있는가?	잘함	보통	노력 필요

▢ 교과서 42~44쪽 다시 읽기　▢ 교과서 40쪽 '활동 1, 2' 다시 읽기

도움말 소단원 학습이 끝나면 소단원의 학습 목표에 해당하는 질문에 답하며 자신의 학업 성취도를 스스로 점검해 본다. 성취 목표에 도달하지 못한 경우에는 제시된 위치로 돌아가서 내용을 다시 읽고 공부하도록 한다.

소단원 스스로 정리

정답과 해설 289쪽

1. 한자

• 한자, 음, 뜻, 부수의 순서로 제시

丑 ❶□ 둘째 지지 [一]
寅 (인) 셋째 지지 [宀]
卯 (묘) 넷째 지지 [卩]
辰 (진) 별, 다섯째 지지
(신) 때 [辰]
❷□ (사) 여섯째 지지 [己]
午 ❸□ 낮, 일곱째 지지 [十]
❹□ (미) 아니다, 여덟째 지지 [木]
申 (신) 아홉째 지지 [田]
酉 (유) 열째 지지 [酉]
戌 (술) 열한째 지지 [戈]
亥 (해) 열두째 지지 [亠]
正 (정) ❺□□□ [止]

更 (갱) 다시
❻□ 고치다, 시각 [曰]
四 (사) 넷 [口]
五 (오) 다섯 [二]
時 (시) 때 [❼□]
天 (천) 하늘 [大]
干 (간) 방패, 천간 [干]
❽□ (갑) 갑옷, 첫째 천간 [田]
乙 (을) 새, 둘째 천간 [乙]
丙 (병) 남녘, 셋째 천간 [一]
丁 (정) 고무래, 장정, 넷째 천간 [一]
戊 (무) 무성하다, 다섯째 천간 [戈]

己 ❾□ 몸, 여섯째 천간 [己]
庚 (경) 별, 일곱째 천간 [广]
❿□ (신) 맵다, 여덟째 천간 [辛]
壬 (임) 북방, 아홉째 천간 [士]
癸 (계) 북방, 열째 천간 [癶]
倭* (왜) 왜나라 [人(亻)]
亂* (란) 어지럽다 [乙(乚)]
改 ⓫□ 고치다 [攴(攵)]
革 (혁) 가죽, 고치다 [革]
獨 (독) 홀로 [犬(犭)]
六 (륙) 여섯 [八]
回 (회) ⓬□□□□ [口]

2. 어휘

(1) 子時(자시): 23시~01시. 三更(❶□□)이라고도 함.
(2) 午時(오시): 11시~13시
(3) 子正(❷□□): 밤 12시
(4) ❸□□(정오): 낮 12시
(5) ❹□甲(동갑): 육십갑자가 같다는 뜻으로 같은 나이를 이르는 말
(6) ❺□甲(회갑): 육십갑자의 갑으로 되돌아온다는 뜻으로 예순한 살을 이르는 말

3. 본문

天干	甲	乙	丙	丁	戊	己	庚	❶□	壬	癸
천간	❷□	을	병	정	무	기	❸□	신	임	❹□

地支	子	丑	寅	卯	辰	巳	午	❺□	申	❻□	戌	亥
❼□□	자	축	인	❽□	진	사	오	미	신	유	술	해
동물	❾□	소	호랑이	토끼	용	뱀	말	양	❿□□□	닭	개	돼지

壬辰倭亂(⓫□□왜란)	임진년(1592년)에 일본이 침입한 전란
甲午⓬□□(갑오개혁)	갑오년(1894년)에 추진된 조선의 개혁 운동
己未獨立運動(기미⓭□□□□)	기미년(1919년)에 독립할 목적으로 일으킨 운동

소단원 확인 문제

01 한자의 음과 뜻이 바르게 연결되지 않은 것은?

① 時 (시) 때 ② 天 (천) 하늘
③ 卯 (경) 시각 ④ 改 (개) 고치다
⑤ 回 (회) 돌아오다

02 한자의 음이 다른 것끼리 짝지어진 것은?

① 申 – 辛 ② 四 – 巳 ③ 正 – 丁
④ 地 – 支 ⑤ 回 – 丙

출제 유력

03 ㉠과 ㉡에 해당하는 지지가 바르게 연결된 것은?

	㉠	㉡		㉠	㉡
①	辰	酉	②	未	亥
③	卯	丑	④	未	戌
⑤	卯	酉			

04 천간에 해당하는 한자만으로 짝지어진 것은?

보기
ㄱ. 丙 ㄴ. 戌 ㄷ. 辛 ㄹ. 酉 ㅁ. 巳

① ㄱ, ㄴ ② ㄱ, ㄷ ③ ㄴ, ㄹ
④ ㄴ, ㅁ ⑤ ㄷ, ㅁ

출제 유력

05 천간과 지지에 대한 설명으로 적절하지 않은 것은?

① 10년마다 같은 천간이 된다.
② 12년마다 같은 지지가 된다.
③ 서기 연도의 끝자리로 지지를 알 수 있다.
④ 천간과 지지를 조합한 것을 간지라고 한다.
⑤ 천간은 육십갑자에서 위의 단위를 결정하는 요소이다.

[6-8] 다음 표를 보고 물음에 답하시오.

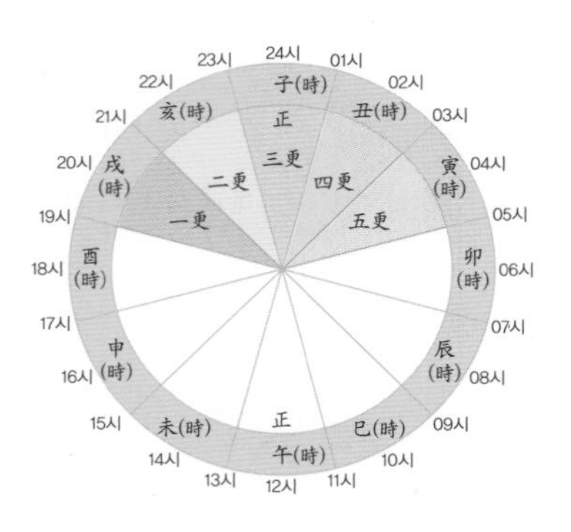

06 위의 표에 대한 설명으로 알맞은 것은?

① 하루를 24時로 나누었다.
② 현재의 새벽 4시는 申時에 해당한다.
③ 현재의 오전 10시는 亥時에 해당한다.
④ 하나의 時(시)는 현재의 2시간을 의미한다.
⑤ 천간을 사용하여 하루 중의 시각을 나타내었다.

07 빈칸에 공통으로 들어갈 한자 어휘로 적절한 것은?

• □□을 지나면 새날이다.
• 시각은 벌써 □□이/가 넘어 한 시에 가깝다.

① 子正 ② 未時 ③ 辰時
④ 正午 ⑤ 午時

08 두 친구가 만나기로 한 시간으로 알맞은 것은?

은하: 오늘 우리 약속 6시 맞지?
태양: 응. 그런데 저녁 식사가 있어서 조금 늦을 것 같아. 6시 30분에 보자!
은하: 알았어! 그때 학교 정문 앞에서 보자!

① 子時 ② 酉時 ③ 卯時
④ 巳時 ⑤ 戌時

09 빈칸에 공통으로 들어갈 한자를 쓰시오.

• 子□: 밤 12시 • □午: 낮 12시

[10-13] 다음 표를 보고 물음에 답하시오.

㉮ □□

㉠	乙	丙	丁	戊	己	㉡	辛	壬	癸

㉯ □□

子	㉢	寅	卯	辰	巳	午	未	申	㉣	戌	亥

10 ㉮와 ㉯에 들어갈 한자 어휘가 바르게 연결된 것은?

- ㉮: 하늘을 상징하는 열 개의 줄기
- ㉯: 땅을 상징하는 열두 개의 갈래

	㉮	㉯		㉮	㉯
①	天干	地支	②	地支	天干
③	天干	干支	④	地支	干支
⑤	干支	地支			

11 ㉠~㉣에 들어갈 한자를 쓰시오.

출제 유력

12 다음 육십갑자 표의 빈칸을 채우시오.

① 甲子	② 乙丑	③ 丙寅	④ 丁卯	⑤ 戊辰
⑥	⑦ 庚午	⑧ 辛未	⑨ 壬申	⑩ 癸酉
⑪	⑫ 乙亥	⑬ 丙子	⑭ 丁丑	⑮ 戊寅

13 빈칸에 들어갈 육십갑자로 알맞은 것은?

- 병자호란(□□胡亂): 1636년, 조선 인조 14년에 청나라가 침입한 난리. 청나라에서 군신 관계를 요구한 것을 조선이 물리치자 청나라 태종이 20만 대군을 거느리고 침략하였다.

① 壬辰 ② 乙巳 ③ 丙子
④ 戊午 ⑤ 己卯

14 한자 어휘의 활용이 적절하지 않은 것은?

① 이순신 장군은 壬辰倭亂 때 큰 공을 세웠다.
② 甲午改革은 갑오년에 추진된 조선의 개혁 운동이다.
③ 己未獨立運動은 다른 말로 삼일 운동이라고도 한다.
④ 三更과 子時는 모두 밤 11시부터 새벽 1시까지를 가리키는 말이다.
⑤ 地支는 하늘을 상징하는 열 개의 줄기를, 天干은 땅을 상징하는 열두 개의 갈래를 말한다.

출제 유력

15 다음 표를 참고하여, 2100년을 간지로 계산하시오.

천간은 서기 연도의 끝자리로 알 수 있다.

천간	甲	乙	丙	丁	戊	己	庚	辛	壬	癸
서기 연도의 끝자리	4	5	6	7	8	9	0	1	2	3

지지는 서기 연도를 12로 나눈 나머지로 알 수 있다.

지지	子	丑	寅	卯	辰	巳	午	未	申	酉	戌	亥
나머지	4	5	6	7	8	9	10	11	0	1	2	3

16 빈칸에 들어갈 말을 순서대로 한자로 쓰시오.

선생님: 여러분, 같은 나이를 뭐라고 하나요?
학생: □□이요. 나이가 같으면 □□□□도 같기 때문입니다.

17 빈칸에 공통으로 들어갈 한자 어휘로 가장 적절한 것은?

만 육십 세가 되면 육십갑자가 돌아오기 때문에 □□이라고 부른다. 우리나라 사람들은 □□이/가 되면 장수한다고 여겨서 큰 잔치를 베풀어 축하를 받았다.

① 地支 ② 回甲 ③ 天干
④ 同甲 ⑤ 甲子

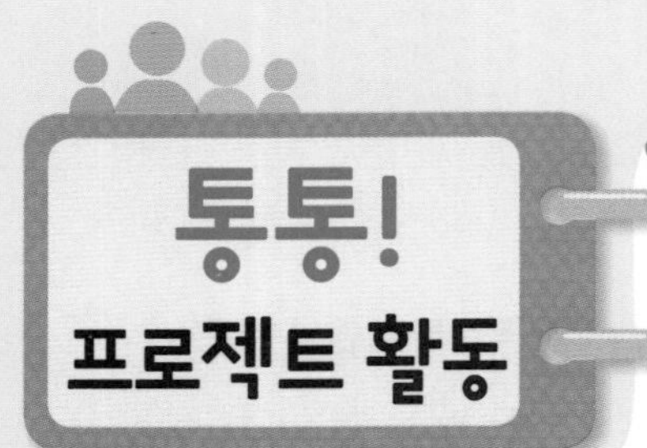

교과서 46쪽

"학습 용어 사전 만들기"

학습 용어 중에는 한자로 이루어진 것이 많다. 따라서 학습 용어를 이루는 각각의 한자의 뜻을 알면 용어를 이해하는 데 도움이 된다. 직접 사전을 만들면서 학습 용어를 자연스럽고 재미있게 익혀 보자.

【준비물】

▲공책

▲과목별 교과서

【활동 과정】

1. 모둠 구성하기
2. 학습 용어 사전을 만들 교과목 선택하기
3. 교과서의 차례를 참고하여 작업량 배분하기
4. 한자의 뜻을 활용하여 학습 용어 풀이하기
5. 작업 내용을 취합하여 학습 용어 사전 만들기

도움말 학습 용어 사전을 만들 때는, 용어의 개념을 파악하는 것이 중요한 과목(예 국어, 사회, 과학 등)의 교과서를 선택하는 것이 좋다. 또 교과서의 차례나 찾아보기(색인) 등을 이용하면 용어를 찾는 것이 더 수월하다.

도움말 학습 용어를 풀이할 때는 교과서에 제시된 내용을 그대로 적지 않고, 용어를 구성하고 있는 한자의 뜻을 바탕으로 스스로 풀이해 본다. 이후에 교과서의 내용을 바탕으로 뜻을 보충하거나 수정한다.

【예시】 사회 학습 용어 사전

ㄱ

- 가정(家庭: 집 가, 뜰 정)
  한 가족[家]이 생활하는 공간[庭]
- 거주지(居住地: 살다 거, 살다 주, 땅 지)
  현재 거주(居住)하고 있는 땅[地]
- 경쟁(競爭: 겨루다 경, 다투다 쟁)
  서로 앞서거나 이기려고 겨루고[競] 다툼[爭].
- 계절풍(季節風: 계절 계, 마디 절, 바람 풍)
  계절(季節)에 따라 일정한 지역에 일정한 방향으로 불어오는 바람[風]
- 고원(高原: 높다 고, 들판 원)
  높은[高] 산지에 펼쳐진 넓은 들판[原]
- 국민 발안(國民發案: 나라 국, 백성 민, 보내다 발, 안건 안)
  국민(國民)이 직접 법률에 관한 안건[案]을 냄[發].
- 국회(國會: 나라 국, 모이다 회)
  국민[國]을 대표하는 사람들의 모임[會]. 국민의 대표로 구성한 입법 기관
- 기호(記號: 기록하다 기, 표지 호)
  어떠한 뜻을 기록[記]하기 위하여 쓰이는 표지[號]

⋮

예시 추가 국어 학습 용어 사전

- 감상(感想: 느끼다 감, 생각 상)
  마음속에서 일어나는 느낌[感]이나 생각[想]
- 기행문(紀行文: 벼리 기, 다니다 행, 글월 문)
  여행하면서[行] 보고, 듣고, 느끼고, 겪은 것을 적은[紀] 글[文]
- 논설문(論說文: 논하다 논, 말씀 설, 글월 문)
  어떤 주제에 관하여 자기의 생각이나 주장[論]체계적으로 밝혀[說] 쓴 글[文]
- 독백(獨白: 홀로 독, 말하다 백)
  배우가 상대역 없이 혼자[獨] 말하는[白] 행위
- 두음 법칙(頭音法則: 머리 두, 소리 음, 법 법, 법칙)
  일부 소리[音]가 단어의 첫머리[頭]에 발음되는 것을 꺼려 다른 소리로 발음되는 일[法則]
- 산문(散文: 흩어지다 산, 글월 문)
  율격과 같은 외형적 규범에 얽매이지 않고[散] 자유로운 문장으로 쓴 글[文]
- 육하원칙(六何原則: 여섯 륙, 어찌 하, 근원 원, 법칙)
  역사 기사, 보도 기사 따위의 문장을 쓸 때에 '누가, 언제, 어디서, 무엇을, 어떻게, 왜'[何]의 여섯 가지[六]를 지켜야 하는 기본적인 원칙[原則]

스스로 평가

개인 평가표

잘된 부분	
아쉬운 부분	

모둠 평가표

수행 과정	교과목의 학습 용어를 파악하였는가?	☆☆☆☆☆
	모둠원의 역할 분담이 공평하게 이루어졌는가?	☆☆☆☆☆
결과물	완성도 있는 결과물을 제시하였는가?	☆☆☆☆☆
	한자의 뜻을 활용하여 학습 용어를 풀이하였는가?	☆☆☆☆☆

탄탄! 대단원 마무리 ◦ 교과서 47쪽

요점 정리

1 단어의 짜임

(1) 주술 관계: 주어와 서술어의 관계로 이루어진 단어 예 家和 가화

(2) 병렬 관계: 성분이 같은 말들이 나란히 놓여 이루어진 단어 예 父母 부모

(3) 수식 관계: 수식어와 피수식어의 관계로 이루어진 단어 예 敎室 교실

(4) 술목 관계: 서술어와 목적어의 관계로 이루어진 단어 예 讀書 독서

(5) 술보 관계: 서술어와 보어의 관계로 이루어진 단어 예 多情 다정

2 일상용어와 학습 용어

(1) 일상용어: 보통으로 늘 쓰는 말

예

가정 관련 용어	慈愛(자애), 父母(부모), 孝誠(효성), 子女(자녀), 家族(가족) 등
학교 관련 용어	敎師(교사), 學生(학생), 師弟同行(사제동행), 敎學相長(교학상장) 등

(2) 학습 용어: 다른 교과에서 사용되는 어휘 중 해당 학문이나 전문 분야에서 특별한 뜻으로 사용되는 말

예

역사 관련 용어	壬辰倭亂(임진왜란), 甲午改革(갑오개혁), 己未獨立運動(기미독립운동) 등

3 절기에 담긴 선인들의 지혜와 사상

우리 조상들은 절기를 통해 날씨와 계절의 변화를 예측하여 농사에 활용하였으며, 절기에 따라 다양한 풍속을 지내며 생활하였다.

24절기						
[봄]	立春 입춘	雨水 우수	驚蟄 경칩	春分 춘분	淸明 청명	穀雨 곡우
[여름]	立夏 입하	小滿 소만	芒種 망종	夏至 하지	小暑 소서	大暑 대서
[가을]	立秋 입추	處暑 처서	白露 백로	秋分 추분	寒露 한로	霜降 상강
[겨울]	立冬 입동	小雪 소설	大雪 대설	冬至 동지	小寒 소한	大寒 대한

4 天干(천간)과 地支(지지)에 담긴 전통문화

우리 조상들은 天干(천간)과 地支(지지)를 활용하여 순서, 띠, 시간 등을 나타내었다. 또 天干(천간)과 地支(지지)를 결합한 육십갑자로 연도를 표시하기도 하였다.

천간 天干	甲乙丙丁戊己庚辛壬癸 (갑 을 병 정 무 기 경 신 임 계)
지지 地支	子丑寅卯辰巳午未申酉戌亥 (자 축 인 묘 진 사 오 미 신 유 술 해)

핵심 평가

1. '~이/가 …하다'로 풀이되는 어휘를 골라 보자. ④

(주술(주어+서술어) 관계의 어휘)

① 小暑 소서 ② 同行 동행 ③ 甲子 갑자 ④ 霜降 상강 ⑤ 兄弟 형제

①, ② 수식 관계 ③, ⑤ 병렬 관계

2. 다음과 같은 뜻을 지닌 어휘를 골라 보자. ③

> 귀중하게 여기는 것

① 家族 가족 ② 學校 학교 ③ 所重 소중 ④ 節氣 절기 ⑤ 干支 간지

① 친족 관계에 있는 사람들의 집단. 또는 그 구성원 ② 배우는 곳 ④ 태양의 움직임에 따라 한 해를 스물넷으로 나눈 것 ⑤ 천간과 지지를 조합한 것

3. 빈칸에 알맞은 절기를 골라 보자. ⑤

> 모기도 (　　)이/가 지나면 입이 비뚤어진다.

① 立冬 입동 ② 秋分 추분 ③ 大暑 대서 ④ 寒露 한로 ⑤ 處暑 처서 → 더위가 물러남.

① 겨울이 시작됨. ② 낮과 밤의 길이가 같음. ③ 더위가 심함. ④ 찬 이슬이 내림.

4. 빈칸에 알맞은 한자를 써 보자.

(1) 天干(천간): 甲乙丙丁[戊]己庚[辛]壬癸 (갑 을 병 정 무 기 경 신 임 계)

(2) 地支(지지): 子丑寅卯辰[巳]午未申酉戌[亥] (자 축 인 묘 진 사 오 미 신 유 술 해)

용어 활용형

5. 한자 용어의 활용이 적절하지 않은 것을 골라 보자. ⑤

① 손자의 아들을 曾孫子(증손자)라고 한다.

② 季節(계절)이 바뀌어 여름에서 가을이 되었네.

③ 같은 해에 태어난 사람을 同甲(동갑)이라 하지.

④ 담임 선생님은 아침마다 出席(출석)을 부르신다.

⑤ 현수는 친구들의 물음에 늘 친절하게 質問(질문)해 준다.

質問(×) → 對答(○)

대단원 자기 점검

학업 성취도를 스스로 점검해 보고, 부족한 부분을 보충해 보자.

점검 항목	잘함	보통	노력 필요	찾아보기
• 단어의 짜임을 구별할 수 있다.				26, 32쪽
• 한자로 이루어진 일상용어를 맥락에 맞게 활용할 수 있다.				26쪽
• 한자로 이루어진 다른 교과 용어를 맥락에 맞게 활용할 수 있다.				26쪽
• 한문 기록에 담긴 선인들의 지혜와 사상, 전통문화를 이해할 수 있다.				36, 42쪽

도움말 대단원 학습이 끝나면 대단원의 학습 목표에 해당하는 질문에 답하며 자신의 학업 성취도를 스스로 점검해 본다. 성취 목표에 도달하지 못한 경우에는 제시된 위치로 돌아가서 내용을 다시 읽고 공부하도록 한다.

대단원 실전 평가

03. 행복한 우리 집

01 한자 어휘에서 밑줄 친 한자의 뜻이 잘못 연결된 것은?

① 所重 – 곳　② 輕重 – 무겁다
③ 兩親 – 어버이　④ 萬事 – 일
⑤ 曾孫子 – 거듭

02 다음은 퍼즐의 일부이다. ㉠에 들어갈 한자로 알맞은 것은?

作	㉠
	族

〈가로 열쇠〉 문학 작품, 사진, 그림, 조각 따위의 예술품을 창작하는 사람
〈세로 열쇠〉 주로 부부를 중심으로 한, 친족 관계에 있는 사람들의 집단. 또는 그 구성원

① 親　② 家　③ 食　④ 子　⑤ 父

03 ㉠~㉤을 한자로 바르게 나타내지 않은 것은?

나는 금년 여섯 살 난 처녀애입니다. 내 이름은 박옥희이고요. 우리 ㉠집 식구라고는 세상에서 제일 이쁜 우리 ㉡어머니와 단 두 식구뿐이랍니다. 아차, 큰일났군, ㉢외삼촌을 빼놓을 뻔했으니……. [중략]
㉣외할머니 말씀을 들으면, 우리 ㉤아버지는 내가 이 세상에 나오기 한 달 전에 돌아가셨대요.
– 주요한, 「사랑 손님과 어머니」

① ㉠: 家　② ㉡: 母　③ ㉢: 外三寸
④ ㉣: 外祖母　⑤ ㉤: 夫

출제 유력
04 병렬 관계로 이루어진 단어가 아닌 것은?

① 夫婦　② 子女　③ 兩親
④ 慈愛　⑤ 父母

05 가족 관계를 나타내는 한자 어휘가 잘못 연결된 것은?

① 아버지와 딸 – 父女
② 형과 남동생 – 男妹
③ 어머니와 아들 – 母子
④ 언니와 여동생 – 姊妹
⑤ 할아버지와 손자 – 祖孫

06 빈칸에 공통으로 들어갈 한자 어휘로 적절한 것은?

□□은/는 '마음을 다하여 부모를 섬기는 정성'을 뜻한다.
예 • □□이/가 지극하면 돌 위에 꽃이 핀다.
• 그는 노모께 □□이/가 극진했다.

① 所重　② 食口　③ 親族
④ 孝誠　⑤ 父母

04. 사랑의 학교

출제 유력
07 빈칸에 공통으로 들어갈 한자로 적절한 것은?

• 나는 올해 중학교에 □學했다.
• 언니는 교육 대학에 □學 원서를 제출했다.

① 入　② 開　③ 放　④ 教　⑤ 同

08 다음 〈조건〉을 모두 충족하는 한자는?

조건
• 場과 음이 같다.
• 총획수는 8획이다.
• '길다'는 뜻이 있다.
• '자라다'라는 뜻이 있다.
• '어른'이라는 뜻이 있다.

① 教　② 相　③ 成　④ 生　⑤ 長

09 한자 어휘의 독음이 바른 것은?

① 開學(방학) ② 放學(개학)
③ 學業(학사) ④ 教室(교실)
⑤ 音樂室(미술실)

[10~11] 다음 글을 읽고 물음에 답하시오.

> ㉠교사는 사랑으로 ㉡학생을 가르치고,
> 학생은 ㉢感謝하는 마음으로 배우는 곳.

10 ㉠과 ㉡을 한자 어휘로 바르게 표기한 것은?

	㉠	㉡		㉠	㉡
①	教師	校生	②	教室	教生
③	教師	學生	④	教室	學生
⑤	學校	教室			

11 ㉢의 독음이 바른 것은?

① 성공 ② 정성 ③ 사랑
④ 감사 ⑤ 감동

출제 유력

12 教學相長에 대한 설명으로 알맞은 것은?

① '교학성장'으로 읽는다.
② 教學은/는 '배우는 사람'을 뜻한다.
③ 相은/는 '학교의 어른'을 뜻한다.
④ 長은/는 '길다'로 풀이한다.
⑤ 마지막에 풀이하는 글자는 長이다.

13 빈칸에 공통으로 들어갈 한자 어휘로 알맞은 것은?

> 선생님: 궁금한 점 있으면 □□하세요.
> 학생: 1단원의 내용에 대해 □□ 있어요.

① 登校 ② 姓名 ③ 難解
④ 質問 ⑤ 出席

고난도

14 〈보기〉에서 한자를 골라 빈칸에 들어갈 한자 어휘를 쓰시오.

> 학교 폭력 예방을 위한
> □□□□ 걷기 캠페인 개최
>
> 올해 우리 학교는 폭력 없는 행복한 학교를 만들기 위해 교사와 학생이 함께 걸으며 시간을 보내는 캠페인을 개최한다. 걷기 대회를 통해 서로 신뢰를 구축하고 올바른 교육에 대해 대화를 하는 것이 목적이다. - OO 신문

보기

> 教 同 師 弟 行 學 校

출제 유력

15 단어의 짜임이 바르게 연결된 것은?

① 教室 – 병렬 관계 ② 好學 – 술목 관계
③ 讀書 – 수식 관계 ④ 同行 – 술보 관계
⑤ 多情 – 주술 관계

05. 속담 속의 절기

16 빈칸에 들어갈 한자 어휘로 알맞은 것은?

> □□은/는 한 해를 스물넷으로 나눈 것으로, 계절의 표준이 된다.

① 節氣 ② 季節 ③ 農事
④ 四季 ⑤ 太陽

17 계절에 해당하는 한자가 바르게 연결된 것은?

	봄	여름	가을	겨울
①	秋	夏	春	冬
②	秋	春	冬	夏
③	春	夏	秋	冬
④	春	秋	冬	夏
⑤	夏	冬	秋	春

[18-21] 다음을 보고 물음에 답하시오.

㉠ 雨水	㉡ 春分	㉢ 立夏
㉣ 芒種	㉤ 立春	

18 ㉠~㉤ 중, 빈칸에 들어갈 절기로 알맞은 것은?

> 우리나라에는 □□이/가 되면 집집마다 가정의 화목과 길운 등을 기원하는 좋은 뜻의 글을 골라 대문, 대들보, 천장 등 집안 곳곳에 써 붙이는 풍속이 있다.

① ㉠ ② ㉡ ③ ㉢ ④ ㉣ ⑤ ㉤

19 ㉠~㉤의 독음이 바른 것은?

① ㉠: 곡우 ② ㉡: 춘분 ③ ㉢: 입추
④ ㉣: 경칩 ⑤ ㉤: 입동

20 ㉠~㉤ 중, 다음 설명에 해당하는 한자 어휘로 적절한 것은?

> 이때가 되면 봄은 완전히 퇴색하고 산과 들에는 푸른 빛이 돌며 개구리 우는 소리가 들린다. 양력으로는 5월 6일 무렵으로, 여름이 시작되는 시기를 뜻한다.

① ㉠ ② ㉡ ③ ㉢ ④ ㉣ ⑤ ㉤

출제 유력
21 빈칸에 들어갈 한자 어휘로 알맞은 것은?

> '□□ 경칩에 대동강 물이 풀린다.'라는 속담이 있다. □□와/과 경칩이 지나면 아무리 춥던 날씨도 누그러지고 봄기운이 돌고 초목이 싹튼다는 뜻이다. □□은/는 눈이 녹아 비로 내리는 시기이며, 경칩은 개구리가 겨울잠에서 깨는 시기이다.

① ㉠ ② ㉡ ③ ㉢ ④ ㉣ ⑤ ㉤

출제 유력
22 다음 대화의 내용 중 바른 것만을 고른 것은?

> 선생님: 冬至에 대해서 알아볼까요?
> 학생 1: 겨울의 절기예요. ······ ㉠
> 학생 2: '입동'이라고 읽어요. ······ ㉡
> 학생 3: 팥죽을 먹는 풍속이 있어요. ······ ㉢
> 학생 4: 낮이 가장 긴 날이에요. ······ ㉣

① ㉠, ㉡ ② ㉠, ㉢ ③ ㉡, ㉢
④ ㉡, ㉣ ⑤ ㉢, ㉣

23 절기가 속하는 계절이 바르게 연결된 것은?

① 大雪 – 冬 ② 霜降 – 春 ③ 大寒 – 秋
④ 處暑 – 夏 ⑤ 大暑 – 春

고난도
24 절기의 특징이 바르게 연결되지 <u>않은</u> 것은?

① 霜降 – 서리가 내림.
② 小雪 – 추위가 시작됨.
③ 立秋 – 가을이 시작됨.
④ 驚蟄 – 개구리가 겨울잠에서 깸.
⑤ 穀雨 – 곡식을 기르는 비가 내림.

06. 역사 속의 천간, 지지

25 다음 설명에 해당하는 한자로 알맞은 것은?

> '갑옷', 또는 '첫째 천간'을 의미한다.

① 辛 ② 丑 ③ 子 ④ 申 ⑤ 甲

26 간지에 대한 설명으로 적절하지 <u>않은</u> 것은?

① 천간은 10개이다.
② 지지로 시간을 나타내었다.
③ 천간은 서기 연도의 끝자리로 알 수 있다.
④ 지지는 하늘을 상징하는 24개의 갈래이다.
⑤ 천간과 지지를 결합하여 육십갑자를 만든다.

27 ㉠~㉣에 들어갈 한자가 모두 알맞은 것은?

[천간]
甲 乙 ㉠ 丁 戊 己 庚 辛 壬 ㉡
[지지]
子 丑 寅 卯 ㉢ 巳 午 未 申 酉 戌 ㉣

	㉠	㉡	㉢	㉣
①	辰	癸	丙	亥
②	癸	丙	辰	亥
③	癸	丙	亥	辰
④	丙	癸	亥	辰
⑤	丙	癸	辰	亥

28 한자 어휘가 나타내는 시간이 바른 것은?

① 正午 – 밤 12시
② 子正 – 낮 12시
③ 子時 – 23시 ~ 01시
④ 卯時 – 11시 ~ 13시
⑤ 未時 – 15시 ~ 17시

출제 유력
29 가족의 출생 연도에 해당하는 지지로 바른 것은?

할아버지는 1950년 호랑이띠이고, 할머니는 할아버지보다 두 살이 적다. 아버지는 1978년 말띠이신데 어머니는 아버지보다 한 살이 적다. 나는 2005년에 태어났고 닭띠이다.

① 할아버지 – 卯 ② 할머니 – 巳
③ 아버지 – 丑 ④ 어머니 – 寅
⑤ 나 – 酉

고난도
30 ㉠과 ㉡에 들어갈 간지를 각각 한자로 쓰시오.

2016년은 간지로 나타내면 丙申년이다. 2017년의 간지는 ㉠□□년, 2018년은 ㉡□□년이다.

31 빈칸에 들어갈 육십갑자로 알맞은 것은?

□□獨立運動: 1919년 일본의 식민지 지배에 저항하여 전 민족이 일어난 항일 독립 운동. 삼일 운동으로 불리기도 한다.

① 癸丑 ② 己未 ③ 丙申
④ 乙未 ⑤ 甲午

대단원 복합 문제

32 한자 어휘의 뜻이 바르게 연결되지 않은 것은?

① 師弟同行 – 스승과 제자가 함께 감.
② 曾孫子 – 손자의 아들 또는 아들의 손자
③ 壬辰倭亂 – 갑오년에 추진된 조선의 개혁 운동
④ 家和萬事成 – 집안이 화목하면 모든 일이 이루어짐.
⑤ 教學相長 – 가르치는 것과 배우는 것은 서로 자라게 함.

33 한자 어휘의 활용이 적절하지 않은 것은?

① 이 영화의 주제는 家族의 사랑이다.
② 大暑는 일 년 중 추위가 가장 심하다.
③ 올해 할아버지는 回甲을 맞이하였다.
④ 선생님께 感謝하는 마음을 편지로 전했다.
⑤ 내가 가장 所重하게 여기는 것은 가족이다.

34 다음 명언의 공통된 주제로 가장 적절한 것은?

- 한 권의 좋은 책이 어떤 보물보다 낫다.
- 하루라도 책을 읽지 않으면 입에 가시가 돋는다.

① 季節 ② 讀書 ③ 同甲
④ 質問 ⑤ 孝誠

교과서 48, 49쪽

III. 언어생활을 살찌우는 성어

이 단원을 통해

- 한자의 모양 · 음 · 뜻을 구별한다.
- 문장에 사용된 실사와 허사를 구별한다.
- 한자로 이루어진 일상용어를 맥락에 맞게 활용한다.
- 한자로 이루어진 다른 교과 학습 용어를 맥락에 맞게 활용한다.
- 한자로 이루어진 성어의 의미를 이해하고 맥락에 맞게 활용한다.
- 한문 기록에 담긴 선인들의 지혜, 사상 등을 이해하고, 현재적 의미에서 가치가 있는 것을 내면화하여 건전한 가치관과 바람직한 인성을 함양한다.
- 한자 문화권의 문화에 대한 기초적 지식을 통해 상호 이해와 교류를 증진시키려는 태도를 형성한다.

07. 숫자로 배우는 성어

08. 삶을 따뜻하게 하는 성어

09. 이야기가 있는 성어

성어는 옛사람들이 만들어 특별한 뜻으로 사용하던 관용적인 말로 오늘날에도 꾸준히 쓰이고 있다. 성어는 역사나 고전에서 유래한 것이 많으므로 그 배경을 알아야 성어의 속뜻까지 파악하여 효과적으로 활용할 수 있다.

소단원 미리 보기

소단원	소단원 소개	소단원 학습 요소
07. 숫자로 배우는 성어	숫자는 한자로 어떻게 쓰며, 숫자가 들어간 성어에는 무엇이 있는지 알아보는 단원이다.	• 숫자를 나타내는 한자 • 품사 • 성어의 겉뜻과 속뜻
08. 삶을 따뜻하게 하는 성어	우정, 사회생활과 관련된 성어에는 무엇이 있는지 알아보는 단원이다.	• 실사와 허사 • 우정, 사회생활과 관련 있는 성어 • 가치관 정립
09. 이야기가 있는 성어	유래가 있는 성어에는 무엇이 있는지 알아보고, 유래를 통해 성어의 뜻을 알아보는 단원이다.	• 성어의 유래 • 성어의 활용 • 한자 문화권의 상호 이해

07. 숫자로 배우는 성어

○ 교과서 50, 51쪽

똑똑! 활동으로 열기

출제 유형
- 숫자에 해당하는 한자가 바르게 연결되지 않은 것은?
- 숫자를 나타내는 한자가 아닌 것은?

숫자를 나타내는 방법에는 무엇이 있었을까?

1, 2, 3.
나는 6살!
243에…….
로마 숫자: 고대 로마에서 만들어진 숫자
산가지: 수효를 셈하는 데에 쓰던 막대기
수판: 셈을 놓는 데 쓰는 기구

그런데 한자로는 숫자를 어떻게 쓸까?

활동 1 그림에 알맞은 한자를 〈보기〉에서 찾아 써 보자.

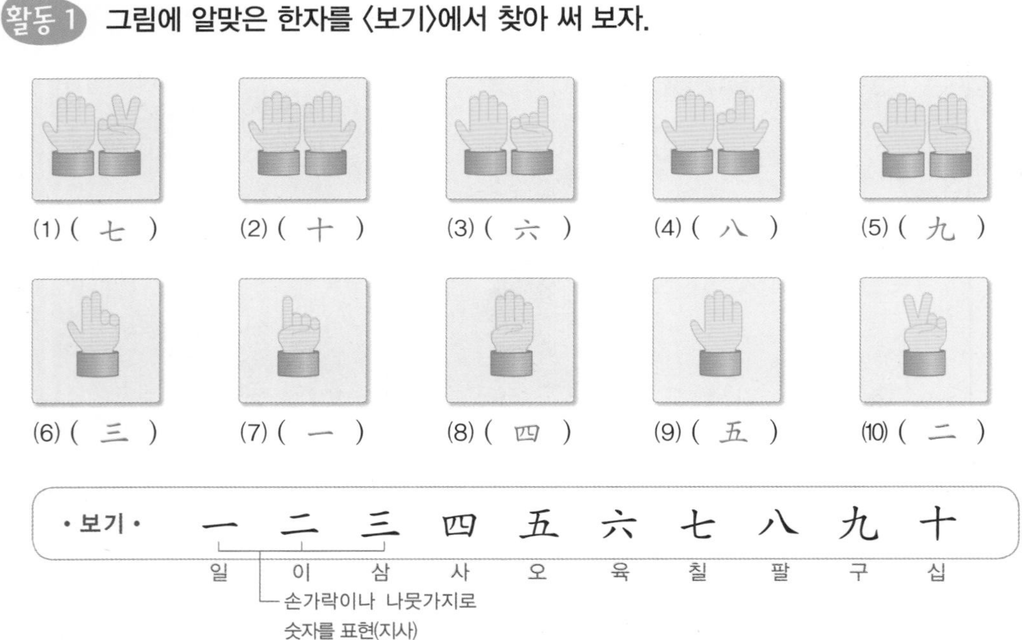

• 보기 • 一 二 三 四 五 六 七 八 九 十

일 이 삼 사 오 육 칠 팔 구 십

(一 二 三: 손가락이나 나뭇가지로 숫자를 표현(지사))

新 한자 모아 보기

한자	음	뜻	부수	획수	총획
七	칠	일곱	一	1	2
八	팔	여덟	八	0	2
九	구	아홉	乙	1	2
百	백	일백	白	1	6

한자	음	뜻	부수	획수	총획
千	천	일천	十	1	3
億	억	억	人(亻)	13	15
兆	조	조	儿	4	6

한자	음	뜻	부수	획수	총획
數	수	셈	攴(攵)	11	15
	삭	자주			
	촉	촘촘하다			
命	명	목숨	口	5	8

그렇다면 더 큰 수는 어떻게 표현할까?

활동 2 빈칸에 들어갈 한자를 〈보기〉에서 찾아 써 보자.

(1) 말 한마디에 (千) 냥 빚도 갚는다. 말만 잘하면 어려운 일이나 불가능해 보이는 일도 해결할 수 있다는 말로, 말을 할 때는 언제나 주의해야 한다는 말

(2) (百) 번 듣는 것이 한 번 보는 것만 못하다. 듣기만 하는 것보다는 직접 보는 것이 확실하다는 말

(3) 천석꾼에 천 가지 걱정 만석꾼에 (萬) 가지 걱정 재산이 많으면 그만큼 걱정도 많음을 비유적으로 이르는 말

• 보기 •

百	千	萬	億	兆
백	천	만	억	조

자, 이제 숫자 자체를 나타내는 한자에 관하여 알아볼까?

활동 3 빈칸에 알맞은 음을 써 보자.

이 글자는 여러 개의 겹쳐진 물건을 가지고 손으로 하는 일이라는 뜻에서 '수를 세는 일'과 '숫자'를 나타내게 되었다.

또, '자주'의 뜻으로 쓰일 때는 '삭', '촘촘하다'의 뜻으로 쓰일 때는 '촉'으로 읽는 등 여러 가지 뜻과 음을 가진 한자이다.

그리고 이미 정해져 있는 運數(❶ 운 수)나 運命(❷ 운 명)을 뜻하기도 한다.

❶ 이미 정하여져 있어 인간의 힘으로는 어쩔 수 없는 천운(天運)과 기수(氣數)

❷ 인간을 포함한 모든 것을 지배하는 초인간적인 힘. 또는 그것에 의하여 이미 정하여져 있는 목숨이나 처지

예 • 運數(운수) 좋은 날
• 財數(재수)가 좋다.

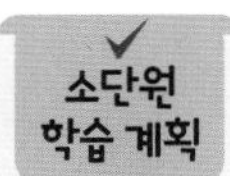

소단원 학습 계획

배울 내용에 관하여 얼마나 알고 있는지 스스로 점검해 보자.

• 숫자를 나타내는 한자를 알고 있는가?	☆☆☆☆☆
• 숫자가 쓰인 성어를 알고 있는가?	☆☆☆☆☆

잘하는 부분은 발전시키고, 부족한 부분은 보완할 수 있도록 스스로 학습 계획을 세워 보자.

나는 이 단원에서 ___예 숫자를 나타내는 한자, 숫자가 쓰인 성어___ 을/를 공부하겠다.

도움말 수를 나타내는 한자, 숫자 자체를 나타내는 한자를 묻는 활동을 통해 소단원 학습 내용에 관한 자신의 배경 지식 정도를 스스로 점검해 본다. 또 이를 바탕으로 이 소단원에서 어떤 내용을 공부할지 스스로 계획을 세워 본다.

출제 유형

- 성어의 빈칸에 공통으로 들어갈 한자로 알맞은 것은?
- 다음 설명에 해당하는 성어로 알맞은 것은?

新 한자 모아 보기

한자	음	뜻	부수	획수	총획
擧	거	들다, 행하다	手	14	18
得	득	얻다	彳	8	11
張*	장	베풀다, 성씨	弓	8	11
李	리	오얏, 성씨	木	3	7
顚*	전	구르다	頁	10	19
起	기	일어나다	走	3	10
死	사	죽다	歹	2	6
知	지	알다	矢	3	8
苦	고	쓰다, 괴롭다	艸(艹)	5	9

스스로 확인

千辛萬苦에서 '많다'의 의미로 쓰인 한자는 무엇인가?

千, 萬
천 만

07. 숫자로 배우는 성어

교과서 52, 53쪽

학습 요소 ■ 숫자를 나타내는 한자 ■ 품사 ■ 성어의 겉뜻과 속뜻

一擧兩得.

一	擧	兩	得
일	거	양	득
하나	행하다	두	얻다

[一擧兩得(일거양득)과 비슷한 뜻의 속담]
- 꿩 먹고 알 먹는다.
- 도랑 치고 가재 잡는다.

張三李四.

張	三	李	四
장	삼	이	사
성씨	셋	성씨	넷

七顚八起.

七	顚	八	起
칠	전	팔	기
일곱	구르다	여덟	일어나다

九死一生.

九	死	一	生
구	사	일	생
아홉	죽다	하나	살다

聞一知十.

聞	一	知	十
문	일	지	십
듣다	하나	알다	열

千辛萬苦.

千	辛	萬	苦
천	신	만	고
일천	맵다	일만	쓰다

[千辛萬苦(천신만고)와 비슷한 뜻의 성어]
千苦萬難(천고만난): 천 가지의 괴로움과 만 가지의 어려움이라는 뜻으로, 온갖 고난을 이르는 말

드디어 성공!

[五味(오미) – 다섯 가지 맛]
- 酸(산): 신맛
- 苦(고): 쓴맛
- 甘(감): 단맛
- 辛(신): 매운맛
- 鹹(함): 짠맛

꼭꼭! 본문 다지기

○ 교과서 54쪽

一擧兩得(일거양득). 겉뜻 = 속뜻 | 한 가지의 행동으로 두 가지의 이익을 얻음.

張三李四(장삼이사). 겉뜻 | 장씨 집안의 셋째 아들, 이씨 집안의 넷째 아들
속뜻 | 성명이나 신분이 특별하지 아니한 평범한 사람들

七顚八起(칠전팔기). 겉뜻 | 일곱 번 넘어지고 여덟 번 일어남.
속뜻 | 여러 번 실패하여도 굴하지 아니하고 꾸준히 노력함.

九死一生(구사일생). 겉뜻 | 아홉 번 죽을 뻔하다 한 번 살아남.
속뜻 | 죽을 고비를 여러 차례 넘기고 겨우 살아남.

聞一知十(문일지십). 겉뜻 | 하나를 듣고 열 가지를 (미루어) 앎.
속뜻 | 지극히 총명함.

千辛萬苦(천신만고). 겉뜻 | 천 가지 매운 것과 만 가지 쓴 것
속뜻 | 온갖 어려운 고비를 다 겪으며 심하게 고생함.

● 一擧兩得(일거양득)과 비슷한 뜻의 성어
一石二鳥(일석이조)
돌 한 개를 던져 새 두 마리를 잡는다는 뜻으로, 동시에 두 가지 이득을 봄을 이르는 말. 영어 속담 'Kill two birds with one stone.'에서 유래

● 張三李四(장삼이사)와 비슷한 뜻의 성어
- 甲男乙女(갑남을녀)
갑이란 남자와 을이란 여자라는 뜻으로, 평범한 사람들을 이르는 말
- 匹夫匹婦(필부필부)
평범한 남녀

● 張(장), 李(이): 중국에서 매우 많은 姓氏(성씨)

● 千(천), 萬(만): 매우 큰 수를 뜻함. → '온갖, 모두, 전부 등'의 뜻으로 쓰임.

모양이 비슷한 한자

- 千 (천) 일천 예 千字文(천자문) 중국 양나라 주흥사(周興嗣)가 지은 책
- 干 (간) 천간 예 干支(간지) 천간(天干)과 지지(地支)
- 于 (우) 어조사 예 于先(우선) 어떤 일에 앞서서

똑똑한 한문 지식 품사

품사는 어휘를 뜻과 기능에 따라 분류하여 공통된 성질을 가진 것끼리 모아 놓은 단어들의 갈래를 말한다. 한문의 품사에는 단독으로 어휘적 뜻을 가지는 '실사'와 문법적 뜻만을 나타내는 '허사'가 있다.

- 실사: 명사, 대명사, 수사, 동사, 형용사, 부사
- 허사: 개사, 접속사, 어조사, 감탄사

이해 더하기 성어

成語(성어)는 옛사람들이 만든 말로, 두 글자 이상으로 이루어져 있다. 성어의 겉뜻뿐 아니라 속뜻까지 정확히 알아야 성어를 상황에 맞게 효과적으로 사용하여 풍요로운 언어생활을 할 수 있다.

- 2자 성어: 백미(白眉), 기우(杞憂)
- 3자 성어: 팔불출(八不出), 사이비(似而非)
- 4자 성어: 구우일모(九牛一毛), 간담상조(肝膽相照)
- 5자 성어: 오십보백보(五十步百步), 온고이지신(溫故而知新)

※ 성어는 내용이나 상황을 비유적으로 전달하기 때문에 성어를 사용하면 효과적으로 말할 수 있다.

- 겉뜻: 말이나 글의 표면에 직접 드러나는 뜻
- 속뜻: 말이나 글의 표면에 직접 드러나지 아니하고 그 속에 흐르고 있는 뜻

新 한자 모아 보기

한자	음	뜻	부수	획수	총획
石	석	돌	石	0	5
鳥	조	새	鳥	0	11
匹	필	짝	匚	2	4
氏	씨	성씨	氏	0	4
于	우	어조사	二	1	3
先	선	먼저	儿	4	6

한자	음	뜻	부수	획수	총획
語	어	말씀	言	7	14
個	개	낱	人(亻)	8	10
容	용	얼굴, 담다	宀	7	10
量	량	헤아리다	里	5	12
線	선	줄	糸	9	15

한자	음	뜻	부수	획수	총획
角	각	뿔	角	0	7
度	도	법도	广	6	9
貨	화	재물	貝	4	11
店	점	가게	广	5	8
態*	태	모습	心	10	14
象*	상	코끼리, 형상	豕	5	12

쑥쑥! 실력 향상 ○ 교과서 55쪽

생활 속 용어 활용

숫자는 個數와 容量을 나타낼 수 있지.

• 個數(개수): 한 개씩 낱으로 셀 수 있는 물건의 수효

• 容量(용량): 가구나 그릇 같은 데 들어갈 수 있는 분량

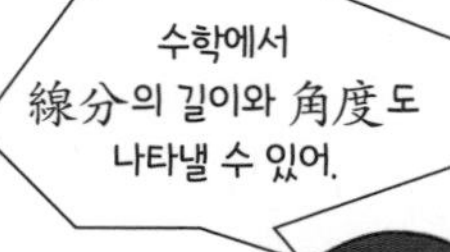

• 線分(선분): 직선 위에서 그 위의 두 점에 한정된 부분

• 角度(각도): 한 점에서 갈리어 나간 두 직선의 벌어진 정도

百貨店, 千態萬象처럼 말이지?

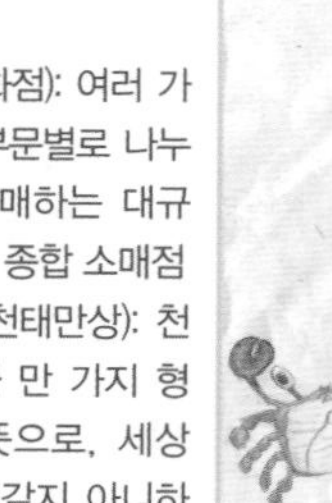

• 百貨店(백화점): 여러 가지 상품을 부문별로 나누어 진열·판매하는 대규모의 현대식 종합 소매점

• 千態萬象(천태만상): 천 가지 모습과 만 가지 형상이라는 뜻으로, 세상 사물이 한결같지 아니하고 각각 모습·모양이 다름을 이르는 말

문제로 실력 확인

1. 빈칸에 알맞은 숫자를 한자로 써 보자.

(1) 張[三]李四 (장 삼 이 사)　(2) [九]死一生 (구 사 일 생)　(3) 千辛[萬]苦 (천 신 만 고)

2. 빈칸에 알맞은 한자 성어를 본문에서 찾아 쓰고, 그 속뜻을 써 보자.

> 그는 세 번이나 준우승에 머물렀지만 [七][顚][八][起](칠 전 팔 기)의 노력으로 드디어 우승컵을 손에 넣었다.

속뜻: 여러 번 실패하여도 굴하지 아니하고 꾸준히 노력함.

창의형

3. 본문에서 배운 성어를 활용하고 숫자를 한자로 표기하여 광고지를 만들어 보자.

예시

소단원 자기 점검

학업 성취도를 스스로 점검해 보자.

• 숫자를 나타내는 한자를 읽고 쓸 수 있는가?	잘함 / 보통 / 노력 필요
• 숫자가 쓰인 성어의 뜻을 알고 상황에 맞게 성어를 활용할 수 있는가?	잘함 / 보통 / 노력 필요

□ 교과서 50~51쪽 '활동 1, 2' 다시 읽기　□ 교과서 52~54쪽 다시 읽기

도움말 소단원 학습이 끝나면 소단원의 학습 목표에 해당하는 질문에 답하며 자신의 학업 성취도를 스스로 점검해 본다. 성취 목표에 도달하지 못한 경우에는 제시된 위치로 돌아가서 내용을 다시 읽고 공부하도록 한다.

소단원 스스로 정리

정답과 해설 292쪽

• 한자, 음, 뜻, 부수의 순서로 제시

1. 한자

七 ❶□ 일곱 [一]
八 (팔) ❷□□ [八]
九 (구) 아홉 [乙]
❸□ (백) 일백 [白]
千 (천) 일천 [十]
億 (억) 억 [人(亻)]
兆 (조) 조 [儿]
數 ❹□ 셈, (삭) 자주, (촉) 촘촘하다 [攴(攵)]
命 (명) 목숨 [口]
擧 (거) 들다, 행하다 [手]
得 (득) 얻다 [彳]

張* (장) 베풀다, 성씨 [弓]
李 (리) 오얏, 성씨 [木]
顚* (전) 구르다 [頁]
❺□ (기) 일어나다 [走]
死 (사) 죽다 [歹]
知 ❻□ 알다 [矢]
苦 (고) 쓰다, 괴롭다 [艸(艹)]
石 (석) 돌 [石]
❼□ (조) 새 [鳥]
匹 (필) 짝 [匸]
氏 (씨) 성씨 [氏]
于 ❽□ 어조사 [二]

❾□ (선) 먼저 [儿]
語 ❿□ 말씀 [言]
個 (개) 낱 [人(亻)]
容 (용) 얼굴, 담다 [宀]
量 (량) 헤아리다 [里]
線 (선) 줄 [糸]
角 (각) 뿔 [角]
⓫□ (도) 법도 [广]
貨 (화) 재물 [貝]
店 (점) 가게 [广]
態* (태) 모습 [心]
象* ⓬□ 코끼리, 형상 [豕]

2. 어휘

(1) 個❶□(개수): 한 개씩 낱으로 셀 수 있는 물건의 수효
(2) 容量(❷□□): 가구나 그릇 같은 데 들어갈 수 있는 분량
(3) 線分(❸□□): 직선 위에서 그 위의 두 점에 한정된 부분
(4) 角❹□(각도): 한 점에서 갈리어 나간 두 직선의 벌어진 정도
(5) 千態萬象(천태만상): ❺□ 가지 모습과 ❻□ 가지 형상

3. 본문

❶□□□□(일거양득)	한 가지의 행동으로 두 가지의 이익을 얻음.
張三李四(장삼이사)	장씨 집안의 ❷□□ 아들, 이씨 집안의 ❸□□ 아들 → 성명이나 신분이 특별하지 아니한 평범한 사람들
七顚八起(❹□□□□)	일곱 번 넘어지고 여덟 번 일어남. → 여러 번 실패하여도 굴하지 아니하고 꾸준히 노력함.
九死一生(구사일생)	❺□□ 번 죽을 뻔하다 한 번 살아남. → 죽을 고비를 여러 차례 넘기고 겨우 살아남.
聞一知十(문일지십)	하나를 듣고 ❻□ 가지를 앎. → 지극히 총명함.
千❼□萬❽□(천신만고)	천 가지 매운 것과 만 가지 쓴 것 → 온갖 어려운 고비를 다 겪으며 심하게 고생함.

4. 품사

어휘를 뜻과 기능에 따라 분류하여 공통된 성질을 가진 것끼리 모아 놓은 단어들의 갈래

• ❶□□: 단독으로 어휘적 뜻을 가지는 것 • ❷□□: 문법적 뜻만을 나타내는 것

소단원 확인 문제

01 숫자를 나타내는 한자가 <u>아닌</u> 것은?

① 六 ② 七 ③ 九 ④ 十 ⑤ 匹

출제 유력

02 숫자에 해당하는 한자가 바르게 연결된 것은?

① 4 – 西
② 5 – 正
③ 8 – 人
④ 100,000,000 – 意
⑤ 1,000,000,000,000 – 兆

03 한자의 부수가 바르지 <u>않은</u> 것은?

① 死 – 歹 ② 起 – 走 ③ 苦 – 艸
④ 石 – 口 ⑤ 鳥 – 鳥

04 밑줄 친 부분을 나타내는 한자를 순서대로 쓰시오.

> <u>백</u> 번 듣는 것이 <u>한</u> 번 보는 것만 못하다.

05 빈칸에 들어갈 한자로 알맞은 것은?

> □辛萬苦: 천 가지 매운 것과 만 가지 쓴 것

① 天 ② 于 ③ 午 ④ 干 ⑤ 千

출제 유력

06 성어의 빈칸에 들어가는 숫자를 작은 것부터 큰 것의 순서대로 바르게 나열한 것은?

> • 聞一知(㉠) • (㉡)顚(㉢)起
> • 張(㉣)李四 • 一石(㉤)鳥
> • 千辛(㉥)苦

① ㉠-㉡-㉢-㉤-㉣-㉥
② ㉢-㉠-㉤-㉡-㉣-㉥
③ ㉣-㉡-㉢-㉠-㉥-㉤
④ ㉤-㉣-㉡-㉢-㉠-㉥
⑤ ㉥-㉤-㉠-㉡-㉢-㉣

07 밑줄 친 한자들의 공통된 뜻으로 알맞은 것은?

> <u>百</u>貨店 <u>千</u>態<u>萬</u>象

① 적다 ② 많다 ③ 크다
④ 백 ⑤ 천

08 다음 성어에서 가장 마지막으로 풀이되는 한자는?

> 聞一知十

① 聞 ② 一 ③ 知 ④ 十 ⑤ 聞一

출제 유력

09 성어의 빈칸에 공통으로 들어갈 한자로 알맞은 것은?

> □擧兩得 九死□生 聞□知十

① 一 ② 二 ③ 三 ④ 四 ⑤ 五

10 다음 설명에 해당하는 성어로 알맞은 것은?

> • 비슷한 뜻을 가진 성어로 一石二鳥가 있다.
> • '한 가지 행동으로 두 가지의 이익을 얻음.'을 의미한다.

① 聞一知十 ② 九死一生 ③ 一擧兩得
④ 甲男乙女 ⑤ 千辛萬苦

11 빈칸에 들어가기에 가장 적절한 성어는?

> 나는 □□□□ 끝에 10년 만에 드디어 대학에 합격했다.

① 九死一生 ② 七顚八起 ③ 一擧兩得
④ 張三李四 ⑤ 聞一知十

12 성어의 풀이 순서가 나머지와 다른 하나는?

① 一擧兩得 ② 張三李四 ③ 聞一知十
④ 九死一生 ⑤ 七顚八起

[13~17] 다음 성어를 읽고 물음에 답하시오.

(가) 一擧兩得 (나) 張三李四
(다) 七顚八起 (라) 九死一生
(마) 聞一知十

13 (가)~(마) 중, 다음 속담과 뜻이 비슷한 성어는?

도랑 치고 가재 잡는다.

① (가) ② (나) ③ (다) ④ (라) ⑤ (마)

출제 유력

14 (가)~(마) 중, 밑줄 친 부분에 해당하는 성어는?

공자께서 제자인 자공에게 "너와 안회 중 누가 낫느냐?"라고 묻자 자공이 다음과 같이 대답하였다. "안회는 하나를 들으면 열을 알지만, 저는 하나를 들으면 둘을 알 뿐입니다."

① (가) ② (나) ③ (다) ④ (라) ⑤ (마)

15 (가)~(마) 중, 빈칸에 들어가기에 가장 적절한 성어는?

그는 전쟁터에서 □□□□(으)로 살아 돌아왔다.

① (가) ② (나) ③ (다) ④ (라) ⑤ (마)

서술형

16 (나)의 속뜻을 쓰시오.

출제 유력

17 (다)에서 얻을 수 있는 교훈이 가장 필요한 사람은?

① 말과 행동을 함부로 하는 사람
② 환경을 탓하며 공부하지 않는 사람
③ 사소한 시련에 쉽게 포기하는 사람
④ 주관 없이 남의 말을 무조건 믿는 사람
⑤ 목표를 정하지 못하고 허송세월하는 사람

18 다음 글의 빈칸에 들어가기에 알맞은 성어는?

진나라의 속석이 임금에게 "위나라 때의 개척지인 양평 지방으로 돌아가 살게 했던 백성들을 다시 서쪽으로 이주시키자."라고 제의하며 그 성과를 다음과 같이 들었다. "백성들을 서주로 이주시킴으로써 변방 지역을 보충하고, 10년 동안 세금을 면제해 줌으로써 이주시킨 일을 위로합니다. 이렇게 하면 밖으로는 실제적인 이익이 있게 되고, 안으로는 관용을 베푸는 일이 되어 □□□□이/가 됩니다."

① 七顚八起 ② 張三李四 ③ 聞一知十
④ 一擧兩得 ⑤ 千辛萬苦

19 다음 시의 내용으로 볼 때, 빈칸에 들어갈 제목으로 알맞은 성어는?

□□□□

넘어지는 게
꼭 나쁜 것은 아닙니다.

제대로 서 있었으니까
넘어질 수도 있는 것이고,

넘어진 후에는
일어나기만 하면 되니까요.

그리고 넘어졌을 때
아파도 참을 수 있는 것은
다시 일어설 수 있기 때문입니다.

① 七顚八起 ② 聞一知十 ③ 千辛萬苦
④ 九死一生 ⑤ 張三李四

08. 삶을 따뜻하게 하는 성어

○ 교과서 56, 57쪽

똑똑! 활동으로 열기

출제 유형
- 한자 어휘의 풀이로 바른 것은?
- 밑줄 친 한자의 의미가 바른 것은?
- 빈칸에 들어갈 한자로 알맞은 것은?

집에 와 보니 편지가 와 있네. 누가 보냈을까?

활동 1 편지 속 진한 글씨를 연결하여 한자를 써 보자.

은호야, 잘 지내니?

난 너와 함께 지낸 **시간**이 바로 어제처럼 생생하게 떠올라.

너는 항상 **자신**보다 남을 챙기고, 늘 **친근감** 있는 모습을 보여 주어 주변에 **친구**가 많았지. 전학 간 곳에서도 적응 잘하고 있겠지?

다시 만날 때까지 건강하기를 바라!

- 時間(시간): 어떤 시각에서 어떤 시각까지의 사이
- 自身(자신): 그 사람의 몸 또는 바로 그 사람을 이르는 말
- 親近感(친근감): 사귀어 지내는 사이가 아주 가까운 느낌
- 親舊(친구): 가깝게 오래 사귄 사람

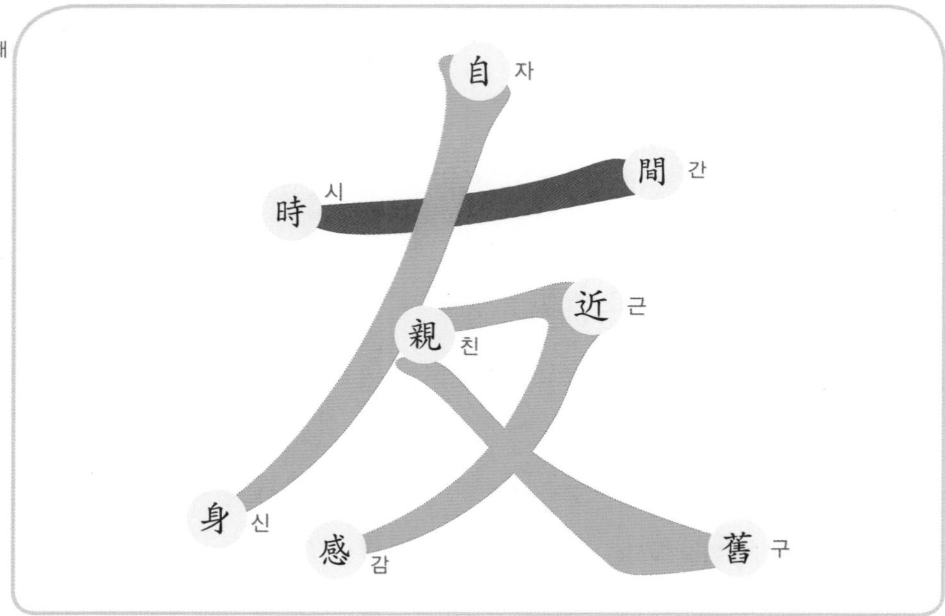

新 한자 모아 보기

한자	음	뜻	부수	획수	총획
自	자	스스로	自	0	6
間	간	사이	門	4	12
近	근	가깝다	辵(辶)	4	8
身	신	몸, 자기	身	0	7
舊	구	옛	臼	12	18
直	직	곧다	目	3	8

한자	음	뜻	부수	획수	총획
道	도	길, 도리	辵(辶)	9	13
理	리	이치	王	7	11
識	식	알다	言	12	19
便	편	편하다	人(亻)	7	9
	변	똥오줌			

한자	음	뜻	부수	획수	총획
信	신	믿다, 소식	人(亻)	7	9
奉	봉	받들다	大	5	8
仕	사	벼슬, 섬기다	人(亻)	3	5

'활동 1'에서 만들어진 한자와 관련된 동서양의 명언을 읽어 볼까?

활동 2 빈칸에 알맞은 음을 써 보자.

벗이란 두 개의 몸에
깃든 하나의 영혼이다.

이로운 벗이 셋 있고,
- 正直(❶ 정 직)한 사람
- 친구의 道理(❷ 도 리)를 지키는 사람
- 知識(❸ 지 식)이 있는 사람

해로운 벗이 셋 있지.
- 한쪽으로 치우쳐 便(❹ 편)한 길만 취하는 사람
- 남에게 아첨하는 사람
- 말만 앞서는 사람

正直: 마음에 거짓이나 꾸밈이 없이 바르고 곧음.

道理: 사람이 어떤 입장에서 마땅히 행하여야 할 바른길

知識: 어떤 대상에 대하여 배우거나 실천을 통하여 알게 된 명확한 인식이나 이해

便: ① 몸이나 마음이 거북하거나 괴롭지 아니하여 좋음. ② 쉽고 편리함.

사회생활: 사람이 사회의 일원으로서 집단적으로 모여서 질서를 유지하며 살아가는 공동생활

친구와 사귀고 사회생활을 할 때 어떤 자세가 필요할까?

활동 3 빈칸에 알맞은 어휘를 연결해 보자.

(1) 신 의 을/를 지키기 — ㉠ 信義 (신 의) 믿음과 의리를 아울러 이르는 말

(2) 남을 위해 봉 사 하기 — ㉢ 奉仕 (봉 사) 국가나 사회 또는 남을 위하여 자신을 돌보지 아니하고 힘을 바쳐 애씀.

(3) 처 지 을/를 바꾸어 생각해 보기 — ㉡ 處地 (처 지) 처하여 있는 사정이나 형편

배울 내용에 관하여 얼마나 알고 있는지 스스로 점검해 보자.

• 우정과 관련 있는 성어를 알고 있는가?	☆☆☆☆☆
• 사회생활과 관련 있는 성어를 알고 있는가?	☆☆☆☆☆

잘하는 부분은 발전시키고, 부족한 부분은 보완할 수 있도록 스스로 학습 계획을 세워 보자.

나는 이 단원에서 ㉠ 우정과 관련 있는 성어, 사회생활과 관련 있는 성어 을/를 공부하겠다.

도움말 친구를 나타내는 한자, 친구와 관련된 동서양의 명언, 사회생활을 할 때 필요한 자세와 관련된 활동을 통해 소단원 학습 내용에 관한 자신의 배경지식 정도를 스스로 점검해 본다. 또 이를 바탕으로 이 소단원에서 어떤 내용을 공부할지 스스로 계획을 세워 본다.

학습 요소 ■ 실사와 허사 ■ 우정, 사회생활과 관련 있는 성어 ■ 가치관 정립

출제 유형
- 성어의 빈칸에 들어갈 한자로 알맞은 것은?
- 다음 내용과 관련 있는 성어는?
- 다음 빈칸에 들어가기에 가장 적절한 성어는?

08. 삶을 따뜻하게 하는 성어

교과서 58, 59쪽

新 한자 모아 보기

한자	음	뜻	부수	획수	총획
竹	죽	대나무	竹	0	6
馬	마	말	馬	0	10
故	고	옛, 까닭	攴(攵)	5	9
友	우	벗	又	2	4
莫	막	없다	艸(艹)	7	11
逆	역	거스르다	辵(辶)	6	10
之	지	가다, 어조사, 그것	丿	3	4
交	교	사귀다	亠	4	6
以	이	써	人	3	5
扶	부	돕다	手(扌)	4	7
助	조	돕다	力	5	7
易	역 / 이	바꾸다 / 쉽다	日	4	8
思	사	생각	心	5	9
殺	살 / 쇄	죽이다 / 빠르다	殳	7	11
仁	인	어질다	人(亻)	2	4

竹馬故友.

竹(죽, 대나무) 馬(마, 말) 故(고, 옛) 友(우, 벗)

竹馬 — 대나무를 가랑이 사이에 끼워 말로 삼은 것

莫逆之友.

莫(막, 없다) 逆(역, 거스르다) 之(지, 어조사) 友(우, 벗)

之 — ~한(어조사)

交友以信.

交(교, 사귀다) 友(우, 벗) 以(이, 써) 信(신, 믿다)

삼국 통일의 원동력이 된 화랑(花郞)의 '세속오계(世俗五戒: 신라 진평왕 때의 승려인 원광이 화랑에게 준 5가지 교훈)'의 하나이다.

[세속오계의 나머지 항목]
- 사군이충(事君以忠): 임금을 충성으로써 섬김.
- 사친이효(事親以孝): 부모를 효도로써 섬김.
- 임전무퇴(臨戰無退): 전쟁에 나가서 물러서지 않음.
- 살생유택(殺生有擇): 살생은 가려서 함.

相扶相助.

相(상, 서로) 扶(부, 돕다) 相(상, 서로) 助(조, 돕다)

扶 ≒ 助

[상부상조(相扶相助) 정신이 우리 조상들의 삶에 반영된 사례]
- 향약: 조선 시대에, 권선징악과 상부상조를 목적으로 만든 향촌의 자치 규약
- 두레: 농민들이 농번기에 농사일을 공동으로 하기 위하여 부락이나 마을 단위로 만든 조직.
- 품앗이: 힘든 일을 서로 거들어 주면서 품을 지고 갚고 하는 일

易地思之.

易(역, 바꾸다) 地(지, 처지, 입장) 思(사, 생각하다) 之(지, 그것)

之 — 그것(대명사)

殺身成仁.

殺(살, 죽이다) 身(신, 몸) 成(성, 이루다) 仁(인, 어질다)

仁 —
① 공자가 주장한 유교의 도덕 이념. 극기복례(克己復禮), 박애(博愛)
② 『설문해자』에는 '사람[亻] 두 명[二]이 친하다'의 뜻
③ 어질다(심성이 착함. 행위의 아름다움)

스스로 확인

서로 돕는 공동체 의식을 강조하는 성어는 무엇인가?

相扶相助
상 부 상 조

내가 수학을 가르쳐 줄게.
그럼 난 영어를 가르쳐 줄게.
ENGLISH

꼭꼭! 본문 다지기

교과서 60쪽

竹馬故友. (1 2 3 4, 죽 마 고 우)	겉뜻 | 대나무 말을 타고 놀던 옛 친구 속뜻 | 어릴 때부터 같이 놀며 자란 친구
莫逆之友. (2 1 3 4, 막 역 지 우)	겉뜻 | 거스름이 없는 친구 속뜻 | 허물이 없이 아주 친한 친구
交友以信. (4 1 3 2, 교 우 이 신)	겉뜻 = 속뜻 | 친구를 믿음으로써 사귐.
相扶相助. (1 2 3 4, 상 부 상 조)	겉뜻 = 속뜻 | 서로 돕고 서로 도움.
易地思之. (2 1 4 3, 역 지 사 지)	겉뜻 = 속뜻 | 처지를 바꾸어서 그것(상대방의 입장)을 생각함.
殺身成仁. (2 1 4 3, 살 신 성 인)	겉뜻 | 자기의 몸을 죽여서라도 인을 이룸. 속뜻 | 옳은 일을 위하여 자신을 희생함.

- **故(고)의 여러 가지 뜻**
  - ① 옛 예 故友(고우) 사귄 지 오래된 벗
  - ② 일부러 예 故意(고의) 일부러 하는 생각이나 태도
  - ③ 까닭 예 緣故(연고) 까닭
  - ④ 일, 사건 예 事故(사고) 뜻밖에 일어난 불행한 일
  - ⑤ 죽은 사람 예 故人(고인) 죽은 사람

- **之(지)의 여러 가지 쓰임**
  - ① 가다 예 之南之北(지남지북) 남쪽으로도 가고 북쪽으로도 감.
  - ② 어조사(~의, ~하는, ~한) 예 莫逆之友(막역지우)
  - ③ 그것 예 易地思之(역지사지)

- **信(신)의 여러 가지 뜻**
  - ① 믿다 예 信義(신의) 믿음과 의리를 아울러 이르는 말
  - ② 소식 예 書信(서신) 편지

- **易(역/이)의 여러 가지 음과 뜻**
  - ① (역) 바꾸다 예 交易(교역) 주로 나라와 나라 사이에서 물건을 사고 팔고 하여 서로 바꿈.
  - ② (이) 쉽다 예 安易(안이) 손쉬움.

똑똑한 한문 지식 실사와 허사

(1) 실사의 종류: 명사, 대명사, 수사, 동사, 형용사, 부사

예 • 竹馬故友(죽마고우) — 竹馬: 명사, 故: 형용사 • 易地思之(역지사지) — 之: 대명사 • 相扶相助(상부상조) — 相: 부사, 扶·助: 동사 • 一擧兩得(일거양득) — 一: 수사

(2) 허사의 종류: 개사, 접속사, 어조사, 감탄사

예 • 交友以信(교우이신) — 以: 개사 • 莫逆之友(막역지우) — 之: 어조사

※ 한문의 단어는 문장 안에서의 쓰임에 따라 품사가 바뀌고 뜻이 달라지기도 하므로, 본래 지니고 있는 뜻뿐만 아니라 문장에서의 쓰임인 활용도 고려하여 이해해야 한다.

[실사]
- 명사: 사물이나 개념의 이름을 나타냄.
- 대명사: 사람이나 사물, 장소 및 상태나 동작 등을 대신하여 가리킴.
- 수사: 사물의 수량이나 차례를 나타냄.
- 동사: 사람이나 사물의 동작, 행위, 심리 활동, 소유, 존재 등을 나타냄.
- 형용사(形容詞): 사람이나 사물의 성질 또는 상태를 나타냄.
- 부사(副詞): 동사나 형용사 또는 다른 부사를 수식하여 정도, 범위, 시간, 부정 등을 나타냄.

[허사]
- 개사: 명사류 앞에 놓여 처소, 대상, 도구, 시간, 원인, 비교 등의 뜻을 나타냄.
- 접속사: 단어와 단어, 어구와 어구, 문장과 문장을 서로 이어 주는 역할을 함. 예 而
- 어조사: 문법적인 뜻이나 어기(語氣) 등을 나타냄.
- 감탄사: 문장의 밖에 놓여 부름, 느낌, 놀람이나 응답을 나타냄. 예 嗚, 呼

이해 더하기 함께 살아가는 사회

우리는 살아가면서 어릴 적 소꿉친구, 내 마음을 알아주는 단짝 친구, 사회생활에서의 동료 등 수많은 사람을 만난다. 여럿이 함께 살아가는 사회에서 서로 돕는 자세, 입장을 바꿔 상대방을 생각하고 배려하는 마음, 양보심과 희생정신을 가지고 생활한다면 더 밝고 따뜻한 세상을 만들어 갈 수 있을 것이다.

新 한자 모아 보기

한자	음	뜻	부수	획수	총획
意	의	뜻	心	9	13
緣*	연	인연, 까닭	糸	9	15
南	남	남녘	十	7	9
北	북 / 배	북녘 / 달아나다	匕	3	5
安	안	편안하다	宀	3	6
花	화	꽃	艸(艹)	4	8
郞	랑	사내	邑(⻏)	7	10

쑥쑥! 실력 향상

○ 교과서 61쪽

생활 속 용어 활용

交友以信은 신라 시대 花郞이 세속에서 지켰던 계율이야.

• 花郞(화랑): 신라 때에 둔, 청소년의 민간 수양 단체. 문벌과 학식이 있고 외모가 단정한 사람으로 조직하였으며, 심신의 단련과 사회의 선도를 이념으로 함.

• 親舊(친구): 가깝게 오래 사귄 사람

親舊를 믿음으로써 사귀라는 거지? 그것 말고도 몇 가지 더 있지?

임금을 충성으로써 섬기는 것, 부모를 孝道로써 섬기는 것도 있지.

事君以忠(사군이충)

事親以孝(사친이효)

• 孝道(효도): ① 부모를 잘 섬기는 도리 ② 부모를 정성껏 잘 섬기는 일

그리고 전쟁에서 물러서지 않는 것, 함부로 殺生하지 않는 것도 포함되지.

臨戰無退(임전무퇴)

殺生有擇(살생유택)

• 殺生(살생): 사람이나 짐승 따위의 생물을 죽임.

문제로 실력 확인

1. 밑줄 친 한자의 뜻으로 알맞은 것에 ○ 표시를 해 보자.

(1) 莫逆之友 (막역지우)
(가다, ~한, 그것) — 정답: ~한

(2) 易地思之 (역지사지)
(바꾸다, 쉽다) — 정답: 바꾸다

2. 그림과 관련 있는 한자 성어와 그 겉뜻을 써 보자.

(1) 성어: 竹馬故友 (죽마고우)

(2) 겉뜻: 대나무 말을 타고 놀던 옛 친구

창의형

3. 우정에 관하여 친구들과 토의해 보고, 빈칸에 들어갈 수 있는 가치를 써 보자.

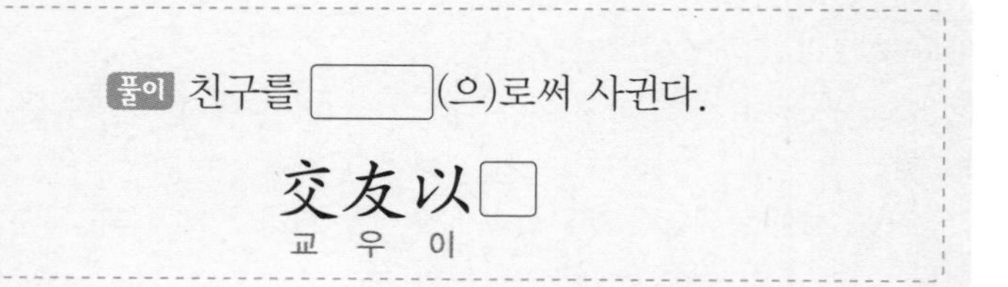

[예시 답안] 양보, 讓 / 사랑, 愛 / 우정, 情 / 정직, 直 / 겸손, 謙 등

소단원 자기 점검

학업 성취도를 스스로 점검해 보자.

• 우정과 관련 있는 성어의 뜻을 알고 상황에 맞게 성어를 활용할 수 있는가?	잘함 / 보통 / 노력 필요
• 사회생활과 관련 있는 성어의 뜻을 알고 상황에 맞게 성어를 활용할 수 있는가?	잘함 / 보통 / 노력 필요

교과서 58~60쪽 다시 읽기

도움말 소단원 학습이 끝나면 소단원의 학습 목표에 해당하는 질문에 답하며 자신의 학업 성취도를 스스로 점검해 본다. 성취 목표에 도달하지 못한 경우에는 제시된 위치로 돌아가서 내용을 다시 읽고 공부하도록 한다.

소단원 스스로 정리

정답과 해설 293쪽

• 한자, 음, 뜻, 부수의 순서로 제시

1. 한자

❶ □ (자) 스스로 [自]
間 (간) 사이 [門]
近 (근) 가깝다 [辵(辶)]
身 ❷ □ 몸, 자기 [身]
舊 (구) 옛 [臼]
直 (직) 곧다 [目]
❸ □ (도) 길, 도리 [辵(辶)]
理 (리) 이치 [王]
識 (식) 알다 [言]
便 (편) 편하다, (변) 똥오줌 [人(亻)]
信 ❹ □ 믿다, 소식 [人(亻)]
奉 (봉) 받들다 [大]

仕 (사) 벼슬, 섬기다 [人(亻)]
竹 (죽) 대나무 [竹]
❺ □ (마) 말 [馬]
故 (고) 옛, 까닭 [攴(攵)]
友 ❻ □ 벗 [又]
莫 (막) 없다 [艸(艹)]
逆 (역) 거스르다 [辵(辶)]
❼ □ (지) 가다, 어조사, 그것 [丿]
交 (교) 사귀다 [亠]
以 ❽ □ 써 [人]
扶 (부) 돕다 [手(扌)]
助 (조) 돕다 [力]
❾ □ (역) 바꾸다, (이) 쉽다 [日]

思 (사) 생각 [心]
殺 (살) 죽이다, (쇄) 빠르다 [殳]
❿ □ (인) 어질다 [人(亻)]
意 (의) 뜻 [心]
緣* (연) 인연, 까닭 [糸]
南 ⓫ □ 남녘 [十]
北 (북) 북녘, (배) 달아나다 [匕]
⓬ □ (안) 편안하다 [宀]
花 (화) 꽃 [艸(艹)]
郎 (랑) 사내 [邑(阝)]

2. 어휘

(1) 花郎(❶ □□): 신라 때에 둔, 청소년의 민간 수양 단체
(2) ❷ □□(친구): 가깝게 오래 사귄 사람
(3) 孝道(효도): ① ❸ □□를 잘 섬기는 도리 ② ❸ □□를 정성껏 잘 섬기는 일
(4) 殺生(❹ □□): 사람이나 짐승 따위의 생물을 죽임.

3. 본문

❶ □□□□(죽마고우)	대나무 말을 타고 놀던 옛 친구 → 어릴 때부터 같이 놀며 자란 친구
莫逆之友(❷ □□□□)	거스름이 없는 친구 → 허물이 없이 아주 친한 친구
交友以信(교우이신)	친구를 ❸ □□으로써 사귐.
❹ □□□□(상부상조)	서로 돕고 서로 도움.
易地思❺ □(역지사지)	처지를 바꾸어서 그것(상대방의 입장)을 생각함.
殺身成❻ □(살신성인)	자기의 몸을 죽여서라도 인을 이룸. → 옳은 일을 위하여 자신을 희생함.

4. 실사와 허사

(1) 실사의 종류: ❶ □□, 대명사, 수사, 동사, ❷ □□□, 부사
예 • 竹馬故友 (명사 형용사) • 易地思之 (대명사 부사 동사) • 相扶相助 • 一擧兩得 (수사)

(2) 허사의 종류: ❸ □□, 접속사, ❹ □□□, 감탄사
예 • 交友以信 (개사) • 莫逆之友 (어조사)

소단원 확인 문제

01 한자의 부수가 바르게 연결되지 않은 것은?

① 自 - 自　② 馬 - 馬　③ 身 - 身
④ 友 - 友　⑤ 竹 - 竹

02 비슷한 뜻을 가진 한자끼리 짝지어진 것은?

① 故, 友　② 扶, 助　③ 交, 信
④ 易, 思　⑤ 成, 人

출제 유력

03 밑줄 친 한자의 의미가 바른 것은?

① 道理 - 도리
② 信義 - 소식
③ 交易 - 쉽다
④ 殺身成仁 - 빠르다
⑤ 易地思之 - 가다

04 다음과 같은 뜻을 가진 한자 어휘는?

> 가깝게 오래 사귄 사람

① 時間　② 自身　③ 親舊
④ 親近感　⑤ 信義

05 다음 한자 어휘의 풀이로 적절한 것은?

> 奉仕

① 믿음, 의리를 아울러 이르는 말
② 마음에 거짓이나 꾸밈이 없이 바르고 곧음.
③ 사람이 어떤 입장에서 마땅히 행하여야 할 바른 길
④ 국가나 사회 또는 남을 위하여 자신을 돌보지 아니하고 힘을 바쳐 애씀.
⑤ 어떤 대상에 대하여 배우거나 실천을 통하여 알게 된 명확한 인식이나 이해

06 다음 성어에서 之의 쓰임으로 적절한 것은?

> 莫逆之友

① 가다　② ~한　③ 그것
④ ~이/가　⑤ ~을/를

출제 유력

07 빈칸에 들어갈 한자로 알맞은 것은?

> 交友以[ ]: 친구를 믿음으로써 사귐.

① 信　② 仁　③ 助　④ 思　⑤ 馬

[08~10] 다음 성어를 읽고 물음에 답하시오.

> 竹馬故友

08 위 성어에서 故의 의미로 알맞은 것은?

① 일　② 옛　③ 까닭
④ 일부러　⑤ 죽은 사람

09 위 성어에서 품사가 나머지와 다른 한자를 쓰시오.

서술형

10 위 성어를 활용한 예문을 하나 만들어 쓰시오.
(단, 완결된 문장 형식이어야 함.)

11 다음 한자 중 실사가 아닌 것은?

① 相　② 助　③ 故　④ 交　⑤ 以

출제 유력

12 빈칸에 공통적으로 들어갈 한자를 쓰시오.

竹馬故□ 莫逆之□ 交□以信

[13~15] 다음 성어를 읽고 물음에 답하시오.

易地思之

13 易과 음이 같은 한자는?

① 竹 ② 逆 ③ 交 ④ 仁 ⑤ 友

14 地의 뜻으로 알맞은 것은?

① 땅 ② 흙 ③ 지역
④ 고향 ⑤ 처지

15 之가 의미하는 것은?

① 옛 추억 ② 나의 처지
③ 나의 단점 ④ 상대방의 입장
⑤ 상대방의 단점

출제 유력

16 다음 내용과 가장 관련 있는 성어는?

- 두레: 촌락 공동체 단위에서 마을 일을 공동으로 하기 위해 조직되었다. 우리 조상들은 이를 통해서 노동을 조직화함으로써 모내기, 길쌈 등과 같이 개인이 해결하기 어려운 일들을 처리하여 노동의 생산성을 높였다.
- 품앗이: 이웃끼리 개인적 교분에 따라 필요에 맞추어 간편하게 노동력을 일대일로 주고받는 것을 말한다.

① 殺身成仁 ② 交友以信 ③ 竹馬故友
④ 莫逆之友 ⑤ 相扶相助

17 다음 그림의 여우와 두루미에게 가장 요구되는 자세와 관련된 성어는?

① 殺身成仁 ② 交友以信 ③ 竹馬故友
④ 莫逆之友 ⑤ 易地思之

출제 유력

18 빈칸에 들어가기에 가장 적절한 성어는?

화재 현장에 갇힌 이웃을 구하여 □□□□을 실천한 한 부부의 사연이 감동을 주고 있다.

지난 23일 오후 4시경 김모 씨의 철물점에서 불이 났다. 인근에서 꽃집을 운영하는 장순복, 안미순 씨 부부는, 남편이 안에 쓰러져 있다는 김 씨 부인의 다급한 목소리를 듣고 화재 현장으로 한달음에 내달렸다. 부부는 힘을 합쳐 의식을 잃은 김 씨를 무사히 구조하고, 의용 소방대원으로 활동하며 배운 심폐소생술로 김 씨에게 응급 조치를 했다. 장 씨는 구조 과정에서 오른쪽 팔과 왼쪽 손가락에 화상을 입었다.

부부는 "당시엔 오직 한 사람의 소중한 생명을 구해야 한다는 생각밖에 하지 않았다. 이웃의 생명을 구했다는 사실에 그저 감사할 따름이다."라고 말했다.

「OO일보」, 2017. 3. 29.

① 殺身成仁 ② 交友以信 ③ 竹馬故友
④ 莫逆之友 ⑤ 易地思之

19 세속오계 중 우정과 관련 있는 것은?

① 사군이충(事君以忠)
② 사친이효(事親以孝)
③ 임전무퇴(臨戰無退)
④ 살생유택(殺生有擇)
⑤ 교우이신(交友以信)

09. 이야기가 있는 성어

◎ 교과서 62, 63쪽

똑똑! 활동으로 열기

출제 유형
- 고사성어에 대한 설명으로 바르지 않은 것은?
- 다음 설명과 관련 있는 성어는?

성어는 중국 역사에서 유래한 것이 많지만, 우리나라 역사에서 유래한 것도 있어.

활동 1 빈칸에 들어갈 성어를 한글로 써 보자.

조선의 태조 이성계는 자식들의 왕권 다툼으로 인해 정치에 뜻을 잃어 왕위를 정종에게 물려주고 **함흥**(함경남도 중남부에 있는 시. 조선 왕조 발상지)으로 갔다. 이후 태종이 즉위하여 태조를 일단 서울로 모셔왔으나, 태조는 얼마 후 다시 떠나 돌아오지 않았다. 이에 태종이 **차사**[1]를 여러 번 보냈으나 그들도 모두 돌아오지 않았다. 이때부터 심부름을 가서 오지 아니하거나 늦게 온 사람을 [함][흥][차][사](이)라 부르게 되었다.

1) 차사: 임금이 중요한 임무를 위하여 파견하던 임시 벼슬. 또는 그런 벼슬아치

옛날에는 비유적인 이야기를 통해 말하고자 하는 바를 전달하는 일이 많았어.

활동 2 만화의 밑줄 친 부분을 참고하여, 빈칸에 알맞은 한자를 넣어 성어를 완성해 보자.

- 水魚之交(수어지교):
  ① 물이 없으면 살 수 없는 물고기와 물의 관계라는 뜻으로, 아주 친밀하여 떨어질 수 없는 사이를 비유적으로 이르는 말
  ② 임금과 신하 또는 부부의 친밀함을 이르는 말

[水][魚]之交
수 어 지 교

新 한자 모아 보기

한자	음	뜻	부수	획수	총획
車	거, 차	수레	車	0	7
兵	병	병사	八	5	7
士	사	선비	士	0	3
將	장	장수, 나아가다	寸	8	11
面	면	얼굴, 방향	面	0	9

한자	음	뜻	부수	획수	총획
楚*	초	초나라	木	9	13
歌	가	노래	欠	10	14
對	대	대하다	寸	11	14
決	결	결정하다	水(氵)	4	7
勝	승	이기다	力	10	12

한자	음	뜻	부수	획수	총획
利	리	이롭다	刀	5	7
敗	패	패하다	攴(攵)	7	11
益	익	더하다	皿	5	10
善	선	착하다, 좋다, 잘하다	口	9	12

성어 중에는 초나라와 한나라의 전쟁에서 유래한 것도 있는데, 그 전쟁은 지금도 장기판 위에서 벌어지고 있지.

활동 3 장기짝을 움직여 만나는 어휘를 빈칸에 써 보자.

사면초가: 사방에서 들리는 초나라의 노래. 아무에게도 도움을 받지 못하는, 외롭고 곤란한 지경에 빠진 형편을 이르는 말

- 여러 번의 싸움 끝에 한의 군사들은 초를 포위하여 ❶(四面楚歌)의 상태를 만들었다.

차 車 를 왼쪽으로 움직여 봐.

대결: 양자(兩者)가 맞서서 우열이나 승패를 가림. 패배: 겨루어서 짐. 승리: 겨루어서 이김.

- 결국 이 ❷(對決)에서는 초가 ❸(敗北)하고 한이 ❹(勝利)하였다.

마 馬 를 앞으로 움직여 봐. 상 象 을 앞으로 움직여 봐. 병 兵 을 앞으로 움직여 봐.

다다익선: 많으면 많을수록 더욱 좋음.

- ❺(多多益善)은/는 한의 名將 한신이 한 말이다.

사 士 를 앞으로 움직여 봐. 명장: 이름난 장수

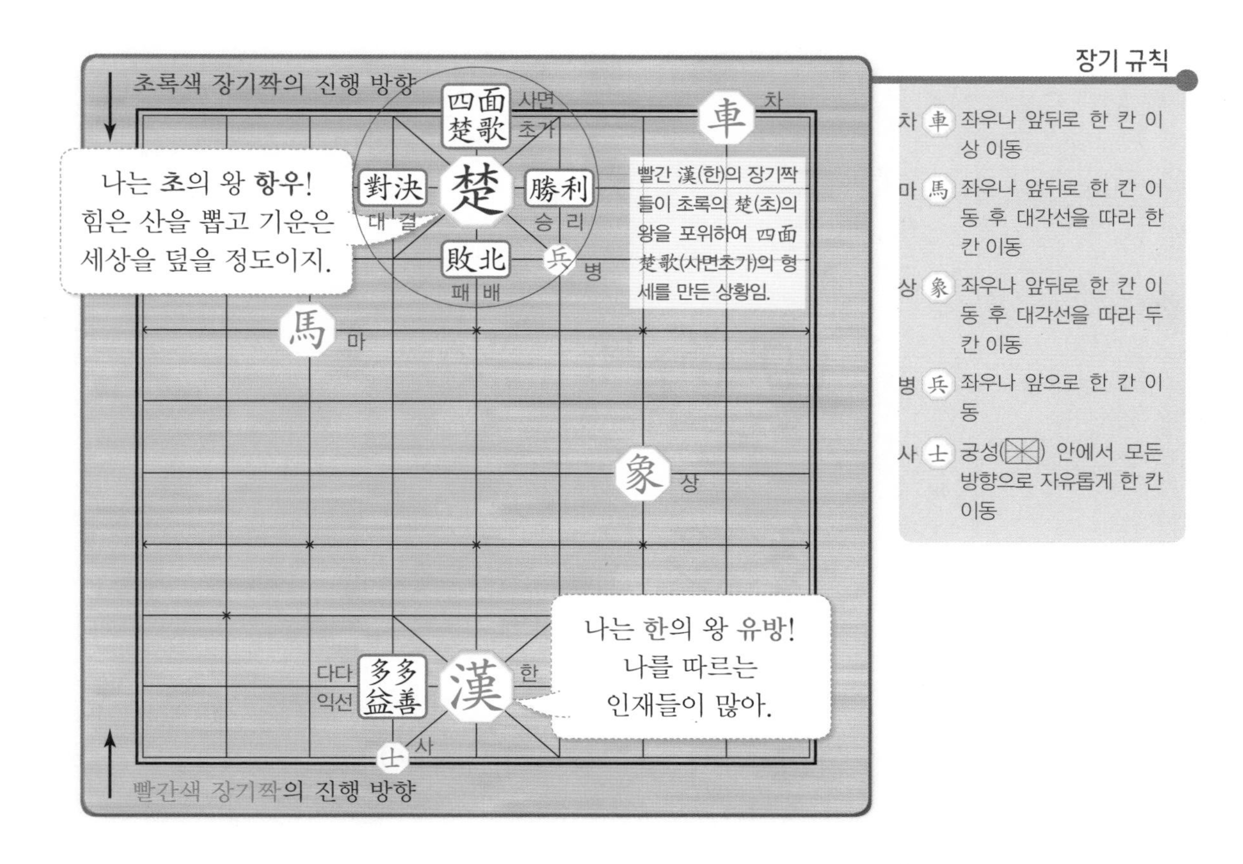

장기 규칙

- 차 車 좌우나 앞뒤로 한 칸 이상 이동
- 마 馬 좌우나 앞뒤로 한 칸 이동 후 대각선을 따라 한 칸 이동
- 상 象 좌우나 앞뒤로 한 칸 이동 후 대각선을 따라 두 칸 이동
- 병 兵 좌우나 앞으로 한 칸 이동
- 사 士 궁성(⊠) 안에서 모든 방향으로 자유롭게 한 칸 이동

소단원 학습 계획

배울 내용에 관하여 얼마나 알고 있는지 스스로 점검해 보자.

• 옛이야기에서 유래한 성어를 알고 있는가?	☆☆☆☆☆
• 한자 문화권에서 널리 쓰이는 성어를 알고 있는가?	☆☆☆☆☆

잘하는 부분은 발전시키고, 부족한 부분은 보완할 수 있도록 스스로 학습 계획을 세워 보자.

나는 이 단원에서 ___예 옛이야기에서 유래한 성어, 한자 문화권에서 널리 쓰이는 성어___ 을/를 공부하겠다.

도움말 우리나라와 중국의 고사성어에 관한 활동을 통해 소단원 학습 내용에 관한 자신의 배경지식 정도를 스스로 점검해 본다. 또 이를 바탕으로 이 소단원에서 어떤 내용을 공부할지 스스로 계획을 세워 본다.

학습 요소 ■ 성어의 유래 ■ 성어의 활용 ■ 한자 문화권의 상호 이해

09. 이야기가 있는 성어

교과서 64, 65쪽

출제 유형

- 다음 성어에 대한 설명이 바른 것은?
- 빈칸에 들어갈 성어로 알맞은 것은?
- 四面楚歌의 속뜻으로 알맞은 것은?

結草報恩.

結	草	報	恩
결	초	보	은
맺다	풀	갚다	은혜

漁父之利.

漁	父	之	利
어	부	지	리
고기 잡다	남자 어른	어조사	이롭다

漁父 — 漁夫라고도 함.

新 한자 모아 보기

한자	음	뜻	부수	획수	총획
草	초	풀	艸(艹)	6	10
報	보	갚다	土	9	12
恩	은	은혜	心	6	10
虎	호	범	虍	2	8
步	보	걸음	止	3	7

三人成虎.

三	人	成	虎
삼	인	성	호
셋	사람	이루다	호랑이

[三人成虎(삼인성호)와 비슷한 뜻의 속담]
세 사람만 우겨 대면 없는 호랑이도 만들어 낼 수 있다.

스스로 확인

거짓말도 여러 사람이 말하면 참말로 믿기 쉬움을 나타내는 성어는 무엇인가?

三人成虎
삼인성호

四面楚歌.

四	面	楚	歌
사	면	초	가
넷	방향	초나라	노래

多多益善.

多	多	益	善
다	다	익	선
많다	많다	더하다	좋다

五十步百步.

五	十	步	百	步
오	십	보	백	보
다섯	열	걸음	일백	걸음

[五十步百步와 비슷한 뜻의 속담]
- 도토리 키 재기
- 똥 묻은 개 겨 묻은 개 나무란다.

병사를 얼마나 거느릴 수 있겠소?
많을수록 좋습니다.

넌 백 보나 도망갔다면서? 난 오십 보만 도망갔는데.

꼭꼭! 본문 다지기

교과서 66쪽

結草報恩.(결초보은) [2 1 4 3]
겉뜻 | 풀을 묶어서 은혜를 갚음.
속뜻 | 죽은 뒤에라도 은혜를 잊지 않고 갚음.
유래 | 진나라 위과가 아버지 사후에 서모를 순장시키지 않고 개가시켰더니, 훗날 전쟁터에서 서모 아버지의 영혼이 풀을 묶어 적군이 넘어지게 하여 위과가 공을 세우도록 하였다는 이야기

漁父之利.(어부지리) [1 2 3 4]
겉뜻 | 어부의 이익
속뜻 | 둘이 싸우는 사이에 엉뚱한 사람이 얻게 된 이익
유래 | 도요새가 부리를 조개의 껍데기 안에 넣는 순간 조개가 껍데기를 꼭 다물고 부리를 안 놔주자, 어부가 둘 다 잡아 이익을 얻었다는 이야기

三人成虎.(삼인성호) [1 2 4 3]
겉뜻 | 세 사람이 호랑이를 만듦.
속뜻 | 근거 없는 말이라도 여러 사람이 말하면 곧이듣게 됨.
유래 | 위나라 방총이 왕에게 세 사람이 와서 시장에 호랑이가 나타났다고 말하면 믿겠느냐고 물으니 왕이 믿을 것 같다고 대답하자, 자신이 떠난 후에 자신에 관하여 말하는 사람이 여럿이라도 믿지 말아 달라고 당부하였다는 이야기

四面楚歌.(사면초가) [1 2 3 4]
겉뜻 | 사방에서 들리는 초나라의 노래
속뜻 | 적에게 둘러싸인 상태나 누구의 도움도 받을 수 없는 고립 상태에 빠짐.
유래 | 초나라 항우가 사면을 둘러싼 한나라 군사 쪽에서 들려오는 초나라의 노랫소리를 듣고 초나라 군사가 이미 항복한 줄 알고 놀랐다는 이야기

多多益善.(다다익선) [1 2 3 4]
겉뜻 = 속뜻 | 많으면 많을수록 더욱 좋음.
유래 | 한나라 장수 한신이 유방은 10만 정도를 지휘할 수 있는 그릇이지만, 자신은 병사의 수가 많을수록 잘 지휘할 수 있다고 말하였다는 이야기

五十步百步.(오십보백보) [1 2 3 4 5]
겉뜻 | 오십 걸음, 백 걸음
속뜻 | 조금 낫고 못한 정도의 차이는 있으나 본질적으로는 차이가 없음.
유래 | 맹자가 전쟁터에서 어떤 자는 백 보를, 또 어떤 자는 오십 보를 도망했다면, 도망한 것에는 둘의 차이가 없다고 말하였다는 이야기

- 報(보)의 여러 가지 뜻
  ① 갚다 예 報恩(보은) 은혜를 갚음.
  ② 알리다 예 報告(보고) 일에 관한 내용이나 결과를 말이나 글로 알림.

- 漁父之利(어부지리) = 漁夫之利(어부지리): 父(부)는 남자 어른을 나타내기도 함.

- 面(면)의 여러 가지 뜻
  ① 얼굴 예 顔面(안면) 얼굴
  ② 겉, 표면 예 平面(평면) 평평한 표면
  ③ 방향 예 方面(방면) 어떤 장소나 지역이 있는 방향
  ④ 행정 구역 예 面長(면장) 면의 행정을 맡아보는 으뜸 직위에 있는 사람. 또는 그 직위

- 益(익)의 여러 가지 뜻
  ① 이롭다 예 利益(이익) 물질적으로나 정신적으로 보탬이 되는 것
  ② 더욱 예 老益壯(노익장) 늙었지만 의욕이나 기력은 점점 좋아짐. 또는 그런 상태

- 善(선)의 여러 가지 뜻
  ① 착하다 예 善良(선량) 행실이나 성질이 착함.
  ② 좋다 예 改善(개선) 잘못된 것이나 부족한 것, 나쁜 것 따위를 고쳐 더 좋게 만듦.
  ③ 잘하다 예 善戰(선전) 있는 힘을 다하여 잘 싸움.

모양이 비슷한 한자
- 成(성) 이루다 예 達成(달성) 목적한 것을 이룸.
- 城(성) 성 예 土城(토성) 흙으로 쌓아 올린 성
- 盛(성) 성하다 예 茂盛(무성) 풀이나 나무 따위가 우거지어 성(盛)함.

두음 법칙
일부 소리가 단어의 첫머리에 발음되는 것을 꺼려 다른 소리로 발음되는 일
예 漁父之利(어부지리) / 利益(이익)

이해 더하기 고사성어

故事成語(고사성어)는 옛이야기에서 由來한 성어로, 유래를 알아야 그 뜻을 정확히 이해할 수 있다. 고사성어 중에는 중국의 역사와 古典, 시가(詩歌)에서 유래한 것들이 많은데, 이것들은 현재까지도 한자 문화권에서 널리 쓰이고 있다.

- 유래: 사물이나 일이 생겨남. 또는 그 사물이나 일이 생겨난 바
- 고전: 오랫동안 많은 사람에게 널리 읽히고 모범이 될 만한 문학이나 예술 작품

新 한자 모아 보기

한자	음	뜻	부수	획수	총획
告	고	알리다	口	4	7
顔	안	얼굴	頁	9	18
平	평	평평하다	干	2	5
方	방	모, 바야흐로, 방향	方	0	4
老	로	늙다	老	0	6
壯	장	씩씩하다	士	4	7

한자	음	뜻	부수	획수	총획
良	량	어질다, 좋다	艮	1	7
戰	전	싸움	戈	12	16
達	달	통달하다	辵(辶)	9	13
城	성	성	土	7	10
盛	성	성하다	皿	7	12
茂	무	무성하다	艸(艹)	5	9

한자	음	뜻	부수	획수	총획
由	유	말미암다	田	0	5
來	래	오다	人	6	8
古	고	옛	口	2	5
他	타	다르다	人(亻)	3	5
就	취	나아가다	尢	9	12

쑥쑥! 실력 향상 ○ 교과서 67쪽

• 古典(고전): 오랫동안 많은 사람에게 널리 읽히고 모범이 될 만한 문학이나 예술 작품
• 由來(유래): 사물이나 일이 생겨남. 또는 그 사물이나 일이 생겨난 바

생활 속 용어 활용

언니, 古典에서 由來한 성어를 조사하는 숙제가 있어. 좀 알려 줘.

『시경』에서 由來한 他山之石과 日就月將을 들 수 있지.

• 他山之石(타산지석): 다른 산의 나쁜 돌이라도 자신의 산의 옥돌을 가는 데에 쓸 수 있다는 뜻으로, 본이 되지 않은 남의 말이나 행동도 자신의 지식과 인격을 수양하는 데에 도움이 될 수 있음을 비유적으로 이르는 말
• 日就月將(일취월장): 나날이 다달이 자라거나 발전함.

他山之石은 다른 사람의 나쁜 言行이라도 자신을 갈고 닦는 데 도움이 된다는 뜻이지?

• 言行(언행): 말과 행동을 아울러 이르는 말

벌써 실력이 늘었구나. 日就月將인데?

문제로 실력 확인

1. 밑줄 친 한자에 유의하여 성어의 겉뜻을 써 보자. 풀을 묶어서 은혜를 갚음.

結草報恩
결 초 보 은

2. 다음 내용과 관련 있는 성어를 본문에서 찾아 한자로 써 보자. 五十步百步
오 십 보 백 보

도긴-개긴

「명사」 윷놀이에서 도로 남의 말을 잡을 수 있는 거리나 개로 남의 말을 잡을 수 있는 거리는 별반 차이가 없다는 뜻으로, 조금 낫고 못한 정도의 차이는 있으나 본질적으로는 비슷비슷하여 견주어 볼 필요가 없음을 이르는 말

국립국어원, 『표준국어대사전』

창의형

3. 본문의 성어가 활용된 기사를 인터넷에서 검색해 보자.

(예시)

多多益善 검색
다 다 익 선

불황으로 소비자들의 지갑이 얇아지면서 큰돈 들이지 않고 만족감을 채워 주는 상품이 뜨고 있다. 한 번에 두 가지 맛을 즐길 수 있는 '일석이조(一石二鳥)'형부터 비슷한 가격에 용량을 더 얹어 준 '다다익선(多多益善)'형 상품이 편의점 진열대를 속속 채우고 있다.

『○○○○○○』, 2016. 5. 31.

소단원 자기 점검

학업 성취도를 스스로 점검해 보자.

• 고사성어의 유래와 뜻을 설명할 수 있는가?	잘함	보통	노력 필요
• 상황에 맞게 고사성어를 활용할 수 있는가?	잘함	보통	노력 필요

교과서 62~66쪽 다시 읽기

도움말 소단원 학습이 끝나면 소단원의 학습 목표에 해당하는 질문에 답하며 자신의 학업 성취도를 스스로 점검해 본다. 성취 목표에 도달하지 못한 경우에는 제시된 위치로 돌아가서 내용을 다시 읽고 공부하도록 한다.

소단원 스스로 정리

정답과 해설 294쪽

• 한자, 음, 뜻, 부수의 순서로 제시

1. 한자

❶ □ (거), (차) 수레 [車]
兵 (병) 병사 [八]
士 (사) 선비 [士]
將 (장) 장수, 나아가다 [寸]
面 ❷ □ 얼굴, 방향 [面]
楚* (초) 초나라 [木]
歌 (가) 노래 [欠]
❸ □ (대) 대하다 [寸]
決 (결) 결정하다 [水(氵)]
勝 (승) 이기다 [力]
利 ❹ □ 이롭다 [刀]
敗 (패) 패하다 [攴(攵)]
益 ❺ □ 더하다 [皿]

善 (선) 착하다, 좋다, 잘하다 [口]
❻ □ (초) 풀 [艸(艹)]
報 (보) 갚다 [土]
恩 (은) 은혜 [心]
虎 (호) 범 [虍]
步 (보) 걸음 [止]
告 ❼ □ 알리다 [口]
顏 (안) 얼굴 [頁]
❽ □ (평) 평평하다 [干]
方 (방) 모, 바야흐로, 방향 [方]
❾ □ (로) 늙다 [老]
壯 (장) 씩씩하다 [士]

良 (량) 어질다, 좋다 [艮]
戰 (전) 싸움 [戈]
達 ❿ □ 통달하다 [辵(辶)]
城 (성) 성 [土]
盛 (성) 성하다 [皿]
茂 (무) 무성하다 [艸(艹)]
⓫ □ (유) 말미암다 [田]
來 (래) 오다 [人]
古 ⓬ □ 옛 [口]
他 (타) 다르다 [人(亻)]
就 (취) 나아가다 [尢]

2. 어휘

(1) 古典(❶ □□): 오랫동안 많은 사람에게 널리 읽히고 모범이 될 만한 문학이나 예술 작품

(2) ❷ □□(유래): 사물이나 일이 생겨남. 또는 그 사물이나 일이 생겨난 바

(3) 他山之石(❸ □□□□): 본이 되지 않은 남의 말이나 행동도 자신의 지식과 인격을 수양하는 데에 도움이 될 수 있음.

(4) ❹ □就❺ □將(일취월장): 나날이 다달이 자라거나 발전함.

3. 본문

結草報恩(❶ □□□□)	풀을 묶어서 은혜를 갚음. → 죽은 뒤에라도 은혜를 잊지 않고 갚음.
❷ □□□□(어부지리)	어부의 이익 → 둘이 싸우는 사이에 엉뚱한 사람이 얻게 된 이익
三人成虎(삼인성호)	세 사람이 ❸ □□□를 만듦. → 근거 없는 말이라도 여러 사람이 말하면 곧이듣게 됨.
四面❹ □□(사면초가)	사방에서 들리는 초나라의 노래 → 적에게 둘러싸인 상태나 누구의 도움도 받을 수 없는 고립 상태에 빠짐.
❺ □□□□(다다익선)	많으면 많을수록 더욱 좋음.
五十步百步(오십보백보)	오십 걸음, 백 걸음 → 조금 낫고 못한 정도의 차이는 있으나 본질적으로는 차이가 없음.

소단원 확인 문제

01 한자의 부수가 바르게 연결되지 않은 것은?

① 勝 - 月　② 利 - 刀　③ 益 - 皿
④ 草 - 艸　⑤ 步 - 止

출제 유력

02 고사성어에 대한 설명으로 바르지 않은 것은?

① 한자 문화권에서 통용된다.
② 옛이야기에서 유래한 것이다.
③ 중국의 고전에서 유래한 것이 많다.
④ 뜻을 정확히 이해하려면 유래를 알아야 한다.
⑤ 일반적으로 네 글자로 된 것만을 고사성어로 분류한다.

03 한자 어휘의 활용이 적절하지 않은 것은?

① 최영은 고려 말기의 名將이었다.
② 만약 勝利하더라도 좌절하지 말자.
③ 청팀과 백팀의 對決에서 백팀이 앞서고 있다.
④ 우리의 古典 문학을 배우는 것은 매우 중요하다.
⑤ 중국의 역사와 시가에서 由來한 성어들이 많이 있다.

04 빈칸에 들어갈 성어를 한글로 쓰시오.

> 1398년 세자 방석이 왕자의 난으로 죽은 뒤 태조는 정치에 뜻이 없어 왕위를 정종에게 물려주고 고향인 함흥으로 갔다. 이후 태종이 즉위하여 성석린을 보내어 태조가 일단 서울로 돌아왔으나, 1402년 다시 북동 방면으로 간 채 돌아오지 않으므로 왕이 차사를 보냈으나 차사도 돌아오지 않았다. 이때부터 갔다가 돌아오지 않는 것을 □□□□라 부르게 되었다.

출제 유력

05 다음 설명과 가장 관련 있는 성어는?

> • '물과 물고기의 사귐'이라는 뜻이다.
> • 서로 떨어질 수 없는 친한 사이를 일컫는 말이다.
> • 임금과 신하 또는 부부 사이처럼 매우 친밀한 관계를 이르는 말이다.

① 水魚之交　② 多多益善　③ 漁父之利
④ 結草報恩　⑤ 五十步百步

06 다음 고사성어에 대한 설명으로 알맞은 것은?

> 結草報恩

① 結은 '결혼'이라고 풀이한다.
② 報는 '알리다'라고 풀이한다.
③ 가장 먼저 풀이하는 한자는 結이다.
④ 가장 마지막으로 풀이하는 한자는 報이다.
⑤ 속뜻은 '누구의 도움도 받을 수 없는 고립된 상태'이다.

07 빈칸에 들어갈 한자로 알맞은 것은?

> 三人□虎

① 成　② 姓　③ 城　④ 盛　⑤ 誠

[08~09] 다음 성어를 읽고 물음에 답하시오.

> 多多益善

출제 유력

08 위 성어에서 善의 뜻이 바른 것은?

① 착하다　② 좋다　③ 잘하다
④ 넘치다　⑤ 알리다

09 위 성어와 관련 있는 역사적 인물로 알맞은 것은?

① 항우　② 방총
③ 유비, 제갈공명　④ 유방, 한신
⑤ 이성계, 이방원

10 **다음 성어의 빈칸에 들어갈 한자로 바르게 연결된 것은?**

① 結草報□ - 思　② □父之利 - 漁
③ 三人成□ - 處　④ □面楚歌 - 西
⑤ 多多益□ - 美

11 **다음은 어떤 성어의 유래인지 한자로 쓰시오.**

> 조나라가 연나라를 치려 하자 소대가 조나라의 혜문왕을 찾아가 이렇게 설득하였다.
> "제가 역수를 지나다 보니, 조개가 입을 벌리고 있는데 도요새가 조갯살을 쪼아 먹으려 하자 조개는 깜짝 놀라 입을 오므려 도요새는 주둥이를 물리고 말았습니다. 이에 도요새는 '오늘내일 비만 오지 않으면 바짝 말라 죽은 조개가 될 것이다.'라고 생각하였고, 조개는 '오늘내일 입만 벌려 주지 않으면 죽은 도요새가 될 것이다.'라고 생각하여 서로 버티고 있었습니다. 지금 조나라가 연나라를 치려 하시는데 두 나라가 오래 버티어 백성들이 지치게 되면 강한 진나라가 어부가 될 것을 저는 걱정합니다."
> 이에 혜문왕은 연나라 공격 계획을 중지하였다.

출제 유력

12 **빈칸에 알맞은 성어를 〈보기〉에서 골라 기호로 쓰시오.**

> 보기
> ㉠ 結草報恩　㉡ 四面楚歌
> ㉢ 五十步百步

(1) 그나 너나 실력은 (　　　　) 이다.
(2) 우리 부대는 물샐틈없이 적군에 포위되어 그야말로 (　　　　)였다.
(3) 이 은혜는 꼭 잊지 않고 있다가 언제가 반드시 (　　　　)하겠습니다.

13 **다음 광고 문구의 빈칸에 들어가기에 알맞은 성어는?**

> 많이 참여할수록 당첨 확률이 높아지는
> □□□□ 퀴즈 이벤트!

① 日就月將　② 多多益善　③ 結草報恩
④ 他山之石　⑤ 五十步百步

14 **다음 대화와 가장 관련 있는 고사성어는?**

> (갑, 을, 병이 모여서 이야기하는 상황)
> 갑: 국가 기밀인데……. 국회의사당 지붕이 열리면 말야…….
> 을: 로봇 태권 브이가 나온다지?
> 병: 쉿. 조용히 해. 누가 듣겠어.
> 정: (지나가다 듣고서는) 헉, 정말인가 봐.

① 水魚之交　② 三人成虎　③ 四面楚歌
④ 多多益善　⑤ 五十步百步

15 **다음 시에서 밑줄 친 부분에 해당하는 성어는?**

> 이 못난 소자는 비록 총명하지 않지만
> 날로 달로 나아가 학문이 광명에 이르게 할 것이니
> 맡은 일을 열심히 하여 나에게 덕행을 보여 주오.
> 『시경(詩經)』

① 他山之石　② 日就月將　③ 多多益善
④ 四面楚歌　⑤ 五十步百步

16 **다음 시의 내용과 관련 있는 성어는?**

> 즐거운 저 동산에는
> 박달나무 심겨 있고,
> 그 밑에는 닥나무 있네.
> 다른 산의 돌이라도
> 이로써 옥을 갈 수 있네.
> –『시경(詩經)』

① 他山之石　② 日就月將　③ 多多益善
④ 四面楚歌　⑤ 五十步百步

교과서 68쪽

"고사성어를 사진으로 표현하기"

고사성어는 옛이야기에서 유래한, 한자로 이루어진 말을 뜻한다. 고사성어를 사진으로 표현하는 활동을 통해 고사성어의 유래와 속뜻을 분명하게 이해하고, 나아가 고사성어를 맥락에 맞게 활용해 보자.

【준비물】

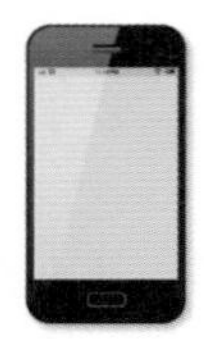
▲ 휴대 전화

▲ 디지털카메라

【활동 과정】

1. 모둠 구성하기
2. 고사성어를 선정하고 그 유래를 조사하기
3. 주요 사건을 각각의 장면으로 구성하기
4. 역할을 분담하여 촬영하기
5. 보고서 작성하기

도움말 고사성어의 장면을 너무 세분화하기보다는 중심 사건을 기준으로 성어의 유래를 축약해서 제시할 수 있도록 3~4컷 정도로 선정한다.

【예시】 漁父之利 (어부지리)

보고서

1. 장면 구성

1 일광욕을 즐기는 조개 → 2 날아오는 도요새 → 3 서로 싸우는 조개와 도요새 → 4 어부에게 잡힌 조개와 도요새

2. 준비물

카메라(휴대 전화), 양산, 색안경, 낚싯대, 그림(조개, 도요새, 물고기)

3. 역할 분담

- 최△△: 촬영 및 편집
- 이◇◇: 도요새 역
- 박□□: 어부 역
- 김○○: 조개 역

4. 결과물

스스로 평가

개인 평가표

잘된 부분	
아쉬운 부분	

모둠 평가표

수행 과정	고사성어의 유래를 정확하게 파악하였는가?	☆☆☆☆☆
	모둠원의 역할 분담이 공평하게 이루어졌는가?	☆☆☆☆☆
결과물	창의적이고 완성도 있는 결과물을 제시하였는가?	☆☆☆☆☆
	매체의 특성을 활용하여 효과적으로 전달하였는가?	☆☆☆☆☆

탄탄! 대단원 마무리

교과서 69쪽

요점 정리

1 숫자를 나타내는 한자

일	이	삼	사	오
一	二	三	四	五
육	칠	팔	구	십
六	七	八	九	十
백	천	만	억	조
百	千	萬	億	兆

2 품사의 구별

품사에는 실사(명사, 대명사, 수사, 동사, 형용사, 부사)와 허사(개사, 접속사, 어조사, 감탄사)가 있다.

예

交 교	友 우	以 이	信 신
사귀다	벗	~로써	믿음
동사	명사	개사	명사
실사	실사	허사	실사

3 성어의 뜻과 활용

성어	漁父之利 어부지리
겉뜻	어부의 이익
속뜻	둘이 싸우는 사이에 엉뚱한 사람이 얻게 된 이익
유래	조개와 도요새가 싸우고 있는 것을 본 어부가 둘 다 잡음.
활용	우승 후보 두 팀이 싸우다가 동반 실격패를 하여 우리가 漁父之利(어부지리)로 결승에 올랐다.

4 한문 기록에 담긴 선인들의 지혜와 사상

易地思之(역지사지): 처지를 바꾸어 그것(상대방의 입장)을 생각함. — 상대방의 입장에서 배려하는 자세가 필요하다고 여김.

結草報恩(결초보은): 죽은 뒤에라도 은혜를 잊지 않고 갚음. — 은혜에 꼭 보답해야 한다고 여김.

핵심 평가

서술형

1. 성어에서 숫자를 나타내는 한자에 ○ 표시를 하고, 성어의 겉뜻을 써 보자.

(1) 聞(一)知(十) (문일지십) 하나를 듣고 열 가지를 (미루어) 앎.

(2) (五)(十)步(百)步 (오십보백보) 오십 걸음, 백 걸음

2. 성어에서 실사와 허사를 구별해 보자.

莫逆之友 막역지우

• 실사: 莫, 逆, 友 • 허사: 之

莫은 동사, 逆과 友는 명사, 之는 어조사이다.

3. 다음 이야기에서 유래한 성어를 한자로 써 보자.

한나라의 고조 유방이 장수 한신에게 "나는 얼마쯤의 군사를 거느릴 수 있느냐?"라고 물으니, 한신은 "폐하께서는 10만의 군사를 거느리는 데에 불과합니다."라고 대답하였다. 유방이 다시 "그대는 얼마쯤인가?"라고 물으니, 한신은 "신은 많으면 많을수록 더욱 좋습니다."라고 대답하였다.

多多益善 (다다익선)

용어 활용형

4. 한자 용어의 표기가 적절하지 않은 것을 골라 보자. ①

① 고사성어는 고전에서 酉來(유래)한 것이 많아.

② 交友以信(교우이신)은 화랑이 지켜야 할 계율 중 하나였다.

③ 우리는 ○○ 기업의 실패 사례를 他山之石(타산지석)으로 삼아야 한다.

④ 영미는 이번 시험에서 성적이 日就月將(일취월장)하여 진보상을 받았다.

⑤ 百貨店(백화점)의 百(백), 千態萬象(천태만상)의 千(천)과 萬(만)은 모두 큰 수를 나타낸다.

酉來(×) → 由來(○)

대단원 자기 점검

학업 성취도를 스스로 점검해 보고, 부족한 부분을 보충해 보자.

점검 항목	잘함	보통	노력 필요	찾아보기
• 숫자를 나타내는 한자의 모양 · 음 · 뜻을 구별할 수 있다.				50, 51쪽
• 문장에 사용된 실사와 허사를 구별할 수 있다.				60쪽
• 한자로 이루어진 성어의 의미를 이해하고 맥락에 맞게 활용할 수 있다.				52, 58, 64쪽
• 한문 기록에 담긴 선인들의 지혜와 사상을 이해할 수 있다.				52, 58, 64쪽

도움말 대단원 학습이 끝나면 대단원의 학습 목표에 해당하는 질문에 답하며 자신의 학업 성취도를 스스로 점검해 본다. 성취 목표에 도달하지 못한 경우에는 제시된 위치로 돌아가서 내용을 다시 읽고 공부하도록 한다.

대단원 실전 평가

07. 숫자로 배우는 성어

01 숫자에 해당하는 한자가 바르게 연결되지 않은 것은?

① 1 - 一 ② 2 - 兩 ③ 7 - 九
④ 10 - 十 ⑤ 10,000- 萬

02 의미가 상대되는 한자끼리 연결한 것은?

① 張 - 李 ② 擧 - 得 ③ 死 - 生
④ 辛 - 苦 ⑤ 千 - 萬

03 빈칸에 들어갈 알맞은 한자는?

> □一知十: 하나를 듣고 열 가지를 (미루어) 앎.

① 門 ② 問 ③ 文 ④ 聞 ⑤ 開

출제 유력

04 '실패를 거듭하여도 굴하지 않고 다시 도전함.'을 뜻하는 성어는?

① 七顚八起 ② 聞一知十 ③ 張三李四
④ 一擧兩得 ⑤ 九死一生

05 張三李四와 비슷한 뜻을 가진 성어를 모두 고르면?

① 九死一生 ② 千辛萬苦 ③ 聞一知十
④ 甲男乙女 ⑤ 匹夫匹婦

06 一石二鳥와 뜻이 통하는 우리말 속담은?

① 꿩 먹고 알 먹기
② 한강에 돌 던지기
③ 닭 쫓던 개 지붕 쳐다보듯
④ 낮말은 새가 듣고 밤말은 쥐가 듣는다.
⑤ 뱁새가 황새 따라가다 가랑이 찢어진다.

08. 삶을 따뜻하게 하는 성어

07 음과 뜻에 해당하는 한자가 바르게 연결된 것은?

① (우) 벗 - 右 ② (북) 북녘 - 南
③ (자) 스스로 - 身 ④ (살) 죽이다 - 殺
⑤ (사) 생각하다 - 恩

출제 유력

08 ㉠과 ㉡의 쓰임이 바르게 연결된 것은?

> 易地思之(㉠) 莫逆之(㉡)友

	㉠	㉡		㉠	㉡
①	~의	그것	②	~한	~을/를
③	~이/가	그것	④	가다	~의
⑤	그것	~한			

[09~11] 다음 성어를 읽고 물음에 답하시오.

> (가) 竹馬故友 (나) 相扶相助

09 (가)의 속뜻으로 알맞은 것은?

① 서로 도움.
② 입장을 바꾸어 생각함.
③ 친구를 믿음으로써 사귐.
④ 옳은 일을 위하여 자신을 희생함.
⑤ 어릴 때부터 같이 놀며 자란 친구

10 (가)와 가장 관련 있는 한자 어휘는?

① 時間 ② 親舊 ③ 自身
④ 正直 ⑤ 知識

11 (나)에서 강조하고 있는 것은?

① 예의 ② 정직 ③ 협력
④ 희생 ⑤ 신뢰

고난도
12 밑줄 친 한자의 품사로 바르지 않은 것은?

① 易地思之 – 동사
② 易地思之 – 명사
③ 易地思之 – 형용사
④ 相扶相助 – 부사
⑤ 殺身成仁 – 명사

09. 이야기가 있는 성어

출제 유력
13 빈칸에 들어갈 성어로 알맞은 것은?

> 유력 후보 두 사람이 서로를 비방하며 다투는 바람에 다른 후보가 (   )(으)로 당선되었다.

① 水魚之交 ② 多多益善 ③ 漁父之利
④ 結草報恩 ⑤ 五十步百步

출제 유력
14 四面楚歌의 속뜻으로 알맞은 것은?

① 죽은 뒤에라도 은혜를 잊지 않고 갚음.
② 둘이 싸우는 사이에 엉뚱한 사람이 얻게 된 이익
③ 근거 없는 말이라도 여러 사람이 말하면 곧 이듣게 됨.
④ 적에게 둘러싸인 상태나 누구의 도움도 받을 수 없는 고립된 상태
⑤ 조금 낫고 못한 정도의 차이는 있으나 본질적으로는 차이가 없음.

15 다음 이야기에서 유래된 성어를 한자로 쓰시오.

> 진나라의 대부 위무는 병이 들자 아들 위과에게 자신이 죽으면 첩을 개가시키라고 하였으나, 죽기 직전에 자신이 죽으면 첩을 순장시키라는 유언을 남겼다. 위과는 아버지가 정신이 있을 때 한 말에 따르겠다며 아버지의 첩을 개가시켰다.
> 후에 위과는 전쟁터에서 풀에 걸려 넘어진 적장을 사로잡아 큰 공을 세웠다. 그날 밤, 위과의 꿈속에 한 노인이 나타나서 말하였다.
> "나는 그대가 출가시켜 준 여인의 아비요. 그때 이후로 나는 그대에게 보답할 길을 찾았는데 이제야 그 은혜를 갚은 것이오."

대단원 복합 문제

16 같은 음을 가진 한자끼리 짝지은 것으로 알맞지 않은 것은?

① 易, 思 ② 地, 之 ③ 以, 李
④ 信, 身 ⑤ 苦, 故

17 빈칸에 알맞은 한자를 쓰시오.

(1) □死一生 (2) □辛萬苦
(3) □面楚歌 (4) 五十步□步

서술형
18 다음 그림과 관련 있는 성어를 한자로 쓰고, 풀이하시오.

(1) (2)

고난도
19 밑줄 친 한자의 품사로 바르지 않은 것은?

① 漁父之利 – 대명사
② 交友以信 – 명사
③ 殺身成仁 – 동사
④ 四面楚歌 – 수사
⑤ 多多益善 – 형용사

○ 교과서 70, 71쪽

Ⅳ. 울림이 있는 짧은 글

이 단원을 통해

- 문장의 유형을 구별한다.
- 글의 의미가 잘 드러나도록 바르게 소리 내어 읽는다.
- 글을 바르게 풀이하고 내용과 주제를 설명한다.
- 토가 달려 있는 글을 토의 역할에 유의하여 바르게 끊어 읽는다.
- 한문 기록에 담긴 선인들의 지혜, 사상 등을 이해하고, 현재적 의미에서 가치가 있는 것을 내면화하여 건전한 가치관과 바람직한 인성을 함양한다.
- 한문 기록에 담긴 우리의 전통문화를 바르게 이해하고, 미래 지향적인 새로운 문화 창조의 원동력으로 삼으려는 태도를 형성한다.

배움은 나아가지 않으면
퇴보하게 된다.
선을 쌓는 집에는
마침내 남는 경사가 있다.

10. 속담에 담긴 삶의 지혜

11. 마음에 품은 큰 뜻

12. 나를 채우는 배움

13. 착한 마음, 바른 사람

속담, 격언, 명언 · 명구에는 선인들이 오랜 생활 체험과 심오한 사색을 통해 터득한 삶의 지혜가 담겨 있다. 비록 짧은 말이지만 깊은 교훈을 담고 있으므로, 우리가 세상을 살아가며 인격을 수양하는 데 도움이 된다.

소단원 미리 보기

소단원	소단원 소개	소단원 학습 요소
10. 속담에 담긴 삶의 지혜	문장의 유형(평서문, 의문문)을 알고, 속담(俗談)에 담긴 선인들의 지혜를 이해하는 단원이다.	• 문장의 유형(평서문, 의문문) • 소리 내어 읽기 • 선인들의 지혜와 사상에 대한 이해와 공감
11. 마음에 품은 큰 뜻	토(吐)의 역할을 알고, 입지(立志)의 중요성을 알아보는 단원이다.	• 토에 유의하여 바르게 끊어 읽기 • 현재적 의미와 가치 발견 • 인성 함양
12. 나를 채우는 배움	문장의 유형(명령문, 감탄문)을 알고, 배우고 노력하는 삶의 중요성을 알아보는 단원이다.	• 문장의 유형(명령문, 감탄문) • 선인들의 지혜와 사상에 대한 이해와 공감 • 가치관 정립
13. 착한 마음, 바른 사람	선행(善行)과 관련된 문장을 통해 선행의 실천을 강조하는 단원이다.	• 글의 내용과 주제 • 선인들의 지혜와 사상에 대한 이해와 공감 • 건전한 가치관과 바람직한 인성 함양

10. 속담에 담긴 삶의 지혜

교과서 72, 73쪽

똑똑! 활동으로 열기

출제 유형
- 우리말 속담과 한문 속담을 바르게 연결하시오.
- 그림과 가장 관련 있는 속담은?
- 속담의 풀이(겉뜻) 또는 교훈(속뜻)으로 알맞은 것은?

- 풍자: 현실의 부정적 현상이나 모순(어떤 사실의 앞뒤, 또는 두 사실이 이치상 어긋나는 것) 따위를 빗대어 비웃음.
- 교훈: 앞으로의 행동이나 생활에 방향을 안내하는 가르침.
- 비유: 어떤 현상이나 사물을 직접 설명하지 않고 다른 비슷한 현상이나 사물에 빗대어서 설명하는 일

예전부터 풍자나 교훈을 담아 비유적으로 표현하는 말이 있었지.

활동 1 빈칸에 공통으로 들어갈 말을 〈보기〉에서 찾아 써 보자.

세 살 버릇 여든까지 간다.: 어릴 때 몸에 밴 버릇은 늙어 죽을 때까지 고치기 힘들다는 뜻으로, 어릴 때부터 나쁜 버릇이 들지 않도록 잘 가르쳐야 함을 비유적으로 이르는 말

- 민간: 일반 백성들 사이
- 경계: 옳지 않은 일이나 잘못된 일들을 하지 않도록 타일러서 주의하게 함.
- 구어체: 글에서 쓰는 말투가 아닌, 일상적인 대화에서 주로 쓰는 말투

- 예로부터 민간에 전하여 오는, 교훈이나 경계를 담은 쉽고 짧은 말을 俗談(이)라고 한다.
- 俗談은/는 조상들의 생활의 지혜를 素朴(소박)한 구어체로 표현한 것이 특징이다.

素朴(소박): 꾸밈이나 거짓이 없고 수수함.

• 보기 • 俗談(속담) 名言(명언) 成語(성어)

- 名言(명언): 널리 알려진 말 예) 아는 것이 힘이다 -베이컨
- 成語(성어): 옛 사람들이 만든 말 예) 일거양득

[속담의 특징]
- 사용자 층이 광범위하고 사용 빈도수가 높다.
- 민족성, 인생관, 시대상, 사회상 등을 반영한다.
- 형식은 대체로 많이 다듬어져서 간결한 편이다.
- 작자를 알 수 없으며, 구전되면서 수정, 보완의 과정을 거친다.
- 교훈을 주거나 풍자를 하기 위해 어떤 사실을 비유의 방법으로 서술한다.

新 한자 모아 보기

한자	음	뜻	부수	획수	총획
素	소	희다, 바탕	糸	4	10
朴	박	순박하다, 성씨	木	2	6
俗	속	풍속	人(亻)	7	9
談	담	말씀	言	8	15
吾	오	나	口	4	7

한자	음	뜻	부수	획수	총획
鼻	비	코	鼻	0	14
尺	척	자	尸	1	4
卵	란	알	卩(㔾)	5	7
投	투	던지다	手(扌)	4	7
烏	오	까마귀	火(灬)	6	10

한자	음	뜻	부수	획수	총획
飛	비	날다	飛	0	9
梨*	리	배	木	7	11
落	락	떨어지다	艸(艹)	9	13
牛	우	소	牛	0	4
經	경	지나다, 글	糸	7	13

속담의 뜻을 알고 상황에 맞게 속담을 사용하면 말하고자 하는 바를 효과적으로 전달할 수 있지.

활동 2 속담에 사용된 각각의 한자의 뜻에 유의하여 빈칸을 알맞게 채워 보자.

도와줘!
도와주고 싶지만 吾鼻三尺이야.
오 비 삼 척

속담	吾鼻三尺
한자의 음	(오) / (비) / (삼) / (척)
한자의 뜻	나 / 코 / 셋 / 자
겉뜻	(나)의 (코)가 (석) (자)
속뜻	내 사정이 급하고 어려워서 남을 돌볼 여유가 없음.

• 尺: 길이의 단위. 한 자는 한 치[=촌(寸), 3.03cm]의 열 배로 약 30.3cm에 해당함.

〈유래〉 吾鼻涕垂三尺(오비체수삼척): 나의 콧물이 석 자나 드리움(흐름). 『순오지』

우리말 속담 중 한문으로 기록된 것도 있고, 한문 문장 중 우리말 속담으로 자리 잡은 것도 있어.

활동 3 우리말 속담과 한문 속담을 알맞게 연결해 보자.

(1) 쇠귀에 경 읽기

(2) 달걀로 바위 치기

(3) 까마귀 날자 배 떨어진다.

㉠ 以卵投石
이 란 투 석
아주 약한 것으로 강한 것에 대항하려는 어리석음을 비유적으로 이르는 말

㉡ 烏飛梨落
오 비 이 락
아무 관계도 없이 한 일이 공교롭게도 때가 같아 억울하게 의심을 받거나 난처한 위치에 서게 됨을 이르는 말

㉢ 牛耳讀經
우 이 독 경
아무리 가르치고 일러 주어도 알아듣지 못함을 이르는 말

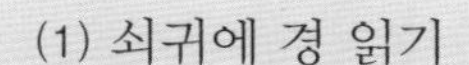

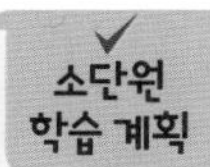

- 쇠귀에 경 읽기: 소의 귀에 대고 경을 읽어 봐야 단 한 마디도 알아듣지 못한다는 뜻으로, 아무리 가르치고 일러 주어도 알아듣지 못하거나 효과가 없는 경우를 이르는 말
- 경: 옛사람들이 남긴 좋은 내용의 책을 뜻함.
- 달걀로 바위 치기: 맞서 싸우려 해도 도저히 이길 수 없는 경우를 비유적으로 이르는 말
- 까마귀 날자 배 떨어진다.: 아무 관계 없이 한 일이 우연히도 때가 같아 어떤 관계가 있는 것처럼 의심을 받게 됨을 비유적으로 이르는 말

소단원 학습 계획

배울 내용에 대해 얼마나 알고 있는지 스스로 점검해 보자.

• 속담의 정의를 알고 있는가?	☆☆☆☆☆
• 한문 속담의 뜻을 알고 있는가?	☆☆☆☆☆

잘하는 부분은 발전시키고, 부족한 부분은 보완할 수 있도록 스스로 학습 계획을 세워 보자.

나는 이 단원에서 ___ 예 속담의 정의, 한문 속담의 뜻 ___ 을/를 공부하겠다.

도움말 속담의 정의, 한문 속담 등을 익히는 활동을 통해 소단원 학습 내용에 관한 자신의 배경지식 정도를 스스로 점검해 본다. 또 이를 바탕으로 이 소단원에서 어떤 내용을 공부할지 스스로 계획을 세워 본다.

학습 요소 ■ 문장의 유형(평서문, 의문문) ■ 소리 내어 읽기 ■ 선인들의 지혜와 사상에 대한 이해와 공감

10. 속담에 담긴 삶의 지혜

교과서 74, 75쪽

출제 유형
- (가)와 뜻이 통하는 우리말 속담은?
- (라)의 속뜻으로 알맞은 것은?

新 한자 모아 보기

한자	음	뜻	부수	획수	총획
陰	음	그늘	阜(阝)	8	11
轉*	전	구르다, 변하다	車	11	18
變	변	변하다	言	16	23
旣	기	이미	无	7	11
借	차	빌리다	人(亻)	8	10
堂	당	집, 대청	土	8	11
又	우	또	又	0	2
房	방	방	戶	4	8
晝	주	낮	日	7	11
雀*	작	참새	隹	3	11
聽	청	듣다	耳	16	22
夜	야	밤	夕	5	8
鼠*	서	쥐	鼠	0	13
不	불/부	아니다	一	3	4
美	미	아름답다	羊	3	9
去	거	가다	厶	3	5
何	하	어찌	人(亻)	5	7

陰地轉하여 陽地變이라.
음 지 전 / 양 지 변
그늘 땅 변하다 / 볕 땅 변하다
『청장관전서』

旣借堂하고 又借房이라.
기 차 당 / 우 차 방
이미 빌리다 대청 / 또 빌리다 방
『청장관전서』

晝語雀聽하고 夜語鼠聽이라.
주 어 작 청 / 야 어 서 청
낮 말씀 참새 듣다 / 밤 말씀 쥐 듣다
『순오지』

來語不美어늘 去語何美리오?
내 어 불 미 / 거 어 하 미
오다 말씀 아니다 아름답다 / 가다 말씀 어찌 아름답다
『순오지』

[같은 뜻의 한역 속담]
- 去言美(거언미)라야 來言美(내언미)니라.: 가는 말이 고와야 오는 말이 곱다. 『동언해』
- 去語固美(거어고미)라야 來語方美(내어방미)니라.: 가는 말이 진실로 고와야 오는 말이 바야흐로 좋다. 『백언해』

스스로 확인

'來語不美, 去語何美?'에서 강조하는 태도는 무엇인가?

상대방에게 곱게 말하는 태도

'來語不美, 去語何美?'는 우리말 속담 '가는 말이 고와야 오는 말이 곱다'와 뜻이 통한다.

- 『청장관전서(靑莊館全書)』: 조선 후기의 학자 이덕무(李德懋)의 문집
- 『순오지(旬五志)』: 조선 중기의 학자 홍만종(洪萬宗)이 쓴 문학 평론집

꼭꼭! 본문 다지기

교과서 76쪽

陰地轉하여 陽地變이라.
음지전 양지변

겉뜻 | 음지가 바뀌어 양지로 변한다.

속뜻 | 세상일은 돌고 도니 운이 나쁜 사람도 좋은 운을 만날 수 있다.

旣借堂하고 又借房이라.
기차당 우차방

겉뜻 | 이미 대청을 빌리고 또 안방을 빌리려 한다.

속뜻 | 욕심이 한이 없어서 염치없이 이것저것을 요구한다.

염치: 체면을 차릴 줄 알며 부끄러움을 아는 마음

晝語雀聽하고 夜語鼠聽이라.
주어작청 야어서청

겉뜻 | 낮말은 새가 듣고 밤말은 쥐가 듣는다.

속뜻 | 아무도 안 듣는 데서라도 말조심해야 한다. 아무리 비밀스럽게 한 말이라도 반드시 남의 귀에 들어가게 된다.

來語不美어늘 去語何美리오?
내어불미 거어하미

겉뜻 | 오는 말이 곱지 않은데 가는 말이 어찌 고우리오?

속뜻 | 내가 상대방에게 좋은 말을 해야 상대방도 나에게 좋은 말을 한다.

- '陰地轉, 陽地變.'(음지전 양지변)과 뜻이 통하는 우리말 속담
  쥐구멍에도 볕 들 날 있다.
- 陰 ↔ 陽
  음 양
- '旣借堂, 又借房.'(기차당 우차방)과 뜻이 통하는 우리말 속담
  행랑 빌리면 안방까지 든다.
  행랑: 대문간에 붙어 있는 방
- 晝 ↔ 夜
  주 야
- 來 ↔ 去
  래 거

똑똑한 한문 지식 문장의 유형

(1) 평서문: 화자가 청자에게 하고 싶은 말을 단순하게 진술하는 문장
예 陽地變(양지변).: 양지로 변한다.
- 仁人心也(인인심야).: 인은 사람의 마음이다.
- 月出於東天(월출어동천).: 달이 동쪽 하늘에서 나오다.

(2) 의문문: 화자가 청자에게 질문하여 대답을 요구하는 문장
예 牛何之(우하지)?: 소는 어디로 갔습니까?
- 何人來乎(하인래호)?: 누가 왔습니까?
- 何物最深(하물최심)?: 어느 것이 가장 깊은가?

- 화자(話者): 이야기를 하는 사람
- 청자(聽者): 이야기를 듣는 사람

이해 더하기 각국의 속담 – 같은 뜻, 다른 표현

속담은 우리나라에만 있는 것이 아니라 전 세계 여러 나라에 존재한다. 여러 나라의 문화와 민족성의 차이에 따라 표현 방식은 조금씩 다르지만 내포하는 뜻은 같거나 비슷한 속담도 있다.

내포: 어떤 성질이나 뜻 따위를 속에 품음.

한국 호랑이도 제 말 하면 온다.

'남의 이야기를 함부로 하지 말라.'라는 뜻의 속담

조조 이야기를 하면 곧 조조가 온다.
說曹操, 曹操就到.
(슈어차오차오 차오차오지우따오)

소문을 내면 그림자가 나타난다.
噂(うわさ)を すれば 影(かげ)が 差(さ)す。
(우와사오 스레바 카게가사스)

新 한자 모아 보기

한자	음	뜻	부수	획수	총획
哀	애	슬프다	口	6	9
惜	석	아끼다, 아깝다	心(忄)	8	11

한자	음	뜻	부수	획수	총획
蟲	충	벌레	虫	12	18

한자	음	뜻	부수	획수	총획
齒	치	이	齒	0	15

쑥쑥! 실력 향상 ○ 교과서 77쪽

생활 속 용어 활용

저 食堂에서
파는 고기 맛있어
보인다. 그렇지?

• 食堂(식당): ① 건물 안에 식사를 할 수 있게 시설을 갖춘 장소 ② 음식을 만들어 손님들에게 파는 가게

哀惜하게도
나에게는 그림의
떡이야.
아니, 왜?

• 哀惜(애석): 슬프고 아까움.

畫中之餠(화중지병): 아무리 마음에 들어도 이용할 수 없거나 차지할 수 없는 경우를 이르는 말

蟲齒 때문에
치과 치료를 받고 있거든.

• 蟲齒(충치): 세균 따위의 영향으로 벌레가 파먹은 것처럼 이가 침식되는 질환. 또는 그 이

고생 끝에 낙이 온다는
俗談도 있잖아. 치료 끝나면
내가 맛있는 것 사 줄게.

• 俗談(속담): 예로부터 민간에 전하여 오는 쉬운 격언이나 잠언

문제로 실력 확인

1. 속담을 소리 내어 읽어 보자.

陰地轉, 陽地變.

✎ 음지전, 양지변.

2. 〈보기〉에서 문장의 유형이 나머지와 다른 하나를 골라 보자. ㉣

• 보기 •

평서문
- ㉠ 陰地轉 陽地變 음지전 양지변
- ㉡ 旣借堂 又借房 기차당 우차방
- ㉢ 晝語雀聽 夜語鼠聽 주어작청 야어서청

의문문 – ㉣ 牛何之 우하지

화자가 청자에게 하고 싶은 말을 단순하게 진술하는 문장은 평서문, 질문하여 대답을 요구하는 문장은 의문문이라고 함.

창의형

3. 기존의 속담을 하나 골라 현대인들이 공감할 수 있도록 속담의 주제나 소재를 바꾸어서 표현해 보자.

예시
- 아는 길도 물어 가라. ➡ 아는 길은 곧장 가라.
  잘 아는 일이라도 세심하게 주의를 하라는 말
- 낫 놓고 기역 자도 모른다. ➡ 빨래집게 놓고 A 자도 모른다.
  기역 자 모양으로 생긴 낫을 보면서도 기역 자를 모른다는 뜻으로, 아주 무식함을 비유적으로 이르는 말

✎ [예시 답안] 행랑 빌리면 안방까지 든다. → 물 한 잔 달라고 하더니 밥까지 달라고 한다.

예시 추가 서당 개 삼 년이면 풍월을 읊는다. → 분식집 개 삼 년이면 라면을 끓인다.

소단원 자기 점검

학업 성취도를 스스로 점검해 보자.

• 문장의 유형(평서문, 의문문)을 알고 있는가?	잘함 / 보통 / 노력 필요
• 속담에 담긴 선인들의 지혜와 사상을 이해할 수 있는가?	잘함 / 보통 / 노력 필요

□ 교과서 76쪽 '똑똑한 한문 지식' 다시 읽기 □ 교과서 74~76쪽 다시 읽기

도움말 소단원 학습이 끝나면 소단원의 학습 목표에 해당하는 질문에 답하며 자신의 학업 성취도를 스스로 점검해 본다. 성취 목표에 도달하지 못한 경우에는 제시된 위치로 돌아가서 내용을 다시 읽고 공부하도록 한다.

소단원 스스로 정리

정답과 해설 297쪽

• 한자, 음, 뜻, 부수의 순서로 제시

1. 한자

素 ❶□ 희다, 바탕 [糸]
朴 (박) 순박하다, 성씨 [木]
❷□ (속) 풍속 [人(亻)]
談 (담) 말씀 [言]
吾 (오) 나 [口]
鼻 (비) ❸□ [鼻]
尺 (척) 자 [尸]
卵 (란) 알 [卩(㔾)]
投 (투) 던지다 [手(扌)]
烏 (오) 까마귀 [❹□]
飛 (비) ❺□□ [飛]
梨* (리) 배 [木]

落 (락) 떨어지다 [艸(艹)]
牛 (우) 소 [牛]
❻□ (경) 지나다, 글 [糸]
陰 (음) ❼□□ [阜(阝)]
轉* (전) 구르다, 변하다 [車]
變 (변) 변하다 [言]
旣 (기) 이미 [无]
借 ❽□ 빌리다 [人(亻)]
堂 (당) 집, 대청 [土]
又 (우) 또 [又]
房 (방) 방 [戶]
晝 (주) ❾□ [日]

雀* (작) 참새 [隹]
聽 (청) 듣다 [❿□]
夜 ⓫□ 밤 [夕]
鼠* (서) 쥐 [鼠]
不 (불), (부) 아니다 [一]
⓬□ (미) 아름답다 [羊]
去 ⓭□ 가다 [厶]
何 (하) 어찌 [人(亻)]
哀 (애) 슬프다 [口]
惜 (석) 아끼다, 아깝다 [⓮□]
蟲 (충) ⓯□□ [虫]
齒 (치) 이 [齒]

2. 어휘

(1) ❶□□□□(오비삼척): 나의 코가 석 자
(2) 以卵投石(❷□□□□): 달걀로 바위 치기
(3) 烏飛梨落(오비이락): ❸□□□ 날자 ❹□ 떨어진다.
(4) 牛耳❺□經(우이독경): 쇠귀에 경 읽기
(5) ❻□□(애석): 슬프고 아까움.

3. 본문

❶□地轉(음지전)하여 ❷□地變(양지변)이라.	음지가 바뀌어 양지로 변한다.
旣借堂(기차당)하고 ❸□借房(우차방)이라.	❹□□ 대청을 빌리고 또 안방을 빌리려 한다.
❺□語雀聽(주어작청)하고 夜語鼠聽(야어서청)이라.	낮말은 ❻□가 듣고 ❼□□은 쥐가 듣는다.
來語不美(내어불미)어늘 去語❽□美(거어하미)리오?	오는 말이 곱지 않은데 가는 말이 어찌 고우리오?

4. 문장의 유형

(1) ❶□□□: 화자가 청자에게 하고 싶은 말을 단순하게 진술하는 문장 예 陽地變.: 양지로 변한다.
(2) 의문문: 화자가 청자에게 ❷□□하여 대답을 요구하는 문장 예 牛何之?: 소가 어디로 갔습니까?

소단원 확인 문제

01 한자의 음과 뜻이 바르게 연결된 것은?

	모양	음	뜻
①	晝	(주)	낮
②	俗	(속)	풍속
③	旣	(이)	이미
④	齒	(치)	벌레
⑤	烏	(조)	까마귀

02 동물을 나타내는 한자가 아닌 것은?

① 牛 ② 鼠 ③ 梨 ④ 烏 ⑤ 雀

03 자음 색인에서 찾을 때 가장 앞에 오는 한자는?

① 蟲 ② 去 ③ 卵 ④ 石 ⑤ 名

04 다음에서 설명하는 한자로 알맞은 것은?

> 크고 살찐 양이 보기 좋다는 데서 '아름답다'를 뜻함.

① 素 ② 落 ③ 哀 ④ 美 ⑤ 轉

출제 유력

05 뜻이 서로 상대되는 한자끼리 짝지어진 것은?

① 陰 - 陽 ② 鼻 - 飛 ③ 轉 - 變
④ 哀 - 惜 ⑤ 素 - 朴

06 빈칸에 공통으로 들어갈 한자로 알맞은 것은?

> 俗□ 相□

① 投 ② 變 ③ 借 ④ 聽 ⑤ 談

07 한자 어휘의 독음이 바른 것은?

① 名言(격언) ② 食堂(강당)
③ 哀惜(애석) ④ 蟲齒(치과)
⑤ 素朴(소탈)

출제 유력

08 빈칸에 공통으로 들어갈 알맞은 한자 어휘는?

> □□은/는 예로부터 민간에 전하여 오는, 교훈이나 경계를 담은 쉽고 짧은 말로 조상들의 생활의 지혜를 소박한 구어체로 표현한 것이 특징이다. □□은/는 우리나라에만 있는 것이 아니라 전 세계 여러 나라에 존재한다. 여러 나라의 문화와 민족성의 차이에 따라 표현 방식은 조금씩 다르지만 내포하는 뜻은 같거나 비슷한 것도 있다.

① 漢字 ② 漢文 ③ 名言
④ 成語 ⑤ 俗談

09 한자 어휘의 활용이 적절하지 않은 것은?

① 그는 한 점 차로 진 게 못내 愛惜하였다.
② 蟲齒 예방을 위해서는 정기 검진이 중요하다.
③ '아는 것이 힘이다.'는 베이컨이 한 名言이다.
④ 한신은 '다다익선'이라는 成語로 알려져 있다.
⑤ 이 食堂은 음식 가격도 저렴하지만 맛이 좋아 늘 손님들로 북적인다.

출제 유력

10 그림과 가장 관련 있는 속담은?

① 吾鼻三尺
② 牛耳讀經
③ 以卵投石
④ 烏飛梨落
⑤ 一擧兩得

출제 유력

11 문장의 유형이 나머지와 다른 하나는?

① 牛耳讀經 ② 吾鼻三尺
③ 牛何之 ④ 陰地變
⑤ 又借房

서술형

12 빈칸에 들어갈 적절한 속담을 한자로 쓰고 속뜻을 쓰시오.

출제 유력

13 우리말 속담과 한문 속담을 바르게 연결하시오.

(1) 烏飛梨落 • ㉠ 쇠귀에 경 읽기
(2) 以卵投石 • ㉡ 까마귀 날자 배 떨어진다.
(3) 吾鼻三尺 • ㉢ 내 코가 석 자
(4) 牛耳讀經 • ㉣ 달걀로 바위 치기

[14~19] 다음 글을 읽고 물음에 답하시오.

(가) 陰地轉하여 陽地變이라.
(나) 旣借㉠堂하고 又借房이라.
(다) 晝語雀聽하고 ㉡夜語鼠聽이라.
(라) 來㉢語不美어늘 去語何美리오?

14 (가)와 뜻이 통하는 우리말 속담은?

① 세 살 버릇 여든까지 간다.
② 쥐구멍에도 볕 들 날 있다.
③ 대청 빌리고 또 안방을 빌리려 한다.
④ 가는 말이 고와야 오는 말이 곱다.
⑤ 낮말은 새가 듣고, 밤말은 쥐가 듣는다.

15 (다)를 소리 내어 읽고 음을 쓰시오.

16 (나)의 문장에서 ㉠의 뜻으로 알맞은 것은?

① 집 ② 대청 ③ 관아
④ 당당하다 ⑤ 남의 어머니

17 ㉡과 상대되는 뜻의 한자는?

① 陰 ② 房 ③ 晝 ④ 語 ⑤ 去

18 ㉢과 바꾸어 쓸 수 있는 한자는?

① 言 ② 吾 ③ 轉 ④ 聽 ⑤ 耳

출제 유력

19 (라)의 속뜻으로 가장 적절한 것은?

① 아무도 안 듣는 데서라도 말조심해야 한다.
② 욕심이 한이 없어서 염치없이 이것저것을 요구한다.
③ 아무리 큰 것이라도 그 처음은 작은 것에서 시작한다.
④ 세상일은 돌고 도니 운이 나쁜 사람도 좋은 운을 만날 수 있다.
⑤ 내가 상대방에게 좋은 말을 해야 상대방도 나에게 좋은 말을 한다.

11. 마음에 품은 큰 뜻

○ 교과서 78, 79쪽

똑똑! 활동으로 열기

출제 유형

- 그림의 직업을 한자로 바르게 나타낸 것은?
- 다음에서 설명하는 직업을 한자로 쓰면?

나의 미래를 위해서는 내 자신을 먼저 돌아보고, 넓은 시야도 가져야 해.

시야: 사물에 대한 식견이나 사려가 미치는 범위

활동 1 직업을 선택할 때 고려해야 할 점을 생각해 보고, 빈칸에 알맞은 음을 써 보자.

- 特技(❶ 특 기): 남이 가지지 못한 특별한 기술이나 기능
- 適性(❷ 적 성): 어떤 일에 알맞은 성질이나 적응 능력. 또는 그와 같은 소질이나 성격
- 관심: 어떤 것에 마음이 끌려 주의를 기울임.
- 展望(❸ 전 망): 앞날을 헤아려 내다봄. 또는 내다보이는 장래의 상황
- 분야: 여러 갈래로 나누어진 범위나 부분

→ **자아실현**: 자아(자기 자신에 대한 의식이나 관념)의 본질을 완전히 실현하는 일

우리가 가질 수 있는 직업에는 어떤 것들이 있을까?

활동 2 설명에 해당하는 직업을 찾아 가로 또는 세로 방향으로 묶어 보자.

(1) 요리를 전문으로 하는 사람. ㅇㄹㅅ

(2) 학문에 능통한 사람. 또는 학문을 연구하는 사람. ㅎㅈ

(능통: 아주 잘함.)

(3) 대법원을 제외한 각급 법원의 법관. ㅍㅅ

(4) 국가 또는 지방 공공 단체의 사무를 맡아보는 사람. ㄱㅁㅇ

家 가	行 행	(1) 料 요	志 지	警 경
線 선	分 분	理 리	(2) 學 학	者 자
軍 군	吾 오	師 사	對 대	(3) 判 판
(4) 公 공	務 무	員 원	決 결	事 사

['(사)'로 끝나는 직업]

- 師(사)
  - 의미: 전문적
  - 예: 醫師(의사), 藥師(약사), 看護師(간호사), 敎師(교사), 美容師(미용사), 料理師(요리사), 寫眞師(사진사), 調理師(조리사)
- 事(사)
  - 의미: 일
  - 예: 判事(판사), 檢事(검사), 執事(집사), 幹事(간사), 理事(이사), 監事(감사)
- 士(사)
  - 의미: 자격
  - 예: 辯護士(변호사), 辨理士(변리사), 博士(박사), 公認 仲介士(공인 중개사), 會計司(회계사), 技士(기사), 營養士(영양사)

新 한자 모아 보기

한자	음	뜻	부수	획수	총획
特	특	특별하다	牛	6	10
適	적	알맞다	辵(辶)	11	15
性	성	성품	心(忄)	5	8
展	전	펴다	尸	7	10
望	망	바라다	月	7	11
料	료	헤아리다, 재료	斗	6	10

한자	음	뜻	부수	획수	총획
志	지	뜻	心	3	7
警*	경	경계하다	言	13	20
者	자	사람, 것	老	5	9
軍	군	군사	車	2	9
判	판	판단하다	刀(刂)	5	7
公	공	공평하다, 관청	八	2	4

한자	음	뜻	부수	획수	총획
務	무	힘쓰다	力	9	11
員*	원	인원	口	7	10
察	찰	살피다	宀	11	14
醫	의	의원	酉	11	18
選	선	가리다	辵(辶)	12	16

뜻을 굳게 세우고 꾸준히 노력하면 꿈을 이룰 수 있겠지?

활동 3 빈칸에 들어갈 직업을 〈보기〉에서 찾아 써 보자. 교사: 教師, 지휘자: 指揮者, 농부: 農夫, 승무원: 乘務員

• 보기 • 軍人 警察 醫師 運動選手

군인 경찰 의사 운동선수

소단원 학습 계획

배울 내용에 관하여 얼마나 알고 있는지 스스로 점검해 보자.

• 직업을 나타내는 한자 어휘를 알고 있는가?	☆☆☆☆☆
• 입지(立志)의 뜻과 중요성을 알고 있는가?	☆☆☆☆☆

잘하는 부분은 발전시키고, 부족한 부분은 보완할 수 있도록 스스로 학습 계획을 세워 보자.

나는 이 단원에서 ___예 직업을 나타내는 한자 어휘, 입지의 뜻과 중요성___ 을/를 공부하겠다.

도움말 직업을 선택할 때 고려할 점, 직업을 나타내는 한자 어휘, 입지의 뜻 등을 묻는 활동을 통해 소단원 학습 내용에 관한 자신의 배경지식 정도를 스스로 점검해 본다. 또 이를 바탕으로 이 소단원에서 어떤 내용을 공부할지 스스로 계획을 세워 본다.

학습 요소 ■ 토에 유의하여 바르게 끊어 읽기 ■ 현재적 의미와 가치 발견 ■ 인성 함양

출제 유형
- 다음 문장에서 강조하고 있는 것은?
- (다)의 풀이로 알맞은 것은?
- 다음 문장에서 쓰인 한자의 뜻으로 알맞은 것은?

11. 마음에 품은 큰 뜻

교과서 80, 81쪽

有志者는 事竟成也라.

유(있다) 지(뜻) 자(사람) 사(일) 경(마침내) 성(이루다) 야(어조사)

也 – 종결을 나타내는 어조사

『후한서』

人之患은 在於立志不固니라.

인(사람) 지(어조사) 환(근심) 재(있다) 어(어조사) 입(서다) 지(뜻) 불(아니다) 고(굳다)

於 – ~에

『백헌집』

立志遠大然後에 事業可成이라.

입(서다) 지(뜻) 원(멀다) 대(크다) 연(그러하다) 후(뒤) 사(일) 업(일) 가(할 수 있다) 성(이루다)

遠 ↔ 近(근) 가깝다, 大 ↔ 小(소) 작다, 成 ↔ 敗(패) 패하다

然後 – 그러한 뒤

『양촌집』

初學은 先須立志하되 必以聖人自期니라.

초(처음) 학(배우다) 선(먼저) 수(모름지기) 입(서다) 지(뜻) 필(반드시) 이(써) 성(성인) 인(사람) 자(스스로) 기(기약하다)

自期 – 마음 속으로 스스로 기약함.

『격몽요결』

新 한자 모아 보기

한자	음	뜻	부수	획수	총획
有	유	있다	月	2	6
竟*	경	마침내	立	6	11
也	야	어조사	乙(乚)	2	3
患	환	근심	心	7	11
在	재	있다	土	3	6
於	어	어조사	方	4	8
固	고	굳다	口	5	8
遠	원	멀다	辵(辶)	10	14
然	연	그러하다	火(灬)	8	12
後	후	뒤	彳	6	9
可	가	옳다, 할 수 있다	口	2	5
初	초	처음	刀	5	7
須	수	모름지기	頁	3	12
必	필	반드시	心	1	5
聖	성	성인	耳	7	13
期	기	기약하다	月	8	12

스스로 확인

본문의 문장들에서 공통적으로 강조하는 바를 나타내는 한자 어휘는 무엇인가?

立志 / 입지

- 『후한서(後漢書)』: 중국 남북조 시대에 송(宋)나라의 역사가 범엽(范曄)이 정리한 후한의 역사서
- 『백헌집(白軒集)』: 조선 중기의 문신 이경석(李景奭)의 시문집
- 『양촌집(陽村集)』: 조선 전기의 문신 권근(權近)의 시문집
- 『격몽요결(擊蒙要訣)』: 조선 중기의 학자 이이(李珥)가 학문을 시작하는 이들을 가르치기 위해 지은 책

꼭꼭! 본문 다지기

교과서 82쪽

有志者는 事竟成也라.
(유지자 사경성야)

뜻이 있는 사람은 일이 마침내 이루어진다.

人之患은 在於立志不固니라.
(인지환 재어입지불고)

사람의 근심은 뜻을 세움이 굳지 못함에 있다.

立志遠大然後에 事業可成이라.
(입지원대연후 사업가성)

뜻을 세움이 원대해진 뒤에 일이 이루어질 수 있다.

初學은 先須立志하되 必以聖人自期니라.
(초학 선수입지 필이성인자기)

처음 배우는 사람은 먼저 모름지기 뜻을 세우되 반드시 성인으로서 스스로를 기약해야 한다.

- 모름지기: 마땅히, 반드시

- 者(자)의 여러 가지 쓰임
  ① 사람 예 學者(학자): 학문에 능통한 사람. 또는 학문을 연구하는 사람 / 患者(환자): 아픈 사람
  ② 것 예 後者(후자): 두 가지 사물이나 사람을 들어서 말할 때, 뒤에 든 사물이나 사람
- 也(야): 종결을 나타내는 어조사
- 於(어): ~에
- 然後(연후): 그러한 뒤
- 可(가): ~할 수 있다
- 聖人(성인): 지혜와 덕이 매우 뛰어나서 길이 우러러 본받을 만한 사람

똑똑한 한문 지식 한문 끊어 읽기

한문으로 된 옛글은 붙여 쓰는 것이 일반적이다. 하지만 글을 읽을 때는 문장과 문장 사이, 문장 안의 구절들 사이를 적절히 끊어 읽어야 뜻을 쉽게 파악할 수 있다.

끊어 읽기를 표시하는 방법에는 '~이', '~하니', '~이라'와 같이 우리말을 붙여 토(吐)를 다는 **현토**와 문장 부호를 사용하는 **구두법**이 있다.

- 현토(懸吐): 우리말로 된 조사나 어미를 '토(吐)'라고 하고, 토를 다는 것을 '현토(懸吐)'라고 함.
- 구두법(句讀法): '구(句)'는 문장 사이에 휴지(休止)가 필요한 곳을 끊어 읽는 것이고, '두(讀)'는 하나의 문장 내에서 구절과 구절 사이에 정돈이 필요한 곳을 끊어 읽는 것임.

예
- 원래 문장
  有志者事竟成也 (유지자사경성야)
- 현토한 문장
  有志者는 事竟成也라.
- 구두법을 사용한 문장
  有志者, 事竟成也.

이해 더하기 입지(立志)

입지란 뜻을 세우는 것이다. 곧 목표를 세우는 것을 뜻하며, 이는 모든 일을 이루기 위한 기초가 된다. 뜻이 굳게 서지 않은 사람은 키 없는 배, 재갈 없는 말과 같아서 정처 없이 떠돌아다니다가 결국은 목적지에서 크게 벗어나 헤매게 된다. 선인들은 입지를 자기 성찰과 실천의 원동력으로 보고 그 필요성을 거듭 강조하였다.

- 정처: 일정한 장소
- 성찰: 자기의 마음을 반성하고 살핌.
- 원동력: 어떤 움직임의 근본이 되는 힘
- 키: 배의 방향을 조종하는 장치
- 재갈: 말을 부리기 위하여 아가리에 가로 물리는 가느다란 막대

新 한자 모아 보기

한자	음	뜻	부수	획수	총획
而	이	말 잇다	而	0	6
惑*	혹	미혹하다	心	8	12
順	순	차례, 순하다	頁	3	12

쑥쑥! 실력 향상 ○ 교과서 83쪽

생활 속 용어 활용

「논어」: 유교 경전인 사서(四書)의 하나로, 공자와 그의 제자들의 언행을 적은 것

공자는 『논어』에서 15세를 志學이라고 했어.

• 志學(지학): 열다섯 살을 달리 이르는 말. 『논어』 「위정편(爲政篇)」에서, 공자가 열다섯 살에 학문에 뜻을 두었다고 한 데서 나온 말임.

15세에 학문에 뜻을 두었다고 해서 나온 말이지?

• 而立(이립): 서른 살을 달리 이르는 말. 『논어』 「위정편(爲政篇)」에서, 공자가 서른 살에 자립했다고 한 데서 나온 말임.

• 不惑(불혹): 마흔 살을 달리 이르는 말. 『논어』 「위정편(爲政篇)」에서, 공자가 마흔 살부터 세상일에 미혹되지 않았다고 한 데서 나온 말임.

맞아. 자립하는 30세를 而立, 세상일에 흔들리지 않는 40세를 不惑이라고도 했어.

• 知天命(지천명): 쉰 살을 달리 이르는 말. 『논어』 「위정편(爲政篇)」에서, 공자가 쉰 살에 하늘의 뜻을 알았다고 한 데서 나온 말임.

그 뒤는 나도 알아. 천명을 아는 50세를 知天命, 귀가 순해지는 60세를 耳順이라고 했지.

• 耳順(이순): 예순 살을 달리 이르는 말. 『논어』 「위정편(爲政篇)」에서, 공자가 예순 살부터 생각하는 것이 원만하여 어떤 일을 들으면 곧 이해가 된다고 한 데서 나온 말임.

• 천명: 타고난 운명
• 귀가 순해지다: 생각하는 것이 원만하여 어떤 일을 들으면 곧 이해가 된다고 한 데서 나온 말

문제로 실력 확인

1. 者(자)의 쓰임으로 알맞은 것을 골라 보자. ③

有志者, 事竟成也.
(유지자 사경성야)

① ~의　② 가다　③ 사람
④ ~한 것　⑤ ~은/는

2. 문장에 토를 달고, 문장을 바르게 끊어 읽어 보자.

立志遠大然後事業可成.

입지원대연후에 사업가성이라.

문장의 풀이에 따라 끊고, 토(에, 이라)를 달아보도록 한다.

창의형

3. 자신이 관심 있는 직업을 한자로 적은 명함을 만들어 보고, 그 직업을 갖기 위해서는 어떤 노력이 필요한지 조사해 보자.

예시

料理師(요리사)가 되려면?
• 혼자서 요리 공부를 할 수도 있지만, 조리과학고등학교나 대학교의 관련 학과에 들어가거나 사설 학원에서 강좌를 들을 수도 있다.
• 요리와 관련된 다양한 자격증을 취득하는 것이 도움이 된다.
• 다른 나라의 요리를 배우기 위해서 그 나라로 유학을 갈 수도 있다.

['70세'의 『위정편』 유래]
從心所欲不踰矩(종심소욕 불유구) → 從心(종심)

소단원 자기 점검

학업 성취도를 스스로 점검해 보자.

항목	잘함	보통	노력 필요
• 토의 역할에 유의하여 글을 바르게 끊어 읽을 수 있는가?			
• 입지(立志)에 관한 글에서 현재적 의미와 가치를 발견할 수 있는가?			

□ 교과서 82쪽 '똑똑한 한문 지식' 다시 읽기　□ 교과서 80~82쪽 다시 읽기

도움말 소단원 학습이 끝나면 소단원의 학습 목표에 해당하는 질문에 답하며 자신의 학업 성취도를 스스로 점검해 본다. 성취 목표에 도달하지 못한 경우에는 제시된 위치로 돌아가서 내용을 다시 읽고 공부하도록 한다.

소단원 스스로 정리

정답과 해설 298쪽

1. 한자

• 한자, 음, 뜻, 부수의 순서로 제시

特 (특) 특별하다 [牛]
適 (적) 알맞다 [辵(辶)]
性 (성) 성품 [❶ □]
展 (전) 펴다 [尸]
望 (망) 바라다 [月]
料 (료) 헤아리다, 재료 [斗]
志 (지) ❷ □ [心]
警*(경) 경계하다 [言]
❸ □ (자) 사람, 것 [老]
軍 (군) 군사 [車]
判 (판) 판단하다 [刀(刂)]
❹ □ (공) 공평하다, 관청 [八]
務 (무) 힘쓰다 [❺ □]

員*(원) 인원 [口]
察 (찰) 살피다 [宀]
醫 (의) 의원 [酉]
選 (선) 가리다 [辵(辶)]
有 ❻ □ 있다 [月]
竟*(경) 마침내 [立]
也 (야) ❼ □□□ [乙(乚)]
患 (환) 근심 [心(忄)]
在 (재) 있다 [土]
❽ □ (어) 어조사 [方]
固 (고) 굳다 [囗]
遠 (원) ❾ □□ [辵(辶)]
然 (연) 그러하다 [火(灬)]

❿ □ (후) 뒤 [彳]
可 (가) 옳다, 할 수 있다 [口]
初 (초) 처음 [刀]
須 (수) 모름지기 [頁]
⓫ □ (필) 반드시 [心]
聖 (성) 성인 [耳]
期 (기) 기약하다 [月]
而 ⓬ □ 말 잇다 [而]
惑*(혹) 미혹하다 [心]
順 (순) 차례, 순하다 [頁]

2. 어휘

(1) 特技(❶ □□): 남이 가지지 못한 특별한 기술이나 기능
(2) 展望(❷ □□): 앞날을 헤아려 내다봄. 또는 내다보이는 장래의 상황
(3) ❸ □□(입지): 뜻을 세우다.
(4) 耳❹ □(이순): 예순 살을 달리 이르는 말
(5) 知天命(❺ □□□): 쉰 살을 달리 이르는 말

〈나이에 따른 어휘〉

志學	15세
而立	30세
不惑	40세
知天命	50세
耳順	60세

3. 본문

有❶ □者(유지자)는 事竟成也(사경성야)라.	뜻이 있는 사람은 ❷ □이 마침내 이루어진다.
人之患(인지환)은 在於立志不❸ □(재어입지불고)니라.	사람의 ❹ □□은 뜻을 세움이 굳지 못함에 있다.
立志遠大然後(입지원대연후)에 事業可❺ □(사업가성)이라.	뜻을 세움이 ❻ □□해진 뒤에 일이 이루어질 수 있다.
初學(초학)은 先❼ □立志(선수입지)하되 ❽ □以聖人自期(필이성인자기)니라.	❾ □□ 배우는 사람은 ❿ □□ 모름지기 뜻을 세우되 반드시 성인으로서 스스로를 기약해야 한다.

4. 한문 끊어 읽기

(1) ❶ □□: '~이', '~하니', '~이라'와 같이 우리말을 붙여 토(吐)를 다는 방법 예 有志者는 事竟成也라.
(2) 구두법: 문장 ❷ □□를 사용하는 방법 예 有志者, 事竟成也.

소단원 확인 문제

01 한자의 모양과 음, 뜻이 바르게 연결된 것은?

	모양	음	뜻
①	望	(전)	펴다
②	軍	(군)	군사
③	在	(유)	있다
④	固	(고)	옛날
⑤	遠	(원)	뽑다

02 자음 색인에서 찾을 때 가장 뒤에 오는 한자는?

① 特 ② 順 ③ 醫 ④ 患 ⑤ 公

03 음이 같은 한자끼리 짝지어지지 않은 것은?

① 警 - 竟 ② 性 - 聖 ③ 員 - 遠
④ 志 - 之 ⑤ 有 - 在

04 한자의 부수 연결이 바르지 않은 것은?

① 性 - 心 ② 料 - 斗 ③ 員 - 貝
④ 在 - 土 ⑤ 必 - 心

출제 유력

05 빈칸에 공통으로 들어갈 한자로 알맞은 것은?

> 敎□ 醫□ 料理□

① 員 ② 事 ③ 師 ④ 士 ⑤ 者

06 직업을 통해서 자아의 본질을 실현하는 것을 뜻하는 말은?

① 특기 ② 적성 ③ 목표
④ 자아실현 ⑤ 자기 성찰

07 그림의 직업을 한자로 바르게 나타낸 것은?

① 判事
② 學者
③ 軍人
④ 警察
⑤ 選手

출제 유력

08 나이와 한자 어휘가 바르게 연결된 것은?

① 15 - 而立 ② 30 - 耳順
③ 40 - 不惑 ④ 50 - 志學
⑤ 60 - 知天命

09 다음과 같은 뜻을 가진 한자 어휘로 알맞은 것은?

> 생각하는 것이 원만하여 어떤 일을 들으면 곧 이해가 되는 때

① 而立 ② 耳順 ③ 不惑
④ 志學 ⑤ 知天命

10 빈칸에 들어갈 알맞은 한자 어휘를 쓰시오.

> □□란 뜻을 세우는 것, 곧 목표를 세우는 것을 뜻하며, 이는 모든 일을 이루기 위한 기초가 된다. 뜻이 굳게 서지 않은 사람은 키 없는 배, 재갈 없는 말과 같아서 정처 없이 떠돌아다니다가 결국은 목적지에서 크게 벗어나 헤매게 된다. 선인들은 입지를 자기 성찰과 실천의 원동력으로 보고 그 필요성을 거듭 강조하였다.

정답과 해설 298쪽

11 한자 어휘의 활용이 적절하지 않은 것은?

① 정부는 산림 복구 四業을 추진했다.
② 그의 特技는 요리를 만드는 것이다.
③ 경기가 계속 좋으리라는 展望이 나왔다.
④ 나는 適性을 고려해서 진로를 결정하였다.
⑤ 소년 시절 遠大하게 품었던 꿈이 드디어 실현되었다.

[12~20] 다음 글을 읽고 물음에 답하시오.

(가) 有志㉠者事竟成也.
(나) 人之患은 在㉡於立志不固니라.
(다) 立志遠大然後에 事㉢業可成이라.
(라) 初學은 ㉣先須立志하되 ㉤必以聖人自期니라.

출제 유력

12 (가)와 (다)에서 강조하고 있는 것은?

① 成功 ② 失敗 ③ 忠誠
④ 孝道 ⑤ 立志

서술형

13 (가)를 〈조건〉에 맞게 각각 쓰시오.

조건
(1) 토를 달아 바르게 끊어 읽기
(2) 문장 부호를 사용하여 끊어 읽기

14 ㉠의 쓰임으로 알맞은 것은?

① ~에 ② ~것 ③ 사람
④ ~하는 곳 ⑤ ~할 수 있다

15 ㉡의 뜻으로 알맞은 것은?

① ~에 ② ~보다 ③ ~에게
④ ~처럼 ⑤ ~을/를

16 ㉢과 같은 뜻을 가진 한자로 알맞은 것은?

① 竟 ② 固 ③ 遠 ④ 事 ⑤ 須

출제 유력

17 (다)의 풀이로 알맞은 것은?

① 뜻이 있는 사람은 일이 마침내 이루어진다.
② 사람의 근심은 뜻을 세움이 굳지 못함에 있다.
③ 뜻을 세움이 원대해진 뒤에 일이 이루어질 수 있다.
④ 뜻을 굳게 세우고 목표를 향해 꾸준히 노력하는 것이 필요하다.
⑤ 정신을 집중하여 노력하면 어떤 어려운 일이라도 성취할 수 있다.

18 ㉣의 품사로 알맞은 것은?

① 명사 ② 수사 ③ 부사
④ 대명사 ⑤ 형용사

서술형

19 (라)의 풀이를 쓰시오.

20 (가)~(라)에 쓰인 한자 어휘 중, '~을/를 ~하다'로 풀이되는 것은?

① 立志 ② 遠大 ③ 事業
④ 初學 ⑤ 聖人

12. 나를 채우는 배움 ○ 교과서 84, 85쪽

똑똑! 활동으로 열기

출제 유형
- 과목을 한자로 바르게 쓴 것은?
- 다음에서 설명하는 과목을 한자로 쓰면?
- 그림의 과목을 한자로 바르게 나타낸 것은?

우리 조상님들이 공부하는 모습, 궁금하지?

활동 1 한자의 뜻을 참고하여 물건들의 용도를 추측하여 써 보자.

[서산] 글을 읽은 횟수를 세는 데 쓰는 물건. 봉투처럼 만들어 겉에 홈을 내어서 접을 수 있도록 하였고, 안과 밖의 색을 달리하여 접힌 부분이 쉽게 눈에 띄게 하였다. 홈은 대개 열 개를 내며 접은 눈금을 헤아려 글을 읽은 횟수를 센다.

※ 이 그림은 김홍도의 「서당」 그림을 유사하게 그린 것으로, 실제 그림과는 다르다. (울고 있는 아이, 회초리, 벼루 등의 소재가 생략되었음.)

新 한자 모아 보기

한자	음	뜻	부수	획수	총획
筆	필	붓	竹	6	12
洗	세	씻다	水(氵)	6	9
案	안	책상, 안건	木	6	10
算	산	세다	竹	8	14
術*	술	재주	行	5	11

한자	음	뜻	부수	획수	총획
體	체	몸	骨	13	23
育	육	기르다	肉(月)	4	8
國	국	나라	囗	8	11
英	영	꽃부리	艸(艹)	5	9
科	과	과목	禾	4	9

한자	음	뜻	부수	획수	총획
社*	사	모이다	示	3	8
會	회	모이다	曰	9	13
德	덕	덕, 크다	彳	12	15
政	정	정사	攴(攵)	5	9

우리들은 학교에서 어떤 과목을 공부하지?

활동 2 빈칸에 알맞은 음을 써 보자.

한나라 (한) 글월 (문)

소리 (음) 노래 (악)

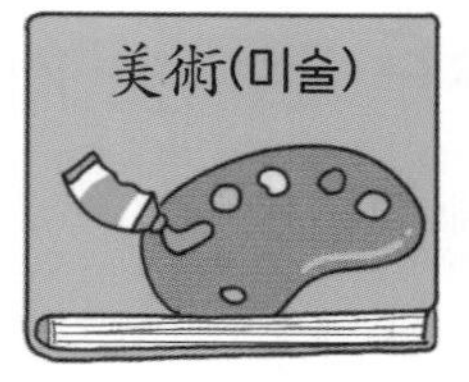

아름다울 (미) 재주 (술)

몸 (체) 기를 (육)

나라 (국) 말씀 (어)

영국, 꽃부리 (영) 말씀 (어)

셈 (수) 배울 (학)

과목 (과) 배울 (학)

모일 (사) 모일 (회)

도리, 길 (도) 덕 (덕)

사정, 뜻 (정) 알릴 (보)

재주 (기) 재주 (술) 집 (가) 정사 (정)

너는 어떤 과목을 좋아하니?

활동 3 자신이 배우고 싶은 과목들로 한자 시간표를 만들어 보자.

요일 / 교시	월	화	수	목	금
1교시	예 美術	數學	情報	社會	國語
2교시	美術	體育	科學	技術·家政	音樂
3교시	英語	體育	漢文	數學	體育
4교시	國語	音樂	道德	科學	體育

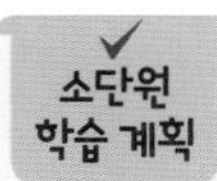

배울 내용에 관하여 얼마나 알고 있는지 스스로 점검해 보자.

• 과거와 현재의 공부하는 모습에 관하여 알고 있는가?	☆☆☆☆☆
• 배움의 가치와 필요성을 알고 있는가?	☆☆☆☆☆

잘하는 부분은 발전시키고, 부족한 부분은 보완할 수 있도록 스스로 학습 계획을 세워 보자.

나는 이 단원에서 예 과거와 현재의 공부하는 모습, 배움의 가치와 필요성, 배움과 관련된 어휘와 문장 을/를 공부하겠다.

도움말 과거의 서당과 현재의 학교에서 공부하는 모습을 살펴보는 활동을 통해 소단원 학습 내용에 관한 자신의 배경지식 정도를 스스로 점검해 본다. 또 이를 바탕으로 이 소단원에서 어떤 내용을 공부할지 스스로 계획을 세워 본다.

학습 요소 ■ 문장의 유형(명령문, 감탄문) ■ 선인들의 지혜와 사상에 대한 이해와 공감 ■ 가치관 정립

출제 유형
- (라)에서 명령문을 만드는 한자는?
- (가)~(라)에서 공통으로 강조하는 것은?
- 문장의 유형이 다른 하나는?

12. 나를 채우는 배움

교과서 86, 87쪽

學者는 須如上水니

(~라는 것: 者 / 上: 下(하) 아래 → 내려가다, 위 → 오르다)

학(배우다) 자(것) 수(모름지기) 여(같다) 상(위) 수(물)

不進則退니라. 『청강집』

부(아니다) 진(나아가다) 즉(곧) 퇴(물러나다)

첫소리가 ㄷ, ㅈ으로 소리 나는 한자 앞에서는 '부', 그 외의 경우에는 '불'로 발음함.

學은 必由師而明하니

(而: ~하여서('그리고, 그래서' 등 순접의 의미로 풀이))

학(배우다) 필(반드시) 유(말미암다) 사(스승) 이(말 잇다) 명(밝다)

學之本은 在於尊師니라. 『춘소집』

(於: ~에)

학(배우다) 지(어조사) 본(근본) 재(있다) 어(어조사) 존(높다) 사(스승)

幼而不學이면 老無所知하고,

(而: ~하여서 / 所知: ~하는 것)

유(어리다) 이(어조사) 불(아니다) 학(배우다) 노(늙다) 무(없다) 소(것) 지(알다)

春若不耕이면 秋無所望이니라. 『명심보감』

춘(봄) 약(만약) 불(아니다) 경(밭 갈다) 추(가을) 무(없다) 소(것) 망(바라다)

勿謂今日不學而有來日하고,

물(말다) 위(이르다) 금(오늘) 일(날) 불(아니다) 학(배우다) 이(어조사) 유(있다) 내(오다) 일(날)

(而: ~하고)

勿謂今年不學而有來年하라. 『고문진보』

물(말다) 위(이르다) 금(오늘) 년(해) 불(아니다) 학(배우다) 이(어조사) 유(있다) 내(오다) 년(해)

주자(朱子)의 권학문(勸學文)의 앞부분으로, 생략된 뒷부분은 다음과 같다.
日月逝矣(일월서의)라. 歲不我延(세불아연)이니.: 세월은 흘러간다. 세월은 나를 기다려 주지 않나니.
嗚呼老矣(오호로의)라. 是誰之愆(시수지건)고?: 아! 늙었구나. 이 누구의 잘못인가?
자신의 나이 듦에 덧없음을 느끼고 젊은 후생에게 촌음(寸陰)을 아껴 부지런히 배움에 힘쓸 것을 권고하는 글이다.

新 한자 모아 보기

한자	음	뜻	부수	획수	총획
如	여	같다	女	3	6
進	진	나아가다	辵(辶)	8	12
則	칙	법칙	刀	7	9
	즉	곧			
退	퇴	물러나다	辵(辶)	6	10
尊	존	높다	寸	9	12
幼	유	어리다	幺	2	5
無	무	없다	火(灬)	8	12
若	약	같다, 만약	艸(艹)	5	9
耕	경	밭 갈다	耒	4	10
勿	물	말다	勹	2	4
謂*	위	이르다	言	9	16
今	금	이제, 오늘	人	2	4
年	년	해	干	3	6

스스로 확인

본문의 문장 중, 명령의 의도가 담긴 것은 무엇인가?

勿謂今日不學而有來日, 勿謂今年不學而有來年.

풀이할 때 '~하라' 또는 '~하지 말라'로 풀이되는 것을 찾는다.

- 『청강집(淸江集)』: 조선 중기의 문신 이제신(李濟臣)의 시문집
- 『춘소집(春沼集)』: 조선 후기의 문신 신최(申最)의 시문집
- 『명심보감(明心寶鑑)』: 고려 충렬왕 때의 문신 추적(秋適)이 금언(金言), 명구(名句)를 모아 놓은 책
- 『고문진보(古文眞寶)』: 중국 송(宋)나라 때의 학자 황견(黃堅)이 엮은 시문집

꼭꼭! 본문 다지기

교과서 88쪽

學者는 須如上水니 不進則退니라.
(학자 수여상수 부진즉퇴)

배움이라는 것은 모름지기 물을 (거슬러) 오르는 것과 같으니 나아가지 않으면 퇴보하게 된다.

- 퇴보: 뒤로 물러감. 정도나 수준이 어제까지의 상태보다 뒤떨어지거나 못하게 됨.

學은 必由師而明하니 學之本은 在於尊師니라.
(학 필유사이명 학지본 재어존사)

배움은 반드시 스승으로 말미암아 밝아지니 배움의 근본은 스승을 존경함에 있다.

- 말미암아: 어떤 현상이나 사물 따위가 원인이나 이유가 되다.

幼而不學이면 老無所知하고,
(유이불학 노무소지)

어려서 배우지 않으면 늙어서 아는 것이 없고,

春若不耕이면 秋無所望이니라.
(춘약불경 추무소망)

봄에 만약 밭을 갈지 않으면 가을에 바랄 것이 없을 것이다.

勿謂今日不學而有來日하고,
(물위금일불학이유내일)

오늘 배우지 아니하고 내일이 있다고 말하지 말고,

勿謂今年不學而有來年하라.
(물위금년불학이유내년)

올해 배우지 아니하고 내년이 있다고 말하지 말라.

- 不動(부동): ① 물건이나 몸이 움직이지 아니함. ② 생각이나 의지가 흔들리지 아니함.
- 不正(부정): 올바르지 아니하거나 옳지 못함.
- 不能(불능): 할 수 없음.
- 不便(불편): ① 어떤 것을 사용하거나 이용하는 것이 거북하거나 괴로움. ② 몸이나 마음이 편하지 아니하고 괴로움.

- 上(상): 오르다
- 不(부/불): 첫소리가 ㄷ, ㅈ으로 소리 나는 한자 앞에서는 '부', 그 외의 경우에는 '불'로 발음함.
  예 不動(부동), 不正(부정) / 不能(불능), 不便(불편)
- 則(칙/즉)의 여러 가지 음과 뜻
  ① (칙) 법 예 校則(교칙) 학교의 규칙 (학생이 지켜야 할)
  ② (즉) 곧 예 不進則退(부진즉퇴) 나아가지 않으면 퇴보하게 된다.
- 而(이): ~하여서, ~하고
- 若(약)의 여러 가지 뜻
  ① 같다 예 明若觀火(명약관화) 불을 보듯 분명하고 뻔함.
  ② 만약 예 春若不耕(춘약불경) 봄에 만약 밭을 갈지 않으면

똑똑한 한문 지식 문장의 유형

(1) 명령문: 화자가 청자에게 어떤 행동을 하도록 요구하거나 요청하는 문장
예 勿謂今年不學而有來年.: 올해 배우지 아니하고 내년이 있다고 말하지 말라.
(물위금년불학이유내년)

- 非禮勿視(비례물시), 非禮勿聽(비례물청): 예가 아니면 보지 말며, 예가 아니면 듣지 말라.
- 無道人之短(무도인지단): 남의 단점을 말하지 말라.

(2) 감탄문: 사물이나 사실에 느낌을 받아 슬픔, 기쁨, 놀라움 등의 감정을 나타내는 문장
예 於呼(오호)! 哀哉(애재)!: 아! 슬프도다!

- 嗚呼(오호)! 痛哉(통재)!: 아! (마음이) 아프도다!
- 今老矣(금로의)!: 이제 늙었도다!

이해 더하기 학문(學問)

학문은 늘 진보하므로, 배우는 자가 끊임없이 노력하지 않으면 퇴보하게 된다. 따라서 스승의 가르침에 따라 늘 정진해야 한다. 또한 학문은 때를 놓치면 성취하기 어려우므로, 어릴 때부터 熱心(열심)히 노력해야 미래에 豐盛(풍성)한 결실을 맺을 수 있다.

- 熱心(열심): 어떤 일에 온 정성을 다하여 골똘하게 힘씀.
- 豐盛(풍성): 넉넉하고 많음.
- 진보(進步): 정도나 수준이 나아지거나 높아짐.
- 정진(精進): 힘써 나아감.
- 성취(成就): 목적한 바를 이룸.
- 결실(結實): 일의 결과가 잘 맺어짐.

新 한자 모아 보기

한자	음	뜻	부수	획수	총획
能	능	능하다	肉(月)	6	10
觀	관	보다	見	18	25
呼	호	부르다	口	5	8
哉	재	어조사	口	6	9
熱	열	덥다	火(灬)	11	15
豐	풍	풍성하다	豆	11	18
訓	훈	가르치다	言	3	10
課	과	과정, 매기다	言	8	15
題	제	제목	頁	9	18

쑥쑥! 실력 향상 ○ 교과서 89쪽

訓長님, 書堂에서는 무엇을 배우나요?

『千字文』, 『小學』, 『四書』 같은 책을 배우지.

行動을 바르게 하는 법도 배운단다.
책만 배우나요?

그날 배운 것을 완전하게 익히도록 熱心히 읽어 오게 한단다.
課題는 없나요?

- 訓長(훈장): 글방의 선생
- 書堂(서당): 글방
- 行動(행동): 몸을 움직여 동작을 하거나 어떤 일을 함.
- 課題(과제): 처리하거나 해결해야 할 문제
- 熱心(열심): 어떤 일에 온 정성을 다하여 골똘하게 힘씀. 또는 그런 마음

문제로 실력 확인

1. 上(상)의 쓰임으로 바른 것을 골라 보자. ⑤

> 學者, 須如上水, 不進則退.
> 학 자 수 여 상 수 부 진 즉 퇴

① 위 ② 아래 ③ 임금
④ 내려가다 ⑤ 오르다

- 千字文(천자문): 중국 양나라 주흥사(周興嗣)가 지은 책. 사언(四言) 고시(古詩) 250구로 모두 1,000자(字)로 되어 있으며, 자연 현상으로부터 인륜 도덕에 이르는 지식 용어를 수록하였고, 한문 학습의 입문서로 널리 쓰였음.
- 小學(소학): 중국 송나라의 유자징(劉子澄)이 주희의 가르침으로 지은 초학자들의 수양서. 쇄소(灑掃)·응대(應對)·진퇴(進退)의 예법과 선행(善行), 가언(嘉言), 수신 도덕의 격언, 충신 · 효자의 사적(事績) 따위를 고금(古今)의 책에서 뽑아 편찬하였음.
- 四書(사서): 유교의 경전인 『논어』, 『맹자』, 『중용』, 『대학』을 통틀어 이르는 말

2. 밑줄 친 한자에 유의하여 문장을 풀이해 보자.

> 春若不耕, 秋無所望.
> 춘 약 불 경 추 무 소 망

봄에 만약 밭을 갈지 않으면 가을에 바랄 것이 없을 것이다. 若: ① 같다 ② 만약

창의형

3. 다음은 율곡 이이의 「자경문(自警文: 스스로 경계하는 글)」의 일부이다. 이를 참고하여 배움에 관한 나만의 자경문을 만들어 보자.

- 먼저 모름지기 그 뜻을 크게 가져야 한다. 성인을 본보기로 삼아서 조금이라도 성인에 미치지 못하면 나의 일은 끝난 것이 아니다.
- 마음이 안정된 자는 말이 적다. 마음을 안정시키는 일은 말을 적게 하는 데서 시작한다.
- 공부는 늦추지도 않고 서두르지도 않고 죽은 뒤에야 그만둘 뿐이다.

예시

한 줄 요약	수업 시간에 졸지 않기, 한눈팔지 않기, 떠들지 않기!
내용 쓰기	수업 시간에는 선생님 말씀에 집중해야 한다. 졸거나 한눈을 팔거나 친구와 떠들면 제대로 배울 수 없다.

예시 추가 오늘의 복습과 과제를 내일로 미루지 말자.

소단원 자기 점검

학업 성취도를 스스로 점검해 보자.

• 문장의 유형(명령문, 감탄문)을 알고 있는가?	잘함 / 보통 / 노력 필요
• 배움에 관한 글에 담긴 선인들의 지혜와 사상을 이해할 수 있는가?	잘함 / 보통 / 노력 필요

□ 교과서 88쪽 '똑똑한 한문 지식' 다시 읽기 □ 교과서 86~88쪽 다시 읽기

도움말 소단원 학습이 끝나면 소단원의 학습 목표에 해당하는 질문에 답하며 자신의 학업 성취도를 스스로 점검해 본다. 성취 목표에 도달하지 못한 경우에는 제시된 위치로 돌아가서 내용을 다시 읽고 공부하도록 한다.

소단원 스스로 정리

정답과 해설 200쪽

• 한자, 음, 뜻, 부수의 순서로 제시

1. 한자

筆 ❶☐ 붓 [竹]
洗 (세) 씻다 [水(氵)]
案 (안) 책상, 안건 [木]
算 (산) 세다 [竹]
術* (술) 재주 [行]
體 (체) ❷☐ [骨]
育 (육) 기르다 [肉(月)]
❸☐ (국) 나라 [囗]
英 (영) 꽃부리 [艸(艹)]
科 (과) 과목 [禾]
社* (사) 모이다 [示]
會 (회) ❹☐☐☐ [曰]
德 (덕) 덕, 크다 [彳]

政 ❺☐ 정사 [攴(攵)]
如 (여) 같다 [女]
進 (진) 나아가다 [辵(辶)]
❻☐ (칙) 법칙
(즉) 곧 [刀(刂)]
退 (퇴) 물러나다 [辵(辶)]
尊 (존) 높다 [寸]
幼 (유) 어리다 [幺]
無 (무) ❼☐☐ [火(灬)]
若 (약) 같다, 만약 [艸(艹)]
耕 (경) 밭 갈다 [耒]
勿 ❽☐ 말다 [勹]
謂* (위) 이르다 [言]

❾☐ (금) 이제, 오늘 [人(亻)]
年 (년) 해 [干]
能 ❿☐ 능하다 [肉(月)]
觀 (관) 보다 [見]
呼 (호) 부르다 [口]
哉 (재) 어조사 [口]
熱 (열) 덥다 [火(灬)]
豐 ⓫☐ 풍성하다 [豆]
訓 (훈) 가르치다 [⓬☐]
課 (과) 과정, 매기다 [言]
題 (제) 제목 [頁]

2. 어휘

(1) ❶☐☐(서안): 예전에, 책을 얹던 책상
(2) 熱心(❷☐☐): 어떤 일에 온 정성을 다하여 골똘하게 힘씀. 또는 그런 마음
(3) 豐盛(❸☐☐): 넉넉하고 많음.
(4) ❹☐☐(행동): 몸을 움직여 동작을 하거나 어떤 일을 함.
(5) 課❺☐(과제): 처리하거나 해결해야 할 문제

3. 본문

❶☐者(학자)는 須如上水(수여상수)니 不進則退(부진즉퇴)니라.	배움이라는 것은 모름지기 ❷☐을 (거슬러) 오르는 것과 같으니 나아가지 않으면 퇴보하게 된다.
學(학)은 必由❸☐而明(필유사이명)하니 學之本(학지본)은 在於尊師(재어존사)니라.	배움은 반드시 스승으로 말미암아 밝아지니 배움의 ❹☐☐은 스승을 존경함에 있다.
❺☐而不學(유이불학)이면 ❻☐無所知(노무소지)하고, 春若不耕(춘약불경)이면 秋無所望(추무소망)이니라.	어려서 배우지 않으면 늙어서 아는 것이 없고, ❼☐에 만약 밭을 갈지 않으면 ❽☐☐에 바랄 것이 없을 것이다.
❾☐謂今日不學而有來日(물위금일불학이유내일)하고, 勿謂今年不學❿☐有來年(물위금년불학이유내년)하라.	⓫☐☐ 배우지 아니하고 내일이 있다고 말하지 말고, 올해 배우지 아니하고 ⓬☐☐이 있다고 말하지 말라.

4. 문장의 유형

(1) ❶☐☐☐: 화자가 청자에게 어떤 행동을 하도록 요구하거나 요청하는 문장 예 勿謂今年不學而有來年.
(2) 감탄문: 사물이나 사실에 느낌을 받아 슬픔, 기쁨, 놀라움 등의 ❷☐☐을 나타내는 문장 예 於呼! 哀哉!

소단원 확인 문제

01 음이 같은 한자끼리 짝지어진 것은?

① 音 - 樂 ② 如 - 呼 ③ 社 - 會
④ 書 - 算 ⑤ 科 - 課

02 한자의 뜻이 바른 것은?

① 體 - 마음 ② 若 - 쓰다
③ 社 - 모이다 ④ 訓 - 야단치다
⑤ 進 - 물러나다

03 한자의 부수 연결이 바른 것은?

① 政 - 正 ② 洗 - 先 ③ 案 - 宀
④ 算 - 竹 ⑤ 社 - 土

04 뜻이 서로 상대되는 한자끼리 짝지어진 것은?

① 進 - 退 ② 無 - 幼 ③ 耕 - 德
④ 勿 - 不 ⑤ 能 - 豊

05 접속사로 쓰이는 한자로 알맞은 것은?

① 育 ② 德 ③ 謂 ④ 勿 ⑤ 則

출제 유력

06 빈칸에 공통으로 들어갈 한자로 알맞은 것은?

□案 □算 □堂

① 筆 ② 語 ③ 學 ④ 書 ⑤ 訓

07 不의 음이 나머지와 다른 하나는?

① 不動 ② 不正 ③ 不能
④ 不德 ⑤ 不進

08 그림의 과목을 한자로 바르게 나타낸 것은?

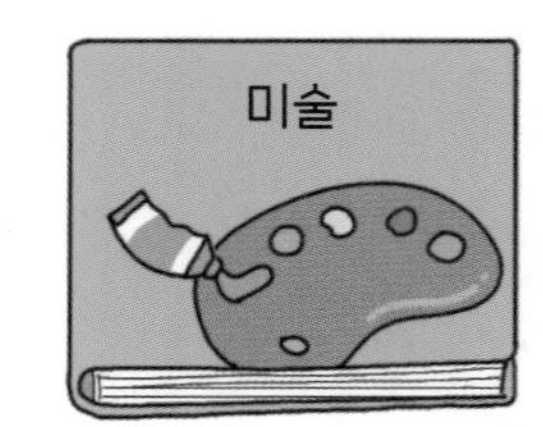

① 漢文
② 道德
③ 英語
④ 科學
⑤ 美術

09 다음에서 설명하는 과목을 한자 어휘로 나타낸 것은?

수량 및 공간의 성질에 관하여 연구하는 학문

① 音樂 ② 體育 ③ 數學
④ 社會 ⑤ 技術

출제 유력

10 다음 글에 쓰인 한자 어휘가 적절하지 않은 것은?

> ①學問은 늘 ②進步하므로, 배우는 자가 끊임없이 노력하지 않으면 ③退報하게 된다. 따라서 스승의 가르침에 따라 늘 정진해야 한다. 또한 학문은 때를 놓치면 성취하기 어려우므로, 어릴 때부터 ④熱心히 노력해야 미래에 ⑤豐盛한 결실을 맺을 수 있다.

11 다음과 같이 풀이하는 성어를 한자로 쓰시오.

불을 보듯 분명하고 뻔함.

[12~20] 다음 글을 읽고 물음에 답하시오.

(가) 學者는 須如㉠上水니 不進則退니라.
(나) 學은 ㉡必由師而明하니 學之本은 在於尊 ☐ 니라.
(다) ㉢幼而不學이면 老無所知하고, 春若不耕이면 秋無所望이니라.
(라) 勿謂今日不學而有來日하고, 勿謂今年不學而有來年하라.

12 ㉠의 품사로 알맞은 것은?

① 명사 ② 동사 ③ 부사
④ 대명사 ⑤ 형용사

13 (나)의 빈칸에 가장 알맞은 한자를 쓰시오.

14 ㉡에서 가장 마지막에 풀이되는 한자는?

① 必 ② 由 ③ 師 ④ 而 ⑤ 明

15 ㉢과 상대되는 한자로 쓰인 것은?

① 學 ② 老 ③ 春 ④ 耕 ⑤ 秋

출제 유력
16 (라)에서 명령문을 만드는 한자는?

① 勿 ② 謂 ③ 不 ④ 今 ⑤ 而

17 (라)에서 今日과 풀이 순서가 같은 것은?

① 學者 ② 上水 ③ 不學
④ 所知 ⑤ 勿謂

18 (가)의 풀이로 알맞은 것은?

① 배움은 반드시 스승으로 말미암아 밝아지니 배움의 근본은 스승을 존경함에 있다.
② 세월은 흘러간다. 세월은 나를 기다려 주지 않나니, 아! 늙었구나. 이 누구의 잘못인가.
③ 배움이라는 것은 모름지기 물을 (거슬러) 오르는 것과 같으니 나아가지 않으면 퇴보하게 된다.
④ 오늘 배우지 아니하고 내일이 있다고 말하지 말고, 올해 배우지 아니하고 내년이 있다고 말하지 말라.
⑤ 어려서 배우지 않으면 늙어서 아는 것이 없고, 봄에 만약 밭을 갈지 않으면 가을에 바랄 것이 없을 것이다.

출제 유력
19 (가)~(라)에서 공통으로 강조하고 있는 것은?

① 입지의 중요성 ② 미래에 대한 준비
③ 선행에 대한 보답 ④ 성실한 삶의 태도
⑤ 배움에 대한 자세

서술형
20 빈칸에 들어갈 문장을 (가)~(라)에서 찾아 기호를 쓰고 풀이하시오.

> 일생의 계획은 어릴 때에 있고, 일 년의 계획은 봄에 있고, 하루의 계획은 새벽에 있다. ☐ ☐ 새벽에 일어나지 않으면 그 날에 하는 일이 없다.

13. 착한 마음, 바른 사람

교과서 90, 91쪽

똑똑! 활동으로 열기

출제 유형

- 어휘를 바르게 읽은 것은?
- 뜻이 서로 상대되는 한자끼리 짝지어지지 않은 것은?
- '착한 행동'을 뜻하는 한자 어휘로 알맞은 것은?

다음 두 가지 이야기에 담긴 주제를 생각해 보자.

활동 1 두 만화의 공통된 주제를 우리말로 풀어 써 보자.

주제: 他人(타인)을 생각하는 善行(선행)

→ ❶ 다른 사람을 생각하는 ❷ 착한 행동

新 한자 모아 보기

한자	음	뜻	부수	획수	총획
內	내	안	入	2	4
凶	흉	흉하다	凵	2	4
惡	악	악하다	心	8	12
	오	미워하다			
化	화	되다	匕	2	4

한자	음	뜻	부수	획수	총획
目	목	눈	目	0	5
的	적	과녁	白	3	8
積*	적	쌓다	禾	11	16
極	극	다하다, 끝	木	9	13

한자	음	뜻	부수	획수	총획
參	참	참여하다	厶	9	11
	삼	셋			
與	여	더불다, 주다	臼	7	14
空	공	비다	穴	3	8

인터넷에서 선플[善(선)+reply]을 다는 것도 선행에 해당하지.
reply: 대답하다, 답장을 보내다

활동 2 빈칸에 알맞은 음을 써 보자.

인터넷에 올라온 글에 악의적인 內容(내용)의 댓글을 다는 사람들이 사회적으로 큰 문제가 되고 있다. 그들은 근거 없이 다른 사람을 비방하거나 허위 사실을 유포하는 등 凶惡(❶ 흉 악)한 언어폭력을 자행한다.

이러한 악성 댓글을 막기 위해 선플 달기 운동이 전개되고 있다. 악성 댓글이 당사자에게 큰 고통과 피해를 준다는 것을 누리꾼들에게 일깨우고, 건전한 인터넷 文化(문화)를 가꾸어 나가는 것이 이 운동의 目的(목적)이다.

누리꾼들이 자발적이고 積極的(❷ 적 극 적)으로 선플 달기 운동에 參與(❸ 참 여)한다면, 인터넷 空間(공간)에는 악성 댓글은 사라지고 아름다운 댓글만이 가득하게 될 것이다.

- 內容: 말, 글, 그림, 연출 따위의 모든 표현 매체 속에 들어 있는 것. 또는 그런 것들로 전하고자 하는 것
- 凶惡: 성질이 악하고 모짊.
- 目的: 실현하려고 하는 일이나 나아가는 방향
- 參與: 어떤 일에 끼어들어 관계함.
- 空間: 물리적으로나 심리적으로 널리 퍼져 있는 범위
- 積極的: 대상에 대한 태도가 긍정적이고 능동적인. 또는 그런 것
- 文化: 자연 상태에서 벗어나 일정한 목적 또는 생활 이상을 실현하고자 사회 구성원에 의하여 습득, 공유, 전달되는 행동 양식이나 생활 양식의 과정 및 그 과정에서 이룩하여 낸 물질적·정신적 소득을 통틀어 이르는 말

sunflower로 선플 운동의 상징

선플 운동 www.sunfull.or.kr

위의 어휘들은 앞의 한자가 뒤의 한자를 꾸며 주고, 아래의 어휘들은 서술어 다음에 목적어가 오는 짜임이야.

활동 3 빈칸에 알맞은 한자 어휘를 써 보자.

善行(선행): 착한 행동 ⟷ ❶ 惡行(악행): 나쁜 행동

❷ 積善(적선): 선을 쌓음. ⟷ 積惡(적악): 악을 쌓음.

소단원 학습 계획

배울 내용에 관하여 얼마나 알고 있는지 스스로 점검해 보자.

• 선행(善行)의 뜻을 알고 있는가?	☆☆☆☆☆
• 생활 속에서 선행을 실천한 예를 알고 있는가?	☆☆☆☆☆

잘하는 부분은 발전시키고, 부족한 부분은 보완할 수 있도록 스스로 학습 계획을 세워 보자.

나는 이 단원에서 ___예 선행의 뜻, 생활 속에서 선행을 실천한 예, 선행과 관련된 어휘와 문장___ 을/를 공부하겠다.

도움말 선행의 의미, 선행과 관련된 이야기 등을 살펴보는 활동을 통해, 소단원 학습 내용에 관한 자신의 배경지식 정도를 스스로 점검해 본다. 또 이를 바탕으로 이 소단원에서 어떤 내용을 공부할지 스스로 계획을 세워 본다.

학습 요소 ▪ 글의 내용과 주제 ▪ 선인들의 지혜와 사상에 대한 이해와 공감 ▪ 건전한 가치관과 바람직한 인성

13. 착한 마음, 바른 사람

교과서 92, 93쪽

출제 유형

- 문장을 바르게 풀이한 것은?
- 惡에 유의하여 ⓒ의 독음을 쓰시오.
- 다음 문장에서 공통으로 강조하고 있는 것은?

新 한자 모아 보기

한자	음	뜻	부수	획수	총획
餘	여	남다	食	7	16
慶	경	경사	心	11	15
非	비	아니다	非	0	8
爲	위	하다, 되다	爪(爫)	8	12
修	수	닦다	人(亻)	8	10
其	기	그	八	6	8
園	원	동산	囗	10	13
見	견	보다	見	0	7
增	증	더하다	土	12	15

스스로 확인

본문의 문장들에서 공통적으로 강조하는 덕목을 나타내는 한자는 무엇인가?

善
선

가장 많이 쓰인 한자를 찾는다.

~하는

積善之家에는 **必有餘慶**이라.

적 선 지 가 / 필 유 여 경
쌓다 덕목의 이름 어조사 집 / 반드시 있다 남다 경사

『역경』

易(이) 쉽다

言善非難이요 **行善爲難**이라.

언 선 비 난 / 행 선 위 난
말씀 덕목의 이름 아니다 어렵다 / 행하다 덕목의 이름 되다 어렵다

『자치통감』

뒤에 이어지는 구절은 다음과 같다.
積不善之家(적불선지가)에는 必有餘殃(필유여앙)이라.: 선하지 않은 일을 쌓는 집에는 반드시 남는 재앙이 있다.

修其善하면 **則爲善人**하고

수 기 선 / 즉 위 선 인
닦다 그 덕목의 이름 / 곧 되다 착하다 사람

修其惡하면 **則爲惡人**이라.

수 기 악 / 즉 위 악 인
닦다 그 악하다 / 곧 되다 악하다 사람

『법언』

~하는 ~와 같다 ~의

行善之人은 **如春園之草**하여

행 선 지 인 / 여 춘 원 지 초
행하다 덕목의 이름 어조사 사람 / 같다 봄 동산 어조사 풀

短(단) 짧다 減(감) 덜다

不見其長이라도 **日有所增**이라.

불 견 기 장 / 일 유 소 증
아니다 보다 그 자라다 / 날 있다 것 더하다

『명심보감』

- 『역경(易經)』: 중국의 육경(六經) 중 하나로 『주역(周易)』이라고도 함.
- 『자치통감(資治通鑑)』: 중국 송(宋)나라의 학자 사마광(司馬光)이 편찬한 역사서
- 『법언(法言)』: 중국 전한(前漢) 말기의 학자 양웅(揚雄)이 지은 문집
- 『명심보감(明心寶鑑)』: 고려 충렬왕 때의 문신 추적(秋適)이 금언(金言), 명구(名句)를 모아 놓은 책

꼭꼭! 본문 다지기

교과서 94쪽

2 1 3 4 5 8 6 7
積善之家에는 **必有餘慶**이라.
적 선 지 가 필 유 여 경
선을 쌓는 집에는 반드시 남는 경사가 있다.
└ 축하할 만한 기쁜 일

- 之: ~하는
  지

2 1 4 3 2 1 4 3
言善非難이요 **行善爲難**이라.
언 선 비 난 행 선 위 난
선을 말하는 것이 어려운 것이 아니요, 선을 행하는 것이 어려운 것이 된다.

3 1 2 4 7 5 6 3 1 2 4 7 5 6
修其善하면 **則爲善人**하고 **修其惡**하면 **則爲惡人**이라.
수 기 선 즉 위 선 인 수 기 악 즉 위 악 인
그 착한 성품을 닦으면 착한 사람이 되고, 그 악한 성품을 닦으면 악한 사람이 된다.
└ 사람의 성질이나 됨됨이

- 善惡(선악): 착한 것과 악한 것을 아울러 이르는 말
- 明暗(명암): ① 밝음과 어둠을 통틀어 이르는 말 ② 미술 회화에서, 색의 농담이나 밝기의 정도를 이르는 말
- 加減(가감): 더하거나 빼는 일. 또는 그렇게 하여 알맞게 맞추는 일
- 乾坤(건곤): 하늘과 땅을 아울러 이르는 말
- 賣買(매매): 물건을 팔고 사는 일
- 集散(집산): 모여들었다 흩어졌다 함.

2 1 3 4 9 5 6 7 8
行善之人은 **如春園之草**하여
행 선 지 인 여 춘 원 지 초
선을 행하는 사람은 봄 동산의 풀과 같아서

4 3 1 2 5 8 7 6
不見其長이라도 **日有所增**이라.
불 견 기 장 일 유 소 증
그것이 자라는 것은 보이지 않더라도 날마다 더해지는 것이 있다.

- 如: ~와/과 같다 비슷한 뜻의 한자 若: 같다
  여
- 長: 자라다
  장

뜻이 상대되는 한자로 이루어진 어휘
- 善惡(선악)
- 明暗(명암)
- 加減(가감)
- 乾坤(건곤)
- 賣買(매매)
- 集散(집산)

이해 더하기 선행(善行)

선행을 말하는 이는 많지만, 선행을 실천하는 이는 적다. 이는 선행이 어렵고 보답이 따르지 않는다는 생각 때문이다. 그러나 '하루 선한 일을 행하면 복(福)은 비록 이르지 아니하나 화(禍)는 스스로 멀어지고, 하루 악한 일을 행하면 화는 비록 이르지 아니하나 복은 스스로 멀어진다.'라는 말이 있다. 이는 한 번의 선행이 즉각적인 보상으로 이어지지 않더라도, 선행이 쌓이면 궁극적으로는 화가 멀어지고 복이 온다는 뜻이다.

一日行善(일일행선)이면 福雖未至(복수미지)나 禍自遠矣(화자원의)요,
一日行惡(일일행악)이면 禍雖未至(화수미지)나 福自遠矣(복자원의)라.

- 화: 모든 재앙
- 즉각: 당장에 곧
- 궁극적: 더할 나위 없는 지경에 도달하는 것

新 한자 모아 보기

한자	음	뜻	부수	획수	총획
暗	암	어둡다	日	9	13
加	가	더하다	力	3	5
減	감	덜다	水(氵)	9	12
乾	건	하늘	乙	10	11
坤	곤	땅	土	5	8
賣	매	팔다	貝	8	15
買	매	사다	貝	5	12
集	집	모으다	隹	4	12
散	산	흩어지다	攴(攵)	8	12
願	원	원하다	頁	10	19
幸	행	다행	干	5	8
福	복	복	示	9	14
競	경	다투다	立	15	20
爭	쟁	다투다	爪(爫)	4	8
讓	양	사양하다	言	17	24
惠	혜	은혜	心	8	12

쑥쑥! 실력 향상 ○ 교과서 95쪽

생활 속 용어 활용

우리 自願奉仕 동아리의 홍보 포스터를 만들어야 해.

• 自願奉仕(자원봉사): 어떤 일을 대가 없이 자발적으로 참여하여 도움. 또는 그런 활동

奉仕를 하면 幸福을 느낄 수 있다는 것을 강조하자.

• 奉仕(봉사): 국가나 사회 또는 남을 위하여 자신을 돌보지 아니하고 힘을 바쳐 애씀.
• 幸福(행복): 생활에서 충분한 만족과 기쁨을 느끼어 흐뭇함. 또는 그러한 상태

競爭 사회에서 讓步를 배울 수 있다는 것도 덧붙이자.

• 競爭(경쟁): 같은 목적에 대하여 이기거나 앞서려고 서로 겨룸.
• 讓步(양보): ① 길이나 자리, 물건 따위를 사양하여 남에게 미루어 줌. ② 남을 위하여 자신의 이익을 희생함.

모르는 이에게 恩惠를 입은 적이 있다면 자신도 타인을 위해 奉仕함으로써 보답할 수 있다는 것도.

• 恩惠(은혜): 고맙게 베풀어 주는 신세나 혜택

문제로 실력 확인

1. 다음 문장에서 강조하는 바를 간단히 써 보자.

> 言善非難, 行善爲難.
> 언 선 비 난 행 선 위 난

선은 말하는 것보다 실천하는 것이 중요하다.

2. 풀이를 고려하여 빈칸에 알맞은 한자를 각각 써 보자.

> 풀이 그 착한 성품을 닦으면 착한 사람이 되고, 그 악한 성품을 닦으면 악한 사람이 된다.
>
> 修其 善 , 則爲 善 人, 修其 惡 , 則爲 惡 人.
> 수 기 선 즉 위 선 인 수 기 악 즉 위 악 인

창의형

3. 선행을 한 사람을 다른 대상에 비유하고 그 까닭을 써 보자.

비유 대상	까닭
예시 봄 동산의 풀	풀은 자라는 것이 즉시 눈에 보이지 않더라도 시간이 지나면 성장을 확인할 수 있듯이, 선행을 한 사람도 즉각적인 변화가 없더라도 결국은 내적으로 성숙해지기 때문에
햇빛	햇빛이 어둠을 밝혀 주듯이, 선행을 한 사람도 어두운 곳에서 힘들어하는 사람을 비추어 주어 희망을 갖게 하기 때문에
예시 추가 샘물	작고 소용없어 보이지만 길가는 목마른 사람에게 도움이 되며, 거기서 나오는 물이 모여 큰 강을 이루듯 작은 선행이 모여 우리 사회가 살기 좋은 사회로 변할 수 있다고 생각하기 때문에

소단원 자기 점검

학업 성취도를 스스로 점검해 보자.

• 글의 내용과 주제를 이해할 수 있는가?	잘함 / 보통 / 노력 필요
• 선행(善行)에 관한 글을 통해 건전한 가치관과 바람직한 인성을 기를 수 있는가?	잘함 / 보통 / 노력 필요

교과서 92~94쪽 다시 읽기

도움말 소단원 학습이 끝나면 소단원의 학습 목표에 해당하는 질문에 답하며 자신의 학업 성취를 스스로 점검해 본다. 성취 목표에 도달하지 못한 경우에는 제시된 위치로 돌아가서 내용을 다시 읽고 공부하도록 한다.

소단원 스스로 정리

정답과 해설 300쪽

• 한자, 음, 뜻, 부수의 순서로 제시

1. 한자

內 (내) 안 [入]
凶 (흉) 흉하다 [凵]
惡 ❶☐ 악하다
❷☐ 미워하다 [心]
化 (화) 되다 [匕]
目 (목) 눈 [❸☐]
的 (적) 과녁 [白]
積*(적) 쌓다 [禾]
極 (극) 다하다, 끝 [木]
參 (참) 참여하다
(삼) 셋 [厶]
與 (여) 더불다, 주다 [臼]
空 (공) 비다 [穴]

餘 (여) 남다 [食]
慶 (경) 경사 [心]
非 ❹☐ 아니다 [非]
❺☐ (위) 하다, 되다 [爪(爫)]
修 (수) 닦다 [人(亻)]
其 (기) 그 [八]
園 (원) 동산 [口]
見 (견) ❻☐☐ [見]
增 (증) 더하다 [土]
暗 (암) 어둡다 [日]
加 (가) 더하다 [力]
減 (감) 덜다 [水(氵)]
乾 ❼☐ 하늘 [乙(乚)]

坤 (곤) 땅 [土]
賣 (매) ❽☐☐ [貝]
買 (매) ❾☐☐ [貝]
集 (집) 모으다 [隹]
散 (산) 흩어지다 [攴(攵)]
願 (원) 원하다 [頁]
幸 (행) 다행 [干]
福 ❿☐ 복 [示]
競 (경) 다투다 [立]
爭 (쟁) 다투다 [爪(爫)]
讓 (양) 사양하다 [⓫☐]
惠 (혜) 은혜 [心]

2. 어휘

(1) ❶☐行(선행): 착한 행동
(2) ❷☐☐(흉악): 성질이 악하고 모짊.
(3) 積善(적선): ❸☐을 쌓음.
(4) 讓❹☐(양보): 남을 위하여 자신의 이익을 희생함.
(5) ❺☐☐(경쟁): 같은 목적에 대하여 이기거나 앞서려고 서로 겨룸.
(6) 奉仕(❻☐☐): 국가나 사회 또는 남을 위하여 자신을 돌보지 아니하고 힘을 바쳐 애씀.

3. 본문

積善之家(적선지가)에는 ❶☐有餘慶(필유여경)이라.	선을 쌓는 집에는 반드시 남는 ❷☐☐가 있다.
言善❸☐難(언선비난)이요 行善❹☐難(행선위난)이라.	선을 ❺☐☐☐ 것이 어려운 것이 아니요, 선을 ❻☐☐☐ 것이 어려운 것이 된다.
❼☐其善(수기선)하면 則爲善人(즉위선인)하고 修其惡(수기악)하면 則爲❽☐人(즉위악인)이라.	그 ❾☐☐ 성품을 닦으면 착한 사람이 되고, 그 악한 성품을 닦으면 악한 사람이 된다.
行善之人(행선지인)은 如春園之❿☐(여춘원지초)하여 不見其⓫☐(불견기장)이라도 日有所增(일유소증)이라.	선을 행하는 사람은 ⓬☐ ☐☐의 풀과 같아서 그것이 자라는 것은 보이지 않더라도 ⓭☐☐☐ 더해지는 것이 있다.

소단원 확인 문제

01 다음 설명과 관련 있는 한자로 알맞은 것은?

- 사전에서 찾을 때 '난'으로 찾는다.
- 뜻이 상대되는 한자는 易이다.
- 부수는 '隹'로 총획수는 19획이다.

① 積 ② 集 ③ 難 ④ 競 ⑤ 增

02 음이 같은 한자끼리 연결되지 않은 것은?

① 慶 - 競 ② 賣 - 買 ③ 餘 - 與
④ 園 - 願 ⑤ 增 - 價

출제 유력

03 뜻이 서로 상대되는 한자끼리 짝지어지지 않은 것은?

① 善 - 惡 ② 內 - 外 ③ 乾 - 坤
④ 明 - 暗 ⑤ 幸 - 福

04 한자의 부수 연결이 바르지 않은 것은?

① 加 - 口 ② 暗 - 日 ③ 願 - 頁
④ 賣 - 貝 ⑤ 慶 - 心

05 빈칸에 공통으로 들어갈 한자로 알맞은 것은?

善□ 凶□ □寒

① 極 ② 非 ③ 爲 ④ 散 ⑤ 惡

06 뜻이 비슷한 한자끼리 짝지어진 것은?

① 他 - 人 ② 文 - 化 ③ 空 - 間
④ 春 - 園 ⑤ 恩 - 惠

07 그림의 빈칸에 들어갈 알맞은 한자는?

이 운동의 목적은 악성 댓글이 당사자에게 큰 고통과 피해를 준다는 것을 누리꾼들에게 일깨우고, 건전한 인터넷 문화를 가꾸어 나가는 것이다.

① 善 ② 參 ③ 其 ④ 增 ⑤ 惡

08 다음 설명과 관련 있는 한자 어휘로 알맞은 것은?

국가나 사회 또는 남을 위하여 자신을 돌보지 아니하고 힘을 바쳐 애씀.

① 奉仕 ② 競爭 ③ 讓步
④ 內容 ⑤ 目的

서술형

09 ㉮와 ㉯에 알맞은 풀이를 쓰시오.

善行: 착한 행동　　惡行: ____㉮____
積善: ____㉯____　　積惡: 악을 쌓음.

출제 유력

10 빈칸에 공통적으로 들어갈 한자로 알맞은 것은?

선행을 말하는 이는 많지만, 선행을 실천하는 이는 적다. 이는 선행이 어렵고 보답이 따르지 않는다는 생각 때문이다. 그러나 '하루 선한 일을 행하면 □은 비록 이르지 아니하나 화(禍)는 스스로 멀어지고, 하루 악한 일을 행하면 화는 비록 이르지 아니하나 □은 스스로 멀어진다.'라는 말이 있다. 이는 한 번의 선행이 즉각적인 보상으로 이어지지 않더라도, 선행이 쌓이면 궁극적으로는 화가 멀어지고 □이 온다는 뜻이다.

① 減 ② 集 ③ 福 ④ 的 ⑤ 餘

11 한자 어휘의 활용이 적절하지 않은 것은?

① 기술 개발의 競爭이 뜨겁다.
② 이 사진은 明暗이 너무 뚜렷하다.
③ 개성은 인삼의 集散과 판매로 이름난 곳이다.
④ 수입과 지출을 賣買해서 저축 액수를 정하였다.
⑤ 어머니의 恩惠는 하늘보다도 넓고 바다보다도 깊다.

[12~21] 다음 글을 읽고 물음에 답하시오.

(가) ㉠積善之家에는 必有餘慶이라.
(나) 言善非□이요 行善爲□이라.
(다) 修其善하면 則㉡爲善人하고 ㉢修其惡하면 則爲惡人이라.
(라) 行善之人은 ㉣如春園之草하여 不見其㉤長이라도 日有所增이라.

12 의미상 ㉠과 바꾸어 쓰기에 적절한 한자는?

① 言 ② 行 ③ 見 ④ 長 ⑤ 賣

13 ㉡의 뜻으로 알맞은 것은?

① 하다 ② 되다 ③ 여기다
④ 위하다 ⑤ 다스리다

14 惡에 유의하여 ㉢의 독음을 쓰시오.

15 ㉣에서 가장 마지막에 풀이되는 한자는?

① 如 ② 春 ③ 園 ④ 之 ⑤ 草

16 ㉤과 같은 뜻으로 쓰인 것은?

① 長短 ② 校長 ③ 成長
④ 長技 ⑤ 長老

서술형

17 (가)의 풀이를 쓰시오.

18 (나)를 다음과 같이 풀이할 때, 빈칸에 공통으로 들어갈 알맞은 한자는?

> 선을 말하는 것이 어려운 것이 아니요, 선을 행하는 것이 어려운 것이 된다.

① 易 ② 安 ③ 福 ④ 難 ⑤ 學

출제 유력

19 (라)에 대한 설명으로 적절하지 않은 것은?

① 不은 '불'로 읽는다.
② 之는 모두 어조사로 쓰였다.
③ 所는 '곳'으로 봄 동산을 의미한다.
④ 善과 상대되는 한자로는 惡이 있다.
⑤ 선행하는 사람을 봄 동산의 풀에 비유하였다.

20 (라)에서 行善과 풀이 순서가 같은 것은?

① 餘慶 ② 善人 ③ 春園
④ 其長 ⑤ 所增

출제 유력

21 (가)~(라)에서 공통으로 강조하고 있는 것은?

① 입지의 중요성 ② 선을 행하는 삶
③ 미래에 대한 준비 ④ 성실한 삶의 태도
⑤ 배움에 대한 자세

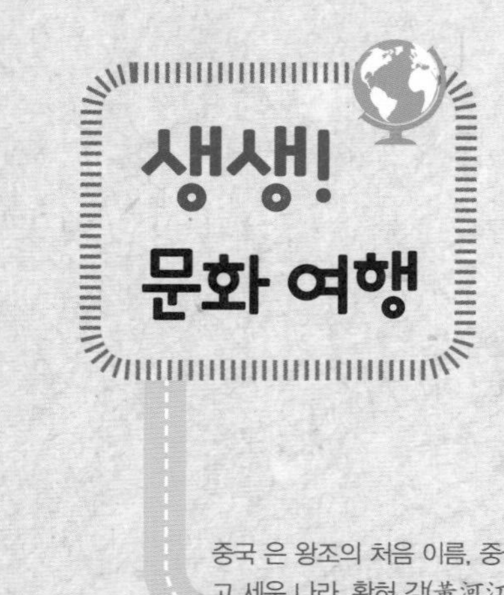

교과서 96쪽

"삶의 좌우명으로 삼을 만한 한 · 중 · 일의 명언, 명구"

좌우명이란 '늘 자리 옆에 갖추어 두고 가르침으로 삼는 말이나 문구'를 뜻한다. 아래의 명언들은 늘 새로운 마음으로, 최선을 다하며, 성실히 살아가라는 교훈을 전하고 있어 좌우명으로 삼기에 적절하다. 한 · 중 · 일의 명언, 명구를 통해 한자 문화권 나라 사람들의 가치관을 접해 보고, 자신의 삶의 모습을 돌아보자.

상(商): 중국 은 왕조의 처음 이름. 중국 고대에 탕왕이 하나라의 걸왕을 물리치고 세운 나라. 황허 강(黃河江) 중류 지역을 중심으로 갑골 문자와 청동기 문화가 발달하였으며 점복(占卜)에 따르는 제정을 행하였는데, 기원전 11세기 무렵 제30대 주왕 때 주의 무왕에게 망하였다.

도움말 명언, 명구를 만들기가 어렵다면 기존의 명언, 명구를 응용해 본다. 또 단순히 명언, 명구를 만드는 것에서 그치기보다는 그것을 자신의 좌우명으로 삼은 까닭도 써 본다.

"진실로 날로 새로워지려거든 나날이 새롭게 하고, 또 날로 새롭게 하라."
(苟日新, 日日新, 又日新.)
구일신 일일신 우일신
- 탕왕

중국 상(商)나라의 탕(湯)왕이 세숫대야에 새겨 놓은 글귀이다. 그는 마음의 악을 제거하는 것을 몸을 씻어 때를 없애는 것 같다고 여겼다. 그래서 이 글을 세숫대야에 새겨 두고 매일 보며, 자신의 잘못을 반성하고 날마다 새롭게 선정(善政)을 펴고자 노력하였다.

선정(善政): 백성을 바르고 어질게 다스리는 정치

일본 다도(茶道)의 시조인 센노 리큐의 제자인 소오지가 주창한 말이다. 차를 대접할 때는 일생 단 한 번밖에 없는 다회(茶會)라고 생각하고 정성을 다함을 뜻한다. 어떤 일을 하거나, 어떤 사람을 만날 때 평생의 유일한 기회인 것처럼 소중히 여기며 최선을 다하는 마음을 담고 있다.

다도(茶道): 차를 달이거나 마실 때의 방식이나 예의 범절

- 시조(始祖): 어떤 학문이나 기술 따위를 처음으로 연 사람
- 센노 리큐: 1522~1591. 일본 다도의 한 양식인 '와비차'를 완성시킨 인물

"일생의 단 한 번의 만남."
(一期一會.)
일기일회
- 소오지

"오늘 아침 내가 걸어간 발자국은 마침내 뒷사람의 이정표가 된다."
(今朝我行跡, 遂作後人程.)
금조아행적 수작후인정
- 이양연

한국의 독립운동가이자 정치가인 백범 김구가 매우 좋아하여 늘 마음에 새겼다고 한다. 조선 후기의 문신인 이양연의 한시 「야설(野雪)」의 구절로, 자신의 발자취가 후세 사람들에게 잘못된 길잡이가 되지 않도록 늘 신중하고 바르게 살아가려는 마음가짐을 드러낸다.

활동 자신의 좌우명으로 삼을 만한 명언, 명구를 직접 만들어 보자.

[예시 답안]
- 좌우명: 말은 행동과 다르게 하지 말고, 행동은 말과 다르게 하지 말라.
- 좌우명을 만든 까닭: 행동보다 말이 앞서는 사람은 타인에게 신뢰를 주기 어려우며, 말과 행동이 일치해야 믿음을 줄 수 있기 때문이다.

예시 추가 노력하는 자가 성공한다(성실하게 노력하라는 뜻), 스스로 서고 더불어 살자(자신의 몫을 다하고 배려하는 삶을 살자는 의미) 등

탄탄! 대단원 마무리 ○ 교과서 97쪽

요점 정리

1 문장의 유형

(1) 평서문: 화자가 청자에게 하고 싶은 말을 단순하게 진술하는 문장

예 有志者, 事竟成也.(유지자 사경성야): 뜻이 있는 사람은 일이 마침내 이루어진다.

(2) 의문문: 화자가 청자에게 질문하여 대답을 요구하는 문장

예 牛何之?(우하지): 소는 어디로 갔습니까?

(3) 명령문: 화자가 청자에게 어떤 행동을 하도록 요구하거나 요청하는 문장

예 勿謂今日不學而有來日.(물위금일불학이유내일): 오늘 배우지 아니하고 내일이 있다고 말하지 말라.

(4) 감탄문: 사물이나 사실에 느낌을 받아 슬픔, 기쁨, 놀라움 등의 감정을 나타내는 문장 예 於呼! 哀哉!(오호 애재): 아! 슬프구나!

2 다양한 방법으로 읽기

문장	積善之家必有餘慶
소리 내어 읽기	적선지가필유여경
끊어 읽기	적선지가 / 필유여경
문장 부호 표시하기	積善之家, 必有餘慶.
토 달아 읽기	적선지가는 필유여경이라.
풀이	선을 쌓는 집에는 반드시 남는 경사가 있다.

적절히 끊어 읽거나 토를 달아 읽으면 뜻을 파악하기 쉽다.

3 한문 기록에 담긴 선인들의 지혜와 사상

幼而不學, 老無所知, 春若不耕, 秋無所望.(유이불학 노무소지 춘약불경 추무소망)
: 어려서 배우지 않으면 늙어서 아는 것이 없고, 봄에 만약 밭을 갈지 않으면 가을에 바랄 것이 없을 것이다.

한 해의 농사를 시작하는 봄에 밭을 갈고 씨를 뿌려야 가을에 풍성한 수확을 얻을 수 있다. 사람의 일생도 이와 같아서 어릴 때부터 열심히 배우고 익혀야 나중에 이루는 바가 있게 된다.

핵심 평가

1. 문장의 유형을 구분하여 써 보자.

(1) 言善非難 行善爲難(언선비난 행선위난) 평서문

(2) 勿謂今年不學而有來年(물위금년불학이유내년) 명령문

(3) 學者 須如上水 不進則退(학자 수여상수 부진즉퇴) 평서문

(1), (3)은 화자가 하고 싶은 말을 단순하게 진술하고 있으며, (2)는 화자가 청자에게 어떤 행동을 하도록 요구하고 있다.

2. 문장에 적절한 토를 달아 읽어 보자.

學必由師而明學之本在於尊師(학필유사이명학지본재어존사)

학은 필유사이명하니 학지본은 재어존사니라.

서술형

3. 다음 한문 속담과 뜻이 통하는 우리말 속담과 그 속뜻을 써 보자.

晝語雀聽, 夜語鼠聽.(주어작청 야어서청)

- 우리말 속담: 낮말은 새가 듣고 밤말은 쥐가 듣는다.
- 속뜻: 아무도 안 듣는 데서라도 말조심해야 한다. 아무리 비밀스럽게 한 말이라도 반드시 남의 귀에 들어가게 된다.

서술형

4. 다음 문장이 주는 교훈을 써 보자.

春若不耕, 秋無所望.(춘약불경 추무소망)

어려서부터 열심히 노력해야 미래에 결실을 얻을 수 있다.

용어 활용형

5. 한자 용어의 활용이 적절하지 않은 것을 골라 보자. ②

① 치과에서 蟲齒를 뺐다. 충치

② 20세를 志學이라고 한다. 지학

③ 스승의 恩惠는 하늘과 같이 높다. 은혜

④ 奉仕는 상대와 자신을 모두 행복하게 한다. 봉사

⑤ 수학 課題를 마친 후에 친구를 만나 놀았다. 과제

志學은 15세를 가리키는 말이다.

대단원 자기 점검

학업 성취도를 스스로 점검해 보고, 부족한 부분을 보충해 보자.

점검 항목	잘함	보통	노력 필요	찾아보기
• 문장의 유형을 구분할 수 있다.				76, 88쪽
• 글의 의미가 잘 드러나도록 바르게 소리 내어 읽을 수 있다.				82쪽
• 토의 역할에 유의하여 글을 바르게 끊어 읽을 수 있다.				82쪽
• 한문 기록에 담긴 선인들의 지혜와 사상을 이해할 수 있다.				74, 80, 86, 92쪽

도움말 대단원 학습이 끝나면 대단원의 학습 목표에 해당하는 질문에 답하며 자신의 학업 성취도를 스스로 점검해 본다. 성취 목표에 도달하지 못한 경우에는 제시된 위치로 돌아가서 내용을 다시 읽고 공부하도록 한다.

대단원 실전 평가

10. 속담에 담긴 삶의 지혜

01 한자 어휘의 독음이 바르지 않은 것은?

① 俗談(속담) ② 食堂(식당) ③ 哀惜(애석)
④ 陰地(양지) ⑤ 素朴(소박)

출제 유력

02 한문 속담과 우리말 속담을 알맞게 연결한 것은?

① 以卵投石 – 쇠귀에 경 읽기
② 牛耳讀經 – 달걀로 바위 치기
③ 烏飛梨落 – 까마귀 날자 배 떨어진다.
④ 吾鼻三尺 – 쥐구멍에도 볕 들 날 있다.
⑤ 晝語雀聽 夜語鼠聽 – 가는 말이 고와야 오는 말이 곱다.

03 旣借堂, 又借房을 알맞게 풀이한 것은?

① 세 살 버릇 여든까지 간다.
② 음지가 바뀌어 양지로 변한다.
③ 낮말은 새가 듣고 밤말은 쥐가 듣는다.
④ 이미 대청을 빌리고 또 안방을 빌리려 한다.
⑤ 오는 말이 곱지 않은데 가는 말이 어찌 곱겠는가?

04 다음과 같은 속뜻을 가진 속담은?

> 세상일은 돌고 도니 운이 나쁜 사람도 좋은 운을 만날 수 있다.

① 以卵投石.
② 陰地轉, 陽地變.
③ 旣借堂, 又借房.
④ 晝語雀聽, 夜語鼠聽.
⑤ 來語不美, 去語何美?

11. 마음에 품은 큰 뜻

05 '일정한 자격을 가지고 학생을 가르치는 사람'을 한자 어휘로 나타낸 것은?

① 學者 ② 判事 ③ 教師
④ 公務員 ⑤ 運動選手

06 다음에서 설명하는 한자 어휘를 쓰시오.

> 천명을 아는 50세를 뜻하는 말

07 '사람의 근심은 뜻을 세움이 굳지 못함에 있다.'로 풀이할 때 빈칸에 알맞은 한자는?

> 人之患은 在於立志不□니라.

① 特 ② 適 ③ 固 ④ 遠 ⑤ 順

[08~09] 다음 글을 읽고 물음에 답하시오.

> 初學先須立志必以聖人自期

서술형

08 위 문장을 적절한 토를 달아 끊어 읽으시오.

출제 유력

09 위 문장에서 가장 강조하고 있는 것은?

① 자립심 ② 바른 자세
③ 정직한 성품 ④ 뜻을 세우는 것
⑤ 어른을 공경하는 마음

10 빈칸에 공통으로 들어갈 한자로 알맞은 것은?

> 有志者는 事竟□也라.
> 立志遠大然後에 事業可□이라.

① 展 ② 望 ③ 察 ④ 成 ⑤ 在

12. 나를 채우는 배움

11 다음에서 설명하는 도구를 한자 어휘로 나타낸 것은?

> 먹이나 물감이 묻은 붓을 빠는 그릇

① 筆洗　② 書案　③ 書算
④ 書堂　⑤ 木筆

출제 유력
12 과목을 한자로 바르게 표기한 것은?

① 미술 – 技術　② 국어 – 英語
③ 체육 – 體育　④ 도덕 – 情報
⑤ 수학 – 科學

고난도
13 빈칸에 공통으로 알맞은 한자로 알맞은 것은?

> □者는 須如上水니 不進則退니라.
> □은 必由師而明하니 □之本은 在於尊師니라.

① 訓　② 行　③ 言　④ 耕　⑤ 學

14 幼而不學, 老無所知를 바르게 풀이한 것은?

① 어려서 배우지 않으면 늙어서 아는 것이 없다.
② 오늘 배우지 아니하고 내일이 있다고 말하지 말라.
③ 배움이라는 것은 모름지기 물을 (거슬러) 올라가는 것과 같다.
④ 배움은 반드시 스승으로 말미암아 밝아지니 배움의 근본은 스승을 존경함에 있다.
⑤ 처음 배우는 사람은 모름지기 뜻을 세우되, 반드시 성인으로서 스스로를 기약해야 한다.

15 ㉠과 ㉡에 알맞은 어휘를 한자로 쓰시오.

> 勿謂今日不學而有(㉠)하고,
> 勿謂今年不學而有(㉡)하라.

13. 착한 마음, 바른 사람

16 '착한 행동'을 뜻하는 한자 어휘로 알맞은 것은?

① 善行　② 惡行　③ 奉仕
④ 讓步　⑤ 恩惠

[17~20] 다음 글을 읽고 물음에 답하시오.

> (가) 積善之家에는 必有餘慶이라.
> (나) 言善非難이요 行善爲難이라.
> (다) 修其善하면 則爲善人하고 修其惡하면 則爲惡人이라.
> (라) <u>行</u>善之人은 如春園之草하여 不見其長이라도 日有所增이라.

17 윗글에 쓰인 한자의 독음이 바른 것은?

① 積 – 적　② 言 – 어　③ 惡 – 오
④ 則 – 칙　⑤ 行 – 항

18 (가)에서 가장 마지막에 풀이되는 한자로 알맞은 것은?

① 積　② 善　③ 家　④ 有　⑤ 慶

서술형
19 (다)를 풀이하시오.

20 (라)에서 쓰인 行의 뜻으로 알맞은 것은?

① 길　② 줄　③ 가게
④ 다니다　⑤ 행하다

대단원 복합 문제

[21~24] 다음 글을 읽고 물음에 답하시오.

(가) 陰地轉하여 陽地變이라.
(나) 晝語雀聽하고 夜語鼠聽이라.
(다) 來語不美어늘 去語何美리오?
(라) 學者는 須如上水니 不進則退니라.
(마) 修其善하면 ☐爲善人하고 修其惡하면 ☐爲惡人이라.

출제 유력

21 뜻이 상대되는 한자끼리 짝지어지지 않은 것은?

① 陰 – 陽 ② 晝 – 夜 ③ 來 – 去
④ 上 – 退 ⑤ 善 – 惡

22 음이 같은 한자끼리 짝지은 것은?

① 轉 – 變 ② 語 – 聽 ③ 須 – 修
④ 則 – 其 ⑤ 何 – 爲

23 (가)~(마)의 풀이로 알맞은 것은?

① (가): 음지가 바뀌어 양지로 변한다.
② (나): 이미 대청을 빌리고 또 안방을 빌리려 한다.
③ (다): 뜻이 있는 사람은 일이 마침내 이루어진다.
④ (라): 그 착한 성품을 닦으면 착한 사람이 되고, 그 악한 성품을 닦으면 악한 사람이 된다.
⑤ (마): 어려서 배우지 않으면 늙어서 아는 것이 없고, 봄에 만약 밭을 갈지 않으면 가을에 바랄 것이 없을 것이다.

24 (마)의 빈칸에 공통으로 알맞은 한자를 윗글에서 찾아 쓰시오.

[25~29] 다음 글을 읽고 물음에 답하시오.

(가) [初]學은 先須立志하되 ㉠必以聖人自期니라.
(나) 學者는 [須]如[上]水니 不進㉡則退니라.
(다) 學은 必由師而明하니 學[之][本]은 在㉢於尊師니라.
(라) 幼而不學이면 老無所㉣知하고, 春若不耕이면 秋無所望이니라.
(마) 勿謂今日不學而有來日하고, 勿謂今㉤年不學而有來年하라.

고난도

25 ㉠~㉤의 품사를 알맞게 구별한 것은?

	㉠	㉡	㉢	㉣	㉤
①	형용사	부사	개사	명사	동사
②	부사	접속사	개사	동사	명사
③	명사	부사	접속사	형용사	명사
④	동사	접속사	개사	명사	부사
⑤	어조사	부사	접속사	명사	명사

출제 유력

26 (가)~(다)에서 동사로 쓰인 한자는?

① 初 ② 須 ③ 上 ④ 之 ⑤ 本

27 위 문장에 쓰인 한자 어휘의 풀이가 알맞은 것은?

① 立志: 식물이 생육하는 일정한 장소의 환경
② 聖人: 자라서 어른이 된 사람
③ 自期: 스스로의 힘으로 일어남.
④ 尊師: 스승을 존경함.
⑤ 來日: 오늘

28 (가)~(마) 중 다음과 같이 풀이되는 것은?

> 배움이라는 것은 모름지기 물을 거슬러 올라가는 것과 같으니 나아가지 않으면 곧 퇴보하게 된다.

① (가) ② (나) ③ (다) ④ (라) ⑤ (마)

서술형

29 (가)~(마) 중 화자가 청자에게 어떤 행동을 하도록 요구하거나 요청하는 문장을 찾아 기호를 쓰고 풀이하시오.

[30~33] 다음 글을 읽고 물음에 답하시오.

(가) 有志者事竟成也
(나) 立志遠大然後에 事業可成이라.
(다) 學者는 須如上水니 不進則退니라.
(라) 幼而不學이면 老無所知하고, □若不耕이면 秋無所望이니라.
(마) 行善之人은 如□園之草하여 不見其長이라도 日有所增이라.

30 (가)에 토를 단 것으로 가장 적절한 것은?

① 有志者는 事竟成也라.
② 有志者라도 事竟成也라.
③ 有志者하고 事竟成也라.
④ 有志者하되 事竟成也니라.
⑤ 有志者어늘 事竟成也리오?

출제 유력

31 (가)와 (나)에서 공통으로 강조하고 있는 것은?

① 立志 ② 學問 ③ 善行
④ 道德 ⑤ 禮儀

32 (다)의 如와 바꿔 쓸 수 있는 한자를 윗글에서 찾아 쓰시오.

33 (라)와 (마)의 빈칸에 공통으로 알맞은 한자는?

① 幼 ② 水 ③ 春 ④ 晝 ⑤ 明

34 음이 같은 한자끼리 짝지어지지 않은 것은?

① 可 – 加 ② 公 – 空 ③ 社 – 會
④ 科 – 課 ⑤ 無 – 務

35 음이 나머지와 다른 하나는?

① 慶 ② 競 ③ 耕 ④ 經 ⑤ 觀

36 뜻이 같은 한자끼리 연결된 것은?

① 恩 – 惠 ② 加 – 減 ③ 性 – 聖
④ 其 – 期 ⑤ 談 – 訓

고난도

37 단어의 짜임이 나머지와 다른 하나는?

① 立志 ② 遠大 ③ 積善
④ 行善 ⑤ 讓步

38 다음에서 설명하는 한자 어휘를 바르게 나타낸 것은?

> 어떤 일에 온 정성을 다하여 골똘하게 힘씀.

① 哀惜 ② 志學 ③ 書堂
④ 熱心 ⑤ 幸福

출제 유력

39 한자 어휘의 활용이 적절하지 않은 것은?

① 밥을 먹으러 食堂으로 갔다.
② 마침내 우리에게 課題가 주어졌다.
③ 하루 세 번 이를 닦아 蟲齒를 예방하다.
④ 우리 할머니께서는 올해 연세가 耳順에 이르셨다.
⑤ 그는 공무원이 되어 국민을 위해 奉事하고 싶다고 했다.

○ 교과서 98, 99쪽

V. 선인들의 특별한 이야기

이 단원을 통해

- 문장의 구조를 구별한다.
- 글을 바르게 풀이하고 내용과 주제를 설명한다.
- 한문 기록에 담긴 선인들의 지혜, 사상 등을 이해하고, 현재적 의미에서 가치가 있는 것을 내면화하여 건전한 가치관과 바람직한 인성을 함양한다.
- 한문 기록에 담긴 우리의 전통문화를 바르게 이해하고, 미래 지향적인 새로운 문화 창조의 원동력으로 삼으려는 태도를 형성한다.
- 한자 문화권의 문화에 대한 기초적 지식을 통해 상호 이해와 교류를 증진시키려는 태도를 형성한다.

14. 문화를 전파한 왕인

15. 새의 눈을 속인 솔거

16. 서희의 외교 담판

17. 조화를 소중히 여긴 광해

거란이 침입하였을 때
적장 소손녕과 담판하여
유리한 강화를 맺었지.

대단원 들여다보기

우리 역사 속에는 학문, 예술, 외교, 정치 등 다양한 분야에서 활약한 훌륭한 인물들이 있다. 선인들의 이야기를 통해 그들의 지혜와 사상을 이해하는 것은 스스로를 발전시키는 밑거름이 된다.

소단원 미리 보기

소단원	소단원 소개	소단원 학습 요소
14. 문화를 전파한 왕인	왕인이 일본에 문화를 전파한 일의 현재적 의미를 이해하고, 한자 문화권의 상호 이해와 교류를 생각해 보는 단원이다.	• 글의 내용과 주제 • 현재적 의미와 가치 발견 • 한자 문화권의 상호 이해와 교류
15. 새의 눈을 속인 솔거	솔거의 일화에서 그의 예술혼을 느끼고, 전통문화가 현 시대에 미치는 영향을 생각해 보는 단원이다.	• 문장의 구조(주술 구조, 주술목 구조) • 글의 내용과 주제 • 전통문화의 계승과 발전
16. 서희의 외교 담판	서희의 외교적 역량을 현재적 의미로 재해석해 보고 가치를 발견해 보는 단원이다.	• 실사(대명사)의 쓰임 • 글의 내용과 주제 • 현재적 의미와 가치 발견
17. 조화를 소중히 여긴 광해	광해의 지혜를 이해하고 이를 통해 얻을 수 있는 교훈을 파악하여 현재적 의미를 발견해 보는 단원이다.	• 문장의 구조(주술보 구조, 주술목보 구조) • 글의 내용과 주제 • 선인들의 지혜와 사상에 대한 이해와 공감

14. 문화를 전파한 왕인

○ 교과서 100, 101쪽

똑똑! 활동으로 열기

출제 유형
- ㉠에 들어갈 한자 어휘로 알맞은 것은?
- ㉡의 의미로 가장 적절한 것은?
- 문화와 관련된 한자 어휘의 활용이 적절하지 않은 것은?

아주 오래전에 중국에서 만들어진 한자는 우리나라를 거쳐 일본에 전파되었지.

활동 1 다음은 한자가 어원이었으나 시간의 흐름에 따라 발음이 달라진 어휘들이다. 원래는 어떻게 발음하였는지 빈칸에 써 보자.

어원: 어떤 단어의 근원적인 형태. 또는 어떤 말이 생겨난 근원

(1) 雪馬: 설 마 → 썰매

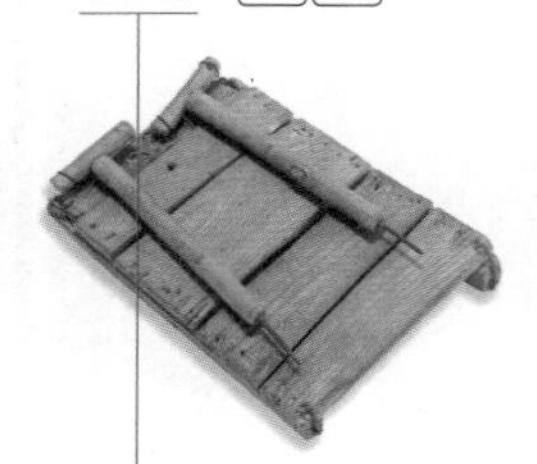

① 아이들이 얼음판이나 눈 위에서 미끄럼을 타고 노는 기구 ② 얼음판이나 눈 위에서 사람이나 물건을 싣고 끄는 기구

(2) 熟冷: 숙 랭 → 숭늉

밥을 지은 솥에서 밥을 푼 뒤에 물을 붓고 데운 물

(3) 白菜: 백 채 → 배추

십자화과의 두해살이풀

우리나라에서 일본에 전해 준 것은 또 무엇일까?

활동 2 빈칸에 들어갈 한자 어휘를 〈보기〉에서 찾아 써 보자.

삼국 시대: 4세기 초에서 7세기 중엽까지 고구려, 백제, 신라의 세 나라가 맞서 있던 시대

삼국 시대에는 일본에 한자 외에도 종이, 먹, 토기 등의 물건과 부처의 가르침을 따라 수행하는 종교인 ❶ 佛 教, 배를 만드는 기술인 ❷ 造 船 術, 우주와 천체의 현상과 법칙에 관한 학문인 ❸ 天 文 學 등을 전해 주었다.

• 보기 • 佛教(불교) 天文學(천문학) 造船術(조선술)

新 한자 모아 보기

한자	음	뜻	부수	획수	총획
熟*	숙	익다	火(灬)	11	15
冷	랭	차다	冫	5	7
菜	채	나물	艸(艹)	8	12
佛	불	부처	人(亻)	5	7

한자	음	뜻	부수	획수	총획
造	조	짓다	辵(辶)	7	11
船	선	배	舟	5	11
衆	중	무리	血	6	12
飮	음	마시다	食	4	13
傳	전	전하다	人(亻)	11	13

한자	음	뜻	부수	획수	총획
統	통	거느리다, 줄기	糸	6	12
韓	한	나라	韋	8	17
世	세	인간, 세상	一	4	5
界	계	지경	田	4	9

오늘날에도 여전히 우리나라와 이웃 나라는 서로 영향을 주고받고 있어.

신문 기사를 읽고, 한류 마인드맵을 완성해 보자.

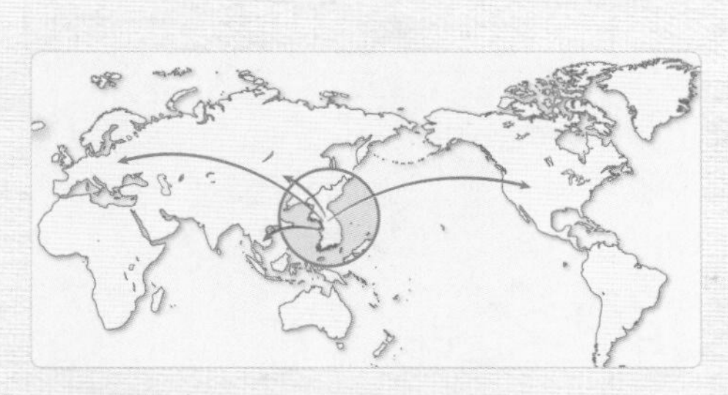

한류(韓流)란 1990년대 중·후반에 시작된, 텔레비전 드라마나 대중음악 등의 한국 大衆文化가 중국, 일본, 동남아시아 지역에서 유행하는 현상을 의미한다. 최근에는 飮食, 傳統文化, 韓國語 등 '한국 문화 전반에 관한 世界的 관심 현상'으로 한류의 의미가 확대되고 있다.

대중문화: 대중이 형성하는 문화

한국어: 한국인이 사용하는 언어

세 계 적

전통문화: 그 나라에서 발생하여 전해 내려오는 그 나라 고유의 문화

음식: 사람이 먹을 수 있도록 만든, 밥이나 국 따위의 물건

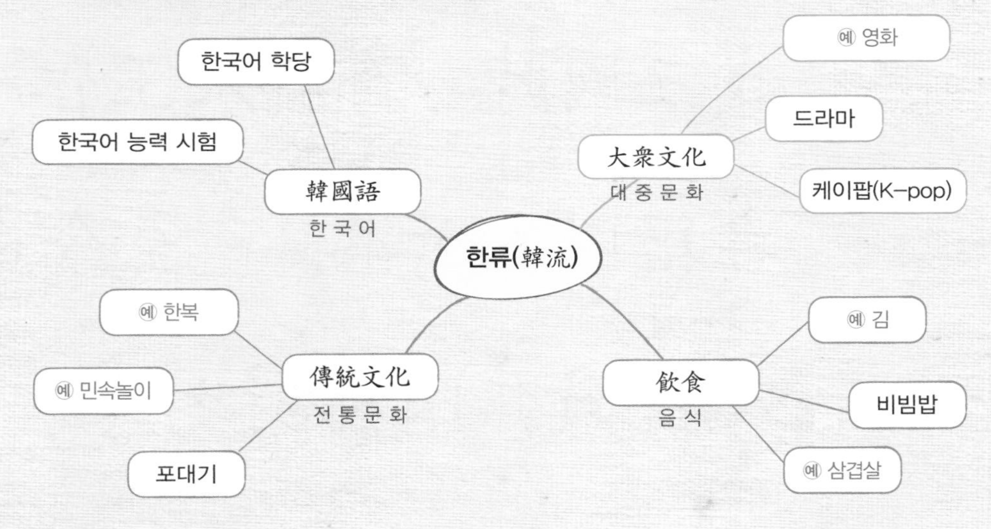

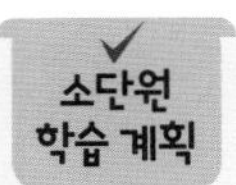

배울 내용에 관하여 얼마나 알고 있는지 스스로 점검해 보자.

• 우리나라를 통해 일본에 전파된 문화를 알고 있는가?	☆☆☆☆☆
• 한자 문화권의 상호 교류에 관하여 알고 있는가?	☆☆☆☆☆

잘하는 부분은 발전시키고, 부족한 부분은 보완할 수 있도록 스스로 학습 계획을 세워 보자.

나는 이 단원에서 예) 우리나라를 통해 일본에 전파된 문화, 한자 문화권의 상호 교류 을/를 공부하겠다.

도움말 나라 간 문화 전파에 대해 살펴보는 활동을 통해 소단원 학습 내용에 관한 자신의 배경지식 정도를 점검해 본다. 또 이를 바탕으로 이 소단원에서 어떤 내용을 공부할 지 스스로 계획을 세워 본다.

학습 요소 ■ 글의 내용과 주제 ■ 현재적 의미와 가치 발견 ■ 한자 문화권의 상호 이해와 교류

14. 문화를 전파한 왕인

교과서 102, 103쪽

출제 유형

- 왕인이 일본으로 가져간 것으로 알맞은 것은?
- 한자 어휘의 의미로 가장 적절한 것은?
- 윗글의 내용에 대한 설명으로 알맞은 것은?

王仁[1]이 持千家文而至하니 道稚[2]가 又師之라.

왕인(王仁, 왕인: 왕인(인명)) 持(지: 가지다) 千家文(천가문: 천가문(서명) - 일반적으로 알려진, 주흥사의 『천자문』보다 이전에 쓰인 책) 而(이: 말 잇다, ~하고) 至(지: 이르다)

道稚(도치: 도치) 又(우: 또) 師(사: 스승) 之(지: 그 - 그(왕인))

『청장관전서』

我三國時에 百濟人王仁이 携書籍以入云이라 하니, 至今向我人하여 致無限感謝之意라.

我(아: 우리 - 『일동기유』는 조선 시대에 쓰인 것이므로 我(아)는 '조선'을 말함.) 三(삼: 셋) 國(국: 나라) 時(시: 시대) 百濟(백제: 백제(국명)) 人(인: 사람) 王仁(왕인: 왕인(인명)) 携(휴: 가지다) 書(서: 글) 籍(적: 문서) 以(이: 어조사, ~하고 = 而(이)) 入(입: 들다) 云(운: 이르다)

至(지: 이르다) 今(금: 지금) 向(향: 향하다) 我人(아: 우리, 인: 사람 - 조선 사람) 致(치: 드리다) 無(무: 없다) 限(한: 한정하다) 感(감: 느끼다) 謝(사: 사례하다) 之(지: 어조사) 意(의: 뜻)

『일동기유』

1) 왕인(王仁): 백제(百濟)의 학자. 일본에 건너가 『천가문』과 『논어』를 전했다고 전하는 인물

2) 도치(道稚): 일본의 태자 토도치랑자(兔道稚郞子)

新 한자 모아 보기

한자	음	뜻	부수	획수	총획
王	왕	임금	玉	0	4
持	지	가지다	手(扌)	6	9
稚*	치	어리다	禾	8	13
我	아	나	戈	3	7
濟*	제	건너다	水(氵)	14	17
携*	휴	끌다, 가지다	手(扌)	10	13
籍*	적	문서	竹	14	20
云	운	이르다	二	2	4
向	향	향하다	口	3	6
致	치	이르다, 드리다	至	4	10
限	한	한정하다	阜(阝)	6	9

스스로 확인

왕인은 어느 나라 사람이며, 그가 문화를 전파한 나라는 어디인가?

백제, 일본

- 『청장관전서(青莊館全書)』: 조선 후기의 학자 이덕무(李德懋)의 문집
- 『일동기유(日東記遊)』: 조선 말기의 문신 김기수(金綺秀)가 메이지 유신[明治維新] 이후 발전된 일본을 둘러보고 기록한 책

꼭꼭! 본문 다지기

○ 교과서 104쪽

王仁이 持千家文而至하니
왕인 지천가문이지
왕인이 『천가문』을 가지고 이르니

道稚가 又師之라.
도치 우사지
도치가 또한 그를 스승으로 삼았다.

我三國時에 百濟人王仁이 携書籍以入云이라 하니,
아삼국시 백제인왕인 휴서적이입운
우리 삼국 시대에 백제 사람 왕인이 서적을 가지고 들어왔다고 이르니,

至今向我人하여 致無限感謝之意라.
지금향아인 치무한감사지의
이제까지도 우리나라 사람들을 향하여 한없는 감사의 뜻을 보내고 있다.

- 천가문(千家文): 일반적으로 알려진, 주흥사의 『천자문』보다 이전에 쓰인 책
- 而(이): ~하고
- 師之(사지): 그(왕인)를 스승으로 삼다.
- 三國(삼국): 고구려, 백제, 신라를 이름.
- 以(이): ~하고 = 而(이)
- 云(운): ~라고 이른다

부수가 같은 한자 – 心(심)(忄, 㣺)

- 感(감) 느끼다 예 感電(감전) 전기에 감응함.
- 愁(수) 근심 예 愁心(수심) 매우 근심함. 또는 그런 마음
- 憶(억) 생각하다 예 追憶(추억) 지나간 일을 돌이켜 생각함. 또는 그런 생각이나 일.
- 恨(한) 한 예 怨恨(원한) 억울하고 원통한 일을 당하여 응어리진 마음

이해 더하기 일본에 이름을 남긴 왕인

백제 근초고왕 때의 학자인 아직기는 왕명으로 일본으로 건너가 일본 왕의 태자를 가르쳤다. 그 후에 아직기의 추천으로 일본 왕이 왕인을 초청하였는데, 왕인은 『千家文』과 공자의 말씀이 적힌 『論語』를 가지고 가 일본에 소개하였고 태자의 스승이 되었다. 왕인이 일본에 한자와 유학을 전수하여 일본 고대 문화 발전에 크게 기여하였기 때문에 일본에서는 오늘까지 그의 공로를 인정하고 있다.

논어: 유교 경전인 사서(四書)의 하나. 공자와 그의 제자들의 언행을 적은 것으로, 공자 사상의 중심이 되는 효제(孝悌)와 충서(忠恕) 및 '인(仁)'의 도(道)에 대하여 설명하고 있음.

왕인의 출생이 주흥사보다 빠르므로 일반적으로 이야기하는 주흥사의 「천자문」이 아닌 그 이전에 쓰여진 천자문으로 볼 수 있음.
천자문: 중국 양나라 주흥사(周興嗣)가 지은 책. 사언(四言) 고시(古詩) 250구로 모두 1,000자(字)로 되어 있으며, 자연 현상으로부터 인륜 도덕에 이르는 지식 용어를 수록하였고, 한문 학습의 입문서로 널리 쓰였음.

▲ 일본 오사카 히라카타 시에 있는 왕인 박사 묘

新 한자 모아 보기

한자	음	뜻	부수	획수	총획
電	전	번개	雨	5	13
愁	수	근심	心	9	13
憶	억	생각하다	心(忄)	13	16
追	추	쫓다	辵(辶)	6	10
恨	한	한	心(忄)	6	9
怨	원	원망하다	心	5	9
論	론	논하다	言	8	15
屋	옥	집	尸	6	9
吹	취	불다	口	4	7
打	타	치다	手(扌)	2	5
唱	창	부르다	口	8	11
曲	곡	굽다, 노래	曰	2	6

쑥쑥! 실력 향상 ○ 교과서 105쪽

생활 속 용어 활용

우리나라의 음악인들이 參與하는 콘서트가 북경에서 열린대.

• 參與(참여): 어떤 일에 끼어들어 관계함.

• 屋外(옥외): 집 또는 건물의 밖

• 大吹打(대취타): 취타와 세악을 갖춘 대규모의 군악. 징, 자바라, 장구, 용고와 나각, 나발, 태평소 따위로 편성되며, 주로 진문(陣門)을 크게 여닫을 때, 군대가 행진하거나 개선할 때, 능행에 임금이 성문을 나갈 때에 취주하였음.

저도 들었어요. 屋外 공연장에서는 임금이 행차할 때 쓰이던 大吹打가 연주된대요.

우리나라를 대표하는 판소리 名唱들도 출연한대.

• 名唱(명창): 노래를 뛰어나게 잘 부르는 사람

그리고 세계적인 성악가 김꾀꼬리 씨가 우리나라 歌曲도 여러 곡 부른다네요.

• 歌曲(가곡): 서양 음악에서, 시에 곡을 붙인 성악곡

문제로 실력 확인

[1~2] 다음 글을 읽고 물음에 답해 보자.

> 我㉠三國時, 百濟人王仁, ㉡携書籍以入云.
> 아 삼 국 시 백 제 인 왕 인 휴 서 적 이 입 운

1. ㉠에 해당하는 나라를 모두 골라 보자. ③, ④, ⑤

① 조선 ② 고려 ③ 신라 ④ 백제 ⑤ 고구려

2. ㉡을 以에 유의하여 풀이해 보자.

서적을 가지고 들어왔다고 이른다.

창의형

3. 한국의 문화를 외국에 알리는 포스터를 만들고자 한다. 홍보하고 싶은 대상을 정하고, 그것에 관하여 조사해 보자.

(예시)

고려청자

개념 고려 시대에 만들어진 푸른빛의 자기를 통틀어 이르는 말

특징 ① 자연을 소재로 한 여러 가지 무늬
② 초록과 푸른빛, 투명함이 절묘하게 결합된 비색
③ 항아리, 주전자, 찻잔, 베개, 기와 등 다양한 용도의 물건 제작

케이팝

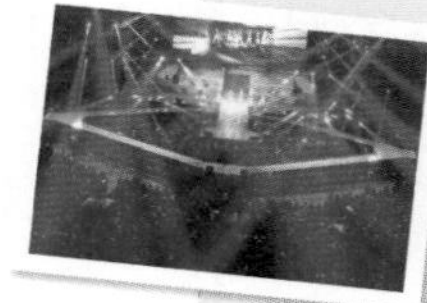

개념 한국 외의 나라에서 한국의 대중가요를 일컫는 말

특징 ① 아이돌 그룹의 음악이 젊은이들 사이에서 특히 인기
② 단순하고 경쾌한 리듬과 박자, 따라 부르기 쉬운 가락, 흥미로운 노랫말, 멋진 군무
③ 주로 온라인을 통해 전파

소단원 자기 점검

학업 성취도를 스스로 점검해 보자.

• 왕인의 업적과 그 의의를 알 수 있는가?	잘함 / 보통 / 노력 필요
• 과거와 현재의 한자 문화권의 상호 교류에 관하여 이해할 수 있는가?	잘함 / 보통 / 노력 필요

□ 교과서 104쪽 '이해 더하기' 다시 읽기 □ 교과서 100~104쪽 다시 읽기

도움말 소단원 학습이 끝나면 소단원의 학습 목표에 해당하는 질문에 답하며 자신의 학업 성취도를 스스로 점검해 본다. 성취 목표에 도달하지 못한 경우에는 제시된 위치로 돌아가서 내용을 다시 읽고 공부하도록 한다.

소단원 스스로 정리

정답과 해설 303쪽

• 한자, 음, 뜻, 부수의 순서로 제시

1. 한자

熟* (숙) 익다 [火(灬)]
冷 ❶☐ 차다 [冫]
❷☐ (채) 나물 [艸(艹)]
佛 (불) 부처 [人(亻)]
造 (조) 짓다 [辵(辶)]
船 (선) 배 [舟]
衆 (중) 무리 [血]
飮 (음) 마시다 [食]
傳 (전) 전하다 [人(亻)]
統 (통) 거느리다, 줄기 [糸]
韓 (한) ❸☐☐ [韋]
世 ❹☐ 인간, 세상 [一]

界 (계) 지경 [田]
王 (왕) 임금 [玉]
持 (지) ❺☐☐☐ [手(扌)]
稚* (치) 어리다 [禾]
我 (아) 나 [戈]
濟* (제) 건너다 [水(氵)]
攜* (휴) 끌다, 가지다 [手(扌)]
籍* (적) 문서 [竹]
❻☐ (운) 이르다 [二]
向 (향) ❼☐☐☐ [口]
致 (치) 이르다, 드리다 [至]
限 (한) 한정하다 [阜(阝)]

電 ❽☐ 번개 [雨]
愁 (수) 근심 [心(忄)]
憶 (억) 생각하다 [心(忄)]
追 (추) 쫓다 [辵(辶)]
❾☐ (한) 한 [心(忄)]
怨 (원) 원망하다 [心]
論 (론) 논하다 [言]
屋 ❿☐ 집 [尸]
吹 (취) 불다 [口]
⓫☐ (타) 치다 [手(扌)]
唱 (창) 부르다 [口]
曲 (곡) 굽다, ⓬☐☐ [曰]

2. 어휘

(1) ❶☐☐☐☐(대중문화): 대중이 형성하는 문화
(2) ❷☐食(음식): 사람이 먹을 수 있도록 만든, 밥이나 국 따위의 물건
(3) 傳統文化(❸☐☐☐☐): 그 나라에서 발생하여 전해 내려오는 그 나라 고유의 문화
(4) ❹☐☐(참여): 어떤 일에 끼어들어 관계함.
(5) 屋外(❺☐☐): 집 또는 건물의 밖
(6) 名唱(명창): 노래를 뛰어나게 잘 부르는 ❻☐☐
(7) ❼☐☐(가곡): 서양 음악에서, 시에 곡을 붙인 성악곡

3. 본문

王仁(왕인)이 持❶☐☐☐而至(지천가문이지)하니 道稚(도치)가 又師之(우사지)라.	왕인이 『천가문』을 가지고 이르니, 도치가 또한 그를 스승으로 삼았다.
我三國時(아삼국시)에 百濟人王仁(백제인왕인)이 攜書籍以入云(휴서적이입운)이라 하니, 至今向我人(지금향아인)하여 致❷☐☐☐☐之意(치무한감사지의)라.	우리 삼국 시대에 백제 사람 왕인이 ❸☐☐을 가지고 들어왔다고 이르니, 이제까지도 우리나라 사람들을 향하여 한없는 감사의 뜻을 보내고 있다.

소단원 확인 문제

01 한자의 3요소를 바르게 연결하시오.

	모양	음	뜻
(1)	世 •	• (계) •	• 세상
(2)	界 •	• (한) •	• 나라
(3)	韓 •	• (세) •	• 지경

02 다음 한자의 공통되는 부수로 알맞은 것은?

> 恨　愁　憶　感

① 口　② 火　③ 禾　④ 心　⑤ 人

03 한자의 부수 연결이 바르지 않은 것은?

① 電－雨　② 論－言　③ 持－手
④ 向－口　⑤ 唱－昌

04 다음 중 연결이 바르지 않은 것은?

	모양	음	뜻	부수	총획
①	屋	(옥)	집	尸	9획
②	打	(타)	치다	手	6획
③	統	(통)	거느리다	糸	12획
④	衆	(중)	무리	血	12획
⑤	傳	(전)	전하다	人	13획

05 빈칸에 알맞은 한자 어휘를 한자로 쓰시오.

(1) □□(설마) → 썰매
(2) □□(백제) → 배추
(3) □□(숙랭) → 숭늉

06 밑줄 친 한자의 음과 뜻이 바른 것은?

> 새삼스레 지난 겨울의 追<u>憶</u>이 떠올랐다.

① (악) 부르다　② (억) 생각하다
③ (역) 기억하다　④ (감) 느끼다
⑤ (한) 원망하다

07 한자의 뜻이 바르지 않은 것은?

① 曲: 노래　② 限: 한　③ 造: 짓다
④ 致: 드리다　⑤ 采: 나물

08 한자 어휘의 독음이 바른 것은?

① 佛敎(유교)　② 論語(맹자)
③ 飮食(간식)　④ 天文學(천문학)
⑤ 大衆文化(전통문화)

09 ㉠에 알맞은 한자 어휘로 알맞은 것은?

> (㉠)란 1990년대 중·후반에 시작된, 텔레비전 드라마나 대중음악 등의 한국 대중문화가 중국, 일본, 동남아시아 지역에서 유행하는 현상을 의미한다.

① 流行　② 人氣　③ 韓流
④ 千家文　⑤ 歌曲

출제 유력

10 한자 어휘의 활용이 적절하지 않은 것은?

① 3년간 학교 大吹打 동아리에서 장구를 배웠다.
② 대중의 參與가 배제된 대중문화는 의미가 없다.
③ 훌륭한 明唱은 좋은 고수를 만나야 그 실력을 더욱 드러낼 수 있다.
④ 나는 우리나라 김치가 世界的인 음식 문화로 자리 매김이 되길 바란다.
⑤ 예전에는 동양어라고 하면 중국어와 일본어가 대세였지만 지금은 韓國語에 대한 관심이 높아졌다.

[11~22] 다음 글을 읽고 물음에 답하시오.

> 王仁이 ㉠持千家文而至하니 道稚가 ㉡又㉢師㉣之라.
> ㉤我㉥三國時에 百濟人王仁이 携書籍㉦以入云이라 하니, 至今向我人하여 ㉧致無限感謝之意라.

11 윗글에 쓰인 한자의 음으로 바른 것은?

① 至 – 치 ② 道 – 추 ③ 今 – 금
④ 携 – 대 ⑤ 向 – 방

12 ㉠에서 가장 마지막에 풀이되는 한자로 알맞은 것은?

① 持 ② 家 ③ 文 ④ 而 ⑤ 至

13 ㉠에서 而의 의미로 가장 적절한 것은?

① 그러나 ② 그리고 ③ 그런데
④ 따라서 ⑤ 그러므로

14 ㉡의 음과 뜻으로 적절한 것은?

① (우) 손 ② (역) 손 ③ (우) 또한
④ (역) 또한 ⑤ (우) 벗

출제 유력

15 ㉢의 의미로 가장 적절한 것은?

① 제자 ② 스승
③ 제자로 삼다. ④ 스승으로 삼다.
⑤ 스승과 제자로 삼다.

16 ㉣이 구체적으로 가리키는 것은?

① 王仁 ② 道稚 ③ 百濟
④ 師弟 ⑤ 天家文

17 ㉤의 의미로 가장 적절한 것은?

① 나 ② 너 ③ 그대
④ 우리 ⑤ 그대들

18 ㉥에 해당하는 국가로 알맞은 것은?

① 고조선, 백제, 신라
② 고구려, 백제, 신라
③ 고구려, 신라, 발해
④ 고조선, 고구려, 백제
⑤ 통일신라, 고려, 조선

19 ㉦과 바꾸어 쓸 수 있는 한자로 바른 것은?

① 而 ② 之 ③ 也 ④ 乎 ⑤ 耳

서술형

20 ㉧의 풀이를 쓰시오.

21 윗글에 쓰인 어휘 중, 다음 의미에 해당하는 한자를 찾아 쓰시오.

(1) 우리나라 사람(　　　　)
(2) 책 또는 서적 (　　　　)

출제 유력

22 윗글의 내용에 대한 설명이 바른 것은?

① 도치는 백제 사람이었다.
② 왕인은 도치를 스승으로 삼았다.
③ 도치가 일본으로 책을 가지고 갔다.
④ 삼국 시대에 삼국과 일본은 왕래가 없었다.
⑤ 일본인들은 우리나라 사람들에게 감사의 뜻을 보내고 있다.

15. 새의 눈을 속인 솔거

○ 교과서 106, 107쪽

똑똑! 활동으로 열기

출제 유형
- 한자와 색의 연결이 바른 것은?
- 다음과 같은 의미를 갖는 한자 어휘로 알맞은 것은?
- 그림의 종류와 관련 있는 한자로 알맞은 것은?

비슷한 모양의 한자를 구별해 볼까?

활동 1 한자의 음과 뜻을 써 보자.

(1) 書: ((서) 책)

예 教科書 교과서 — 학교에서 교과 과정에 따라 주된 교재로 사용하기 위하여 편찬한 책

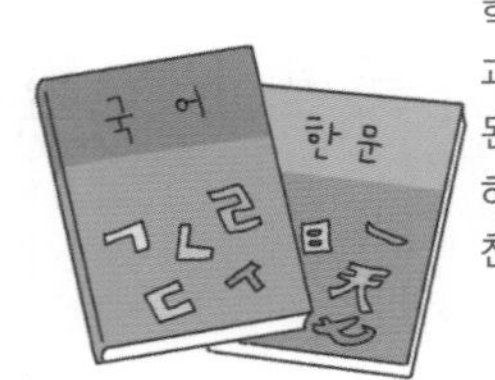

(2) 晝: ((주) 낮)

예 晝耕夜讀 주경야독 — 낮에는 농사짓고, 밤에는 글을 읽는다는 뜻으로, 어려운 여건 속에서도 꿋꿋이 공부함을 이르는 말

(3) 畫: ((화) 그림)

예 油畫 유화 — 서양화에서, 물감을 기름에 개어 그리는 그림

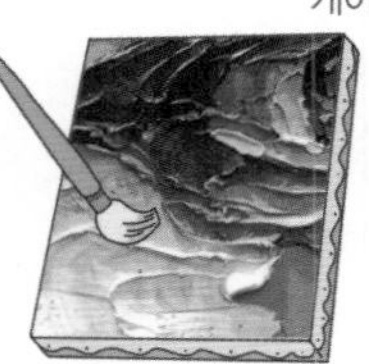

그림에는 다양한 색이 활용되지. 색을 나타내는 한자를 알고 있니?

활동 2 색과 관련 있는 한자에 색칠해 보고, 어떤 한자가 나오는지 써 보자.

仁 (인) 어질다
又 (우) 또
青 (청) 푸르다
文 (문) 글
我 (아) 나
黃 (황) 누렇다
赤 (적) 붉다
朱 (주) 붉다
白 (백) 희다
黑 (흑) 검다
王 (왕) 임금
玄 (현) 검다
綠 (록) 푸르다
藍 (람) 남빛
今 (금) 이제
丹 (단) 붉다
千 (천) 일천
素 (소) 희다
向 (향) 향하다
色 (색) 빛
道 (도) 길, 도리
時 (시) 때
紅 (홍) 붉다
無 (무) 없다
方 (방) 방향

新 한자 모아 보기

한자	음	뜻	부수	획수	총획
畫	화	그림	田	7	12
	획	긋다			
油	유	기름	水(氵)	5	8
青	청	푸르다	青	0	8
黃	황	누렇다	黃	0	12
赤	적	붉다	赤	0	7
朱	주	붉다	木	2	6

한자	음	뜻	부수	획수	총획
黑	흑	검다	黑	0	12
玄*	현	검다	玄	0	5
綠	록	푸르다	糸	8	14
藍*	람	쪽, 남빛	艸(艹)	14	18
丹	단	붉다	丶	3	4
色	색	빛	色	0	6

한자	음	뜻	부수	획수	총획
紅	홍	붉다	糸	3	9
圖	도	그림	囗	11	14
景	경	볕, 경치	日	8	12
靜	정	고요하다	青	8	16
物	물	물건	牛	4	8

동서양의 화가들은 다양한 분야에서 많은 걸작을 남겼지. 걸작: 매우 훌륭한 작품

활동 3 그림의 종류와 작품을 연결하여 보자.

(1) 草蟲圖 초충도
: 풀과 풀벌레를 그린 그림 — ㉠

(2) 風俗畫 풍속화
: 인간의 생활상을 그린 그림 — ㉡

(3) 風景畫 풍경화
: 자연의 경치를 그린 그림 — ㉣

(4) 靜物畫 정물화
: 스스로 움직이지 못하는 물체들을 놓고 그린 그림 — ㉢

㉠ 

▲ 사임당 신씨, '초충도 8곡병' 중 「가지와 방아깨비」

사임당 신씨: 1504~1551. 조선 중기의 문인이자 유학자, 화가, 작가, 시인. 조선 중기의 성리학자 겸 정치인인 이이, 화가 이매창의 어머니

㉡ 

▲ 김득신, 「파적도」

김득신: 1754~1822. 조선 후기의 화가. 인물화와 풍속화를 잘 그렸으며, 현재 심사정, 겸재 정선과 함께 영조 때의 삼재(三齋)로 불림.

㉢ 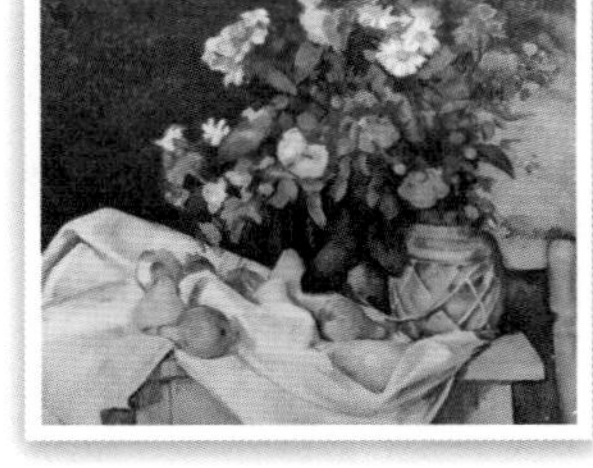

▲ 폴 세잔, 「꽃과 과일이 있는 정물」

폴 세잔: 1839~1906. 대표적인 후기 인상파 화가. 피카소가 '우리 모두의 아버지'라고 경의를 표했을 만큼 현대 미술의 발전에 결정적 역할을 했음.

㉣ 

▲ 빈센트 반 고흐, 「종달새가 있는 밀밭」

빈센트 반 고흐: 1853~1890. 네덜란드의 후기 인상주의 화가. 독특한 붓놀림으로 자연의 형태와 색채를 생생하게 전달하려고 노력한 점이 특징임.

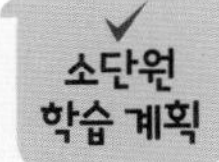

소단원 학습 계획

배울 내용에 관하여 얼마나 알고 있는지 스스로 점검해 보자.

• 그림과 관련 있는 한자와 어휘를 알고 있는가?	☆☆☆☆☆
• 화가 솔거를 알고 있는가?	☆☆☆☆☆

잘하는 부분은 발전시키고, 부족한 부분은 보완할 수 있도록 스스로 학습 계획을 세워 보자.

나는 이 단원에서 ___(예) 그림과 관련 있는 한자와 어휘, 화가 솔거___ 을/를 공부하겠다.

도움말 그림을 뜻하는 한자, 색깔과 관련 있는 한자, 그림의 종류 등을 익히는 활동을 하였다. 이를 바탕으로 소단원 학습 내용에 관한 자신의 배경지식 정도를 점검해 보고, 스스로 소단원의 학습 계획을 세워 본다.

학습 요소 ▪ 문장의 구조(주술 구조, 주술목 구조) ▪ 글의 내용과 주제 ▪ 전통문화의 계승과 발전

출제 유형

- ⓒ의 독음으로 알맞은 것은?
- 다음 문장에서 마지막에 풀이되는 한자로 알맞은 것은?
- 윗글에 대한 설명으로 적절하지 않은 것은?

15. 새의 눈을 속인 솔거

○ 교과서 108, 109쪽

新羅眞興王時에 有率居[1]者한데
(신 라 진 흥 왕 시 유 솔 거 자 — 신라(국명) 진흥왕(인명) 때 있다 솔거(인명) 사람)

畫老松於皇龍寺壁이러니
(화 노 송 어 황 룡 사 벽 — 그림 늙다 소나무 어조사(~에) 황룡사(절 이름) 벽)

烏雀이 往往飛入云이라 하니,
(조 작 왕 왕 비 입 운 — 새 참새 가다 가다 날다 들다 이르다)
往往: 시간의 간격을 두고 이따금

蓋其畫入神이리라.
(개 기 화 입 신 — 아마도 그 그림 들다 귀신)
入神: 기술이나 기예 따위가 매우 뛰어나 신과 같은 정도의 경지에 이름.

『지봉유설』

1) 솔거(率居): 신라 진흥왕 때의 화가. 황룡사의 벽화 「노송도」와 분황사의 「관음보살상」, 진주 단속사의 「유마거사상」 등을 그렸으나 지금은 전하지 않음.
진흥왕: 신라 제24대 왕(재위 540~576년). 신라에 의한 삼국 통일의 기반 마련. 553년 백제가 점령했던 한강 유역의 요지를 공취하고 이듬해 관산성 전투에서 백제 성왕을 전사시킴. 영토를 확장하면서 창녕, 북한산, 황초령, 마운령 들에 순수비를 세웠고, 556년에는 기원(祇園), 실제(實際) 등의 사찰을 건립하고 황룡사를 준공하였음.

新 한자 모아 보기

한자	음	뜻	부수	획수	총획
新	신	새롭다	斤	9	13
羅*	라	비단	网(罒)	14	19
眞	진	참	目	5	10
興	흥	일어나다	臼	9	16
率*	율	비율	玄	6	11
	솔	거느리다			
居	거	살다	尸	5	8
松	송	소나무	木	4	8
皇	황	임금	白	4	9
龍*	룡	용	龍	0	16
寺	사	절	寸	3	6
壁*	벽	벽	土	13	16
往	왕	가다	彳	5	8
蓋*	개	덮다, 아마도	艸(艹)	10	14
神	신	귀신	示	5	10

스스로 확인

솔거는 언제, 어디에, 무엇을 그렸는가?

- 언제: 신라 진흥왕 때
- 어디서: 황룡사 벽
- 무엇: 늙은 소나무 그림(노송도)

• 『지봉유설(芝峯類說)』: 조선 중기의 학자 이수광(李睟光)이 편찬한 일종의 백과사전적 저서

꼭꼭! 본문 다지기

교과서 110쪽

新羅 眞興王時에 有率居者한데
신라 진흥왕시 유솔거자

신라 진흥왕 때에 솔거라는 사람이 있었는데

- 有~者(유 자): ~라는 사람이 있었다.

畫老松於皇龍寺壁이러니
화노송어황룡사벽

황룡사 벽에 늙은 소나무를 그렸더니

- 於(어): ~에

鳥雀이 往往飛入云이라 하니,
조작 왕왕비입운

새들이 이따금 날아들었다고 이르니,

- 鳥雀(조작): 참새처럼 몸집이 작은 새를 이름.
- 往往(왕왕): 시간의 간격을 두고 이따금

蓋其畫入神이리라.
개기화입신

아마도 그의 그림이 신묘한 경지에 들었을 것이다.

신묘(神妙): 신통하고 묘함.

- 入神(입신): 기술이나 기예 따위가 매우 뛰어나 신과 같은 정도의 경지에 이름.

똑똑한 한문 지식 문장의 구조

(1) 주술 구조: 주어와 서술어의 관계로 이루어진 구조

예 鳥飛(조비).: 鳥[새가](주어) + 飛[날다](서술어) → 새가 날다.

- 犬走(견주).: 개가 달리다.
- 花開(화개).: 꽃이 피다.

(2) 주술목 구조: 주어, 서술어, 목적어의 관계로 이루어진 구조

예 率居畫松(솔거화송).: 率居[솔거가](주어) + 畫[그리다](서술어) + 松[소나무를](목적어) → 솔거가 소나무를 그리다.

- 牛食草(우식초).: 소가 풀을 먹다.
- 我見月(아견월).: 내가 달을 보다.

▲ 황룡사 복원 모형

이해 더하기 천재 화가 솔거

솔거는 어린 시절부터 그림에 뛰어났다고 하며, 현재 전해지는 작품은 없으나 기록을 통해 그림의 경지를 짐작할 수 있다. 황룡사 벽에 그린 노송(老松)이 실물과 같아 새들이 날아와 앉으려다 벽에 부딪혀 죽었다는 일화가 전해진다. 훗날 황룡사의 벽에 그려져 있던 노송도의 색이 바래자 한 승려가 색을 다시 칠했지만 이후에는 새들이 날아오지 않았다고 한다.

노송(老松): 늙은 소나무

新 한자 모아 보기

한자	음	뜻	부수	획수	총획
建	건	세우다	廴	6	9
嚴	엄	엄하다	口	17	20
禁	금	금하다	示	8	13
效	효	본받다, 보람	攴(攵)	6	10
果	과	열매	木	4	8

쑥쑥! 실력 향상 ○ 교과서 111쪽

생활 속 용어 활용

建物에 쓰레기 투기 嚴禁
경고문을 붙였을 때는
효과가 별로 없었잖아?

그랬지. 그런데 畫家들이
아름다운 벽화를 그리니
쓰레기가 사라졌어.

벽화가 아름다운 거리를
만드는 데 效果가 있구나.

- 建物(건물): 사람이 들어 살거나, 일을 하거나, 물건을 넣어 두기 위하여 지은 집을 통틀어 이르는 말
- 嚴禁(엄금): 엄하게 금지함.
- 畫家(화가): 그림 그리는 것을 직업으로 하는 사람
- 效果(효과): 어떤 목적을 지닌 행위에 의하여 드러나는 보람이나 좋은 결과

문제로 실력 확인

1. 어휘의 뜻을 바르게 연결해 보자.

(1) 鳥雀(조작) •　　　　• ㉠ 시간의 간격을 두고 이따금

(2) 入神(입신) •　　　　• ㉡ 참새처럼 몸집이 작은 새를 이름.

(3) 往往(왕왕) •　　　　• ㉢ 기술이나 기예 따위가 매우 뛰어나 신과 같은 정도의 경지에 이름.

2. 풀이에 맞게 한자와 어휘를 골라 배열해 보자. 率居, 畫, 老, 松

풀이 솔거가 늙은 소나무를 그렸다.

率居 솔거

老 (로) 늙다

有 (유) 있다

松 (송) 소나무

畫 (화) 그림

飛 (비) 날다

壁 (벽) 벽

창의형

3. 본문에 이어질 내용을 자유롭게 상상하여 써 보자.

(예시) 솔거가 황룡사 벽에 늙은 소나무를 그린 후 수십 년의 세월이 흘러 그림의 색이 바래었다. 이를 알게 된 솔거는 다시 찾아와 늙은 소나무를 젊고 울창한 소나무로 고쳐 그렸다. 세월의 흐름에 따라 솔거의 솜씨는 더욱 원숙해져서 새로 그린 소나무 그림은 사람의 눈조차 속일 정도였다. 종종 나그네가 나무 아래에서 쉬어 가려고 오는 일이 생겼다고 한다.

소단원 자기 점검

학업 성취도를 스스로 점검해 보자.

• 글의 내용과 주제를 이해할 수 있는가?	잘함 / 보통 / 노력 필요
• 문장의 구조(주술 구조, 주술목 구조)를 알고 문장을 풀이할 수 있는가?	잘함 / 보통 / 노력 필요

☐ 교과서 108~110쪽 다시 읽기　☐ 교과서 110쪽 '똑똑한 한문 지식' 다시 읽기

도움말 소단원 학습이 끝나면 소단원의 학습 목표에 해당하는 질문에 답하며 자신의 학업 성취도를 스스로 점검해 본다. 성취 목표에 도달하지 못한 경우에는 제시된 위치로 돌아가서 내용을 다시 읽고 공부하도록 한다.

소단원 스스로 정리

정답과 해설 304쪽

• 한자, 음, 뜻, 부수의 순서로 제시

1. 한자

畫 (화) 그림, (획) 긋다 [田]
油 ❶☐ 기름 [水(氵)]
❷☐ (청) 푸르다 [青]
黃 (황) 누렇다 [黃]
赤 (적) 붉다 [赤]
朱 (주) 붉다 [木]
黑 (흑) 검다 [黑]
玄* (현) 검다 [玄]
綠 (록) 푸르다 [糸]
藍* (람) 쪽, 남빛 [艸(艹)]
丹 (단) ❸☐☐ [丶]
色 ❹☐ 빛 [色]
紅 (홍) 붉다 [糸]

圖 (도) 그림 [口]
景 (경) 볕, ❺☐☐ [日]
精 (정) 고요하다 [青]
物 (물) 물건 [牛]
新 (신) 새롭다 [斤]
羅* (라) 비단 [网(罒)]
眞 (진) 참 [目]
❻☐ (흥) 일어나다 [臼]
率* (율) 비율, (솔) ❼☐☐☐☐ [玄]
居 (거) 살다 [尸]
松 (송) 소나무 [木]

皇 ❽☐ 임금 [白]
龍* (룡) 용 [龍]
寺 (사) 절 [寸]
壁* (벽) 벽 [土]
❾☐ (왕) 가다 [彳]
蓋* (개) 덮다, 아마도 [艸(艹)]
神 (신) 귀신 [示]
建 ❿☐ 세우다 [廴]
嚴 (엄) 엄하다 [口]
⓫☐ (금) 금하다 [示]
效 (효) 본받다, 보람 [攴(攵)]
果 (과) ⓬☐☐ [木]

2. 어휘

(1) 晝❶☐夜讀(주경❷☐☐): 낮에는 농사짓고, 밤에는 글을 읽는다는 뜻으로, 어려운 여건 속에서도 꿋꿋이 공부함.
(2) 油畫(❸☐☐): 서양화에서, 물감을 기름에 개어 그린 그림
(3) 風景畫(풍경화): ❹☐☐의 경치를 그린 그림
(4) ❺☐☐(건물): 사람이 들어 살거나, 일을 하거나, 물건을 넣어 두기 위하여 지은 집을 통틀어 이르는 말
(5) 嚴禁(❻☐☐): 엄하게 금지함.
(6) ❼☐果(효과): 어떤 목적을 지닌 행위에 의하여 드러나는 보람이나 좋은 결과

3. 본문

원문	풀이
新羅 眞興王時에(신라진흥왕시) 有率居❶☐(유솔거자)한데 畫❷☐☐於皇龍寺壁(화노송어황룡사벽)이러니 鳥雀(조작)이 ❸☐☐飛入云(왕왕비입운)이라 하니, 蓋其畫入神(개기화입신)이리라.	신라 진흥왕 때에 솔거라는 사람이 있었는데 황룡사 벽에 늙은 소나무를 그렸더니 새들이 이따금 날아들었다고 이르니, 아마도 그의 그림이 신묘한 ❹☐☐에 들었을 것이다.

4. 문장의 구조

• 주술 구조: 주어와 ❶☐☐☐의 관계로 이루어진 구조 예 鳥飛.: 새가 날다.
• ❷☐☐☐ 구조: 주어, 서술어, 목적어의 관계로 이루어진 구조 예 率居畫松.: 솔거가 소나무를 그리다.

소단원 확인 문제

01 다음 중 연결이 바르지 않은 것은?

	모양		음		뜻		부수		총획
①	丹	–	단		붉다	–	丶	–	4획
②	色	–	색	–	빛	–	色	–	6획
③	物	–	물	–	물건	–	牛	–	8획
④	景	–	서	–	경치	–	日	–	12획
⑤	圖	–	도	–	그림	–	囗	–	14획

02 한자의 3요소를 바르게 연결하시오.

	모양	음	뜻
(1)	書 •	• (주) •	• 책
(2)	畫 •	• (화) •	• 그림
(3)	晝 •	• (서) •	• 낮

03 다음 한자의 공통되는 부수를 쓰시오.

> 朱　松　果

04 한자의 총획으로 바르지 않은 것은?

① 寺 – 6획　② 居 – 8획　③ 往 – 8획
④ 神 – 10획　⑤ 興 – 14획

출제 유력

05 한자와 색의 연결이 바른 것은?

① 綠 – 초록색　② 黃 – 파란색　③ 藍 – 노란색
④ 黑 – 하얀색　⑤ 靑 – 빨간색

06 아래의 공통된 색으로 알맞은 것은?

> 赤　丹　朱　紅

① 하얀색　② 파란색　③ 노란색
④ 검정색　⑤ 빨간색

07 밑줄 친 어휘를 바르게 풀이하시오.

> 그녀는 공부를 더 하고 싶어서 <u>晝耕夜讀</u>으로 대학원을 다니고 있다.

08 그림의 종류와 관련 있는 한자 어휘로 적절한 것은?

① 草蟲圖
② 人物畫
③ 風俗畫
④ 風景畫
⑤ 靜物畫

출제 유력

09 다음과 같은 의미를 갖는 한자 어휘로 알맞은 것은?

> 기술이나 기예 따위가 매우 뛰어나 신과 같은 정도의 경지에 이름.

① 立身　② 入神　③ 入道
④ 靑松　⑤ 黑白

10 한자 어휘의 활용이 적절하지 않은 것은?

① 김홍도는 조선 시대의 대표적인 畫家이다.
② 우리 아파트에는 쓰레기 투기 嚴禁 경고문이 붙어 있다.
③ 빨간 벽돌 建物인 조합 창고와 네모반듯한 회백색의 파출소 건물이 나란히 서 있었다.
④ 친구는 油畫를 그리는데 필요한 재료를 준비하고 소재거리를 찾아 길을 떠났다.
⑤ 감초는 모든 약물과 조화를 이루면서 약의 효능을 증가시킬 뿐 아니라 해독의 效果까지 있다.

[11~18] 다음 글을 읽고 물음에 답하시오.

> 新羅眞興王時에 ㉠有率居者한데 畫老松㉡於皇龍寺壁이러니 烏雀이 ㉢往往飛入㉣云이라 하니, ㉤蓋其畫入神이리라.

11 윗글에 쓰인 한자의 음으로 바른 것은?

① 時(사) ② 老(송) ③ 壁(벽)
④ 飛(기) ⑤ 入(팔)

12 윗글에 쓰인 한자 어휘의 독음으로 바르지 않은 것은?

① 新羅(신라) ② 眞興王(진흥왕)
③ 率居(솔거) ④ 皇龍寺(황룡사)
⑤ 烏雀(주작)

13 ㉠의 풀이 순서로 알맞은 것은?

① 有→率→居→者 ② 率→有→居→者
③ 率→居→有→者 ④ 率→居→者→有
⑤ 者→率→有→居

14 ㉡의 의미로 가장 적절한 것은?

① ~에 ② ~에서 ③ ~에게
④ ~로부터 ⑤ ~까지

15 ㉢과 ㉣의 의미로 가장 적절한 것은?

	㉢		㉣
①	이따금	–	~라고 이르다.
②	이따금	–	~라고 부르다.
③	오래전에	–	~하고 이르다.
④	오래전에	–	~라고 부르다.
⑤	지금부터	–	~라고 부르다.

16 ㉤에서 蓋의 의미로 가장 적절한 것은?

① 대개 ② 덮다 ③ 뚜껑
④ 모두 ⑤ 아마도

17 ㉤에서 마지막에 풀이되는 한자로 알맞은 것은?

① 蓋 ② 其 ③ 畫 ④ 入 ⑤ 神

출제 유력

18 윗글에 대한 설명으로 적절하지 않은 것은?

① 솔거는 노송을 그렸다.
② 솔거는 신라 사람이다.
③ 솔거는 진흥왕 때의 인물이다.
④ 솔거가 그린 그림에 새들이 날아들었다.
⑤ 솔거의 그림은 크게 칭송을 받지 못했다.

출제 유력

19 烏飛의 문장 구조로 알맞은 것은?

① 주어+서술어 ② 서술어+목적어
③ 서술어+보어 ④ 주어+보어
⑤ 보어+목적어

20 다음 한자의 의미를 모두 포괄할 수 있는 한자를 쓰시오.

> 青 黃 赤 朱 白 黑
> 玄 綠 藍 丹 紅

서술형

21 다음 〈풀이〉에 맞게 한자 카드를 배열하시오.

> 〈풀이〉 사람이 푸른 소나무를 그렸다.
>
> 松 青  人

16. 서희의 외교 담판

○ 교과서 112, 113쪽

똑똑! 활동으로 열기

출제 유형
- 국호를 한자로 잘못 표기한 것은?
- ㉠이 의미하는 나라로 바른 것은?

역사에 등장하는 우리나라의 이름을 알고 있니?

활동 1 빈칸에 들어갈 국호를 〈보기〉에서 찾아 써 보자.

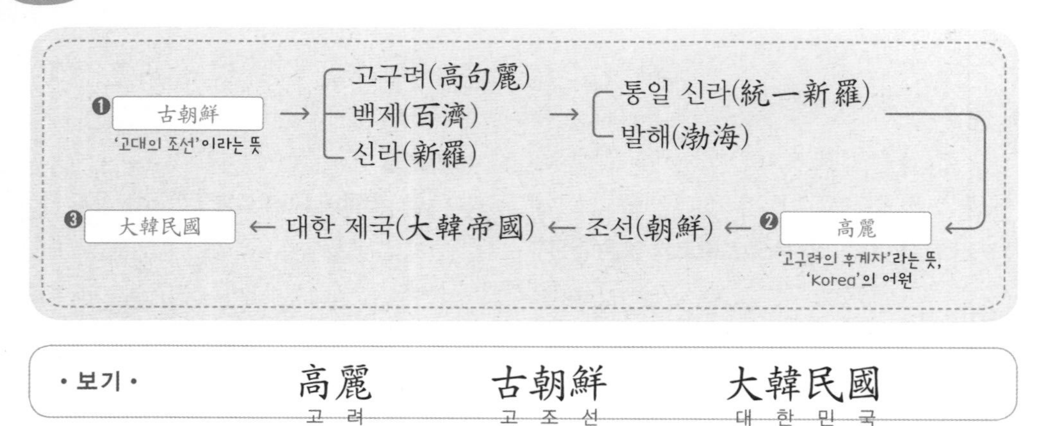

• 보기 • 高麗(고려) 古朝鮮(고조선) 大韓民國(대한민국)

우리 선조들은 외적의 침입을 막기 위해 노력해 왔어.

활동 2 빈칸에 들어갈 인물을 〈보기〉에서 찾아 써 보자.

- 고려를 侵入한 거란군을 귀주에서 크게 물리친 ❶(강감찬)
  - 침입: 침범하여 들어가거나 들어옴.
- 지략과 勇猛으로 살수에서 수나라 대군을 격파한 ❷(을지문덕)
  - 용맹: 용감하고 사나움.
- 화약과 새로운 무기로 왜구를 물리치고 國土를 수호한 ❸(최무선)
  - 국토: 나라의 땅
- 조선 最大 위기인 임진왜란에서 나라를 구한 ❹(이순신)
  - 최대: 수나 양, 정도 따위가 가장 큼.

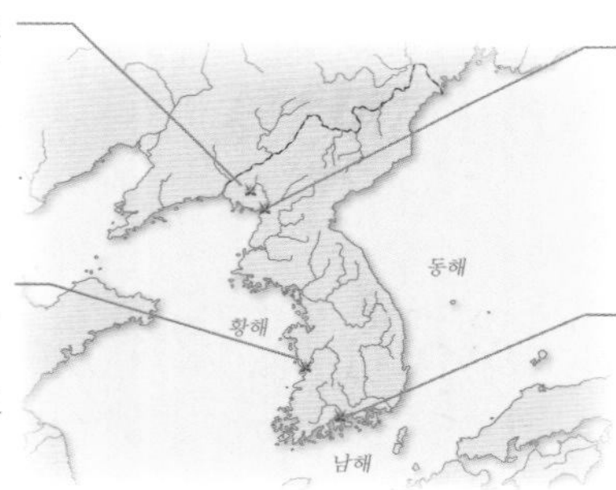

• 보기 • 강감찬 이순신 최무선 을지문덕

新 한자 모아 보기

한자	음	뜻	부수	획수	총획
高	고	높다	高	0	10
麗*	려	곱다	鹿	8	19
朝	조	아침	月	8	12
鮮	선	곱다, 신선하다	魚	6	17
民	민	백성	氏	1	5
侵*	침	침노하다	人(亻)	7	9
勇	용	날래다	力	7	9
猛*	맹	사납다	犬(犭)	8	11
最	최	가장	日	8	12
議	의	의논하다	言	13	20

우리 역사상 가장 유능했던 외교관, 서희가 활약했던 시대의 상황을 알아보자.

역사 신문을 읽고, 인물과 사건을 중심으로 내용을 요약해 보자.

고려의 북진 정책과 친송 외교에 불안을 느낀 거란의 소손녕이 대군을 이끌고 고려를 침략하자 서희가 담판에 임함. 거란에 고려 북진 정책의 타당성을 설명하고 함께 여진족을 평정할 것을 제안하며 국교를 맺을 것을 요청하여 성공함. 3년간 압록강 동쪽의 여진족을 몰아낸 뒤 강동 6주에 성을 쌓아 고려의 영토를 넓히는 데 공헌함.

거란(요), 송과 대치하며 우리에게 항복 요구하고 있어

거란이 우리 고려를 침입했다. 봉산군을 함락시킨 거란 장수 소손녕은 공문을 보내 알렸다.

"80만의 군사가 도착했다. 만일 강변까지 나와서 항복하지 않으면 무조건 무찔러 멸망시킬 것이니, 국왕과 신하들은 빨리 우리 군영 앞에 와서 항복하라."

거란이 침입했다는 소식을 접한 성종 임금께서는 친히 군사를 지휘하기 위해 서경으로 가셨다. 그러나 소손녕은 다시 공문을 보내 투항을 요구하고 있다. 송도 거란이 차지한 화북의 연운 16주를 되찾기 위해 군사를 일으켰다가 대패했듯이, 거란은 현재 최강의 상대이다. 공문에서 和議의 뜻을 살핀 서희의 의견에 따라 이몽전이 협상하러 갔으나, 소손녕은 다시 한번 항복하라는 뜻을 전했을 뿐 성과 없는 회담이었다.

화의: 화해하는 의론

거란의 장수로 80만 대군을 이끌고 고려를 침범하였으나 전쟁이 장기화되자 고려의 대표인 서희와 강화를 맺고 물러남. 이 과정에서 고려는 송과 단교하고 거란에 조공을 바칠 것을 약속하였고, 거란은 강동 6주를 고려에 귀속할 것을 인정함.

993년 ○○월 ○○일 ○○○ 기자(안용진 지부)

993년 ❶ [거란(요)] 이/가 ❷ [고려] 을/를 침입하였다. ❶ [거란(요)] 의 장수 ❸ [소손녕] 은/는 항복을 요구하였고, ❷ [고려] 에서는 ❹ [서희] 의 의견에 따라 이몽전이 화의를 청하러 갔으나 거절당하였다.

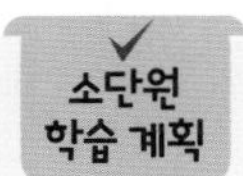

배울 내용에 관하여 얼마나 알고 있는지 스스로 점검해 보자.

• 우리나라 국호의 변천에 관하여 알고 있는가?	☆☆☆☆☆
• 우리 국토를 수호하기 위해 애쓴 사람들을 알고 있는가?	☆☆☆☆☆

잘하는 부분은 발전시키고, 부족한 부분은 보완할 수 있도록 스스로 학습 계획을 세워 보자.

나는 이 단원에서 ___예 우리나라 국호의 변천, 우리 국토를 수호하기 위해 애쓴 사람들___ 을/를 공부하겠다.

도움말 우리나라 국호의 변천, 외적의 침입을 막기 위한 노력, 고려의 외교관 서희에 대해 알아보는 활동을 통해 소단원의 학습 내용을 접하였다. 이를 바탕으로 소단원 학습 내용에 관한 자신의 배경지식 정도를 점검해 보고, 스스로 소단원의 학습 계획을 세워 본다.

학습 요소 ▪ 실사(대명사)의 쓰임 ▪ 글의 내용과 주제 ▪ 현재적 의미와 가치 발견

16. 서희의 외교 담판

◦ 교과서 114, 115쪽

출제 유형

- 윗글에 대한 설명으로 알맞은 것은?
- ㉠에서 마지막에 풀이되는 한자로 알맞은 것은?
- 윗글에 사용된 고유 명사의 독음으로 바르지 않은 것은?

993년(성종 12년) 거란의 장수 소손녕이 대군을 이끌고 고려를 침략하여 서희가 전쟁을 막고자 적진으로 갔다.

└ 적진: 적이 모여 있는 진지나 진영

- 1인칭 대명사: 我(아), 吾(오), 余(여)
- 2인칭 대명사: 汝(여), 子(자), 君(군)

遜寧[1]이 語熙[2]曰: "汝國은 興新羅地하니 高句麗之地는 我所有也어늘 而汝侵蝕之라." [중략]

- 遜寧(손녕): 소손녕(인명) / 語(어): 말씀 / 熙(희): 서희(인명) / 曰(왈): 말하다 / 汝(여): 너 / 國(국): 나라 — 汝國: 고려 / 興(흥): 일어나다 / 新羅(신라): 신라(국명) / 地(지): 땅
- 高句麗(고구려): 고구려(국명) / 之(지): 어조사 / 地(지): 땅 / 我(아): 우리 — 거란 / 所(소): 것
- 有(유): 있다 / 也(야): 어조사 — ~지만, ~이나 / 而(이): 말 잇다 / 汝(여): 너 — 고려 / 侵(침): 침노하다 / 蝕(식): 좀먹다 / 之(지): 그것 — 고구려의 땅을 가리킴.

熙曰: "非也라. 我國은 卽高句麗之舊也라. 故로 號高麗하고 都平壤이라."

- 熙(희): 서희(인명) / 曰(왈): 말하다 / 非(비): 아니다 / 也(야): 어조사 / 我(아): 우리 / 國(국): 나라 — 我國: 고려 / 卽(즉): 곧 / 高句麗(고구려): 고구려(국명)
- 之(지): 어조사 / 舊(구): 옛 / 也(야): 어조사 / 故(고): 그러므로 / 號(호): 부르다 / 高麗(고려): 고구려(국명) / 都(도): 도읍
- 平壤(평양): 평양(국명)

소손녕이 고려가 거란과 국교를 맺지 않는 까닭을 묻자, 서희는 중간에 여진이 있어 길을 막으니 여진을 쫓고 옛 땅을 회복하여 도로를 통하면 국교를 맺을 수 있다고 하였다. 이로 인해 고려는 거란과 화친을 맺고, 거란의 훼방 없이 강동 6주를 회복하였다.

- 국교(國交): 나라와 나라 사이에 맺는 외교 관계
- 화친(和親): 나라와 나라 사이에 다툼없이 가까이 지냄.

『고려사』

[강동 6주의 중요성]
강동 6주 지역은 지형이 험하여 방어에 유리하고 이동이 쉽지 않아 한반도 서부 지역 방어의 최적 장소였음.

1) 손녕(遜寧): 거란의 장군 소손녕(蕭遜寧)

2) 희(熙): 고려 전기의 외교가 서희(徐熙)

- 『고려사(高麗史)』: 조선 전기에 세종의 명으로 정인지(鄭麟趾), 김종서(金宗瑞) 등이 편찬한 고려 시대의 역사서

新 한자 모아 보기

한자	음	뜻	부수	획수	총획
遜*	손	겸손하다	辵(⻌)	10	14
寧*	녕	편안하다	宀	11	14
熙*	희	빛나다	火(灬)	9	13
曰	왈	말하다	曰	0	4
汝	여	너	水(氵)	3	6
句	구	글귀	口	2	5
蝕*	식	좀먹다	虫	9	15
卽	즉	곧	卩	7	9
號	호	이름, 부르다	虍	7	13
都	도	도읍	邑(⻏)	9	12
壤*	양	흙덩이	土	17	20

스스로 확인

소손녕과 서희는 각각 고려가 어느 나라를 계승하였다고 주장하였는가?

- 소손녕: 신라 • 서희: 고구려

소손녕의 주장	• 고려는 신라 땅에서 일어나 거란이 차지한 고구려의 옛 땅을 침식하였으니 신라의 국경인 대동강 이남으로 후퇴하라. • 국경을 접한 거란과는 교류하지 않고 바다를 건너 송을 섬기니 죄를 묻는 것이다. 땅을 떼어 바쳐야 무사할 것이다.
서희의 주장	• 고려는 고구려의 후예이다. 국호를 '고려'라 하고 평양에 도읍하였다. • 고려가 거란과 국교를 맺지 못하는 것은 중간에 여진이 있어 길을 막아서이다. 여진을 쫓고 우리의 옛 땅을 회복하여 도로를 통하면 거란과 국교를 맺을 수 있다.

꼭꼭! 본문 다지기

○ 교과서 116쪽

遜寧이 語熙曰: "汝國은 興新羅地하니
손녕 어희왈 여국 흥신라지

소손녕이 서희에게 말하였다. "너희 나라는 신라의 땅에서 일어났으니

高句麗之地는 我所有也어늘 而汝侵蝕之라."
고구려지지 아소유야 이여침식지

고구려의 땅은 우리가 가진 것이거늘 너희가 그것을 침입하여 갉아먹은 것이다."

熙曰: "非也라. 我國은 卽高句麗之舊也라.
희왈 비야 아국 즉고구려지구야

서희가 말하였다. "아니다. 우리나라는 곧 고구려의 옛 땅이다.

故로 號高麗하고 都平壤이라."
고 호고려 도평양

그러므로 고려라 부르고 평양에 도읍하였다."

그 나라의 수도를 정함.

- 인칭 대명사
  - 1인칭: 吾(오), 我(아), 余(여)
  - 2인칭: 汝(여), 子(자), 君(군)
- 而(이): ~지만, ~이나
- 舊(구): '옛 땅'을 가리킴.
- 故(고): 그러므로
- 都(도): ~에 도읍하다

모양이 비슷한 한자

- 語 (어) 말씀 예 國語(국어) — ① 한 나라의 국민이 쓰는 말 ② 우리나라의 언어
- 吾 (오) 나 예 吾等(오등) — '우리'를 문어적으로 이르는 말
- 莫 (막) 없다 예 莫上莫下(막상막하) — 더 낫고 더 못함의 차이가 거의 없음.
- 暮 (모) 저물다 예 朝三暮四(조삼모사) — 간사한 꾀로 남을 속여 희롱함을 이르는 말

이해 더하기 외교의 귀재 서희

- 威勢(위세): ① 사람을 두렵게 하여 복종하게 하는 힘 ② 위엄이 있거나 맹렬한 기세
- 甚至於(심지어): 더욱 심하다 못하여 나중에는
- 敵軍(적군): 적의 군대나 군사
- 回復(회복): 원래의 상태로 돌이키거나 원래의 상태를 되찾음.

서희는 고려의 정치가이자 외교가로, 당시 동아시아의 강자로 威勢를 부리던 거란이 甚至於 80만 대군을 이끌고 침입해 오자 적장 소손녕과 담판하여 거란군을 철수시켰다. 서희는 이후 敵軍인 여진족을 물리치고 강동 6주를 回復하였다. 協商을 통해 전쟁을 막고 나아가 영토까지 확장한 서희의 논리적이며 당당한 자세는 현대 외교에서도 본받을 만하다.

- 協商(협상): ① 어떤 목적에 부합되는 결정을 하기 위하여 여럿이 서로 의논함. ② 둘 이상의 나라가 통첩(通牒), 서한(書翰) 따위의 외교 문서를 교환하여 어떤 일에 대하여 약속하는 일

▲ 강동 6주 지도

新 한자 모아 보기

한자	음	뜻	부수	획수	총획
余	여	나	人	5	7
君	군	임금, 그대	口	4	7
等	등	무리	竹	6	12
暮	모	저물다	日	11	15
威	위	위엄	女	6	9

한자	음	뜻	부수	획수	총획
勢	세	형세, 세력	力	11	13
甚	심	심하다	甘	4	9
敵	적	대적하다	攴(攵)	11	15
復	복	회복하다	彳	9	12
	부	다시			
協	협	화합하다, 돕다	十	6	8

한자	음	뜻	부수	획수	총획
商	상	장사, 헤아리다	口	8	11
亡	망	망하다	亠	1	3
權	권	권세	木	18	22
坐	좌	앉다	土	4	7
井	정	우물	二	2	4

쑥쑥! 실력 향상

○ 교과서 117쪽

생활 속 용어 활용

외교 전략은 나라의 興亡을 좌우하기도 하지. 외교가의 자세에 관해 생각해 볼까?

• 興亡(흥망): 잘되어 일어남과 못되어 없어짐.

權力 앞에서 굽히지 않고 당당하게 행동해야 해요.

• 權力(권력): 남을 복종시키거나 지배할 수 있는 공인된 권리와 힘

坐井觀天 하지 않고 멀리 바라보아야 해요.

• 坐井觀天(좌정관천): 우물 속에 앉아서 하늘을 본다는 뜻으로, 사람의 견문(見聞)이 매우 좁음을 이르는 말

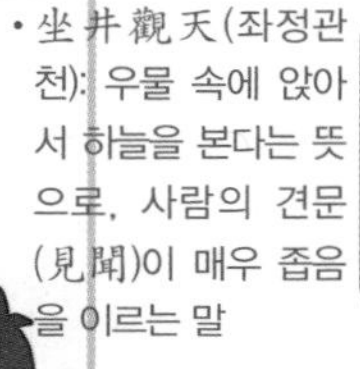

자신보다는 나라와 국민의 利益을 생각해야 해요.

• 利益(이익): 물질적으로나 정신적으로 보탬이 되는 것

문제로 실력 확인

[1~2] 다음 글을 읽고 물음에 답해 보자.

> 遜寧, 語熙曰: "㉠汝國, 興新羅地, 高句麗之地, ㉡我所有也, 而汝侵蝕之." [중략] 熙曰: "非也. 我國, 卽高句麗之舊也. 故, 號高麗, 都平壤."
>
> 손녕 어희왈 여국 흥신라지 고구려지지 아소유야 이여침식지 희왈 비야 아국 즉고구려 지구야 고 호고려 도평양

1. ㉠, ㉡이 가리키는 나라를 각각 써 보자.

(1) ㉠: (고려)　　(2) ㉡: (요)

2. 빈칸에 알맞은 말을 순서대로 써 보자.

> 서희는 소손녕의 말에 우리나라는 [신라]이/가 아니라 [고구려]을/를 이어받았기 때문에 국호를 [고려](이)라 하고 [평양]에 도읍하였다고 반박하였다.

창의형

3. 본문의 내용을 바탕으로 하여 연극 대본을 만들고 역할 놀이를 해 보자.

과정

① 모둠 구성하기
② 본문에서 특정한 상황이나 장면을 선택하여 대본 작성하기
③ 각자 연기할 인물 정하고 함께 연습하기
④ 학급 친구들 앞에서 연기하기

소단원 자기 점검

학업 성취도를 스스로 점검해 보자.

질문	잘함	보통	노력 필요
• 대명사가 가리키는 대상을 파악할 수 있는가?	잘함	보통	노력 필요
• 서희의 외교에서 오늘날 본받을 만한 가치를 찾을 수 있는가?	잘함	보통	노력 필요

▢ 교과서 116쪽 '본문 풀이' 다시 읽기　▢ 교과서 116쪽 '이해 더하기' 다시 읽기

도움말 소단원 학습이 끝나면 소단원의 학습 목표에 해당하는 질문에 답하며 자신의 학업 성취도를 스스로 점검해 본다. 성취 목표에 도달하지 못한 경우에는 제시된 위치로 돌아가서 내용을 다시 읽고 공부하도록 한다.

소단원 스스로 정리

정답과 해설 305쪽

• 한자, 음, 뜻, 부수의 순서로 제시

1. 한자

高 (고) 높다 [高]
麗* ❶☐ 곱다 [鹿]
❷☐ (조) 아침 [月]
鮮 (선) 곱다, 신선하다 [魚]
民 (민) 백성 [氏]
侵*(침) 침노하다 [人(亻)]
勇 (용) ❸☐☐☐ [力]
猛*(맹) 사납다 [犬(犭)]
最 (최) 가장 [日]
議 ❹☐ 의논하다 [言]
遜*(손) 겸손하다 [辵(辶)]
寧*(녕) 편안하다 [宀]
熙*(희) 빛나다 [火(灬)]

曰 (왈) ❺☐☐☐ [曰]
汝 (여) 너 [水(氵)]
句 (구) 글귀 [口]
蝕*(식) 좀먹다 [虫]
❻☐ (즉) 곧 [卩(㔾)]
號 (호) 이름, 부르다 [虍]
都 (도) ❼☐☐ [邑(阝)]
壤*(양) 흙덩이 [土]
余 (여) 나 [人(亻)]
君 ❽☐ 임금, 그대 [口]
等 (등) 무리 [竹]
暮 (모) 저물다 [日]

威 (위) 위엄 [女]
勢 (세) 형세, 세력 [力]
甚 (심) 심하다 [甘]
敵 (적) 대적하다 [攴(攵)]
❾☐ (복) 회복하다, (부) 다시 [彳]
協 (협) 화합하다, 돕다 [十]
商 (상) 장사, 헤아리다 [口]
亡 ❿☐ 망하다 [亠]
權 (권) 권세 [木]
⓫☐ (좌) 앉다 [土]
井 (정) 우물 [二]

2. 어휘

(1) ❶☐☐(흥망): 잘되어 번성하여 일어남과 못되어 다해 없어짐.
(2) 權力(❷☐☐): 남을 복종시키거나 지배할 수 있는 공인된 권리와 힘
(3) 坐井觀天(❸☐☐☐☐): 우물 속에 앉아서 하늘을 본다는 뜻으로, 사람의 견문이 매우 좁음을 이르는 말. 관련 속담으로는 '우물 안 개구리'가 있음.
(4) 利益(❹☐☐): 물질적으로나 정신적으로 보탬이 되는 것

3. 본문

遜寧(손녕)이 語熙曰(어희왈): "汝國(여국)은 興❶☐☐地(흥신라지)하니 高句麗之地(고구려지지)는 我❷☐☐也(아소유야)어늘 而汝侵蝕之(이여침식지)라."	소손녕이 서희에게 말하였다. "너희 나라는 신라의 땅에서 일어났으니 고구려의 땅은 우리가 가진 것이거늘 너희가 그것을 ❸☐☐하여 갉아먹은 것이다."
熙曰(희왈): "非也(비야)라. 我國(아국)은 卽高句麗之舊也(즉고구려지구야)라. ❹☐(고)로 號高麗(호고려)하고 都平壤(도평양)이라."	서희가 말하였다. "아니다. 우리나라는 곧 ❺☐☐☐의 옛 땅이다. 그러므로 ❻☐☐라 부르고 평양에 도읍하였다."

4. 인칭 대명사

• ❶☐인칭 대명사 : 吾(오), 我(아), 余(여) 예 高句麗之地는 我所有也어늘: 고구려의 땅은 ❷☐☐가 가진 것이거늘
• 2인칭 대명사 : 汝(여), 子(자), 君(군) 예 汝國은 興新羅地하니: ❸☐☐ 나라는 신라의 땅에서 일어났으니

소단원 확인 문제

01 다음 조건과 관련 있는 한자의 뜻으로 알맞은 것은?

> ·ᆸ → ᆸ → ᆸ → 曰
>
> • 음은 '왈'이다.

① 해　② 달　③ 우물
④ 무리　⑤ 말하다

출제 유력

02 다음 중 연결이 바른 것은?

모양	음	뜻	부수
① 井	(정)	우물	井
② 坐	(좌)	앉다	人
③ 亡	(망)	망하다	亡
④ 商	(장)	헤아리다	口
⑤ 協	(협)	화합하다	十

03 한자의 총획이 바르지 않은 것은?

① 余 - 7획　② 君 - 7획　③ 等 - 12획
④ 甚 - 10획　⑤ 權 - 22획

04 한자의 부수 연결이 바르지 않은 것은?

① 朝 - 月　② 鮮 - 漁　③ 民 - 氏
④ 勇 - 力　⑤ 議 - 言

05 한자의 뜻이 바르지 않은 것은?

① 議: 의논하다　② 最: 가장
③ 勇: 날래다　④ 侵: 침노하다
⑤ 猛: 순하다

06 국호를 한자로 잘못 표기한 것은?

① 고조선 - 古朝鮮　② 백제 - 白濟
③ 발해 - 渤海　④ 조선 - 朝鮮
⑤ 대한제국 - 大韓帝國

출제 유력

07 ㉠과 ㉡의 독음이 바른 것은?

> • 고려를 ㉠侵入한 거란군을 귀주에서 크게 물리친 강감찬
> • 화약과 새로운 무기로 왜구를 물리치고 ㉡國土를 수호한 최무선

	㉠	㉡		㉠	㉡
①	침입	국사	②	침입	국토
③	유입	국사	④	유입	국토
⑤	침범	국토			

08 밑줄 친 어휘를 한자로 바르게 표기한 것은?

> 계통상 ㉠국어는 알타이 어족에 속한다.

① 國吾　② 國語　③ 國言
④ 國議　⑤ 國家

09 한자 어휘의 독음으로 바르지 않은 것은?

① 未來(미래)　② 回復(회복)
③ 和議(화언)　④ 朝鮮(조선)
⑤ 統一新羅(통일신라)

10 다음 한자 어휘의 풀이를 쓰시오.

> 坐井觀天

[11~20] 다음 글을 읽고 물음에 답하시오.

> 遜寧이 語熙曰: "㉠汝國은 興新羅地하니 高句麗ⓐ之地는 ㉡我所有也어늘 ㉢而汝侵蝕ⓑ之라." [중략]
> 熙曰: "非也라. 我國은 卽高句麗ⓒ之舊也라. ㉣故로 ㉤號高麗하고 都平壤이라."

11 윗글에 쓰인 한자의 음으로 바르지 않은 것은?

① 地-지 ② 所-소 ③ 也-야
④ 卽-측 ⑤ 舊-구

12 윗글에 쓰인 고유 명사의 독음으로 바르지 않은 것은?

① 遜寧-손녕 ② 新羅-신라
③ 高句麗-고구려 ④ 高麗-고려
⑤ 平陽-평강

13 ㉠이 의미하는 나라로 바른 것은?

① 거란 ② 신라 ③ 백제
④ 고려 ⑤ 조선

14 ㉡과 의미가 통하는 것은?

① 汝 ② 子 ③ 君 ④ 余 ⑤ 之

출제 유력
15 ㉢과 ㉣의 의미로 가장 적절한 것은?

	㉢	㉣
①	그러나	그런데
②	그런데	따라서
③	그런데	그러나
④	그렇지만	그러므로
⑤	그러므로	그렇지만

16 윗글에 쓰인 號의 음과 의미로 가장 적절한 것은?

① (호) 이름 ② (호) 부르다 ③ (도) 수도
④ (호) 부호 ⑤ (호) 통곡하다

서술형
17 ㉤을 참고하여 〈풀이〉에 맞게 한자 카드를 배열하시오.

〈풀이〉 국호를 조선이라 하고, 한양에 도읍하였다.

朝鮮 號 漢陽

출제 유력
18 ⓐ~ⓒ의 의미로 가장 적절한 것은?

	ⓐ	ⓑ	ⓒ
①	~의	그것	~의
②	그것	~의	~의
③	그것	~의	그것
④	~의	그것	그것
⑤	~의	~의	그것

19 소손녕과 상대하고 있는 사람을 나타내는 한자로 알맞은 것은?

① 語 ② 熙 ③ 曰 ④ 平 ⑤ 陽

출제 유력
20 윗글에 대한 설명으로 적절하지 않은 것은?

① 거란의 소손녕과 고려 서희의 대화이다.
② 소손녕은 고려가 신라에서 일어났다고 주장한다.
③ 소손녕은 고구려의 땅을 자기들이 소유하고 있다고 주장한다.
④ 소손녕은 자신들이 고려에 거란의 땅을 분할해 주고 있다고 주장한다.
⑤ 서희는 고려를 고구려의 옛 땅이라 하고, 평양에 도읍하였다고 주장한다.

17. 조화를 소중히 여긴 광해

○ 교과서 118, 119쪽

똑똑! 활동으로 열기

출제 유형
- 다음 한자의 공통되는 부수로 알맞은 것은?
- 한자 어휘에서 上의 의미를 바르게 짝지은 것은?
- 의미상 ㉠에 들어갈 한자 어휘로 알맞은 것은?

하나의 한자에도 여러 가지 뜻이 있지.

활동 1 한자 어휘에서 上(상)이 어떤 뜻으로 사용되었는지 연결해 보자.

(1) 天上 천상: 하늘 위

(2) 主上 주상: '임금'을 달리 이르는 말

(3) 上京 상경: 지방에서 서울로 감.

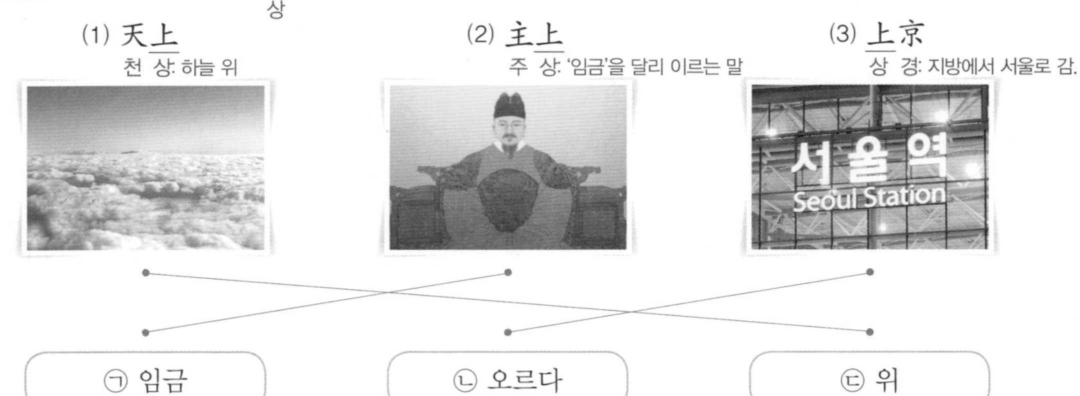

㉠ 임금 ㉡ 오르다 ㉢ 위

조선의 15대 임금인 광해는 다양한 맛의 조화에 관해 이야기한 적이 있지. 떠오르는 음식 있어?

활동 2 밑줄 친 부분과 뜻이 통하는 한자를 〈보기〉에서 찾아 써 보자. ❶ 甘 ❷ 辛 ❸ 苦

五味子(오미자)는 다섯 가지 맛이 조화를 이룬다고 하여 붙은 이름이다. 껍질에서는 신맛, 과육에서는 ❶단맛, 씨에서는 ❷매운맛과 ❸쓴맛, 전체적으로는 짠맛이 난다고 한다.

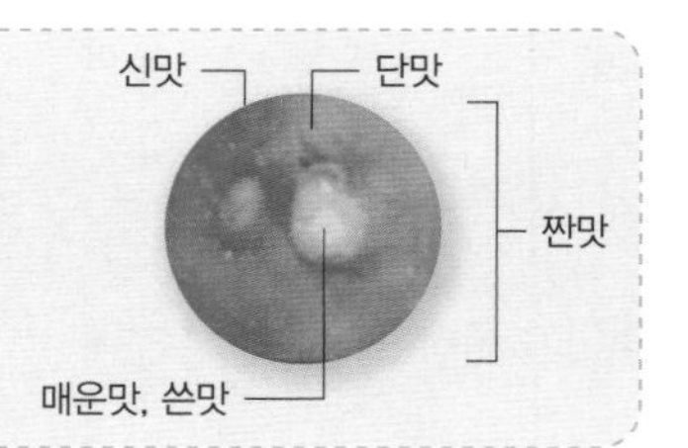

• 보기 • 甘 (감) 달다 苦 (고) 쓰다 辛 (신) 맵다

新 한자 모아 보기

한자	음	뜻	부수	획수	총획
京	경	서울	亠	6	8
味	미	맛	口	5	8
甘	감	달다	甘	0	5
異	이	다르다	田	6	11
墨	묵	먹	土	12	15
勤	근	부지런하다	力	11	13
勉	면	힘쓰다	力	7	9
柔	유	부드럽다	木	5	9

광해의 여러 가지 모습을 더 알아보자.

활동 3 다음 글을 읽고 물음에 답해 보자.

가 한번은 선조가 여러 왕자들 앞에 보물이며 먹과 붓 등의 물건들을 늘어놓고 각기 마음대로 고르도록 했다. 다른 왕자들은 다투다시피 보물을 집었지만 광해군은 異色(이 색: 보통의 것과 색다름.)적인 선택을 하였다. 남들이 거들떠보지도 않는 筆((필) 붓)과 墨((묵) 먹)을 집어든 것이다. 부왕이 그를 눈여겨보았음은 물론이다.

나 선조가 광해군에게 이렇게 물었다.

"네게 부족한 것이 있다면 무엇이냐?"

이 물음에 광해군은 의외의 대답으로 부왕의 마음을 찡하게 만들었다.

"모친(공빈 김씨)께서 일찍 돌아가셔서 안 계신 것입니다. 그것이 마음에 걸릴 뿐입니다."

이종호, 『조선을 뒤흔든 아버지와 아들』

(1) (가)에서 광해가 고른 물건은 무엇인지 써 보자. 붓, 먹

(2) (나)에 드러난 광해의 면모를 나타낼 수 있는 말을 〈보기〉에서 찾아 써 보자. 孝誠

• 보기 • 勤勉 柔順 義理 忠誠 孝誠

- 勤勉(근면): 부지런히 일하며 힘씀.
- 柔順(유순): 성질이나 태도, 표정 따위가 부드럽고 순함.
- 義理(의리): ① 사람으로서 마땅히 지켜야 할 도리 ② 사람과의 관계에서 지켜야 할 바른 도리
- 忠誠(충성): 진정에서 우러나오는 정성. 특히, 임금이나 국가에 대한 것을 이름.
- 孝誠(효성): 마음을 다하여 부모를 섬기는 정성

배울 내용에 관하여 얼마나 알고 있는지 스스로 점검해 보자.

• 上의 여러 가지 뜻을 알고 있는가?	☆☆☆☆☆
• 일화에 드러난 광해의 인물됨을 파악하고 있는가?	☆☆☆☆☆

잘하는 부분은 발전시키고, 부족한 부분은 보완할 수 있도록 스스로 학습 계획을 세워 보자.

나는 이 단원에서 ___예 上의 여러 가지 뜻, 일화에 드러난 광해의 인물됨___ 을/를 공부하겠다.

도움말 上의 여러 가지 뜻, 조선의 15대 왕 광해와 관련된 일화 등을 활동을 통하여 살펴보았다. 이를 바탕으로 소단원 학습 내용에 관한 자신의 배경지식 정도를 점검해 보고, 스스로 소단원의 학습 계획을 세워 본다.

학습 요소 ■ 문장의 구조(주술보 구조, 주술목보 구조) ■ 글의 내용과 주제 ■ 선인들의 지혜와 사상에 대한 이해와 공감

출제 유형
- 윗글에 사용된 한자의 음으로 바르지 않은 것은?
- ㉠이 가리키는 인물로 알맞은 것은?
- ㉡의 의미로 알맞은 것은?

17. 조화를 소중히 여긴 광해

교과서 120, 121쪽

上이 試問於諸王子曰: "饌品之中에 何物爲上고?"

(上: 상 임금 — 임금(선조) / 試: 시 시험하다 / 問: 문 묻다 / 於: 어 어조사 — ~에게 / 諸: 제 모두 / 王: 왕 임금 / 子: 자 아들 / 曰: 왈 말하다)

(饌: 찬 반찬 / 品: 품 물건 — 饌品: 반찬거리 / 之: 지 어조사 — ~의 / 中: 중 가운데 / 何: 하 어찌 / 物: 물 물건 / 爲: 위 되다 / 上: 상 위 — 위(최상))

光海[1]가 對曰: "鹽也니이다."

(光: 광 / 海: 해 — 광해(인명) / 對: 대 대하다 / 曰: 왈 말하다 / 鹽: 염 소금 / 也: 야 어조사)

上이 問其故하니 對曰: "調和百味엔 非鹽則不成矣니이다."

(上: 상 위 / 問: 문 묻다 / 其: 기 그 / 故: 고 까닭 — 其故: 소금이라고 대답한 까닭 / 對: 대 대하다 / 曰: 왈 말하다 / 調: 조 고르다 / 和: 화 화합하다 / 百: 백 일백 — '온갖, 많다'의 의미 / 味: 미 맛 / 非: 비 아니다 / 鹽: 염 소금 / 則: 즉 곧 / 不: 불 아니다 / 成: 성 이루다 / 矣: 의 어조사)

『연려실기술』

1) 광해(光海): 선조의 둘째 아들로 훗날 조선 제15대 왕인 광해군이 됨.

新 한자 모아 보기

한자	음	뜻	부수	획수	총획
試	시	시험하다	言	6	13
諸	제	모두	言	9	16
饌*	찬	반찬	食	12	21
品	품	물건	口	6	9
光	광	빛	儿	4	6
海	해	바다	水(氵)	7	10
鹽*	염	소금	鹵	13	24
調	조	고르다	言	8	15
矣	의	어조사	矢	2	7

스스로 확인

광해가 소금을 가장 소중히 여기는 까닭은 무엇인가?

온갖 맛을 조화롭게 하기 때문에

• 『연려실기술(燃藜室記述)』: 조선 후기의 실학자 이긍익(李肯翊)이 지은 역사책

꼭꼭! 본문 다지기

교과서 122쪽

上이 試問於諸王子曰: "饌品之中에 何物爲上고?"
상 시 문 어 제 왕 자 왈 찬 품 지 중 하 물 위 상

임금이 여러 왕자에게 시험 삼아 물어 말하였다. "반찬거리 중에 어떤 물건이 최상이 되겠는가?"

光海가 對曰: "鹽也니이다."
광 해 대 왈 염 야

광해가 대답하여 말하였다. "소금입니다."

上이 問其故하니 對曰:
상 문 기 고 대 왈

임금이 그 까닭을 물으니 대답하여 말하였다.

"調和百味엔 非鹽則不成矣니이다."
조 화 백 미 비 염 즉 불 성 의

"온갖 맛을 조화롭게 하는 것에는 소금이 아니면 이루어지지 않습니다."

- 上: 임금, 위(최상) 상
- 於: ~에게 어
- 饌品: 반찬거리 찬 품
- 故: 까닭 고

- 飯饌(반찬): 밥에 곁들여 먹는 음식을 통틀어 이르는 말
- 麥飯石(맥반석): 누런 흰색을 띠며 거위알 또는 뭉친 보리밥 모양을 한 천연석
- 米飮(미음): 입쌀이나 좁쌀에 물을 충분히 붓고 푹 끓여 체에 걸러 낸 걸쭉한 음식
- 養育(양육): 아이를 보살펴서 자라게 함.

부수가 같은 한자 – 食

- 饌 (찬) 반찬 예 飯饌(반찬)
- 飯 (반) 밥 예 麥飯石(맥반석)
- 飮 (음) 마시다 예 米飮(미음)
- 養 (양) 기르다 예 養育(양육)

뜻이 비슷한 한자로 이루어진 어휘

- 調和(조화) 서로 잘 어울림.
- 巨大(거대) 엄청나게 큼.
- 幾何(기하) 얼마
- 橋脚(교각) 다리를 받치는 기둥
- 充滿(충만) 한껏 차서 가득함.
- 適當(적당) 정도에 알맞음.

똑똑한 한문 지식 문장의 구조

(1) 주술보 구조: 주어, 서술어, 보어의 관계로 이루어진 구조

예 上問於王子.: 上[임금이](주어) + 問[묻다](서술어) + 於王子[왕자에게](보어) → 임금이 왕자에게 묻다.
상 문 어 왕 자

- 日出於山(일출어산).: 산에서 해가 뜨다.
- 兄去於學校(형거어학교).: 형이 학교에 가다.

(2) 주술목보 구조: 주어, 서술어, 목적어, 보어의 관계로 이루어진 구조

예 上問故於光海.: 上[임금이](주어) + 問[묻다](서술어) + 故[까닭을](목적어) + 於光海[광해에게](보어) → 임금이 광해에게 까닭을 묻다.
상 문 고 어 광 해

- 兒見花於道(아견화어도).: 아이가 길에서 꽃을 보다.
- 孔子問禮於老子(공자문례어노자).: 공자가 노자에게 예를 묻다.

이해 더하기 지혜로운 왕자 광해

조선의 제15대 왕 광해군은 소년 시절부터 매우 총명하였다. 선조의 서자이자 차남으로 태어났지만, 임진왜란의 危急한 상황에서 세자가 되어 선조를 대신해 정무를 보기도 하였다. 즉위한 후에는 중단되었던 일본과의 외교를 再開하였으며, 전란으로 황폐해진 국가를 재건하기 위해 노력하였다. 또한 국제 정세에 관한 뛰어난 眼目으로 명과 후금 사이에서 균형 잡힌 實利 외교 정책을 시도하였다.

- 危急(위급): 몹시 위태롭고 급함.
- 再開(재개): 어떤 활동이나 회의 따위를 한동안 중단했다가 다시 시작함.
- 眼目(안목): 사물을 보고 분별하는 견식
- 實利(실리): 실제로 얻는 이익

新 한자 모아 보기

한자	음	뜻	부수	획수	총획
飯	반	밥	食	4	13
麥	맥	보리	麥	0	11
米	미	쌀	米	0	6
養	양	기르다	食	6	15
橋	교	다리	木	12	16
脚	각	다리	肉(月)	7	11
巨	거	크다	工	2	5

한자	음	뜻	부수	획수	총획
充	충	채우다	儿	4	6
幾	기	몇	幺	9	12
當	당	마땅하다	田	8	13
危	위	위태롭다	卩(㔾)	4	6
急	급	급하다	心	5	9
再	재	두, 다시	冂	4	6

한자	음	뜻	부수	획수	총획
眼	안	눈	目	6	11
實	실	열매	宀	11	14
頭	두	머리	頁	7	16
珍*	진	보배	玉	5	9
貴	귀	귀하다	貝	5	12
材	재	재목	木	3	7

쑥쑥! 실력 향상

교과서 123쪽

생활 속 용어 활용

飮食과 관련된 표현에는
어떤 것이 있을까?

• 飮食(음식): ① 사람이 먹을 수 있도록 만든, 밥이나 국 따위의 물건 ② 사람이 먹고 마시는 것을 통틀어 이르는 말

魚頭一味요.
물고기는 머리 쪽이 맛이 있다는
말입니다.

• 魚頭一味(어두일미): 물고기는 머리 쪽이 그중 맛이 있다는 말

산과 바다의 珍貴한 材料로
만든 맛이 좋은 飮食인
山海珍味도 있어요.

• 珍貴(진귀): 보배롭고 보기 드물게 귀함.
• 材料(재료): ① 물건을 만드는 데 들어가는 감 ② 어떤 일을 하기 위한 거리
• 山海珍味(산해진미): 산과 바다에서 나는 온갖 진귀한 물건으로 차린, 맛이 좋은 음식

美食家도요.
좋은 飮食을 찾아 먹는 것을 즐기는
사람을 가리키는 말이에요.
참맛 식당

• 美食家(미식가): 음식에 대하여 특별한 기호를 가진 사람. 또는 좋은 음식을 찾아 먹는 것을 즐기는 사람

문제로 실력 확인

[1~3] 다음 글을 읽고 물음에 답해 보자.

> ㉠上(장), 試(시)問(문)於(어)諸(제)王(왕)子(자)曰(왈): ㉮《"饌(찬)品(품)之(지)中(중), 何(하)物(물)爲(위)㉡上(장)?"》

1. ㉠, ㉡이 각각 어떤 뜻으로 사용되었는지 써 보자.

(1) ㉠: (임금)　　(2) ㉡: (위(최상))

2. 풀이에 맞게 한자와 어휘를 배열해 보자. 上, 問, 故, 於, 光海

> 풀이 임금이 광해에게 까닭을 물었다.

問 (문) 묻다　上 (상) 임금　光海 광 해　故 (고) 까닭　於 (어) 어조사

창의형

3. ㉮를 풀이하고, 자신의 대답과 그 이유를 자유롭게 써 보자.

(1) 풀이: 반찬거리 중에 어떤 물건이 최상이 되겠는가?

(2) 대답: [예시 답안] 물

(3) 이유: [예시 답안] 모든 음식을 만드는 데에 꼭 필요하기 때문에

소단원 자기 점검

학업 성취도를 스스로 점검해 보자.

• 광해의 말에 담긴 교훈을 파악할 수 있는가?	잘함 / 보통 / 노력 필요
• 문장의 구조(주술보 구조, 주술목보 구조)를 알고 문장을 풀이할 수 있는가?	잘함 / 보통 / 노력 필요

□ 교과서120~122쪽 다시 읽기　□ 교과서 122쪽 '똑똑한 한문 지식' 다시 읽기

도움말 소단원 학습이 끝나면 소단원의 학습 목표에 해당하는 질문에 답하며 자신의 학업 성취도를 스스로 점검해 본다. 성취 목표에 도달하지 못한 경우에는 제시된 위치로 돌아가서 내용을 다시 읽고 공부하도록 한다.

소단원 스스로 정리

정답과 해설 306쪽

• 한자, 음, 뜻, 부수의 순서로 제시

1. 한자

京 ❶ 서울 [亠]
味 (미) 맛 [口]
甘 (감) 달다 [甘]
異 (이) 다르다 [田]
❷ (묵) 먹 [土]
勤 (근) 부지런하다 [力]
勉 (면) 힘쓰다 [力]
柔 (유) ❸ [木]
試 (시) 시험하다 [言]
諸 ❹ 모두 [言]
饌* (찬) 반찬 [食]
品 (품) 물건 [口]

光 (광) 빛 [儿]
海 (해) 바다 [水(氵)]
鹽* (염) 소금 [鹵]
調 (조) ❺ [言]
矣 (의) 어조사 [矢]
飯 (반) 밥 [食]
❻ (맥) 보리 [麥]
米 (미) ❼ [米]
養 (양) 기르다 [食]
橋 (교) 다리 [木]
脚 (각) ❽ [肉(月)]
巨 (거) 크다 [工]

充 (충) 채우다 [儿]
幾 (기) 몇 [幺]
❾ (당) 마땅하다 [田]
危 (위) 위태롭다 [卩(㔾)]
急 ❿ 급하다 [心(忄)]
再 (재) 두, 다시 [冂]
眼 (안) 눈 [目]
實 (실) 열매 [宀]
⓫ (두) 머리 [頁]
珍* (진) 보배 [玉]
貴 (귀) ⓬ [貝]
材 (재) 재목 [木]

2. 어휘

(1) ❶(진귀): 보배롭고 보기 드물게 귀함.
(2) 魚頭一味(❷): 물고기는 머리 쪽이 그 중 맛이 있다는 말
(3) ❸(재료): ① 물건을 만드는 데 들어가는 감 ② 어떤 일을 하기 위한 거리
(4) 山海珍味(❹): 산과 바다에서 나는 온갖 진귀한 물건으로 차린, 맛이 좋은 음식
(5) 美食家(미식가): 음식에 대하여 특별한 기호를 가진 ❺. 또는 좋은 음식을 찾아 먹는 것을 즐기는 사람

3. 본문

上(상)이 試問於諸❶曰(시문어제왕자왈): "饌品之中(찬품지중)에 何物爲上(하물위상)고?"	임금이 여러 왕자에게 시험 삼아 물어 말하였다. "반찬거리 중에 어떤 물건이 최상이 되겠는가?"
光海(광해)가 對曰(대왈): "鹽也(염야)니이다."	광해가 대답하여 말하였다. "❷입니다."
上(상)이 問其❸(문기고)하니 對曰(대왈): "❹(조화백미)엔 非鹽則不成矣(비염즉불성의)니이다."	임금이 그 까닭을 물으니 대답하여 말하였다. "온갖 맛을 조화롭게 하는 것에는 ❺이 아니면 이루어지지 않습니다."

4. 문장의 구조

• ❶ 구조: 주어, 서술어, 보어의 관계로 이루어진 구조 ㉥ 上問於王子.: 임금이 왕자에게 묻다.
• 주술목보 구조: ❷, 서술어, 목적어, ❸의 관계로 이루어진 구조 ㉥ 上問故於光海.: 임금이 광해에게 까닭을 묻다.

소단원 확인 문제

01 빈칸에 알맞은 뜻을 쓰시오.

形[모양]	音(음)	義[뜻]
味	미	( )

02 다음 조건과 관련 있는 한자의 뜻으로 바른 것은?

> • [古字] → [古字] → [古字] → 食
> • 음은 '식'이다.

① 살다 ② 먹다 ③ 죽다
④ 괘이름 ⑤ 어질다

03 한자의 3요소를 바르게 연결하시오.

	모양	음	뜻
(1)	勉 •	• (감) •	• 힘쓰다
(2)	京 •	• (면) •	• 달다
(3)	甘 •	• (경) •	• 서울

04 한자의 부수 연결이 바르지 않은 것은?

① 異－田 ② 墨－黑 ③ 勤－力
④ 柔－木 ⑤ 味－口

05 한자의 총획이 바르지 않은 것은?

① 再－6획 ② 眼－11획 ③ 貴－12획
④ 實－16획 ⑤ 頭－16획

출제 유력

06 다음 한자의 공통되는 부수로 알맞은 것은?

> 饌 飮 養

① 欠 ② 羊 ③ 食 ④ 巽 ⑤ 良

출제 유력

07 한자 어휘에서 上의 의미를 바르게 짝지은 것은?

> 天㉠上 ㉡上京 主㉢上

	㉠	㉡	㉢
①	위	－ 위	－ 오르다
②	위	－ 오르다	－ 위
③	위	－ 오르다	－ 임금
④	임금	－ 위	－ 오르다
⑤	오르다	－ 위	－ 임금

08 의미상 ㉠에 들어갈 한자 어휘로 알맞은 것은?

> (㉠)은/는 다섯 가지 맛이 조화를 이룬다고 하여 붙여진 이름이다. 껍질에서는 신맛, 과육에서는 단맛, 씨에서는 매운맛과 쓴맛, 전체적으로 짠맛이 난다고 한다.

① 筆墨 ② 飮食 ③ 米飮
④ 麥飯石 ⑤ 五味子

09 밑줄 친 어휘를 한자로 바르게 표기한 것은?

> 다른 왕자들은 다투다시피 보물을 집었지만 광해군은 이색적인 선택을 하였다.

① 耳色 ② 異色 ③ 二色
④ 里色 ⑤ 李色

10 한자 어휘의 독음이 바르지 않은 것은?

① 勤勉(근면) ② 義理(의리)
③ 柔順(유리) ④ 孝誠(효성)
⑤ 忠誠(충성)

11 ㉠과 ㉡의 독음을 쓰시오.

> 국제 정세에 관한 뛰어난 ㉠眼目으로 명과 후금 사이에서 균형 잡힌 ㉡實利 외교 정책을 시도하였다.

[12~20] 다음 글을 읽고 물음에 답하시오.

> ㉠上이 試問 ㉡ 諸王子曰: "㉢饌品之中에 ㉣何物爲上고?" 光海가 對曰: "鹽也니이다."
> 上이 問其㉤故하니 ㉥對曰: "調和百味엔 ㉦非鹽則不成矣니이다."

12 윗글에 쓰인 한자의 음으로 바르지 않은 것은?

① 試-시 ② 諸-제 ③ 饌-선
④ 鹽-염 ⑤ 調-조

13 ㉠이 가리키는 인물로 알맞은 것은?

① 중종 ② 연산군 ③ 인종
④ 명종 ⑤ 선조

14 의미상 ㉡에 들어갈 한자로 적절한 것은?

① 魚 ② 而 ③ 於 ④ 之 ⑤ 以

출제 유력

15 ㉢의 의미로 알맞은 것은?

① 반찬거리 ② 반찬과 밥
③ 대신의 밥상 ④ 신하의 밥상
⑤ 임금의 밥상

16 ㉣의 풀이 순서로 알맞은 것은?

① 何→物→爲→上 ② 物→何→爲→上
③ 何→物→上→爲 ④ 物→何→上→爲
⑤ 上→物→何→爲

17 ㉤의 의미로 가장 적절한 것은?

① 옛날 ② 사고 ③ 죽다
④ 까닭 ⑤ 그러므로

18 의미상 ㉥의 주체로 가장 적절한 것은?

① 광해 ② 임금 ③ 정조
④ 소금 ⑤ 조화

19 ㉦에서 가장 마지막에 풀이되는 한자로 알맞은 것은?

① 非 ② 則 ③ 不 ④ 成 ⑤ 矣

출제 유력

20 윗글에 대한 설명으로 적절하지 않은 것은?

① 임금과 광해가 묻고 답하는 내용이다.
② 광해는 최고의 반찬거리는 소금이라고 말했다.
③ 임금은 가장 최고의 반찬거리가 무엇인지를 물었다.
④ 임금은 광해에게 소금을 최고의 반찬거리로 선택한 이유를 물었다.
⑤ 광해는 최고의 반찬거리로 소금을 말한 이유는 제일 값나가는 물건이기 때문이라고 답하였다.

21 한자 어휘의 활용이 적절하지 않은 것은?

① 된장을 만들 때는 메주, 소금, 고추 등의 才料가 필요하다.
② 美食家인 그녀는 여행을 다니며 여러 지역의 향토 음식을 먹었다.
③ 분을 곱게 바른 아낙의 방물 보따리에는 온갖 珍貴한 물건들이 들어 있었다.
④ 내가 지금까지 다녀 본 중에서 어제 피로연의 飮食이 가장 좋았다.
⑤ 당시 왕실에는 王子들 중 한 명을 출가를 시키는 관습이 있었다.

서술형

22 밑줄 친 성어의 독음을 적고 뜻을 풀이하시오.

> 이번 여행에서 그는 세계 각국의 山海珍味를 만끽했다고 자랑했다.

교과서 124쪽

"문자도 그리기"

문자도(文字圖)란 글자의 뜻과 관련된 고사나 설화의 내용을 대표하는 상징물을 글자의 획 속에 그려 넣은 것이다. 문자도를 그리는 활동을 통해 한자의 뜻을 생각하고, 개성과 창의성을 발휘해 보자.

【준비물】

▲ 종이

▲ 색연필, 사인펜

【활동 과정】

1. 모둠 구성하기
2. 문자도를 그릴 한자나 한자 어휘 정하기
3. 각각의 모둠원이 그릴 분량 나누기
4. 각자 그린 그림을 합쳐서 문자도 완성하기
5. 문자도에 사용된 소재의 의미 설명하기

도움말 한자나 한자 어휘의 의미가 너무 단순한 경우에는 문자도로 표현하는 데 한계가 있으므로 각각의 한자를 선택할 때는 유교적 덕목인 孝(효), 悌(제), 忠(충), 信(신)과 같이 하나의 주제로 묶을 수 있는 것으로 선택한다.

【예시】 調和 문자도
조 화

스스로 평가

개인 평가표

잘된 부분	
아쉬운 부분	

모둠 평가표

수행 과정	모둠원들의 협업이 잘 이루어졌는가?	☆☆☆☆☆
	문자도에 관한 의견을 적극적으로 제시하였는가?	☆☆☆☆☆
결과물	창의적이고 완성도 있는 결과물을 제시하였는가?	☆☆☆☆☆
	한자와 상징물이 연관성을 가지고 있는가?	☆☆☆☆☆

요점 정리

1 문장의 풀이

(1) 百濟人王仁, 携書籍以入云.
백제인왕인 휴서적이입운
: 백제 사람 왕인이 서적을 가지고 들어왔다고 이른다.

(2) 畫老松於皇龍寺壁, 鳥雀, 往往飛入云.
화노송어황룡사벽 조작 왕왕비입운
: 황룡사 벽에 늙은 소나무를 그렸더니 새들이 이따금 날아들었다고 이른다.

(3) 汝國, 興新羅地, 高句麗之地, 我所有也, 而汝侵蝕之.
여국 흥신라지 고구려지지 아소유야 이여침식지
: 너희 나라는 신라의 땅에서 일어났으니 고구려의 땅은 우리가 가진 것이거늘 너희가 그것을 침입하여 갉아먹은 것이다.

(4) "饌品之中, 何物爲上?" 光海, 對曰: "鹽也."
찬품지중 하물위상 광해 대왈 염야
: "반찬거리 중에 어떤 물건이 최상이 되겠는가?" 광해가 대답하여 말하였다. "소금입니다."

2 문장의 구조

(1) 주술 구조 예 鳥(조, 주어) + 飛(비, 서술어): 새가 날다.

(2) 주술목 구조 예 率居(솔거, 주어) + 畫(화, 서술어) + 松(송, 목적어): 솔거가 소나무를 그리다.

(3) 주술보 구조 예 上(상, 주어) + 問(문, 서술어) + 於王子(어왕자, 보어): 임금이 왕자에게 묻다.

(4) 주술목보 구조 예 上(상, 주어) + 問(문, 서술어) + 故(고, 목적어) + 於光海(어광해, 보어): 임금이 광해에게 까닭을 묻다.

3 한문 기록에 담긴 선인들의 지혜와 사상

我國, 卽高句麗之舊也. 故, 號高麗, 都平壤.(아국 즉고구려지구야 고 호고려 도평양): 우리나라는 곧 고구려의 옛 땅이다. 그러므로 고려라 부르고 평양에 도읍하였다.	고려는 고구려를 계승하였음.
調和百味, 非鹽則不成矣.(조화백미 비염즉불성의): 온갖 맛을 조화롭게 하는 것에는 소금이 아니면 이루어지지 않습니다.	조화의 중요성

핵심 평가

1. 다음 문장의 구조를 써 보자. 주술목 구조

> 汝侵蝕之.
> 여침식지

汝는 주어, 侵蝕은 서술어, 之는 목적어이다.

[2~4] 다음 글을 읽고 물음에 답해 보자.

> (가) ㉠我國, 卽高句麗之舊也. 故, 號高麗, 都平壤.
> 아국 즉고구려지구야 고 호고려 도평양
> (나) ㉡上, 問其故. 對曰: "㉢調和百味, 非鹽則不成矣."
> 상 문기고 대왈 조화백미 비염즉불성의

2. ㉠이 가리키는 대상을 써 보자. 고려

3. ㉡의 뜻으로 알맞은 것을 골라 보자. ②

① 위 ② 임금 ③ 높다
④ 오르다 ⑤ 가장자리

上은 '임금, 오르다, 위' 등 여러 가지 뜻을 지닌 한자이다.

서술형

4. ㉢을 풀이하고, 화자가 중요하게 여기는 가치는 무엇인지 써 보자.

• 풀이: 온갖 맛을 조화롭게 하는 것에는 소금이 아니면 이루어지지 않습니다.
• 화자가 중요하게 여기는 가치: 조화

용어 활용형

5. 한자 용어의 독음이 바르지 않은 것을 골라 보자. ④

① 현주는 歌曲(가곡)을 잘 부른다.
② 김홍도는 조선 시대의 畫家(화가)이다.
③ 형은 내일 봉사 활동에 參與(참여)한다.
④ 대한민국의 모든 權力(위력)은 국민으로부터 나온다.
⑤ 주변 建物(건물)들이 너무 높아 햇빛이 잘 들어오지 않는다.

權力은 '권력'으로 읽는다.

대단원 자기 점검

학업 성취도를 스스로 점검해 보고, 부족한 부분을 보충해 보자.

점검 항목	잘함	보통	노력 필요	찾아보기
• 문장의 구조를 이해할 수 있다.				110, 122쪽
• 글을 바르게 풀이하고 내용과 주제를 설명할 수 있다.				102, 108, 114, 120쪽
• 한문 기록에 담긴 선인들의 지혜와 사상을 이해할 수 있다.				114, 120쪽

도움말 대단원 학습이 끝나면 대단원의 학습 목표에 해당하는 질문에 답하며 자신의 학업 성취도를 스스로 점검해 본다. 성취 목표에 도달하지 못한 경우에는 제시된 위치로 돌아가서 내용을 다시 읽고 공부하도록 한다.

대단원 실전 평가

14. 문화를 전파한 왕인

01 한자의 음과 뜻이 바르게 연결된 것은?

① 王 – (왕) – 구슬 ② 持 – (사) – 가지다
③ 我 – (아) – 당신 ④ 云 – (운) – 나르다
⑤ 向 – (향) – 향하다

02 〈보기〉의 내용과 관련 있는 한자 어휘로 가장 적절한 것은?

> 보기
> 케이팝(K-Pop), 드라마, 비빔밥, 포대기, 한국어 학당

① 日流 ② 中流 ③ 韓流
④ 文學 ⑤ 國家

[03~08] 다음 글을 읽고 물음에 답하시오.

> 王仁이 ㉠持千家文而至하니 道稚가 又師㉡之라.
> 我三國時에 百濟人王仁이 携㉢書籍以入云이라 하니, 至今向㉣我人하여 ㉤致無限感謝之意라.

출제 유력
03 왕인이 일본으로 가져간 것으로 알맞은 것은?

① 師 ② 道稚 ③ 三國
④ 感謝 ⑤ 天家文

고난도
04 ㉠의 풀이 순서로 알맞은 것은?

① 持→千→家→文→而→至
② 持→千→家→文→至→而
③ 持→千→文→家→至→而
④ 千→持→家→文→至→而
⑤ 千→家→文→持→而→至

05 ㉡이 가리키는 사람을 한자로 쓰시오.

06 ㉢의 독음이 바른 것은?

① 휴대 ② 서적 ③ 서책
④ 입운 ⑤ 삼국

07 ㉣의 의미로 알맞은 것은?

① 일본 사람 ② 중국 사람 ③ 고려 사람
④ 백제 사람 ⑤ 우리나라 사람

고난도 서술형
08 ㉤의 풀이를 쓰시오.

15. 새의 눈을 속인 솔거

출제 유력
09 〈보기〉에 들어 있지 않은 색은?

> 보기
> 赤 黑 綠 青

① 파란색 ② 검정색 ③ 붉은색
④ 초록색 ⑤ 하얀색

10 그림을 나타내는 한자로 적절한 것은?

① 晝
② 書
③ 畫
④ 盡
⑤ 目

11 밑줄 친 어휘의 한자 표기로 알맞은 것은?

> 벽화가 아름다운 거리를 만드는 데 효과가 있구나.

① 建物 ② 嚴禁 ③ 畫家
④ 效果 ⑤ 赤色

[12~16] 다음 글을 읽고 물음에 답하시오.

> 新羅眞興王時에 有率居㉠者한데 畫㉡老松於皇龍寺壁이러니 烏雀이 往往㉢飛入云이라 하니, ㉣蓋其畫入神이리라.

12 ㉠의 의미로 가장 적절한 것은?

① 사람 ② 시간 ③ 장소
④ 무리 ⑤ ~하는 것

13 ㉡의 독음이 바른 것은?

① 백송 ② 적송 ③ 반송
④ 노송 ⑤ 청송

14 ㉢의 의미로 가장 적절한 것은?

① 떨어지다 ② 흩어지다 ③ 날라 가다
④ 앉아 있다 ⑤ 날아들다

출제 유력

15 ㉣에서 마지막에 풀이되는 한자로 알맞은 것은?

① 蓋 ② 其 ③ 畫 ④ 入 ⑤ 神

고난도 서술형

16 윗글의 내용을 참고하여 다음과 같은 의미를 갖는 문장을 쓰시오.

> 솔거가 새들을 그렸다.

16. 서희의 외교 담판

17 ㉠에 들어갈 한자로 알맞은 것은?

> 古朝鮮→三國→南北國→高麗→朝鮮→大(㉠)民國

① 漢 ② 韓 ③ 帝
④ 朝 ⑤ 祖

출제 유력

18 속담의 의미에 맞게 ㉠에 들어갈 한자로 알맞은 것은?

> 〈속담〉 우물 안 개구리
> 坐井(㉠)天

① 見 ② 目 ③ 觀 ④ 明 ⑤ 耳

19 한자 어휘의 독음이 바르지 않은 것은?

① 國語(국어) ② 吾等(오등) ③ 未來(미래)
④ 敵軍(장군) ⑤ 協商(협상)

[20~23] 다음 글을 읽고 물음에 답하시오.

> 遜寧이 語熙曰: "汝國은 興新羅地하니 高句麗之地는 ㉠我所有也어늘 而汝侵蝕之라." [중략]
> 熙曰: "非也라. ㉡我國은 卽高句麗之舊也라. ㉢故로 號高麗하고 ㉣都平壤이라."

출제 유력

20 ㉠이 가리키는 대상을 한 단어로 쓰시오.

21 ㉡이 가리키는 대상으로 알맞은 것은?

① 高句麗 ② 百濟 ③ 新羅
④ 高麗 ⑤ 朝鮮

22 ㉢의 의미로 가장 적절한 것은?

① 옛날 ② 죽다 ③ 그러나
④ 왜냐하면 ⑤ 그러므로

23 ㉣의 음과 의미로 알맞은 것은?

① (호) 이름 ② (호) 부르다
③ (도) 길 ④ (도) 도읍하다
⑤ (침) 침입하다

17. 조화를 소중히 여긴 광해

출제 유력
24 다음 제시된 한자의 의미와 관련 있는 것은?

甘 苦 辛

① 味 ② 美 ③ 未 ④ 水 ⑤ 火

25 다음과 관련 있는 어휘의 한자 표기로 알맞은 것은?

물고기는 머리 쪽이 맛이 있다.

① 魚頭日味 ② 魚頭一味
③ 魚頭一未 ④ 於頭一味
⑤ 魚頭一美

출제 유력
26 한자 어휘의 독음을 바르게 연결하시오.

(1) 美食家 • • ㉠ 조화
(2) 麥飯石 • • ㉡ 맥반석
(3) 米飮 • • ㉢ 미식가
(4) 調和 • • ㉣ 미음

[27~29] 다음 글을 읽고 물음에 답하시오.

> 上이 ㉠試問於諸王子曰: "饌品之中에 何物爲上고?" 光海가 對曰: ㉡"鹽也니이다."
> 上이 問其故하니 對曰: "調和百味엔 非鹽 ㉢ 不成矣니이다."

고난도
27 ㉠에서 가장 마지막에 풀이되는 한자로 알맞은 것은?

① 試 ② 問 ③ 於 ④ 諸 ⑤ 子

출제 유력
28 광해가 ㉡처럼 말한 이유로 적절한 것은?

① 소금은 짜기 때문이다.
② 소금을 구할 수 없기 때문이다.
③ 소금 없이도 음식을 만들 수 있기 때문이다.
④ 소금이 없으면 음식을 만들 수 없기 때문이다.
⑤ 소금으로 음식의 맛을 조화롭게 조절하기 때문이다.

29 의미상 ㉢에 들어갈 한자로 알맞은 것은?

① 於 ② 之 ③ 則 ④ 乎 ⑤ 也

출제 유력 서술형
30 〈풀이〉에 맞게 한자 카드를 배열하시오.

> 光海 問 王 於
>
> 〈풀이〉 임금이 광해에게 물었다.

대단원 복합 문제

[31~36] 다음 글을 읽고 물음에 답하시오.

(가) 王仁이 持千家文而至하니 道稚가 又 ㉠師之라.
我三國時에 百濟人王仁이 ㉡攜書籍以入云이라 하니, 至今向我人하여 致無限 □□之意라.
(나) 新羅眞興王時에 有率居者한데 ㉢畫老松於皇龍寺壁이러니 鳥雀이 往往飛入云이라 하니, 蓋其畫入神이리라.
(다) 遜寧이 語熙曰: "汝國은 興新羅地하니 高句麗之地는 我所有也어늘 而汝侵蝕之라." [중략]
熙曰: "非也라. 我國은 卽高句麗之舊也라. 故로 號高麗하고 都平壤이라."
(라) 上이 ㉣試問於諸王子曰: "饌品之中에 何物爲上고?"
光海가 對曰: "鹽也니이다." 上이 ㉤問其故하니 對曰: "調和百味엔 非鹽則不成矣니이다."

출제 유력

31 (가)~(라)에 쓰인 한자 어휘의 독음이 바른 것은?

① 天家文(천자문) ② 皇龍寺(황녕사)
③ 往往(왕왕) ④ 侵蝕(침입)
⑤ 饌品(식품)

32 다음 풀이를 참고하여 (가)의 빈칸에 들어갈 한자를 쓰시오.

이제까지도 우리나라 사람들을 향하여 한없는 감사의 뜻을 보내고 있다.

고난도 서술형

33 (나)를 참고하여 〈풀이〉에 맞게 한자 카드를 배열하시오.

〈풀이〉 화가가 벽에 풍경을 그렸다.

畫 風景 畫家 壁 於

34 (다)에서 인칭 대명사를 모두 찾아 한자로 바르게 쓰시오.

(1) 1인칭 대명사: ______________

(2) 2인칭 대명사: ______________

출제 유력 고난도

35 ㉠~㉤ 중 문장의 구조가 다른 하나는?

① ㉠ ② ㉡ ③ ㉢ ④ ㉣ ⑤ ㉤

36 (라)에 대한 설명으로 적절하지 않은 것은?

① 한문 속담의 유래를 알 수 있다.
② 조화를 소중히 여김을 알 수 있다.
③ 주술목보 구조의 문장이 사용되었다.
④ 왕자들의 지혜를 시험하는 장면이다.
⑤ 묻고 답하는 형식으로 이루어져 있다.

출제 유력

37 한자 어휘의 활용이 적절하지 않은 것은?

① 이모는 書耕夜讀으로 대학을 졸업하였다.
② 국제 학술 대회는 坐井觀天하던 학계에 커다란 자극이 되었다.
③ 우리 집에서는 토요일날 山海珍味를 차려놓고 손님을 기다렸다.
④ 엄마는 쑥, 五味子, 치자로 색을 낸 형형색색의 떡을 만들어 주셨다.
⑤ 나는 봄 방학 동안에 앞으로 배우게 될 教科書를 미리 읽어 볼 것이다.

교과서 126, 127쪽

VI. 한시의 멋과 향기

이 단원을 통해

- 글의 의미가 잘 드러나도록 바르게 소리 내어 읽는다.
- 글을 바르게 풀이하고 내용과 주제를 설명한다.
- 한시의 시상 전개 방식을 통해 한시의 내용을 이해하고 감상한다.
- 한문 기록에 담긴 선인들의 지혜, 사상 등을 이해하고, 현재적 의미에서 가치가 있는 것을 내면화하여 건전한 가치관과 바람직한 인성을 함양한다.
- 한자 문화권의 문화에 대한 기초적 지식을 통해 상호 이해와 교류를 증진시키려는 태도를 형성한다.

선인들은 정제된 형식의 한시를 통해 자신의 다양한 생각과 감정을 세련되고도 섬세하게 표현하였다. 우리는 한시 작품을 이해하고 감상하며 깊은 감동을 느낄 뿐 아니라, 선인들의 삶과 정서까지도 공유할 수 있다.

소단원 미리 보기

소단원	소단원 소개	소단원 학습 요소
18. 한집의 세 아이	비유가 두드러진 한시를 통해 한시의 특징을 이해할 수 있는 단원이다.	• 한시의 끊어 읽기 • 한시의 비유 • 한시의 감상
19. 비 내리는 가을밤에	작품의 배경과 작자를 알고 있으면 한시를 더 잘 이해하게 됨을 알 수 있는 단원이다.	• 작품의 창작 배경과 작자의 삶 • 시구의 의미 • 한시의 분위기
20. 길 떠나는 아들에게	기승전결로 이루어진 한시의 시상 전개 방식을 이해할 수 있는 단원이다.	• 작품의 창작 배경과 작자의 삶 • 한시의 시상 전개 방식 • 한시의 감상
21. 자연과 더불어	이백의 삶과 시의 이미지를 통하여 한자 문화권의 이해와 교류를 파악할 수 있는 단원이다.	• 한시의 끊어 읽기 • 한시의 제목과 이미지 • 한자 문화권의 이해와 교류

18. 한집의 세 아이 ○ 교과서 128, 129쪽

똑똑! 활동으로 열기

출제 유형
- 한자 어휘의 독음이 바르지 않은 것은?
- 다섯 글자로 된 한시의 끊어 읽기로 알맞은 것은?
- 만화의 상황을 나타내는 한자 성어로 알맞은 것은?

漢詩라고 들어 봤니?
한 시

• 한시: 자수에 따라 5자로 된 5언시, 7자로 된 7언시, 구(句 – 줄)수에 따라 4구(줄)로 된 절구와 8구(줄)로 된 율시가 있음. 정해진 구의 끝에 놓이는 글자의 운을 맞추는 압운을 지켜야 함.

활동 1 빈칸에 알맞은 음을 써 보자.

漢詩(❶ 한 시)는 漢字(❷ 한 자)로 기록된 詩(❸ 시)를 뜻하며, 한 句(❹ 구)를 대개 다섯 글자 또는 일곱 글자로 짓는다. 고대 중국에서 이루어진 시 양식으로, 중국뿐 아니라 우리나라와 일본 등 한자 문화권에서 폭넓게 지어져 왔다.

한 구가 다섯 글자로 된 한시는 '○○ / ○○○'로 끊어 읽고 풀이하는 것 알고 있니?

활동 2 다음 한시를 감상하고, 물음에 답해 보자.

1449(세종 31)~1515(중종10). 조선 중기의 문신

조선 전기의 문신인 채수(蔡壽)에게는 총명한 손자 무일(無逸)이 있었다. 두 사람은 재치 있게 시구를 주고받곤 하였는데…….

1496(연산군 2)~1556(명종 11). 조선 중기의 문신·문인·화가. 채신보(蔡申保)의 증손으로, 할아버지는 채수(蔡壽)이고, 아버지는 채윤권(蔡胤權)임.

㉠ 犬走梅花落.
견 주 매 화 락
㉡ 鷄行竹葉成.
계 행 죽 엽 성

(1) ㉠과 ㉡을 바르게 끊어 읽어 보자. ㉠ 견주/매화락. ㉡ 계행/죽엽성.

(2) 빈칸에 알맞은 말을 넣어 ㉠과 ㉡의 풀이를 완성해 보자.

- ㉠: ❶ 개 가 달려가니 매화 ❷ 꽃 이 떨어지네.
- ㉡: ❸ 닭 이 지나가니 ❹ 대 나 무 잎이 생기네.

新 한자 모아 보기

한자	음	뜻	부수	획수	총획
詩	시	시	言	6	13
犬	견	개	犬	0	4
走	주	달리다	走	0	7

한자	음	뜻	부수	획수	총획
梅*	매	매화	木	7	11
鷄	계	닭	鳥	10	21
葉	엽	잎	艸(艹)	9	13

한자	음	뜻	부수	획수	총획
誰	수	누구	言	8	15
雖	수	비록	隹	9	17

두 사람의 실력이 비슷할 때 쓸 수 있는 성어가 뭐지?

활동 3 다음 만화를 보고, 빈칸에 공통으로 들어갈 한자를 〈보기〉에서 골라 써 보자.

• 보기 •

難 (난) 어렵다　　誰 (수) 누구　　雖 (수) 비록

배울 내용에 관하여 얼마나 알고 있는지 스스로 점검해 보자.

• 한시의 개념과 형식을 알고 있는가?	☆☆☆☆☆
• 한 구가 다섯 글자로 된 한시를 끊어 읽을 수 있는가?	☆☆☆☆☆

잘하는 부분은 발전시키고, 부족한 부분은 보완할 수 있도록 스스로 학습 계획을 세워 보자.

나는 이 단원에서 ___예 한시의 개념과 형식, 한 구가 다섯 글자로 된 한시의 끊어 읽기___ 을/를 공부하겠다.

도움말 한시의 개념과 형식, 한시의 끊어 읽기 등의 활동을 통해 소단원의 학습 내용을 접하였다. 이를 바탕으로 소단원 학습 내용에 관한 자신의 배경지식 정도를 점검해 보고, 스스로 소단원의 학습 계획을 세워 본다.

학습 요소 ■ 한시의 끊어 읽기 ■ 한시의 비유 ■ 한시의 감상

18. 한집의 세 아이

○ 교과서 130, 131쪽

(비유) 어떤 사물이나 관념을 그것과 유사한 다른 사물이나 관념에 빗대어 표현하고자 하는 내용을 보다 생동감 있고 효과적으로 제시하는 방법

출제 유형

- 첫 구의 풀이를 쓰시오.
- 윗시에 대한 설명으로 알맞지 않은 것은?
- (가)와 (나)의 끊어 읽기로 바른 것은?
- (나)에서 리듬감을 주는 글자끼리 짝지어진 것은?

이 작품은 어린 소년이 깊어 가는 가을에 무르익은 밤송이가 나무에서 떨어지는 모습을 보고 지은 한시이다. 밤송이 안의 밤톨 세 개 중 가운데 것만 양면이 눌려 평평한 모습임을 포착한 관찰력, 바람이 불면 밤송이들이 앞서거니 뒤서거니 떨어지는 모습을 보고 어느 것이 형이고 동생인지 알 수 없다고 표현한 재치가 돋보인다.

新 한자 모아 보기

한자	음	뜻	부수	획수	총획
殼*	각	껍질	殳	8	12
栗*	률	밤	木	6	10
隨*	수	따르다	阜(阝)	13	16
亦	역	또	亠	4	6

- **형식**: 5언 절구
- **성격**: 비유적
- **주제**: 가을날 밤송이를 보고 느낀 정취

一殼三栗

일 각 삼 률
하나 껍질 셋 밤

'하나의 껍질(밤송이)'이라는 뜻. '한집안'을 비유하는 표현

이산해

1539~1609. 조선 중기의 문신. 호는 아계(鵝溪). 어려서부터 총명해 신동으로 불렸으며, 특히 문장에 능해 선조 때 문장팔가(文章八家)의 한 사람으로 불렸음. 대자(大字)와 산수묵도(山水墨圖)에도 뛰어났으며, 이이(李珥), 정철(鄭澈)과 친구였으나 당파가 생긴 뒤로는 멀어졌음. 저서로 『아계집』이 있음.

一家/生三子한데, [기] 한집에 자식 셋이 태어남.
일 가 생 삼 자
하나 집 나다 셋 아들

一家(일가)는 '한집안'을, 三子(삼자)는 '세 톨의 밤', 즉 '세 아들'을 뜻함. 한 밤송이 안에 들어 있는 세 개의 밤톨을 한집에서 태어난 삼 형제에 비유함.

中者/兩面(平)이라. [승] 가운데 밤톨만 양면이 평평함.
중 자 양 면 평
가운데 사람 두 면 평평하다

○: 운자

中者(중자)는 세 톨 중 가운데 밤톨로, 가운데 사람을 뜻함. 兩面(양면)은 가운데 밤톨의 양면으로, 얼굴의 왼쪽 면과 오른쪽 면을 뜻함.

隨風/先後落하니, [전] 바람 따라 세 밤톨이 떨어짐.
수 풍 선 후 락
따르다 바람 먼저 뒤 떨어지다

先後(선후)는 밤이 떨어진 순서로 형과 동생을 뜻하며, 落(락)은 '떨어지다'로 풀이함.

難弟/亦難(兄)이라. [결] 어느 것이 형인지 동생인지 알 수 없음.
난 제 역 난 형
어렵다 아우 또 어렵다 맏

바람에 떨어지는 밤톨들을 難兄難弟(난형난제)로 표현한 데에서 작자의 동심(童心)을 느낄 수 있음.

『소화시평』

스스로 확인

'하나의 밤송이에 들어 있는 밤톨 세 개'를 무엇에 비유하였는가?

한집에 태어난 세 아이

- **이산해(李山海, 1539~1609)**: 조선 중기의 문신. 문집에 『아계집(鵝溪集)』이 있음.
- **『소화시평(小華詩評)』**: 조선 중기의 문인 홍만종(洪萬宗)의 시평집

꼭꼭! 본문 다지기

교과서 132쪽

원문	풀이
一穀三栗 (일각삼률)	하나의 밤송이 세 톨의 밤
一家/生三子한데, (일가 생삼자)	한집에 세 아이가 태어났는데,
中者/兩面平이라. (중자 양면평) ○: 운자	가운데 놓은 양면이 평평하네.
隨風/先後落하니, (수풍 선후락)	바람 따라 앞서거니 뒤서거니 떨어지니,
難弟/亦難兄이라. (난제 역난형)	아우라 하기도 어렵고 또한 형이라 하기도 어렵네.

2구 끝의 平과 4구 끝의 兄의 중성과 종성이 같아 한시의 리듬감을 느끼게 한다.

- 生栗(생률): ① 익히거나 말리거나 하지 아니한 밤 ② 껍질을 벗겨 나부죽하게 쳐서 깎은 밤
- 採根(채근): ① 식물의 뿌리를 캐냄. ② 어떤 일의 내용, 원인, 근원 따위를 캐어 알아냄.
- 細柳(세류): 가지가 매우 가는 버드나무
- 植栽(식재): 초목을 심어 재배함.

부수가 같은 한자 – 木(목)

- 栗 (률) 밤 예 生栗(생률)
- 根 (근) 뿌리 예 採根(채근)
- 柳 (류) 버들 예 細柳(세류)
- 植 (식) 심다 예 植栽(식재)

● 先(선) = 前(전) ↔ 後(후)

신체 관련 한자

- 面 (면) 얼굴
- 骨 (골) 뼈
- 毛 (모) 털
- 皮 (피) 가죽
- 胸 (흉) 가슴

똑똑한 한문 지식 한시의 이해

(1) 끊어 읽기: 한 구가 5글자로 이루어진 한시는 2자와 3자로 끊어 읽는다.
예 一家生三子.: 일가/생삼자.

(2) 비유: 어떤 사물이나 관념을 그것과 유사한 다른 사물이나 관념에 빗대어, 표현하고자 하는 내용을 보다 생동감 있고 효과적으로 제시하는 방법이다.
예 一家生三子.: 하나의 밤송이 안에 들어 있는 밤톨 세 개를 한집에서 태어난 삼 형제에 비유하였다.

감상 더하기

이 작품은 이산해가 일곱 살 되던 해에 지은 것으로, 가을이 되어 무르익은 밤송이 안에 밤 세 톨이 담겨 있는 것을 한집에 子息 세 명이 태어난 것으로 絕妙하게 비유하여 表現하였다. 바람에 떨어지는 밤톨 중 어느 것이 형이고 어느 것이 아우인지 알기 어려워하는 모습에서 순수한 童心이 드러난다.

- 자식: 부모가 낳은 아이를, 그 부모에 상대하여 이르는 말
- 절묘: 비할 데가 없을 만큼 아주 묘함.
- 표현: 생각이나 느낌 따위를 언어나 몸짓 따위의 형상으로 드러내어 나타냄.
- 동심: 어린아이의 마음

新 한자 모아 보기

한자	음	뜻	부수	획수	총획
根	근	뿌리	木	6	10
採	채	캐다	手(扌)	8	11
柳	류	버들	木	5	9
細	세	가늘다	糸	5	11
植	식	심다	木	8	12
栽	재	심다	木	6	10
前	전	앞	刀(刂)	7	9
骨	골	뼈	骨	0	10

한자	음	뜻	부수	획수	총획
毛	모	털	毛	0	4
皮	피	가죽	皮	0	5
胸	흉	가슴	肉(月)	6	10
息*	식	쉬다, 자식	心	6	10
絕	절	끊다, 뛰어나다	糸	6	12
妙	묘	묘하다	女	4	7
表	표	겉	衣	2	8
現	현	나타나다	玉	7	11

한자	음	뜻	부수	획수	총획
童	동	아이	立	7	12
喜	희	기쁘다	口	9	12
怒	노	성내다	心	5	9
巖	암	바위	山	20	23
溫	온	따뜻하다	水(氵)	10	13
泉	천	샘	水	5	9
湖	호	호수	水(氵)	9	12
煙	연	연기	火	9	13

쑥쑥! 실력 향상 ○ 교과서 133쪽

• 漢詩(한시): 한문으로 이루어진 정형시
• 素材(소재): 예술 작품에서 지은이가 말하고자 하는 바를 나타내기 위해 선택하는 재료

생활 속 용어 활용

선생님, 漢詩의 素材에는 어떤 것이 있나요?

우선 인간의 喜怒哀樂 같은 감정이 素材가 될 수 있지.

• 喜怒哀樂(희로애락): 기쁨과 노여움과 슬픔과 즐거움을 아울러 이르는 말

巖石, 溫泉, 湖水 같은 자연물도 素材가 될 수 있나요?

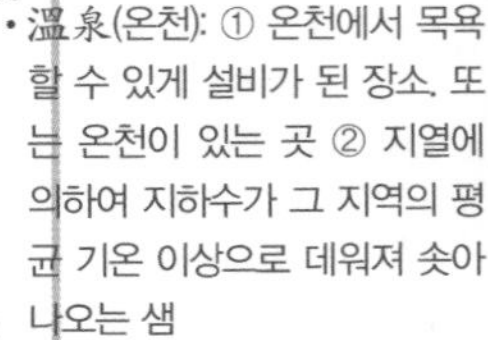

• 巖石(암석): 지각을 구성하고 있는 단단한 물질
• 溫泉(온천): ① 온천에서 목욕할 수 있게 설비가 된 장소. 또는 온천이 있는 곳 ② 지열에 의하여 지하수가 그 지역의 평균 기온 이상으로 데워져 솟아 나오는 샘
• 湖水(호수): 땅이 우묵하게 들어가 물이 괴어 있는 곳

당연하지. 花草의 향기, 굴뚝의 煙氣와 같은 일상의 모든 것이 가능하단다.

• 花草(화초): 꽃이 피는 풀과 나무 또는 꽃이 없더라도 관상용이 되는 모든 식물을 통틀어 이르는 말
• 煙氣(연기): 무엇이 불에 탈 때에 생겨 나는 흐릿한 기체나 기운

문제로 실력 확인

[1~3] 다음 글을 읽고 물음에 답해 보자.

㉮ 一家生三子.(일가생삼자)	㉯ 中者兩面平.(중자양면평)
㉰ 隨風先後落.(수풍선후락)	㉱ 難弟亦難兄.(난제역난형)

1. ㉮와 ㉯에서 끊어 읽어야 할 곳에 / 표시를 해 보자.

(1) 一家/生三子 (일 가/생 삼 자)　　(2) 中者/兩面平 (중 자/양 면 평)

2. ㉮~㉱ 중, 그림에서 표시한 부분과 관련 있는 시구의 기호를 써 보자.

→ ㉯

창의형

3. 윗글은 일정한 위치에서 유사한 소리(平(평), 兄(형))가 반복되어 리듬감이 느껴진다. 이러한 시나 노래를 찾아 반복되는 부분에 ○ 표시를 해 보자.

(예시)

돌담에 속삭이는 햇발(같이)
풀 아래 웃음 짓는 샘물(같이)
내 마음 고요히 고운 봄 길 위에
오늘 하루 하늘을 우러르(고 싶다).

새악시 볼에 떠 오는 부끄럼(같이)
시의 가슴에 살포시 젖는 물결(같이)
보드레한 에메랄드 얇게 흐르는
실비단 하늘을 바라보(고 싶다).

김영랑, 「돌담에 속삭이는 햇발」

소단원 자기 점검

학업 성취도를 스스로 점검해 보자.

• 한 구가 5글자로 된 한시를 바르게 끊어 읽고 풀이할 수 있는가?	잘함 / 보통 / 노력 필요
• 한시에서 비유하는 대상을 파악하여 한시를 감상할 수 있는가?	잘함 / 보통 / 노력 필요

□ 교과서 128쪽 '활동 2', 132쪽 '똑똑한 한문 지식' 다시 읽기　□ 교과서 132쪽 '감상 더하기' 다시 읽기

도움말 소단원 학습이 끝나면 소단원의 학습 목표에 해당하는 질문에 답하며 자신의 학업 성취도를 스스로 점검해 본다. 성취 목표에 도달하지 못한 경우에는 제시된 위치로 돌아가서 내용을 다시 읽고 공부하도록 한다.

소단원 스스로 정리

정답과 해설 308쪽

• 한자, 음, 뜻, 부수의 순서로 제시

1. 한자

詩 (시) 시 [言]
犬 ❶☐ 개 [犬(犭)]
❷☐ (주) 달리다 [走]
梅*(매) 매화 [木]
鷄 (계) 닭 [鳥]
葉 (엽) 잎 [艸(艹)]
誰 (수) 누구 [言]
雖 (수) 비록 [隹]
殼*(각) 껍질 [殳]
栗*(률) ❸☐ [木]
隨*(수) 따르다 [阜(阝)]
亦 ❹☐ 또 [亠]

根 (근) 뿌리 [木]
採 (채) 캐다 [手(扌)]
柳 (류) 버들 [木]
細 (세) ❺☐☐☐ [糸]
植 (식) 심다 [木]
栽 (재) 심다 [木]
❻☐ (전) 앞 [刀(刂)]
骨 (골) 뼈 [骨]
毛 (모) 털 [毛]
皮 (피) ❼☐☐ [皮]
胸 (흉) 가슴 [肉(月)]
息*(식) 쉬다, 자식 [心]

絕 ❽☐ 끊다, 뛰어나다 [糸]
妙 (묘) 묘하다 [女]
表 (표) 겉 [衣]
現 (현) 나타나다 [玉]
❾☐ (동) 아이 [立]
喜 (희) 기쁘다 [口]
怒 (노) 성내다 [心]
巖 ❿☐ 바위 [山]
溫 (온) 따뜻하다 [水(氵)]
⓫☐ (천) 샘 [水]
湖 (호) 호수 [水(氵)]
煙 (연) ⓬☐☐ [火]

2. 어휘

(1) ❶☐☐(소재): 예술 작품에서 지은이가 말하고자 하는 바를 나타내기 위해 선택하는 재료
(2) 喜怒哀樂(❷☐☐☐☐): 기쁨과 노여움과 슬픔과 즐거움을 아울러 이르는 말
(3) 巖石(❸☐☐): 지각을 구성하고 있는 단단한 물질
(4) 溫泉(온천): 지열에 의하여 지하수가 그 지역의 평균 기온 이상으로 데워져 솟아 나오는 ❹☐
(5) ❺☐☐(연기): 무엇이 불에 탈 때에 생겨나는 흐릿한 기체나 기운

3. 본문

一家❶☐三子(일가/생삼자)한데,	❷☐☐에 세 아이가 태어났는데,
中❸☐兩面平(중자/양면평)이라.	가운데 놈은 ❹☐☐이 평평하네.
隨風先後❺☐(수풍/선후락)하니,	❻☐☐ 따라 앞서거니 뒤서거니 떨어지니,
❼☐弟亦難兄(난제/역난형)이라.	아우라 하기도 어렵고 또한 ❽☐이라 하기도 어렵네.

4. 한시 끊어 읽기

한 구가 5글자로 이루어진 오언시는 2자와 ❶☐자로 끊어 읽음. 예 一家/生三子

5. 한시의 비유

一家生三子.: 하나의 밤송이 안에 들어 있는 밤톨 세 개를 한집에서 태어난 삼 ❶☐☐에 비유함.

소단원 확인 문제

01 다음 한자의 공통되는 뜻으로 알맞은 것은?

植 栽

① 얻다　② 심다　③ 나무
④ 마르다　⑤ 가꾸다

서술형
02 제시된 한자 어휘에서 밑줄 친 한자의 음과 뜻을 쓰시오.

溫泉

(1) 음: (　　　　　　)
(2) 뜻: ________________

03 한자의 뜻이 바르게 연결되지 않은 것은?

① 殼: 껍질　② 栗: 밤　③ 骨: 뼈
④ 隨: 따르다　⑤ 誰: 비록

04 한자의 부수가 잘못 연결된 것은?

① 採-手　② 細-糸　③ 皮-皮
④ 走-土　⑤ 鷄-鳥

출제 유력
05 한자의 부수가 나머지와 다른 하나는?

① 栗　② 根　③ 柳　④ 採　⑤ 植

06 다음과 같은 뜻을 가진 한자 어휘로 알맞은 것은?

지각을 구성하고 있는 단단한 물질

① 花草　② 素材　③ 巖石
④ 溫泉　⑤ 煙氣

07 한자 어휘의 활용이 적절하지 않은 것은?

① 아닌 땐 굴뚝에 煙氣 날까?
② 이번 주말에는 溫泉으로 목욕을 간다.
③ 그는 온실에 온갖 花草를 심어 기르고 있다.
④ 아버지께서는 전자제품의 素才를 개발하신다.
⑤ 그 노인은 인생의 喜怒哀樂을 맛본 후에 산속으로 들어갔다.

08 한자 어휘의 표기가 바르지 않은 것은?

① 절묘: 絕妙　② 동심: 變心
③ 표현: 表現　④ 자식: 子息
⑤ 한시: 漢詩

출제 유력
09 대화 중 할아버지의 마지막 말과 관련 있는 한자 어휘는?

① 張三李四　② 難兄難弟
③ 相扶相助　④ 師弟同行
⑤ 教學相長

[10~20] 다음 시를 읽고 물음에 답하시오.

(가) ㉠犬走梅花落,
□行竹葉成.
(나) 一家生三子한데,
中者兩面平이라.
㉡隨風先後落하니,
㉢難弟亦難兄이라.

출제 유력

10 (가)와 (나)의 끊어 읽기로 바른 것은?

① ○/○○○○ ② ○○/○○○
③ ○○○/○○ ④ ○○○○/○
⑤ ○/○○/○○

11 (가)와 (나)에 쓰인 한자의 뜻으로 알맞지 않은 것은?

① 走: 달리다 ② 梅: 매화
③ 葉: 뿌리 ④ 隨: 따르다
⑤ 難: 어렵다

12 (가)의 빈칸에 들어갈 알맞은 한자는?

① 牛 ② 虎 ③ 馬 ④ 魚 ⑤ 鷄

13 (가)를 다음과 같이 풀이할 때, 빈칸에 들어갈 어휘를 쓰시오.

> 개가 달려가니 매화꽃이 떨어지네.
> 닭이 지나가니 (　　) 잎이 떨어지네.

14 ㉠과 단어의 짜임이 같은 것은?

① 日出 ② 讀書 ③ 慈愛
④ 學生 ⑤ 難解

서술형

15 (나)의 첫 구의 풀이를 쓰시오.

16 (나)에서 리듬감을 주는 글자끼리 짝지어진 것은?

① 子, 平 ② 子, 落 ③ 子, 兄
④ 平, 落 ⑤ 平, 兄

출제 유력

17 (나)에 대한 설명으로 적절하지 않은 것은?

① '難兄難弟'를 연상하게 한다.
② 7언 절구에 해당하는 형식이다.
③ 나무에서 떨어지는 밤송이를 소재로 한다.
④ 주제는 가을날 밤송이를 보고 느낀 정취이다.
⑤ 한집안에 태어난 세 아이를 밤톨에 비유하여 표현하였다.

18 ㉡의 독음이 바른 것은?

① 추풍선후락 ② 수풍선후락
③ 수풍천후락 ④ 추풍실후락
⑤ 수풍실후락

19 ㉢의 풀이 순서로 알맞은 것은?

① 難→弟→亦→難→兄
② 弟→難→亦→兄→難
③ 弟→難→兄→難→亦
④ 亦→弟→難→兄→難
⑤ 兄→難→亦→弟→難

출제 유력

20 (나)에서 시어와 의미 연결이 적절하지 않은 것은?

시어 풀이 비유

① 一毅: 하나의 밤송이 → 한집안
② 三子: 세 톨의 밤 → 세 아이
③ 中者: 가운데 밤톨 → 가운데 있는 집
④ 兩面: 밤톨의 양면 → 얼굴의 오른쪽 면과 왼쪽 면
⑤ 先後: 밤이 떨어진 순서 → 형과 동생

19. 비 내리는 가을밤에

○ 교과서 134, 135쪽

똑똑! 활동으로 열기

출제 유형

- 한자의 부수가 나머지와 다른 하나는?
- 빈칸에 공통으로 들어갈 한자로 알맞은 것은?
- 다음과 같은 뜻을 지닌 한자 어휘로 알맞은 것은?

한시에서는 나란히 이어지는 두 구가 서로 짝을 이루도록 표현하기도 해.

비슷하거나 동일한 문장 구조를 짝을 맞추어 늘어놓음으로써 운율을 형성하고 의미를 강조하는 효과를 얻는다. 이와 같은 표현 방법은 전통 시가, 한시 등에서 많이 사용되었다.

활동 1 할아버지와 손자가 주고받는 한시 구절을 감상하고, 서로 짝을 이루는 구절을 〈보기〉와 같은 형식으로 표시해 보자.

채수 孫子夜夜讀書不. 손자가 밤마다 독서를 않는구나.
(손 자 야 야 독 서 불)

↕ ↕ ↕

채무일 祖父朝朝藥酒猛. 할아버지께서는 아침마다 약주를 많이 드시네요.
(조 부 조 조 약 주 맹)

• 보기 •

스님 月白雪白天地白, 달도 희고 눈도 희고 천지도 흰데,
(월 백 설 백 천 지 백)

↕ ↕ ↕

김병연 山深夜深客愁深. 산도 깊고 밤도 깊고 나그네 근심도 깊구나.
(산 심 야 심 객 수 심)

[대우법]
한시에서 나란히 이어지는 두 구가 내용상으로나 어법상으로 서로 짝을 이루도록 하는 것. 한시를 감상할 때 대우를 파악하면 시의 전체적인 분위기와 내용을 파악하는 데 도움이 된다.

- 절구: 기구와 승구, 또는 전구와 결구에서 대우를 이룸.
- 율시: 함련과 경련에서 반드시 대우를 이루어야 함.

최치원을 알고 있니? 그는 통일 신라 말기의 학자이자 문장가로 이름을 날렸어.

활동 2 최치원의 일생을 살펴보고, 빈칸에 알맞은 음을 써 보자.

- 857년: 왕경(경주) 出生 (❶ 출 생)
  - 세상에 나옴.
- 868년: 12세, 당나라 국자감 留學 (❷ 유 학)
  - 외국에 머물면서 공부함.
- 874년: 18세, 빈공과 及第 (❸ 급 제)
  - ① 시험이나 검사 따위에 합격함.
  - ② 과거에 합격하던 일
- 885년: 29세, 신라로 歸國 (❹ 귀 국)
  - 외국에 나가 있던 사람이 자기 나라로 돌아오거나 돌아감.
- 898년: 42세, 전국 유람 후 가야산 해인사 은거

新 한자 모아 보기

한자	음	뜻	부수	획수	총획
藥	약	약	艸(艹)	15	19
酒	주	술	酉	3	10
深	심	깊다	水(氵)	8	11

한자	음	뜻	부수	획수	총획
客	객	손, 나그네	宀	6	9
留	류	머무르다	田	5	10
及	급	미치다	又	2	4

한자	음	뜻	부수	획수	총획
第	제	차례	竹	5	11
歸	귀	돌아가다	止	14	18

앞으로 배울 최치원의 한시 「추야우중」에 나오는 성어를 알아볼까?

활동 3 **다음 만화를 보고, 빈칸에 알맞은 성어를 한자로 써 보자.**

춘추 시대에 거문고의 명인인 백아가 있었다.

높은 산이 떠오르는군.

백아에게는 늘 그의 연주를 들어 주는 종자기라는 벗이 있었다.

흐르는 강물이 느껴지는군.

종자기는 백아의 연주에 담긴 마음을 진정으로 이해해 주는 벗이었다.

종자기가 죽은 후, 백아는 자신의 소리 [音]를 알아주는[知] 사람이 없다며 다시는 거문고를 연주하지 않았다.

거문고 소리를 듣고 안다는 뜻으로, 자기의 속마음까지 알아주는 친구를 '知 音(지음)'이라 한다.

[친한 친구 사이를 의미하는 성어]

- 伯牙絶絃(백아절현): 자기를 알아주는 참다운 벗의 죽음을 슬퍼함.
- 竹馬故友(죽마고우): 대말을 타고 놀던 벗이라는 뜻으로, 어릴 때부터 같이 놀며 자란 벗
- 水魚之交(수어지교): 물이 없으면 살 수 없는 물고기와 물의 관계라는 뜻으로, 아주 친밀하여 떨어질 수 없는 사이를 비유적으로 이르는 말
- 莫逆之友(막역지우): 서로 거스름이 없는 친구라는 뜻으로, 허물이 없이 아주 친한 친구를 이르는 말

소단원 학습 계획

배울 내용에 관하여 얼마나 알고 있는지 스스로 점검해 보자.

• 최치원에 관하여 알고 있는가?	☆☆☆☆☆
• '지음'의 뜻을 알고 있는가?	☆☆☆☆☆

잘하는 부분은 발전시키고, 부족한 부분은 보완할 수 있도록 스스로 학습 계획을 세워 보자.

나는 이 단원에서 ___(예) 최치원, '지음(知音)'의 뜻___ 을/를 공부하겠다.

도움말 한시의 대우, 최지원의 일생, 지음(知音)의 뜻을 살펴보며 소단원을 학습하였다. 이를 바탕으로 소단원 학습 내용에 관한 자신의 배경지식 정도를 점검해 보고, 스스로 소단원의 학습 계획을 세워 보게 한다.

학습 요소 ■ 작품의 창작 배경과 작자의 삶 ■ 시구의 의미 ■ 한시의 분위기

19. 비 내리는 가을밤에

교과서 136, 137쪽

출제 유형

- ㉠과 대우를 이루는 것은?
- (나)의 시구에 대한 설명으로 적절하지 않은 것은?
- (나)에서 리듬감을 주는 글자끼리 짝지어진 것은?
- ㉡의 풀이로 알맞은 것은?

이 작품은 비 내리고 바람 부는 깊은 가을밤에 느끼는 괴로운 심정을 표현한 한시이다. 온 세상에 자신을 알아주는 지음(知音)이 적다고 한 것, 자신의 마음과 세상과의 거리를 '만 리(萬里)'로 표현한 것에서 그의 고독이 얼마나 깊은지 짐작할 수 있다.

新 한자 모아 보기

한자	음	뜻	부수	획수	총획
唯	유	오직	口	8	11
吟	음	읊다	口	4	7
少	소	적다	小	1	4
窓	창	창	穴	6	11
燈	등	등불	火	12	16
里	리	마을, 거리 단위	里	0	7

- **형식**: 5언 절구
- **성격**: 서정적, 애상적
- **주제**: ① 뜻을 펼치지 못하는 지식인의 고뇌 ② 고국에 대한 그리움

秋夜雨中 (추야우중: 가을 밤 비 가운데) 최치원

秋風唯苦吟하니, (추 풍 유 고 음: 가을 바람 오직 괴롭다 읊다) [기] 세상을 등지고 고뇌함.
○: 운자
'가을바람'으로, 시의 계절적 배경을 알 수 있음.

擧世少知音이라. (거 세 소 지 음: 들다 세상 적다 알다 소리) [승] 현실에 대한 탄식
'온 세상'으로, 당나라 또는 신라를 뜻함.
'자신을 알아주는 사람'으로, 知己之友(지기지우), 知己(지기), 지우(知友)와 통함.

窓外三更雨요, (창 외 삼 경 우: 창 바깥 셋 시각 비) [전] 고독한 심리
'창밖'으로, 시의 공간적 배경을 알 수 있음.
'한밤중'으로, 시의 시간적 배경을 알 수 있음.

燈前萬里心이라. (등 전 만 리 심: 등불 앞 일만 거리 단위 마음) [결] 번민과 방황

『동문선』

「秋夜雨中(추야우중)」의 창작 시기는 확실하게 밝혀지지 않았는데, 창작 시기를 어느 때로 보느냐에 따라 시의 해석이 달라진다.

- 당나라 유학 시절 중에 창작했다는 설
  최치원은 당나라 유학 중 고국으로부터 멀리 떨어진 자신의 모습에서 외로움과 쓸쓸함을 느꼈을 것이다. 그러한 마음이 燈前萬里心(등전만리심)에 가장 잘 드러나 있다. 낯선 타지에서 자신의 마음을 헤아려 줄 수 있는 벗이 없다는 것으로 인한 외로움, 머나먼 고향에 대한 그리움을 가을비 내리는 三更(삼경)을 배경으로 하여 형상화하고 있다.
- 신라 귀국 후에 창작했다는 설
  최치원은 당나라에서 십 년이 넘는 세월 동안 학문을 갈고닦으며 쌓은 내공과 자신의 포부를 고국에서 마음껏 펼치고 싶었으나, 정작 6두품이라는 신분의 제약과 신라 말기의 혼란함으로 인해 그 뜻을 이루지 못하였다. 최치원은 당시의 괴로움을 가을날 비 내리는 밤을 배경으로 노래한 것이다.

[견당 유학생]
신라에서는 삼국을 통일한 뒤 국가 조직과 통치 계층의 수요를 충당하기 위해서 682년(신문왕 2년)에 국학(國學)을 설치하였고, 788년(원성왕 4년)에는 독서삼품과(讀書三品科)를 부설하였으나, 5두품 이상의 자제에게만 입학의 자격이 주어졌으므로 6두품 이하의 지식 계층들은 자신들의 신분 향상을 위해서 해외 유학을 택하게 되었다. 특히 신라 후기에는 6두품 이하의 자제들이 당나라로 유학하였고, 그곳에서 과거를 보아 급제한 경우가 많았다.

스스로 확인

시의 계절적 배경을 드러내는 한자는 무엇인가?

秋
추

- **최치원(崔致遠, 857~?)**: 통일 신라 말기의 학자이자 문장가
- **『동문선(東文選)』**: 성종의 명으로 서거정(徐居正) 등이 중심이 되어 편찬한 우리나라 역대 시문선집(詩文選集)

꼭꼭! 본문 다지기

교과서 138쪽

- 秋風(추풍): 가을바람
- 佳約(가약): ① 아름다운 약속 ② 사랑하는 사람과 만날 약속 ③ 부부가 되자는 약속
- 歡迎(환영): 오는 사람을 기쁜 마음으로 반갑게 맞음.
- 製品(제품): 원료를 써서 물건을 만듦. 또는 그렇게 만들어 낸 물품
- 臥龍(와룡): ① 누워 있는 용 ② 앞으로 큰일을 할, 초야(草野)에 묻혀 있는 큰 인물을 비유적으로 이르는 말
- 鐵絲(철사): 쇠로 만든 가는 줄

1 2 3 4
秋夜雨中 (추야우중) — 가을밤 비 내리는 가운데

1 2 3 4 5
秋風/唯苦吟하니, (추풍 유고음) — 가을바람에 오직 괴로이 읊조리니,
○: 운자

1 2 5 4 3
擧世/少知音이라. (거세 소지음) — 온 세상에 나를 알아주는 이 적네.

1 2 3 4 5
窓外/三更雨요, (창외 삼경우) — 창밖에는 한밤의 비가 내리고,

1 2 3 4 5
燈前/萬里心이라. (등전 만리심) — 등불 앞에는 만 리의 마음이라네.

3구와 4구는 서로 짝을 이루고 있다.
窓外 三更 雨.
↕ ↕ ↕
燈前 萬里 心.

- 擧世(거세): 온 세상
- 知音(지음): 자기를 알아주는 사람
- 知音(지음)과 비슷한 뜻의 성어
  - 知己(지기)
  - 知友(지우)
  - 知己之友(지기지우)
- 三更(삼경): 밤 11시 ~ 새벽 1시
- 更: (경) 시각

수식 관계로 이루어진 어휘

- 秋風(추풍)
- 佳約(가약)
- 歡迎(환영)
- 製品(제품)
- 臥龍(와룡)
- 鐵絲(철사)

부수가 같은 한자 – 口(구)

- 吟 (음) 읊다 예 吟味(음미)
- 否 (부) 아니다 예 安否(안부)
- 只 (지) 다만 예 但只(단지)
- 喪 (상) 잃다 예 喪失(상실)

- 吟味(음미): ① 시가를 읊조리며 그 맛을 감상함. ② 어떤 사물 또는 개념의 속 내용을 새겨서 느끼거나 생각함.
- 安否(안부): 어떤 사람이 편안하게 잘 지내고 있는지 그렇지 아니한지에 대한 소식. 또는 인사로 그것을 전하거나 묻는 일
- 但只(단지): 다만
- 喪失(상실): ① 어떤 사람과 관계가 끊어지거나 헤어지게 됨. ② 어떤 것이 아주 없어지거나 사라짐.

감상 더하기

최치원은 12살에 당나라로 유학을 떠나 18세에 과거에 급제한 秀才였지만, 귀국 후에는 육두품이라는 신분의 한계에 가로막혀 자신의 抱負를 펼치지 못하고 傷心한 채 가야산으로 들어가 버린 不遇한 인물이었다.

이 작품은 당나라에서 유학할 때 고향을 그리워하는 마음을 표현한 것으로 보기도 하고, 귀국 후 신라 말기의 混亂한 사회를 개혁하고자 하였으나 세상이 자신을 알아주지 않은 슬픔을 표현한 것으로 보기도 한다. 따라서 비 오는 가을밤의 쓸쓸하고 우울한 분위기 속에서 작자가 느끼는 외로움은 낯선 타국에서 느끼는 외로움, 또는 돌아온 조국에서 느끼는 외로움으로 볼 수 있다.

- 秀才(수재): 뛰어난 재주. 또는 머리가 좋고 재주가 뛰어난 사람
- 抱負(포부): 마음속에 지니고 있는, 미래에 대한 계획이나 희망
- 傷心(상심): 슬픔이나 걱정 따위로 속을 썩임.
- 不遇(불우): ① 재능이나 포부를 가지고 있으면서도 때를 만나지 못하여 출세를 못함. ② 살림이나 처지가 딱하고 어려움.
- 混亂(혼란): 뒤죽박죽이 되어 어지럽고 질서가 없음.

新 한자 모아 보기

한자	음	뜻	부수	획수	총획
佳	가	아름답다	人(亻)	6	8
約	약	맺다	糸	3	9
歡	환	기쁘다	欠	18	22
迎	영	맞다	辵(辶)	4	8
製	제	짓다	衣	8	14
臥	와	눕다	臣	2	8
鐵	철	쇠	金	13	21
絲	사	실	糸	6	12
否	부	아니다	口	4	7

한자	음	뜻	부수	획수	총획
只	지	다만	口	2	5
但	단	다만	人(亻)	5	7
喪	상	잃다	口	9	12
失	실	잃다	大	2	5
秀	수	빼어나다	禾	2	7
才	재	재주	手(扌)	0	3
抱	포	안다	手(扌)	5	8

한자	음	뜻	부수	획수	총획
負*	부	지다	貝	2	9
傷	상	다치다	人(亻)	11	13
遇	우	만나다	辵(辶)	9	13
混	혼	섞다	水(氵)	8	11
代	대	대신하다, 시대	人(亻)	3	5
卷	권	책	卩(㔾)	6	8

쑥쑥! 실력 향상 ○ 교과서 139쪽

생활 속 용어 활용

신라 時代에는 당나라에서 유학한 인재들이 많았어요.

- 時代(시대): 역사적으로 어떤 표준에 의하여 구분한 일정한 기간

한국사 時間에 배웠어요! 최치원도 그중 한 명인데, 문장에 뛰어났대요.

- 時間(시간): ① 어떤 시각에서 어떤 시각까지의 사이 ② 시각

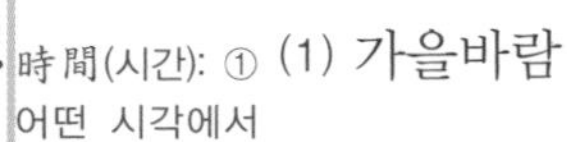

'황소의 난'이 일어나자 降伏을 권유하는 글을 써서 당나라 전체에 이름을 떨쳤대요.

- 황소의 난: 중국 당(唐)나라 말기에 일어난 농민 반란이며, 당나라가 멸망하는 계기가 됨.
- 降伏(항복): 적이나 상대편의 힘에 눌리어 굴복함.

수십 卷의 책을 저술했지만, 남아 있는 책은 『계원필경』 등 일부라네요.

- 卷(권): 책을 세는 단위

문제로 실력 확인

[1~3] 다음 글을 읽고 물음에 답해 보자.

秋風唯苦吟(추풍유고음), 擧世少知音(거세소지음).
窓外三更雨(창외삼경우), 燈前萬里心(등전만리심).

1. 다음과 같은 뜻을 지니는 어휘가 되도록 항목끼리 연결해 보자.

(1) 가을바람
(2) 마음을 알아주는 벗
(3) 온 세상
(4) 밤 11~새벽 1시

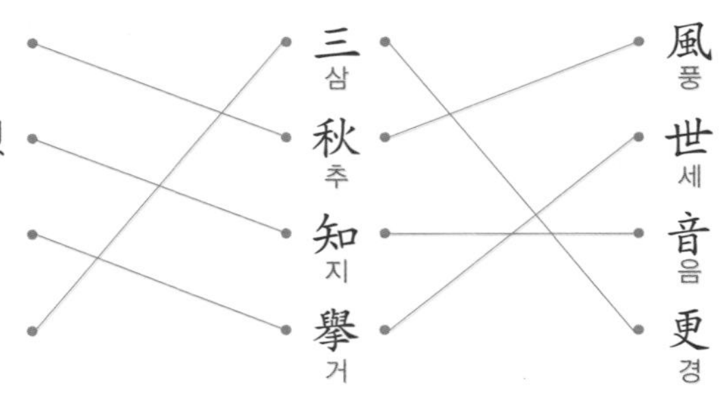

2. 윗글을 감상한 내용으로 적절하지 않은 것을 골라 보자. ⑤

① 秋風을 통해 시의 배경이 가을임을 알 수 있다.
② 唯苦吟에는 작자의 괴로운 마음이 담겨 있다.
③ 擧世少知音에서 작자는 세상이 자신을 몰라준다고 여긴다.
④ 三更雨는 우울하고 쓸쓸한 분위기를 느끼게 하는 소재이다.
⑤ 燈前에는 깊은 밤 학문에 힘쓰는 작자의 모습이 드러난다.

창의형

3. 윗글의 작자에게 격려와 위로의 편지를 써 보자.

[예시 답안] (최치원이 당나라 유학 중에 쓴 시라고 가정한 경우) 먼 나라에서 혼자 공부하는 것이 많이 외롭고 힘들지? 그래도 고국을 위해 넓은 세상에서 많은 것들을 배워 오겠다는 큰 뜻을 품고 갔으니, 후회 없는 시간을 보내기를 바란다. 네가 건강한 모습으로 돌아올 날을 기다릴게.

소단원 자기 점검

학업 성취도를 스스로 점검해 보자.

• 시구의 의미와 한시의 분위기를 이해할 수 있는가?	잘함 / 보통 / 노력 필요
• 작품의 창작 배경과 작자에 관한 이해를 바탕으로 한시를 감상할 수 있는가?	잘함 / 보통 / 노력 필요

□ 교과서 137~139쪽 다시 읽기 □ 교과서 138쪽 '감상 더하기' 다시 읽기

도움말 소단원 학습이 끝나면 소단원의 학습 목표에 해당하는 질문에 답하며 자신의 학업 성취도를 스스로 점검해 본다. 성취 목표에 도달하지 못한 경우에는 제시된 위치로 돌아가서 내용을 다시 읽고 공부하도록 한다.

소단원 스스로 정리

정답과 해설 308쪽

• 한자, 음, 뜻, 부수의 순서로 제시

1. 한자

藥 ❶□ 약 [艸(艹)]
酒 (주) 술 [酉]
深 (심) 깊다 [水(氵)]
客 (객) 손, 나그네 [宀]
留 (류) 머무르다 [田]
❷□ (급) 미치다 [又]
第 (제) 차례 [竹]
歸 (귀) 돌아가다 [止]
唯 (유) ❸□□ [口]
吟 ❹□ 읊다 [口]
少 (소) 적다 [小]
窓 (창) 창 [穴]

燈 (등) 등불 [火]
里 (리) 마을, 거리 단위 [里]
佳 (가) ❺□□□□ [人(亻)]
❻□ (약) 맺다 [糸]
歡 (환) 기쁘다 [欠]
迎 (영) 맞다 [辵(辶)]
製 (제) ❼□□ [衣]
臥 (와) 눕다 [臣]
鐵 (철) 쇠 [金]
絲 (사) 실 [糸]
否 (부) 아니다 [口]
❽□ (지) 다만 [口]

但 (단) 다만 [人(亻)]
喪 (상) 잃다 [口]
失 (실) 잃다 [大]
秀 (수) 빼어나다 [禾]
❾□ (재) 재주 [手(扌)]
抱 ❿□ 안다 [手(扌)]
負*(부) 지다 [貝]
傷 (상) 다치다 [人(亻)]
遇 (우) 만나다 [辵(辶)]
混 (혼) 섞다 [水(氵)]
⓫□ (대) 대신하다, 시대 [人(亻)]
卷 (권) ⓬□ [卩(㔾)]

2. 어휘

(1) 留學(❶□□): 외국에 머물면서 공부함.
(2) ❷□□(귀국): 외국에 나가 있던 사람이 자기 나라로 돌아오거나 돌아감.
(3) ❸□第(급제): 시험이나 검사 따위에 합격함. 과거에 합격하던 일
(4) 知❹□(지음): 자기의 속마음까지 알아주는 ❺□□
(5) ❻□□(항복): 적이나 상대편의 힘에 눌리어 굴복함.

3. 본문

秋風❶□苦吟(추풍/유고음)하니,	❷□□바람에 오직 괴로이 읊조리니,
擧世少知❸□(거세/소지음)이라.	온 ❹□□에 나를 알아주는 이 적네.
窓外三更❺□(창외/삼경우)요,	❻□밖에는 한밤의 비가 내리고,
❼□前萬里心(등전/만리심)이라.	등불 앞에는 만 리의 ❽□□이라네.

4. 한시의 분위기와 서로 짝을 이루는 구절

(1) 자신을 알아주지 않는 것에 대한 아쉬움을 ❶□□날 비 내리는 밤에 표출함으로써 애상적인 분위기를 형성함.
(2) 3구와 4구는 서로 짝을 이루고 있다. (대우법)

窓外 | 三更 | 雨.
↕ ↕ ↕
燈前 | 萬里 | 心.

소단원 확인 문제

01 다음 설명과 관련 있는 한자로 알맞은 것은?

- '다치다'는 의미이다.
- 총획이 13이다.
- 부수는 人이다.

① 臥 ② 喪 ③ 傷 ④ 佳 ⑤ 歡

02 한자의 독음이 바른 것은?

① 抱 (보) ② 只 (저) ③ 製 (재)
④ 但 (단) ⑤ 降 (황)

출제 유력

03 한자와 그 뜻이 바르게 연결되지 <u>않은</u> 것은?

① 唯: 오직 ② 吟: 지금 ③ 少: 적다
④ 前: 앞 ⑤ 里: 거리 단위

04 한자의 부수가 <u>잘못</u> 연결된 것은?

① 藥－艸 ② 酒－水 ③ 深－水
④ 及－又 ⑤ 里－里

출제 유력

05 한자의 부수가 나머지와 <u>다른</u> 하나는?

① 吟 ② 唯 ③ 否 ④ 只 ⑤ 客

06 한자 어휘에서 밑줄 친 한자의 음과 뜻이 바르게 연결된 것은?

<u>喪</u>失

① (탕) 끓이다 ② (상) 엄하다
③ (장) 마당 ④ (탕) 마당
⑤ (상) 잃다

07 다음과 같은 뜻을 가진 어휘를 한자로 쓰시오.

(1) 적이나 상대편의 힘에 눌리어 굴복함.: □□
(2) 역사적으로 어떤 표준에 의하여 구분한 일정한 기간: □□
(3) 책을 세는 단위: □

08 한자 어휘의 독음이 바르지 <u>않은</u> 것은?

① 秀才(수재) ② 但只(단지)
③ 不遇(불우) ④ 抱負(포상)
⑤ 混亂(혼란)

09 한자 어휘의 표기가 바르지 <u>않은</u> 것은?

① 추풍: 秋風 ② 가약: 佳約
③ 환영: 觀英 ④ 제품: 製品
⑤ 철사: 鐵絲

출제 유력

10 빈칸에 공통으로 들어갈 한자로 알맞은 것은?

□音, □己 : 속마음까지 알아주는 친한 친구

① 之 ② 止 ③ 只 ④ 知 地

11 다음과 같은 뜻을 가진 한자 어휘로 알맞은 것은?

앞으로 큰일을 할, 초야(草野)에 묻혀 있는 큰 인물을 비유적으로 이르는 말

① 安否 ② 臥龍 ③ 混亂
④ 秀才 ⑤ 抱負

[12~20] 다음 시를 읽고 물음에 답하시오.

(가) 孫子夜夜㉠讀書不.
㉡祖父朝朝藥酒猛.
(나) 秋風㉢唯苦吟하니,
擧世少知音이라.
窓外三更雨요,
㉣燈前萬里心이라.

12 (가)와 (나)에 쓰인 한자의 음과 뜻이 바르지 않은 것은?

① 藥 (락) 즐겁다 ② 猛 (맹) 사납다
③ 唯 (유) 오직 ④ 吟 (음) 읊다
⑤ 燈 (등) 등불

출제 유력
13 (가)에서 ㉠과 서로 짝을 이루는 것은?

① 孫子 ② 夜夜 ③ 祖父
④ 朝朝 ⑤ 藥酒猛

14 ㉡의 풀이로 알맞은 것은?

① 아버지께서는 아침마다 약주를 드신다.
② 할아버지께서는 아침에 약주를 사러 가신다.
③ 아버지와 할아버지께서는 약주를 드신다.
④ 우리 할아버지께서는 저녁마다 술집에 가신다.
⑤ 할아버지께서는 아침마다 약주를 많이 드시네요.

15 〈보기〉의 설명을 참고하여 (나)를 감상할 때, 빈칸에 알맞은 시구를 쓰시오.

창밖에는 한밤의 비가 내리고,: 窓外 三更 雨,
등불 앞에는 만 리의 마음이라네.: ㉠ ㉡ ㉢.

보기
대우법은 한시에서 많이 사용하는 표현 방법으로 나란히 이어지는 두 구가 내용상으로나 어법상으로 서로 짝을 이루도록 하는 것을 말한다.

16 ㉢의 독음이 바른 것은?

① 수고금 ② 유고금 ③ 추고음
④ 수고음 ⑤ 유고음

17 (나)에서 리듬감을 주는 글자를 모두 제시한 것은?

① 吟, 音 ② 音, 雨 ③ 吟, 音, 雨
④ 音, 雨, 心 ⑤ 吟, 音, 心

출제 유력
18 (나)의 시구에 대한 설명으로 적절하지 않은 것은?

① 擧世: '온 세상'으로 풀이된다.
② 知音: '자신을 알아주는 사람'이다.
③ 窓外: 음은 '창외'라고 읽는다.
④ 三更: 시간은 '23:00~01:00'이다.
⑤ 萬里心: 친구를 그리워하는 마음이다.

서술형
19 (나)의 ㉣을 풀이하고, 萬里心의 의미를 두 가지 관점에서 설명하시오.

출제 유력
20 (나)에 대한 설명으로 적절하지 않은 것은?

① 서정적이고 애상적인 분위기이다.
② 비 내리는 가을밤을 배경으로 한다.
③ 통일 신라 시대의 문장가인 최치원의 작품이다.
④ 뜻을 펼치지 못하는 지식인의 고뇌가 드러나 있다.
⑤ 고향에 돌아와서 느끼는 행복함을 노래하고 있다.

20. 길 떠나는 아들에게

교과서 140, 141쪽

똑똑! 활동으로 열기

출제 유형

- 한자의 공통되는 뜻으로 알맞은 것은?
- 한자의 뜻이 바르게 연결되지 않은 것은?
- 한시의 시상 전개 방식으로 알맞지 않은 것은?

'기승전결'이라는 말 들어 봤지? 원래는 한시에서 시구를 구성하는 방법을 뜻하는 말이야.

활동 1 다음 글을 읽고, 각 장면이 어느 단계에 해당하는지 연결해 보자.

한시에서 기구(起句)는 시상을 일으키고, 승구(承句)는 시상을 이어받아 전개하며, 전구(轉句)는 시상을 전환하여 변화를 주고, 결구(結句)는 시상을 마무리한다.

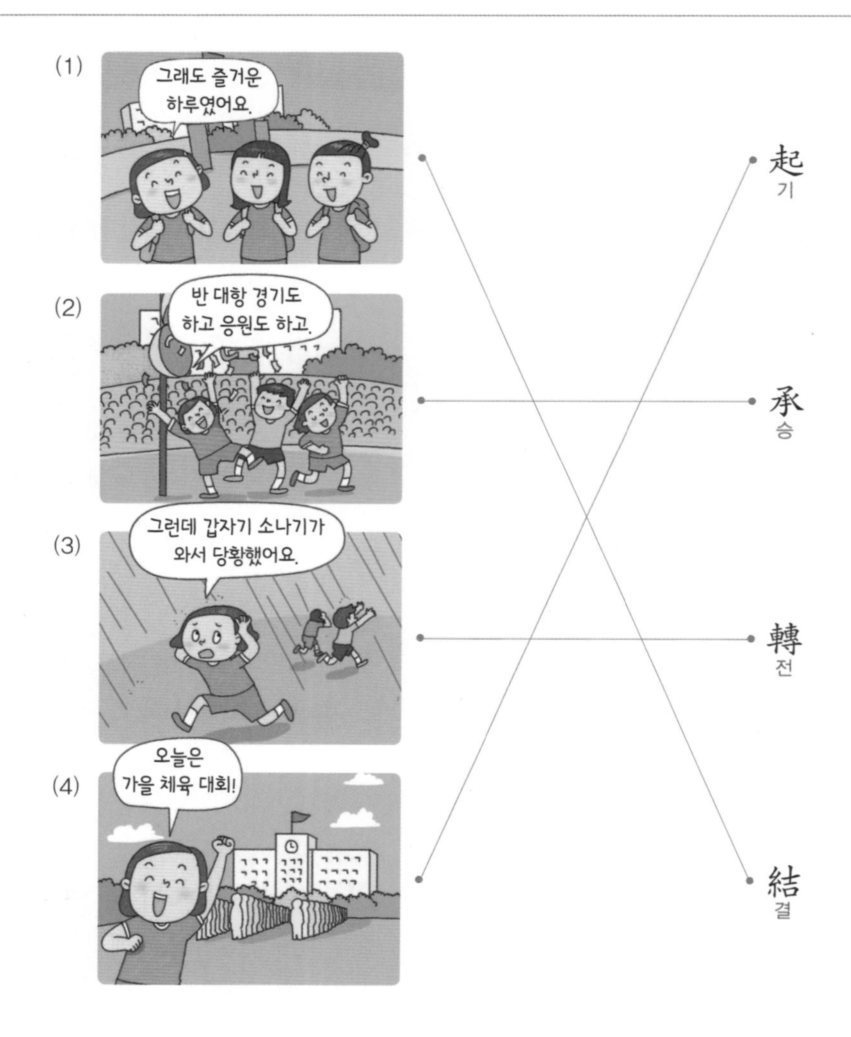

新 한자 모아 보기

한자	음	뜻	부수	획수	총획	한자	음	뜻	부수	획수	총획
承	승	잇다	手	4	8	私	사	사사롭다	禾	2	7

부모와 자식 간의 사랑을 담은 한시 작품을 감상해 보자.

활동 2 **작품에 드러난 작자의 모습과 심정을 파악해 보고, 빈칸에 알맞은 음을 써 보자.**

(1)

나라 일은 모두 기약이 있으니,
부디 고향을 그리워하지 마라.
날로 덕을 밝힌다는 소식 들리게 함이,
내 곁에 있는 것보다 나으리라.

영수합 서씨, 「기장아부연행중(寄長兒赴燕行中) 3」

→ 공무로 떠나는 자식이 公私(공 사) 구분을 잘하기를 바라는 어머니

公私: 공공의 일과 사사로운 일을 아울러 이르는 말

영수합 서씨: 1753~1823. 조선 영조 때의 여성 시인. 호는 영수각(令壽閣) 또는 영수합(令壽閤). 당대의 문장가로 이름을 떨친 홍석주, 홍길주, 홍현주 세 아들과 탁월한 여성 시인 홍원주의 어머니

영수합, 사임당 등은 당호(집의 이름)로, 이름을 대신하여 표현함.

(2)

늙으신 어머니를 강릉에 두고,
외로이 서울 길로 떠나는 이 마음.
때때로 고개 돌려 북평 쪽 바라보니,
흰 구름 아래로 저녁 산이 푸르구나.

사임당 신씨, 「유대관령망친정(踰大關嶺望親庭)」

→ 고향을 떠나면서 親庭(친 정) 어머니를 그리워하는 자식

親庭: 결혼한 여자의 부모 형제 등이 살고 있는 집

사임당 신씨: 1504~1551. 끊임없는 자기 계발을 통해 이룩한 예술적 성취 외에도 남편에 대한 적극적인 내조, 올곧은 자녀 교육을 통하여 진보적인 자신의 정체성을 뚜렷하게 드러낸 인물. 이이(李珥)의 어머니

(3)

몇 해나 떠돌며 얼마나 눈물 흘렸던가?
고향에는 늙으신 부모님 계시는데.
한밤내 서리 바람에 기러기 떼 놀라더니,
하늘가에 울음 그치고 대오가 흐트러졌네.

설죽, 「기계제운선(寄季弟雲仙)」

→ 他地(타 지)를 떠돌며 고향의 부모님을 그리워하는 자식

他地: 다른 지방이나 지역

설죽: ?~?. 이름은 얼현(孼玄). 원래 조선 중기의 학자 권래(權來)의 여종이었으나, 송강 정철의 애제자인 성로(成輅)와 사랑에 빠져 주고받은 연시(戀詩)가 20수나 있음. 종 신분이었지만 어려서부터 벽을 사이에 둔 채로 시문을 공부하는 소리를 듣고 그 글의 뜻을 풀었음. 당대 명망이 높은 사대부들과 교유하며 지은 작품이 많음.

배울 내용에 관하여 얼마나 알고 있는지 스스로 점검해 보자.

• 한시의 시상 전개 방식을 알고 있는가?	☆☆☆☆☆
• 한시에 나타난 작자의 모습과 심정을 파악할 수 있는가?	☆☆☆☆☆

잘하는 부분은 발전시키고, 부족한 부분은 보완할 수 있도록 스스로 학습 계획을 세워 보자.

나는 이 단원에서 ___예) 한시의 시상 전개 방식, 한시에 나타난 작자의 모습과 심정___ 을/를 공부하겠다.

도움말 한시의 시구 구성 방법인 기승전결, 부모와 자식 간의 사랑을 담은 한시 등을 활동을 통하여 살펴보았다. 이를 바탕으로 소단원 학습 내용에 관한 자신의 배경지식 정도를 점검해 보고, 스스로 소단원의 학습 계획을 세워 본다.

학습 요소 ■ 작품의 창작 배경과 작자의 삶 ■ 한시의 시상 전개 방식 ■ 한시의 감상

출제 유형
- 위 시에 대한 형식으로 알맞은 것은?
- 위 시의 화자에 대한 설명으로 알맞은 것은?
- ⓒ의 풀이를 쓰시오.
- 위시의 운자를 모두 찾아 쓰시오.

20. 길 떠나는 아들에게

교과서 142, 143쪽

이 작품은 사신의 임무를 맡아 중국의 북경으로 떠나는 큰아들 홍석주를 배웅하며 쓴 한시이다. 추운 날씨에 먼 길을 떠나는 아들의 옷차림을 염려하고 종종 소식을 전해 주기를 당부하는 어머니의 애틋한 심정이 잘 드러나 있다. 어머니의 시에 대한 답장으로 아들 홍석주 역시 중국에서 여러 편의 시를 지어 어머니께 보냈다고 한다.

新 한자 모아 보기

한자	음	뜻	부수	획수	총획
寄*	기	부치다	宀	8	11
兒	아	아이	儿	6	8
赴*	부	나아가다	走	2	9
燕*	연	제비, 연나라	火(灬)	12	16
涼	량	서늘하다	水(氵)	8	11
忽*	홀	갑자기	心	4	8
已	이	이미	己	0	3
游*	유	사신으로 가다	水(氵)	9	12
衣	의	옷	衣	0	6
念	념	생각	心	4	8
此	차	이	止	2	6
勞	로	수고하다	力	10	12
懷*	회	품다, 마음	心	16	19

스스로 확인

어머니가 자식에게 부탁하고 있는 것은 무엇인가?

종종 소식을 전하는 것

'부치다'의 뜻. 상대방에게 보내는 글에 자주 사용

寄長兒赴燕行中
기 장 아 부 연 행 중
부치다 맏 아이 나아가다 연나라 다니다 가운데

'부임하다'의 뜻. 홍석주가 사신 명령을 받아 북경으로 부임하는 것을 뜻함.

영수합 서씨

- **형식**: 5언 절구
- **성격**: 서정적, 여성적
- **주제**: 연행 가는 아들을 걱정함.

涼風忽已至한데, [기] 날씨 묘사
양 풍 홀 이 지
서늘하다 바람 갑자기 이미 이르다

'서늘한 바람'으로, 시의 계절적 배경을 엿볼 수 있음.

'갑자기, 문득'이라는 뜻의 부사. 시간과 상황의 흐름이 문득 느껴짐을 뜻하므로 '어느덧'으로 풀이함.

游子衣無寒고? [승] 길 떠나는 아들의 옷차림 걱정
유 자 의 무 한
사신으로 가다 아들 옷 없다 차다

옷을 입고 깃을 여민 모양을 본뜬 글자

홍석주를 의미함.

○: 운자

念此勞我懷하니, [전] 길 떠나는 아들을 걱정하는 마음
염 차 노 아 회
생각 이 수고하다 나 마음

자식을 걱정하는 어머니의 마음

種種報平安하라. [결] 안부 전하라는 화자의 당부
종 종 보 평 안
종류 종류 알리다 평평하다 편안하다

가끔

자식이 잘 있다는 소식

『영수합고』

어머님께서 보내 주신 시에 삼가 차운하다

홍석주

몸에 어머님 손수 지으신 두둑한 갖옷을 입었으니
새벽에 바람 불고 눈 내려도 추위를 알지 못합니다.
북녘으로 가는 농서 땅 삼백 리 길에
어찌하면 날마다 잘 있다는 안부 아뢸 수 있을까요?

『연천집』

홍석주: 1774~1842. 조선의 문신. 급제하여 검열·수찬·교리 등을 거쳐 병조판서에 이르렀음. 그 후 정사로 청에 다녀와 이조판서가 되었으며, 순조의 두터운 신임을 받아 벼슬이 좌의정에까지 올랐음.

[홍석주가 어머니에게 보낸 시 원문]

敬次慈親寄示韻(경차자친기시운)

身上重裘手中線(신상중구수중선)
曉來風雪不知寒(효래풍설부지한)
北去隴西三百里(북거롱서삼백리)
那能日日報平安(나능일일보평안)

- **영수합 서씨(令壽閤徐氏, 1753~1823)**: 조선 영조 때의 여성 시인
- **『영수합고(令壽閤稿)』**: 영수합 서씨의 시집. 남편 홍인모(洪仁謨)의 유고집인 『족수당집(足睡堂集)』에 부록으로 편찬됨.

꼭꼭! 본문 다지기

교과서 144쪽

7 1 2 5 3 4 6
寄長兒赴燕行中 큰아들 연행 가는 중에 보내며
기 장 아 부 연 행 중
(燕: 북경 일대가 연나라 지역이었음. 그래서 燕이 북경을 뜻함.)

1 2 3 4 5
涼風/忽已至한데, 서늘한 바람 어느덧 불어오는데,
양 풍 홀 이 지

1 2 3 5 4
游子/衣無寒고? 길 떠나는 아들, 옷은 춥지 않을까?
유 자 의 무 한 ○: 운자

2 1 5 3 4
念此/勞我懷하니, 이를 생각함에 내 마음 괴로우니,
염 차 노 아 회

1 2 5 3 4
種種/報平安하라. 종종 평안하다는 소식 알려나 다오.
종 종 보 평 안

- 溫涼(온량): 따뜻하고 서늘함.
- 江村(강촌): 강가에 있는 마을
- 純潔(순결): 잡된 것이 섞이지 아니하고 깨끗함.
- 感泣(감읍): 감격하여 목메어 욺.

- 燕行(연행): 사신이 중국의 북경에 가던 일
- 忽已(홀이): 어느덧
- 游子(유자): 연행 가는 아들 → 홍석주

부수가 같은 한자 – 水(氵)(수)

- 涼 (량) 서늘하다 예 溫涼(온량)
- 江 (강) 강 예 江村(강촌)
- 潔 (결) 깨끗하다 예 純潔(순결)
- 泣 (읍) 울다 예 感泣(감읍)

모양이 비슷한 한자

- 勞 (로) 수고하다 예 勞苦(노고)
- 榮 (영) 영화 예 榮華(영화)
- 叔 (숙) 아저씨 예 叔父(숙부)
- 淑 (숙) 맑다 예 貞淑(정숙)

- 勞苦(노고): 힘들여 수고하고 애씀.
- 榮華(영화): 몸이 귀하게 되어 이름이 세상에 빛남.
- 叔父(숙부): 작은아버지
- 貞淑(정숙): 여자로서 행실이 곧고 마음씨가 맑고 고움.

똑똑한 한문 지식 한시의 詩想(시상) 전개 방식 – 起承轉結(기승전결)

起句(1구) 기구	시상을 불러일으킴.	추워지는 날씨를 말하며 시상을 불러일으킴.
承句(2구) 승구	시상을 이어받아 확대 · 발전시킴.	아들의 옷이 춥지 않을지 염려하며 시상을 확대 · 발전시킴.
轉句(3구) 전구	시상에 변화를 주어 장면이나 분위기를 비약 · 전환시킴.	아들에 관한 걱정으로 심란한 마음을 표현하면서 분위기를 전환함.
結句(4구) 결구	전체의 시상을 마무리함.	종종 소식을 전하라는 당부로 시상을 마무리함.

감상 더하기

영수합 서씨는 이름 높은 文章家이자, 가족을 살뜰히 돌보는 賢母良妻였다. 이 작품은 使行을 떠나는 큰아들 홍석주를 배웅하며 쓴 다섯 수의 시 중 네 번째 시로, 아들을 염려하는 어머니의 河海와 같은 사랑이 느껴진다.

문장가: 글을 뛰어나게 잘 짓는 사람
현모양처: 어진 어머니이면서 착한 아내
사행: '사신 행차'를 줄여 이르던 말
하해: 큰 강과 바다를 아울러 이르는 말

▲ 김홍도, 「연행도」
도화서 화원 시절인 1790년경 작품.
지금은 없어진 연경성의 동문인 조양문으로 조선 사절이 들어가는 모습이 표현됨.

新 한자 모아 보기

한자	음	뜻	부수	획수	총획
江	강	강	水(氵)	3	6
村	촌	마을	木	3	7
潔	결	깨끗하다	水(氵)	12	15
純	순	순하다	糸	4	10
泣	읍	울다	水(氵)	5	8
榮	영	영화	木	10	14
華	화	빛나다	艸(艹)	8	12

한자	음	뜻	부수	획수	총획
淑	숙	맑다	水(氵)	8	11
貞	정	곧다	貝	2	9
想	상	생각	心	9	13
章	장	글	立	6	11
賢	현	어질다	貝	8	15
妻	처	아내	女	5	8
使	사	하여금, 사신	人(亻)	6	8

한자	음	뜻	부수	획수	총획
河	하	물	水(氵)	5	8
或	혹	혹시	戈	4	8
是	시	이	日	5	9
停	정	머무르다	人(亻)	9	11
乘	승	타다	丿	9	10
到	도	이르다	刀	6	8
着	착	붙다	目	7	12

쑥쑥! 실력 향상 ○ 교과서 145쪽

생활 속 용어 활용

할아버지 댁까지
네 시간이나 걸리는데
或是 멀미하면 어쩌니?
버스 터미널

• 或是(혹시): ① 그러할 리는 없지만 만일에 ② 어쩌다가 우연히

• 安心(안심): 모든 걱정을 떨쳐 버리고 마음을 편히 가짐.

停留場에서
乘下車할 때도
항상 조심하고.

• 停留場(정류장): 버스나 택시 따위가 사람을 태우거나 내려 주기 위하여 머무르는 일정한 장소
• 乘下車(승하차): 차를 타거나 차에서 내림.

너무 염려 마세요.
到着하면 바로
연락할게요.

• 到着(도착): 목적한 곳에 다다름.

문제로 실력 확인

[1~2] 다음 글을 읽고 물음에 답해 보자.

㉮ 念此勞我懷 (염차노아회)	㉯ 游子衣無寒 (유자의무한)
㉰ 種種報平安 (종종보평안)	㉱ 涼風忽已至 (양풍홀이지)

1. ㉮~㉱를 한시의 시상 전개 방식에 따라 배열해 보자.

㉱ - ㉯ - ㉮ - ㉰

2. 질문에 관한 답이 바르게 연결된 것을 골라 보자. ⑤

① **질문** 윗글의 화자는 누구인가?
답 연행을 떠나는 아들이다.
× → 아들을 떠나보내는 어머니

② **질문** 윗글의 청자는 누구인가?
답 아들을 떠나보내는 어머니이다.
× → 연행을 떠나는 아들

③ **질문** 윗글에서 游子는 누구를 가리키는가?
답 자유롭게 세상을 떠돌아다니는 나그네이다.
× → 연행 가는 아들

④ **질문** 윗글의 화자는 무엇을 바라는가?
답 아들이 빨리 돌아오기를 바란다.
× → 종종 소식을 전하는 것

⑤ **질문** 윗글의 화자가 염려하는 것은 무엇인가?
답 서늘한 바람이 불어와 아들의 옷이 춥지 않을지 염려한다.

창의형

3. '父母子息(부모자식)'으로 사행시를 지어 보자.

예시
부 ······ 부모님의 무한한 사랑,
모 ······ 모두 이해하고 갚을 수나 있을까?
자 ······ 자식이 부모님께 효도하는 것은 사람이
식 ······ 식사를 하는 것처럼 당연한 일이지.

소단원 자기 점검

학업 성취도를 스스로 점검해 보자.

• 한시의 시상 전개 방식을 이해하고 한시를 풀이할 수 있는가?	잘함 / 보통 / 노력 필요
• 작품의 창작 배경과 작자에 관한 이해를 바탕으로 한시를 감상할 수 있는가?	잘함 / 보통 / 노력 필요

□ 교과서 144쪽 '똑똑한 한문 지식' 다시 읽기 □ 교과서 144쪽 '감상 더하기' 다시 읽기

도움말 소단원 학습이 끝나면 소단원의 학습 목표에 해당하는 질문에 답하며 자신의 학업 성취도를 스스로 점검해 본다. 성취 목표에 도달하지 못한 경우에는 제시된 위치로 돌아가서 내용을 다시 읽고 공부하도록 한다.

소단원 스스로 정리

정답과 해설 309쪽

• 한자, 음, 뜻, 부수의 순서로 제시

1. 한자

- 承 (승) 잇다 [手]
- 私 ❶□ 사사롭다 [禾]
- ❷□*(기) 부치다 [宀]
- 兒 (아) 아이 [儿]
- 赴*(부) 나아가다 [走]
- 燕*(연) 제비, 연나라 [火(灬)]
- 涼 (량) 서늘하다 [水(氵)]
- 忽*(홀) ❸□□□ [心]
- 已 (이) 이미 [己]
- 游* ❹□ 사신으로 가다 [水(氵)]
- 衣 (의) 옷 [衣]
- 念 (념) 생각 [心]

- 此 (차) 이 [止]
- 勞 (로) ❺□□□□ [力]
- 懷*(회) 품다, 마음 [心(忄)]
- 江 (강) 강 [水(氵)]
- 村 (촌) 마을 [木]
- ❻□ (결) 깨끗하다 [水(氵)]
- 純 (순) 순하다 [糸]
- 泣 (읍) ❼□□ [水(氵)]
- 榮 (영) 영화 [木]
- 華 ❽□ 빛나다 [艸(艹)]
- 淑 (숙) 맑다 [水(氵)]
- 貞 (정) 곧다 [貝]

- 想 (상) 생각 [心(忄)]
- 章 (장) 글 [立]
- 賢 (현) 어질다 [貝]
- 妻 (처) 아내 [女]
- ❾□ (사) 하여금, 사신 [人(亻)]
- 河 (하) 물 [水(氵)]
- 或 (혹) 혹시 [戈]
- 是 ❿□ 이 [日]
- 停 (정) 머무르다 [人(亻)]
- ⓫□ (승) 타다 [丿]
- 到 (도) 이르다 [刀(刂)]
- 着 (착) ⓬□□ [目]

2. 어휘

(1) ❶□□(공사): 공공의 일과 사사로운 일을 아울러 이르는 말

(2) 親庭(❷□□): 결혼한 여자의 부모 형제 등이 살고 있는 집

(3) ❸□□(타지): 다른 지방이나 지역

(4) 停留場(❹□□□): 버스나 택시 따위가 사람을 태우거나 내려 주기 위하여 머무르는 일정한 장소

(5) 乘下車(❺□□□): 차를 타거나 차에서 내림.

3. 본문

❶□風忽已至(양풍/홀이지)한데,	서늘한 바람 ❷□□□ 불어오는데,
游子❸□無寒(유자/의무한)고?	길 떠나는 ❹□□, 옷은 춥지 않을까?
念此勞我❺□(염차/노아회)하니,	이를 생각함에 내 마음 괴로우니,
種種❻□平安(종종/보평안)하라.	❼□□ 평안하다는 소식 알려나 다오.

4. 한시의 시상 전개 방식 - 기승전결(起承轉結)

기(起)	시상을 불러일으킴.	추워지는 날씨를 말하며 시상을 불러일으킴.
❶□(承)	시상을 이어받아 확대·발전시킴.	아들의 옷이 춥지 않을지 염려하며 시상을 확대·발전시킴.
전(轉)	시상에 변화를 주어 장면이나 분위기를 비약·❷□□시킴.	아들에 관한 ❸□□으로 심란한 마음을 표현하면서 분위기를 전환시킴.
결(結)	전체의 시상을 마무리함.	종종 소식을 전하라는 ❹□□로 시상을 마무리함.

소단원 확인 문제

01 다음 한자의 공통되는 뜻으로 알맞은 것은?

此　是

① 이　② 그　③ 저　④ 거기　⑤ 그곳

02 다음 연결된 한자의 음이 바른 것은?

① 江 - 공　② 泣 - 강　③ 勞 - 영
④ 叔 - 숙　⑤ 榮 - 로

03 한자의 뜻이 바르게 연결되지 않은 것은?

① 寄: 부치다　② 涼: 서늘하다　③ 念: 생각
④ 懷: 마음　⑤ 乘: 있다

04 한자의 공통되는 부수가 가진 뜻은?

念　懷　想

① 마음　② 그릇　③ 나무　④ 향기　⑤ 가죽

출제 유력

05 한자의 부수가 나머지와 다른 하나는?

① 涼　② 寒　③ 泣　④ 江　⑤ 潔

06 다음 한자 어휘에서 밑줄 친 한자의 음과 뜻이 바르게 연결된 것은?

停留場

① (정) 정자　② (장) 엄하다
③ (사) 하여금　④ (정) 머무르다
⑤ (장) 가지런하다

07 다음과 같은 뜻을 가진 한자 어휘를 〈보기〉에서 찾아 쓰시오.

(1) 목적한 곳에 다다름.: □□
(2) 마음이 편안함.: □□
(3) 그러할 리는 없지만 만일에: □□

보기

或是　到着　安心

08 뜻이 반대되는 한자로 이루어진 어휘로 알맞은 것은?

① 下車　② 他地　③ 涼風
④ 平安　⑤ 公私

09 한자 어휘의 독음이 바르지 않은 것은?

① 或是(혹시)　② 安心(안심)
③ 到着(이간)　④ 停留場(정류장)
⑤ 乘下車(승하차)

출제 유력

10 한자 어휘의 표기가 바르지 않은 것은?

① 노고: 勞苦　② 감읍: 感泣
③ 사행: 使行　④ 온량: 溫泉
⑤ 문장가: 文章家

서술형

11 다음 밑줄 친 부분을 한자로 쓰시오.

영수합 서씨는 이름 높은 문장가이자, 가족을 살뜰히 돌보는 현모양처였다.

12 한시의 시상 전개 방식에 대한 설명으로 알맞지 않은 것은?

① 起句에서는 시상을 불러일으킨다.
② 承句에서는 시의 배경을 소개한다.
③ 轉句에서는 시상에 변화를 준다.
④ 轉句에서는 장면이나 분위기를 비약·전환시킨다.
⑤ 結句에서는 전체의 시상을 마무리한다.

[13~20] 다음 시를 읽고 물음에 답하시오.

> ㉠涼風忽已至한데,
> ㉡念此勞我懷하니,
> ㉢游子衣無寒고?
> ㉣種種報平安하라.

출제 유력

13 위 시의 시상 전개에 따른 내용이다. 흐름에 따라 ㉠~㉣을 알맞게 배열한 것은?

기	추워지는 날씨를 말하며 시상을 불러일으킴.
승	아들의 옷이 춥지 않을지 염려하며 시상을 확대·발전시킴.
전	아들에 관한 걱정으로 심란한 마음을 표현하면서 분위기를 전환시킴.
결	종종 소식을 전하라는 당부로 시상을 마무리함.

① ㉠-㉡-㉢-㉣ ② ㉠-㉢-㉣-㉡
③ ㉠-㉢-㉡-㉣ ④ ㉢-㉠-㉡-㉣
⑤ ㉢-㉡-㉠-㉣

14 시어의 독음이 바르지 않은 것은?

① 涼風(양풍) ② 忽已(홀기)
③ 游子(유자) ④ 我懷(아회)
⑤ 平安(평안)

15 위 시의 형식으로 알맞은 것은?

① 오언 절구 ② 오언 율시 ③ 오언 배율
④ 칠언 절구 ⑤ 칠언 율시

출제 유력

16 위 시의 화자에 대한 설명으로 알맞은 것은?

① 아들과 같은 공간에 머물고 있다.
② 임을 잃은 슬픔을 드러내고 있다.
③ 가난한 생활의 비애를 한탄하고 있다.
④ 길 떠나는 아들의 안위를 걱정하고 있다.
⑤ 가족의 평안을 위해서 희생하는 어머니의 모습이 드러나 있다.

17 ㉡의 풀이 순서가 바른 것은?

① 念→此→勞→我→懷
② 念→此→我→懷→勞
③ 念→勞→此→我→懷
④ 此→念→勞→我→懷
⑤ 此→念→我→懷→勞

18 ㉢을 바르게 끊어 읽은 것은?

① 游/子衣無寒 ② 游子/衣無寒
③ 游子衣/無寒 ④ 游子衣無/寒
⑤ 游/子衣無/寒

서술형

19 ㉣의 풀이를 쓰시오.

출제 유력

20 위 시에 대한 설명으로 적절하지 않은 것은?

① 운자는 寒, 安이다.
② 화자는 燕行을 가려고 하고 있다.
③ 遊子는 길 떠나는 아들을 의미한다.
④ 涼風에서 계절적 배경을 알 수 있다.
⑤ 화자는 종종 平安하다는 소식을 전해 달라고 하고 있다.

21. 자연과 더불어

교과서 146, 147쪽

똑똑! 활동으로 열기

[동음이의어(同音異義語)]
소리는 같으나 뜻이 다른 단어로, 한자의 뜻을 알면 의미를 정확하게 구분하여 활용할 수 있다.

출제 유형

- 다음 한자의 공통된 부수를 쓰시오.
- 이백과 관련된 어휘를 한자로 쓰시오.
- 한자 어휘의 독음이 바르지 않은 것은?

같은 음을 가진 한자 어휘와 비슷한 모양의 한자를 구별해 보자.

활동 1 표지판을 따라가면 어떤 한자 어휘를 지나 어느 곳에 도착하는지 써 보자.

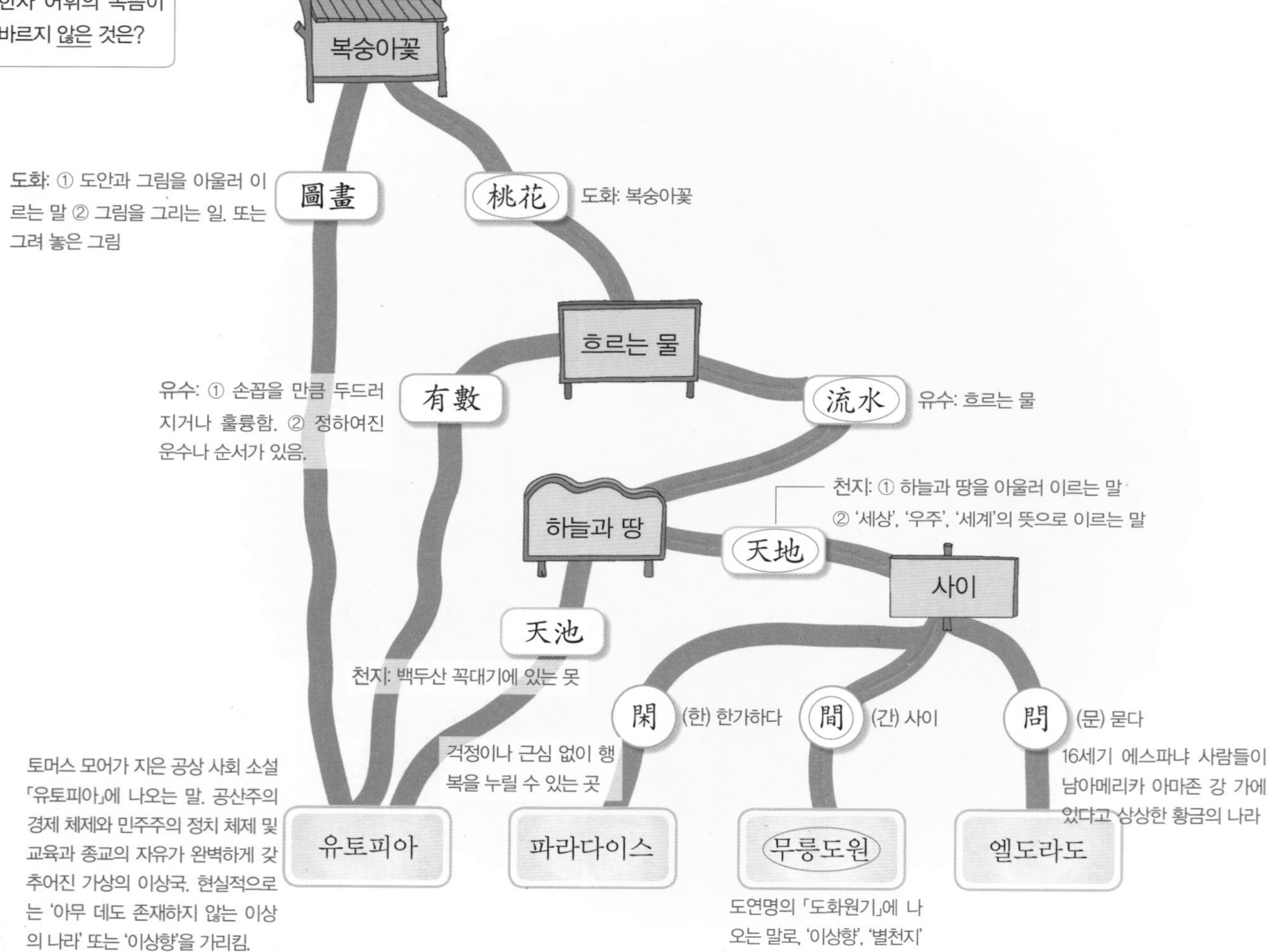

복숭아꽃
도화: ① 도안과 그림을 아울러 이르는 말 ② 그림을 그리는 일. 또는 그려 놓은 그림
圖畫
桃花
도화: 복숭아꽃
흐르는 물
유수: ① 손꼽을 만큼 두드러지거나 훌륭함. ② 정하여진 운수나 순서가 있음.
有數
流水
유수: 흐르는 물
하늘과 땅
천지: ① 하늘과 땅을 아울러 이르는 말
② '세상', '우주', '세계'의 뜻으로 이르는 말
天地
사이
天池
천지: 백두산 꼭대기에 있는 못
閑
(한) 한가하다
間
(간) 사이
問
(문) 묻다
토머스 모어가 지은 공상 사회 소설 「유토피아」에 나오는 말. 공산주의 경제 체제와 민주주의 정치 체제 및 교육과 종교의 자유가 완벽하게 갖추어진 가상의 이상국. 현실적으로는 '아무 데도 존재하지 않는 이상의 나라' 또는 '이상향'을 가리킴.
걱정이나 근심 없이 행복을 누릴 수 있는 곳
16세기 에스파냐 사람들이 남아메리카 아마존 강 가에 있다고 상상한 황금의 나라
유토피아
파라다이스
무릉도원
엘도라도
도연명의 「도화원기」에 나오는 말로, '이상향', '별천지'를 비유적으로 이르는 말

新 한자 모아 보기

한자	음	뜻	부수	획수	총획
桃*	도	복숭아	木	6	10
流	류	흐르다	水(氵)	7	10
池*	지	연못	水(氵)	3	6
閑	한	한가하다	門	4	12

한자	음	뜻	부수	획수	총획
武	무	무사	止	4	8
陵*	릉	언덕	邑(阝)	8	11
源*	원	근원	水(氵)	10	13
東	동	동녘	木	4	8

한자	음	뜻	부수	획수	총획
洋	양	큰 바다	水(氵)	6	9
別	별	다르다	刀	5	7
鄕	향	시골	邑(阝)	10	13
仙	선	신선	人(亻)	3	5

네가 도착한 곳은 말이야…….

• 무릉도원: '이상향', '별천지'를 비유적으로 이르는 말
• 동양: 유라시아 대륙의 동부 지역. 아시아의 동부 및 남부를 이름.
• 별천지: 특별히 경치가 좋거나 분위기가 좋은 곳

활동 2 빈칸에 알맞은 음을 써 보자.

武陵桃源(❶ 무 릉 도 원)은 東洋(❷ 동 양)의 대표적인 낙원으로, 別天地(❸ 별 천 지) 또는 理想鄕(❹ 이 상 향)을 뜻한다. 당나라 때 시인 도연명의 작품 『도화원기』에 실린 다음 이야기에서 由來(❺ 유 래)한 말이다.

인간이 생각할 수 있는 최선의 상태를 갖춘 완전한 사회

사물이나 일이 생겨남. 또는 그 사물이나 일이 생겨난 바

무릉에 살던 어부가 강을 거슬러 올라가던 중 복숭아나무 숲속을 지나 동굴을 통과하자, 그곳에는 풍요로운 논밭과 平和(❻ 평 화)롭게 살아가는 사람들이 있었다. 집으로 돌아온 어부는 다시 그곳을 찾아가려 하였지만 끝내 찾을 수 없었다.

① 평온하고 화목함. ② 전쟁, 분쟁 또는 일체의 갈등이 없이 평온함. 또는 그런 상태

중국의 시인인 이백은 이 무릉도원을 소재로 한 「산중문답(山中問答)」이라는 시를 통해 자신이 꿈꾸는 평화롭고 이상적인 세계를 표현하기도 하였다.

시인 이백에 관하여 알아보자.

전라북도 남원시에서 길쌈할 때 부르는 「베틀가」를 차용하여 부르는 유희요인 「달타령」에 '이태백'이 언급되고 있다. 「달타령」은 중국 당나라 시인 이태백이 놀았다는 달나라의 계수나무를 금도끼로 잘 다듬어, 사랑하는 사람과 함께 영원히 살 보금자리를 지어 보자는 내용이다.

〈가사〉
달아달아 불근(밝은) 달아/이태백이 놀던 달아
저그저그 저 달 속에/계수나무 백혀 있구나
억수지둥 지둥에도/금도치로 다듬어서
어여쁘게 집을 지어/양쪽 지둥 높이 달아
천 년이나 살아볼까/만 년이나 살아볼까

활동 3 빈칸에 들어갈 이백의 별명을 〈보기〉에서 찾아 써 보자.

이백은 중국 당나라의 시인으로, 자(字)는 태백(太白), 호(號)는 청련거사(淸蓮居士)이다. 그는 자유분방하고 낙천적인 성품으로 인생과 자연을 즐겁게 노래하였으며, 술과 달을 유난히 좋아하여 이를 소재로 많은 시를 지었다. '시의 신선'이라는 뜻의 ' 詩 仙 '이라는 별명으로 불린다.

• 보기 • 詩佛(시불) 詩仙(시선) 詩聖(시성)

소단원 학습 계획

배울 내용에 관하여 얼마나 알고 있는지 스스로 점검해 보자.

• '무릉도원'의 뜻을 알고 있는가?	☆☆☆☆☆
• 시인 이백에 관하여 알고 있는가?	☆☆☆☆☆

잘하는 부분은 발전시키고, 부족한 부분은 보완할 수 있도록 스스로 학습 계획을 세워 보자.

나는 이 단원에서 ___예 '무릉도원'의 뜻, 시인 이백___ 을/를 공부하겠다.

도움말 무릉도원(武陵桃源)의 유래와 뜻, 시선(詩仙) 이백에 대해 활동을 하며 살펴보았다. 이를 바탕으로 소단원 학습 내용에 관한 자신의 배경지식 정도를 점검해 보고, 스스로 소단원의 학습 계획을 세워 보게 한다.

학습 요소 ■ 한시의 끊어 읽기 ■ 한시의 제목과 이미지 ■ 한자 문화권의 이해와 교류

21. 자연과 더불어

○ 교과서 148, 149쪽

출제 유형

- 작가의 심경이 잘 드러나는 시행은?
- 위 시에 대한 이해로 적절하지 않은 것은?

무릉도원은 평화롭고 여유로운 이상향을 상징하는 공간으로, 한자 문화권의 문학 작품에서 자주 등장하는 소재이다. 이 작품은 중국의 시인 중 우리에게도 잘 알려진 이백의 한시로, 푸른 산에 사는 이유를 묻는 이에게 말없이 웃음 짓는 사람의 모습과 복숭아꽃을 띄운 물이 흘러가는 풍경이 무릉도원을 연상하게 하는 공간을 그려 내고 있다.

新 한자 모아 보기

한자	음	뜻	부수	획수	총획
答	답	대답하다	竹	6	12
棲*	서	깃들다, 살다	木	8	12
碧*	벽	푸르다	石	9	14
笑	소	웃다	竹	4	10
窅*	요	아득하다	穴	5	10

- **형식**: 7언 절구
- **성격**: 이상적, 탈속적
- **주제**: 자연 속에서의 한가로운 삶

山中問答 이백

산 중 문 답 — (속인이) 묻고 (이백이) 답하다.
산 가운데 묻다 대답하다

問余何意/棲碧山고? [기] 산중 생활에 대한
문 여 하 의 서 벽 산
묻다 나 어찌 뜻 살다 푸르다 산
○: 운자

- 棲碧: 이백이 산속에 거처를 정하여 사는 것을 뜻함.
- 碧山: 이백이 기거하고 있는 산을 뜻함.

笑而不答/心自閑이라. [승] 물음에 대한 반응
소 이 부 답 심 자 한
웃다 말 잇다 아니다 대답하다 마음 스스로 한가하다

- 笑而不答: 이백이 말로 표현하지 않고 표정으로 반응했음을 알 수 있음.

桃花流水/窅然去하니, [전] 이상 세계
도 화 유 수 요 연 거
복숭아 꽃 흐르다 물 아득하다 그러하다 가다

- 桃花: 무릉도원, 이상향의 세계를 말함.
- 窅然去: '그윽하고 멀어서 눈에 아물아물한 모양'으로, 물 위에 떠가는 복숭아꽃이 아득히 멀어지는 모습을 나타냄

別有天地/非人間이라. [결] 속세와의 단절
별 유 천 지 비 인 간
다르다 있다 하늘 땅 아니다 사람 사이

- 別有天地: 別天界(별천계), 別天地(별천지)를 뜻하며, 작가가 기거하는 곳인 碧山을 비유적으로 나타낸 표현
- 人間: 사람이 사는 세상

『전당시』

스스로 확인

제목인 山中問答의 풀이는 무엇인가?

산중에서 묻고 답하다.

- **이백(李白, 701~762)**: 중국 당나라 때의 시인
- **『전당시(全唐詩)』**: 청(清)나라 강희제(康熙帝)의 칙명에 따라 팽정구(彭定求) 등이 당시(唐詩)를 모아 엮은 한시집

꼭꼭! 본문 다지기

○ 교과서 150쪽

1 2 3 4
山中問答
산 중 문 답
산중에서 묻고 답하다.

2 1 3 4 7 5 6
問余何意/棲碧山고?
문 여 하 의 서 벽 산 ○: 운자
나에게 묻노니, "무슨 뜻으로 푸른 산에 사는가?"

1 2 4 3 5 6 7
笑而不答/心自閑이라.
소 이 부 답 심 자 한
웃으며 대답하지 않아도 마음 절로 한가롭네.

1 2 3 4 5 6 7
桃花流水/窅然去하니,
도 화 유 수 요 연 거
복사꽃 흐르는 물 아득히 흘러가니,

1 2 3 4 7 5 6
別有天地/非人間이라.
별 유 천 지 비 인 간
따로 있는 세상이지, 인간 세상 아니로다.

1구 끝의 山, 2구 끝의 閑, 4구 끝의 間의 중성과 종성이 같아 한시의 리듬감을 느끼게 한다.

- 問答(문답): 물음과 대답. 또는 서로 묻고 대답함.
- 忙中閑(망중한): 바쁜 가운데 잠깐 얻어 낸 틈.
- 早晩間(조만간): 앞으로 곧.
- 密閉(밀폐): 샐 틈이 없이 꼭 막거나 닫음.

● 桃花(도화): 武陵桃源(무릉도원)임을 나타냄.

● 窅然(요연): 아득한 모양

● 天地(천지): 세상

모양이 비슷한 한자

- 問 (문) 묻다 예 問答(문답)
- 閑 (한) 한가하다 예 忙中閑(망중한)
- 間 (간) 사이 예 早晩間(조만간)
- 閉 (폐) 닫다 예 密閉(밀폐)

부수가 같은 한자 – 人(亻)(인)

- 人 (인) 사람 예 人事(인사)
- 價 (가) 값 예 原價(원가)
- 伐 (벌) 베다 예 伐木工(벌목공)
- 保 (보) 지키다 예 保存(보존)

- 人事(인사): 사람의 일. 또는 사람으로서 해야 할 일
- 原價(원가): 상품의 제조, 판매, 배급 따위에 든 재화와 용역을 단위에 따라 계산한 가격
- 伐木工(벌목공): 나무 베기를 직업으로 하는 사람
- 保存(보존): 잘 보호하고 간수하여 남김.

똑똑한 한문 지식 한시의 끊어 읽기

한 구가 7글자로 이루어진 한시는 4자와 3자로 끊어 읽는다.
예 笑而不答心自閑.: 소이부답/심자한.

감상 더하기

이 작품은 말없이 한가로운 웃음을 짓는 시인의 모습과 맑은 溪谷물 위에 떠가는 복숭아꽃의 이미지를 통해 脫俗한 神仙이 사는 무릉도원과 별천지를 형상화하였다.
이 작품은 우리 문학에도 영향을 끼쳤다. 4구는 고전 소설 「별주부전」에 인용되었고, 1, 2구는 현대시 「남으로 창(窓)을 내겠소」에 영향을 준 것으로 알려져 있다.

- 탈속: ① 부나 명예와 같은 현실적인 이익을 추구하는 마음으로부터 벗어남. ② 속세를 벗어남.
- 계곡: 물이 흐르는 골짜기
- 신선: 도(道)를 닦아서 현실의 인간 세계를 떠나 자연과 벗하며 산다는 상상의 사람

이미지(image)
시어에 의해 마음속에 떠오르는 구체적이고 선명한 영상이나 감각적인 인상 = 심상

新 한자 모아 보기

한자	음	뜻	부수	획수	총획
忙	망	바쁘다	心(忄)	3	6
早	조	이르다	日	2	6
晩	만	늦다	日	7	11
閉	폐	닫다	門	3	11
密	밀	빽빽하다	宀	8	11
價	가	값	人(亻)	13	15
原	원	언덕, 근원	厂	8	10

한자	음	뜻	부수	획수	총획
伐	벌	치다, 베다	人(亻)	4	6
工	공	장인, 만들다	工	0	3
保	보	지키다	人	7	9
存	존	있다	子	3	6
溪	계	시내	水	10	13
谷	곡	골	谷	0	7

한자	음	뜻	부수	획수	총획
脫	탈	벗다	肉(月)	7	11
宅	택	집	宀	3	6
瓦	와	기와	瓦	0	5
藝	예	재주	艸(艹)	15	19
舞	무	춤추다	舛	8	14
香	향	향기	香	0	9

쑥쑥! 실력 향상 ○ 교과서 151쪽

생활 속 용어 활용

• 古宅(고택): 옛날에 지은, 오래된 집
• 瓦當(와당): 기와의 마구리. 막새나 내림새의 끝에 둥글게 모양을 낸 부분

이 古宅은 연꽃무늬 瓦當이 참 아름답네요.

집 안팎이 모두 고즈넉한 것이 참으로 藝術的이야.

• 藝術的(예술적): 예술의 특성을 지닌. 또는 그런 것

오늘 저녁에는 마당에서 歌舞 공연까지 열린대요.

• 歌舞(가무): 노래와 춤을 아울러 이르는 말

선선한 바람에 복숭아꽃 香氣까지. 여기가 바로 武陵桃源이구나!

• 香氣(향기): 꽃, 향, 향수 따위에서 나는 좋은 냄새
• 武陵桃源(무릉도원): '이상향', '별천지'를 비유적으로 이르는 말

문제로 실력 확인

[1~2] 다음 글을 읽고 물음에 답해 보자.

㉮ 問余何意棲碧山, (문여하의서벽산)	㉯ 笑而不答心自閑. (소이부답심자한)
㉰ 桃花流水窅然去, (도화유수요연거)	㉱ 別有天地非人間. (별유천지비인간)

1. ㉱에서 끊어 읽어야 할 곳에 / 표시를 하고, ㉱의 풀이를 써 보자.

(1) 끊어 읽기: 別有天地/非人間

(2) 풀이: 따로 있는 세상이지, 인간 세상 아니로다.

2. ㉮~㉱ 중, 다음 시의 ㉠과 의미가 통하는 시구의 기호를 써 보자. ㉯

> 남으로 창을 내겠소
> 밭이 한참갈이
> 괭이로 파고
> 호미론 풀을 매지요
>
> 구름이 꼬인다 갈 리 있소
> 새 노래는 공으로 들으랴오
>
> 강냉이가 익걸랑
> 함께 와 자셔도 좋소
>
> 왜 사냐건
> ㉠웃지요
>
> 김상용, 「남으로 창을 내겠소」

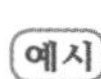

3. 자신이 생각하는 무릉도원의 모습을 그려 보자.

(예시)

소단원 자기 점검

학업 성취도를 스스로 점검해 보자.

• 한 구가 7글자로 된 한시를 바르게 끊어 읽고 풀이할 수 있는가?	잘함	보통	노력 필요
• 한시의 제목과 내용을 통해 이미지를 파악하여 한시를 감상할 수 있는가?	잘함	보통	노력 필요

□ 교과서 150쪽 '똑똑한 한문 지식' 다시 읽기 □ 교과서 150쪽 '감상 더하기' 다시 읽기

도움말 소단원 학습이 끝나면 소단원의 학습 목표에 해당하는 질문에 답하며 자신의 학업 성취도를 스스로 점검해 본다. 성취 목표에 도달하지 못한 경우에는 제시된 위치로 돌아가서 내용을 다시 읽고 공부하도록 한다.

소단원 스스로 정리

정답과 해설 310쪽

1. 한자

• 한자, 음, 뜻, 부수의 순서로 제시

桃* ❶☐ 복숭아 [木]
流 (류) 흐르다 [水(氵)]
池* (지) 연못 [水(氵)]
閑 (한) 한가하다 [門]
❷☐ (무) 무사 [止]
陵* (릉) 언덕 [邑(阝)]
源* (원) 근원 [水(氵)]
東 (동) ❸☐☐ [木]
洋 (양) 큰 바다 [水(氵)]
別 ❹☐ 다르다 [刀(刂)]
鄕 (향) 시골 [邑(阝)]
仙 (선) 신선 [人(亻)]

答 (답) 대답하다 [竹]
棲* (서) 깃들다, 살다 [木]
碧* (벽) 푸르다 [石]
笑 (소) ❺☐☐ [竹]
窅* (요) 아득하다 [穴]
忙 (망) 바쁘다 [心(忄)]
❻☐ (조) 이르다 [日]
晩 (만) ❼☐☐ [日]
閉 (폐) 닫다 [門]
密 (밀) 빽빽하다 [宀]
價 (가) 값 [人(亻)]
原 (원) 언덕, 근원 [厂]

伐 ❽☐ 치다, 베다 [人(亻)]
工 (공) 장인, 만들다 [工]
保 (보) 지키다 [人(亻)]
❾☐ (존) 있다 [子]
溪 (계) 시내 [水(氵)]
谷 ❿☐ 골 [谷]
脫 (탈) 벗다 [肉(月)]
宅 (택) 집 [宀]
瓦 (와) 기와 [瓦]
藝 (예) 재주 [艸(艹)]
⓫☐ (무) 춤추다 [舛]
香 (향) ⓬☐☐ [香]

2. 어휘

(1) ❶☐☐(유래): 사물이나 일이 생겨남. 또는 그 사물이나 일이 생겨난 바
(2) 古宅(❷☐☐): 옛날에 지은, 오래된 집
(3) 瓦當(❸☐☐): 기와의 마구리. 막새나 내림새의 끝에 둥글게 모양을 낸 부분
(4) 藝術的(예술적): 예술의 특성을 지닌. 또는 그런 것
(5) 歌舞(가무): 노래와 춤을 아울러 이르는 말
(6) ❹☐☐(향기): 꽃, 향, 향수 따위에서 나는 좋은 냄새
(7) 武陵桃源(무릉도원): '이상향', '❺☐☐☐'를 비유적으로 이르는 말

3. 본문

❶☐余何意棲碧山(문여하의/서벽산)고?	나에게 묻노니, "❷☐☐ 뜻으로 푸른 산에 사는가?"
笑而不❸☐心自閑(소이부답/심자한)이라.	웃으며 대답하지 않아도 마음 ❹☐☐ 한가롭네.
桃花流水窅然❺☐(도화유수/요연거)하니,	❻☐☐☐ 흐르는 물 아득히 흘러가니,
❼☐有天地非人間(별유천지/비인간)이라.	따로 있는 세상이지, ❽☐☐☐☐ 아니로다.

4. 한시의 끊어 읽기

한 구가 7글자로 이루어진 한시는 ❶☐자와 3자로 끊어 읽는다. 예 笑而不答 / 心自閑

소단원 확인 문제

01 음이 같은 한자끼리 짝지은 것은?

① 洋 - 淸　　② 武 - 舞
③ 笑 - 答　　④ 碧 - 棲
⑤ 何 - 可

02 다음 한자 어휘에서 밑줄 친 한자의 음과 뜻을 쓰시오.

藝術的

(1) 음: (　　　　　　)
(2) 뜻: ＿＿＿＿＿＿＿＿

03 한자의 뜻이 바르게 연결되지 않은 것은?

① 笑: 웃다　② 棲: 살다　③ 間: 사이
④ 碧: 푸르다　⑤ 答: 대답하다

04 한자의 부수가 잘못 연결된 것은?

① 瓦- 瓦　② 谷- 口　③ 東- 木
④ 笑- 竹　⑤ 脫- 肉

출제 유력
05 다음 한자의 공통되는 부수를 쓰시오.

何　價　伐　存　保

06 다음 한자 어휘에서 밑줄 친 한자의 음과 뜻이 바르게 연결된 것은?

密閉

① (문) 문　② (폐) 닫다　③ (간) 사이
④ (문) 묻다　⑤ (개) 열다

출제 유력
07 한자 어휘의 독음이 바르지 않은 것은?

① 溪谷(계곡)　② 脫俗(탈속)
③ 神仙(신성)　④ 問答(문답)
⑤ 窅然(요연)

08 한자 어휘의 표기가 바르지 않은 것은?

① 인사: 人事　② 원가: 原價
③ 보존: 保存　④ 벌목: 代木
⑤ 유래: 由來

09 다음 한자의 공통점으로 알맞은 것은?

池　流　源　洋

① 음이 같다.　② 뜻이 같다.
③ 모양이 같다.　④ 부수가 같다.
⑤ 총획수가 같다.

10 다음과 같은 뜻을 가진 한자 어휘로 알맞은 것은?

옛날에 지은, 오래된 집

① 古宅　② 瓦當　③ 歌舞
④ 香氣　⑤ 藝術的

11 한자 어휘의 활용이 적절하지 않은 것은?

① 병풍에 그린 꽃이 香氣 나랴?
② 남녀 노소가 모여 歌舞를 즐겼다.
③ 강연 후 질의 問答 시간을 갖도록 하였다.
④ 전설 중에는 특정한 풍속의 由來를 설명하는 것이 많다.
⑤ 그의 계획은 지나치게 理想的이어서 매번 실패로 돌아갔다.

12 밑줄 친 ㉠과 ㉡을 한자로 쓰시오.

> 당나라 때 시인으로, 이백은 신선의 기풍이 있는 천재적인 시인이라는 뜻의 ㉠시선으로 불리며, 두보는 뛰어난 위대한 시인이라는 뜻의 ㉡시성으로 불린다.

㉠: ________ ㉡: ________

13 다음 중 뜻이 다른 하나는?

① 樂園 ② 別天地 ③ 理想鄕
④ 桃花 ⑤ 武陵桃源

14 다음에서 유래한 성어로 알맞은 것은?

> 무릉에 살던 어부가 강을 거슬러 올라가던 중 복숭아나무 숲속을 지나 동굴을 통과하자, 그곳에는 풍요로운 논밭과 平和롭게 살아가는 사람들이 있었다. 며칠간 머물다가 집으로 돌아간 남자는 다시 그곳을 찾아가려 하였지만 끝내 찾을 수 없었다.

① 四面楚歌 ② 武陵桃源
③ 交友以信 ④ 多多益善
⑤ 漁父之利

[15~21] 다음 시를 읽고 물음에 답하시오.

> □余何意棲碧山고?
> 笑而不答心自閑이라.
> 桃花流水窅然去하니,
> 別有天地非人間이라.

15 빈칸에 들어갈 한자로 알맞은 것은?

① 門 ② 問 ③ 聞 ④ 閉 ⑤ 閑

출제 유력
16 위 시에서 드러나는 정서로 알맞은 것은?

① 초탈(超脫) ② 도피(逃避) ③ 희망(希望)
④ 후회(後悔) ⑤ 다정(多情)

출제 유력
17 위 시에서 작가의 심경이 직접적으로 드러난 시행을 찾아 그 음을 쓰고 풀이하시오.

18 위 시의 운자를 모두 제시한 것은?

① 山, 閑 ② 山, 去 ③ 去, 間
④ 山, 閑, 去 ⑤ 山, 閑, 間

출제 유력
19 위 시에서 문답법으로 연결된 시행은?

① 1, 2구 ② 2, 3구 ③ 3, 4구
④ 1, 3구 ⑤ 2, 4구

20 다음 시구에서 끊어 읽어야 할 곳에 /로 표시하시오.

> 別有天地非人間.

출제 유력
21 위 시에 대한 이해로 적절하지 않은 것은?

① 작가는 이백이다.
② 계절적 배경은 봄이다.
③ 別有天地와 人間이 대조를 이룬다.
④ 자연물의 이미지를 통해 이상향을 형상화하였다.
⑤ 화자는 인간 세상에 살면서 유유자적한 산속을 그리워하고 있다.

교과서 152쪽

'문화 여행'에서는 같은 상황을 표현한 한·중·일의 한시 작품을 감상한 후, 각각의 작품에 드러난 작자의 마음은 어떠할지 생각해 본다.

"한·중·일의 한시 감상"

한시(漢詩)란 글자 그대로 말하면 한자로 기록된 시를 일컫는 말로, 한시에는 중국의 것뿐만 아니라 주변의 한자 문화권에서 한자로 기록한 시까지 포함된다. 여기서는 이별을 노래한 한·중·일의 한시 작품을 감상해 보자.

한국

요즈음 어찌 지내시는지요? (近來安否問如何)
달 밝은 밤 사창 안의 제 한이 깊사옵니다. (月白紗窓妾恨多)
만약 꿈길에도 발자취가 남는다면, (若使夢魂行有跡)
임의 문 앞 자갈길도 이미 모래밭이 되었을 거예요. (門前石路已成沙)

옥봉 이씨(玉峯李氏), 「자술(自述)」

옥봉 이씨는 조선 시대의 여성 시인이다. 이 시는 임에게 편지를 쓰는 듯한 말투로 소식 없는 임에 대한 원망과 간절한 기다림을 노래하고 있다.

중국

어서 길 나서라고 닭이 울어 대어, (催人出門鷄亂啼)
떠나는 임 전송하고 우린 동과 서로 헤어졌네. (送人離別水東西)
강물 서쪽으로 흐르도록 되돌릴 길 없으니, (挽水西流想無法)
이제부턴 새벽에 우는 닭 기르지 않으리. (從今不養五更鷄)

황준헌(黃遵憲), 「산가(山歌)」

황준헌은 청나라 말기의 작가이자 외교관이다. 이 시는 임과의 헤어짐을 새벽에 우는 닭의 탓으로 돌릴 정도로 이별을 아쉬워하는 마음을 드러내고 있다.

일본

달밤에 임을 그려 잊을 길 없고, (月夜思君長不忘)
밤 깊어 연모하다 빈자리에 눕네. (夜深戀慕臥空床)
꿈속에서 손잡고 소곤대려도, (夢中携手欲相語)
새벽종이 깨우니 슬픔이 애간장을 끊네. (被駭曉鐘又斷腸)

잇큐 소준[一休宗純], 「연(戀)」

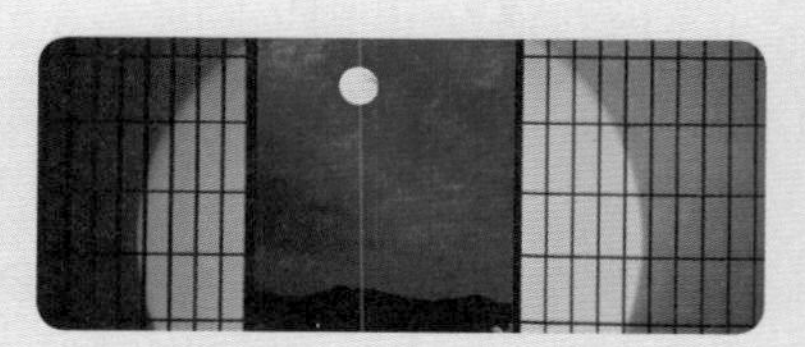

잇큐 소준은 무로마치 시대의 승려이다. 이 시는 꿈속에서나마 임을 만나고자 하였으나 새벽종에 잠을 깨어 만나지 못한 애절한 슬픔을 드러내고 있다.

활동 유사한 주제를 표현한 한·중·일의 한시 작품을 찾아 감상해 보자.

요점 정리

1 한시의 끊어 읽기

(1) 한 구가 5글자로 이루어진 한시는 2자와 3자로 끊어 읽는다.
예 一家生三子.: 일가/생삼자.
(2) 한 구가 7글자로 이루어진 한시는 4자와 3자로 끊어 읽는다.
예 笑而不答心自閑.: 소이부답/심자한.

2 한시의 시상 전개 방식

起句(기구)(1구)	시상을 불러일으킴.
承句(승구)(2구)	시상을 이어받아 확대 · 발전시킴.
轉句(전구)(3구)	시상에 변화를 주어 장면이나 분위기를 비약 · 전환시킴.
結句(결구)(4구)	전체의 시상을 마무리함.

3 한시의 풀이

一穀三粟 (일각삼률)	한집에 세 아이가 태어났는데, 가운데 놈은 양면이 평평하네. 바람 따라 앞서거니 뒤서거니 떨어지니, 아우라 하기도 어렵고 또한 형이라 하기도 어렵네.
秋夜雨中 (추야우중)	가을바람에 오직 괴로이 읊조리니, 온 세상에 나를 알아주는 이 적네. 창밖에는 한밤의 비가 내리고, 등불 앞에는 만 리의 마음이라네.
寄長兒赴燕行中 (기장아부연행중)	서늘한 바람 어느덧 불어오는데, 길 떠나는 아들, 옷은 춥지 않을까? 이를 생각함에 내 마음 괴로우니, 종종 평안하다는 소식 알려나 다오.
山中問答 (산중문답)	나에게 묻노니, "무슨 뜻으로 푸른 산에 사는가?" 웃으며 대답하지 않아도 마음 절로 한가롭네. 복사꽃 흐르는 물 아득히 흘러가니, 따로 있는 세상이지, 인간 세상 아니로다.

핵심 평가

1. 한시에서 끊어 읽어야 할 곳에 / 표시를 해 보자.

涼風/忽已至, 양풍홀이지
游子/衣無寒. 유자의무한
念此/勞我懷, 염차노아회
種種/報平安. 종종보평안

서술형
2. 한시에 사용된 성어와 그 유래를 써 보자.

秋風唯苦吟, 추풍유고음
擧世少知音. 거세소지음
窓外三更雨, 창외삼경우
燈前萬里心. 등전만리심

• 성어: 知音
• 유래: 거문고의 명인 백아가 자기의 소리를 잘 이해해 준 벗 종자기가 죽자 자신의 거문고 소리를 아는 자가 없다고 하여 거문고 줄을 끊었다는 이야기

3. ㉠~㉣을 한시의 시상 전개 방식에 따라 배열해 보자. ㉢－㉣－㉠－㉡

㉠ 桃花流水窅然去 도화유수요연거 – 轉
㉡ 別有天地非人間 별유천지비인간 – 結
㉢ 問余何意棲碧山 문여하의서벽산 – 起
㉣ 笑而不答心自閑 소이부답심자한 – 承

용어 활용형
4. 한자 어휘의 활용이 적절하지 않은 것을 골라 보자. ②

① 或是(혹시) 저 식당에 가 본 적 있니?
② 꽃의 煙氣(연기)가 온 방 안에 가득 차 있다.
③ 고려청자는 藝術的(예술적) 가치가 매우 높다.
④ 가족은 喜怒哀樂(희로애락)을 함께하며 살아간다.
⑤ 계곡물에 발을 담그고 수박을 먹으니 이곳이 마치 武陵桃源(무릉도원) 같다.

煙氣(×) → 香氣(○)

대단원 자기 점검

학업 성취도를 스스로 점검해 보고, 부족한 부분을 보충해 보자.

점검 항목	잘함	보통	노력 필요	찾아보기
• 글의 의미가 잘 드러나도록 바르게 소리 내어 읽을 수 있다.				132, 150쪽
• 한시의 시상 전개 방식을 통해 한시의 내용을 이해하고 감상할 수 있다.				144쪽
• 글을 바르게 풀이하고 내용과 주제를 설명할 수 있다.				130, 136, 142, 148쪽
• 한문 기록에 담긴 선인들의 지혜와 사상을 이해할 수 있다.				148쪽

도움말 대단원 학습이 끝나면 대단원의 학습 목표에 해당하는 질문에 답하며 자신의 학업 성취도를 스스로 점검해 본다. 성취 목표에 도달하지 못한 경우에는 제시된 위치로 돌아가서 내용을 다시 읽고 공부하도록 한다.

대단원 실전 평가

18. 한 집의 세 아이

01 다음 조건을 모두 만족하는 한자는?

- 총획은 4획이다.
- '개'라는 뜻을 가진다.

① 虎 ② 牛 ③ 犬 ④ 天 ⑤ 光

02 다음 풀이를 참고할 때 빈칸에 들어갈 시어로 알맞은 것은?

犬走□□□(개가 달려가니 매화꽃이 떨어지네.)
鷄行竹葉成(닭이 지나가니 대나무 잎이 생기네.)

① 梅落花 ② 花落梅 ③ 落花梅
④ 梅花落 ⑤ 花落梅

[03~10] 다음 시를 읽고 물음에 답하시오.

一家生三㉠子한데,
中者㉡兩面㉢平이라.
隨風㉣先後落하니,
難弟亦難兄이라.

03 시어의 독음이 바른 것은?

① 一家(일시) ② 兩面(양회) ③ 隨風(폭풍)
④ 先後(실후) ⑤ 難兄(난형)

04 전구(轉句)를 바르게 끊어 읽은 것은?

① 隨/風先後落 ② 隨風/先後落
③ 隨風先/後落 ④ 隨風先後/落
⑤ 隨/風先後/落

05 ㉠이 구체적으로 의미하는 것은?

① 배 ② 밤 ③ 감 ④ 대추 ⑤ 감자

고난도

06 ㉡과 단어의 짜임이 다른 것은?

① 學生 ② 教師 ③ 讀書
④ 家長 ⑤ 校長

07 ㉢의 풀이로 알맞은 것은?

① 다스리다 ② 편리하다 ③ 편안하다
④ 평평하다 ⑤ 평정하다

08 ㉣의 단어의 짜임으로 알맞은 것은?

① 주술 ② 술목 ③ 술보
④ 수식 ⑤ 병렬

출제 유력

09 위 시의 형식을 쓰고, 그 특징을 2가지 이상 서술하시오.

출제 유력

10 위 시에 대한 설명으로 적절하지 않은 것은?

① 이산해가 지은 시이다.
② 계절적 배경은 '冬'이다.
③ 밤을 사람에 빗대어 표현하였다.
④ 밤송이 안의 '栗'을 노래한 시이다.
⑤ 성어 '難兄難弟'를 이용하여 표현을 극대화하였다.

19. 비 내리는 가을밤에

11 빈칸에 공통으로 들어갈 부수로 알맞은 것은?

한자	음	뜻
□圭	(가)	아름답다
□旦	(단)	다만

① 亻 ② 扌 ③ 刂 ④ 忄 ⑤ 目

12 ㉠에 공통으로 들어갈 한자는?

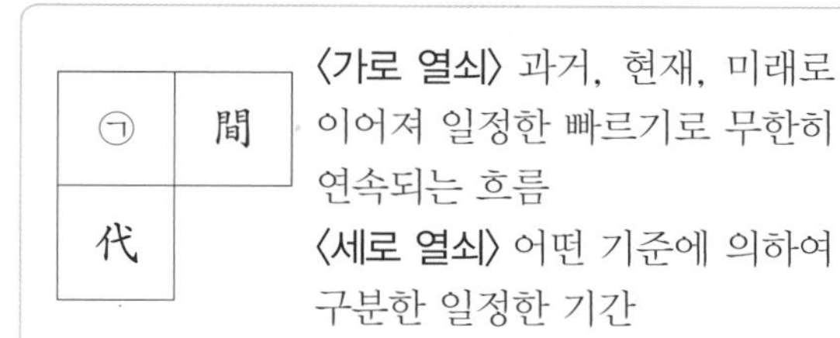

〈가로 열쇠〉 과거, 현재, 미래로 이어져 일정한 빠르기로 무한히 연속되는 흐름
〈세로 열쇠〉 어떤 기준에 의하여 구분한 일정한 기간

① 市 ② 示 ③ 是 ④ 時 ⑤ 詩

[13~17] 다음 시를 읽고 물음에 답하시오.

> 秋風唯苦吟하니,
> 擧世少㉠知音이라.
> ㉡窓外三更雨요,
> 燈前萬里心이라.

출제 유력

13 ㉠과 의미가 통하는 것은?

① 敎學相長 ② 易地思之
③ 知己之友 ④ 殺身成仁
⑤ 結草報恩

14 ㉡과 단어의 짜임이 다른 하나는?

① 佳約 ② 秋風 ③ 製品
④ 天地 ⑤ 歡迎

15 화자의 정서를 가장 잘 드러내고 있는 핵심어를 찾아 쓰시오.

16 위 시에 대한 설명으로 적절하지 않은 것은?

① 형식은 5언 절구이다.
② 시의 성격이 애상적이다.
③ 시의 계절적 배경은 가을이다.
④ 3, 4구에 대우법이 사용되었다.
⑤ 선경후정(先景後情)이 사용되었다.

출제 유력

17 다음을 참조하여 이 시를 짓게 된 작가의 상황을 상상한 내용으로 가장 적절한 것은?

> 최치원은 당나라에서 귀국한 뒤 정치 개혁을 위한 노력이 좌절되자, 문란한 국정을 통탄하며 관직을 내놓고 각지를 유랑하다가 가야산 해인사에서 여생을 마쳤다.

① 궁핍한 생활의 괴로움을 표현한 것이다.
② 사랑했던 사람을 잃은 슬픔을 표현한 것이다.
③ 고향을 떠나 유학을 가고 싶은 마음을 표현한 것이다.
④ 속세에 대한 미련을 버리지 못하고 갈등하는 마음을 표현한 것이다.
⑤ 세상이 자신을 알아주지 않는 데서 오는 고통과 외로움을 표현한 것이다.

18 ㉠~㉤의 음이 바르지 않은 것은?

> 한국사 ㉠時間에 신라 ㉡時代 당나라에서 과거에 급제한 ㉢秀才인 최치원이 황소에게 ㉣降伏을 권유하는 글을 배웠다. 그는 신라에서 자신의 ㉤抱負를 펼치지 못하였다.

① ㉠-시간 ② ㉡-시대 ③ ㉢-수재
④ ㉣-강압 ⑤ ㉤-포부

20. 길 떠나는 아들에게

19 음이 같은 한자끼리 연결된 것은?

① 貞 - 停 ② 華 - 淑 ③ 章 - 賢
④ 着 - 妻 ⑤ 到 - 此

20 밑줄 친 어휘를 한자로 쓰시오.

> • 버스가 천천히 목적지에 도착하였다.

21 다음과 같은 뜻을 가진 한자 어휘로 알맞은 것은?

> 몸이 귀하게 되어 이름이 세상에 빛남.

① 勞苦 ② 榮華 ③ 溫涼
④ 貞淑 ⑤ 純潔

22 '나무'와의 연관성이 가장 없는 한자는?

① 葉 ② 根 ③ 榮 ④ 柳 ⑤ 想

[23~25] 다음 시를 읽고 물음에 답하시오.

> 涼風㉠忽已至한데,
> ㉡游子衣無寒고?
> 念此勞我懷하니,
> 種種報平安하라.

23 ㉠의 풀이로 바른 것은?

① 결국 ② 소홀히 ③ 어느덧
④ 세차게 ⑤ 따뜻하게

출제 유력

24 ㉡의 의미로 가장 알맞은 것은?

① 고향 가는 아들 ② 수영 하는 아들
③ 놀러 가는 아들 ④ 연행 가는 아들
⑤ 장가 가는 아들

25 위 시의 주제를 쓰고, 그와 관련한 어머니의 심란한 마음이 구체적인 시어로 나타난 구를 찾아 그 음을 쓰시오.

21. 자연과 더불어

[26~30] 다음 시를 읽고 물음에 답하시오.

> 問余何意棲碧山고?
> 笑而不答心自閑이라.
> 桃花流水窅然去하니,
> 別有天地非人間이라.

출제 유력

26 위 시에서 연상되는 내용이 아닌 것은?

① 물아일체 ② 무릉도원
③ 신선의 경지 ④ 시 속의 그림
⑤ 만나면 헤어짐.

27 위 시에서 느낄 수 있는 주된 정서는?

① 허전함 ② 애절함 ③ 황량함
④ 처량함 ⑤ 한가로움

28 다음 시구는 위 시 부분에서 영향을 받았다. 해당하는 구를 찾아 음을 쓰시오.

> 강냉이가 익걸랑 / 함께 와 자셔도 좋소
> 왜 사냐건 / 웃지요

29 위 시에 대한 설명으로 알맞은 것은?

① 대우법이 사용되었다.
② 형식은 7언 율시이다.
③ 계절적 배경은 가을이다.
④ 시각적 이미지가 두드러진다.
⑤ 운자는 2, 4구 끝에만 위치한다.

출제 유력

30 위 시의 주제로 가장 알맞은 것은?

① 임에 대한 연모의 정
② 은자(隱者)의 즐거움
③ 임금에 대한 사모의 정
④ 고향(故鄕)에 대한 그리움
⑤ 어머니와 이별한 안타까운 심정

31 ㉠~㉤에 들어갈 내용으로 적절하지 않은 것은?

한자	음	뜻
(㉠)	망	바쁘다
價	(㉡)	값
宅	택	(㉢)
(㉣)	향	향기
存	(㉤)	있다

① ㉠-忙　② ㉡-가　③ ㉢-집
④ ㉣-香　⑤ ㉤-재

대단원 복합 문제

[32~36] 다음 시를 읽고 물음에 답하시오.

(가) 犬走梅花落하고 鷄行㉠竹葉成이라.
(나) 一家生三子한데, 中者㉡雨面平이라.
　隨風先後落하니, 難弟亦難兄이라.
(다) 秋風唯苦吟하니, 擧世少㉢知音이라.
　窓外三更雨요, 燈前萬里心이라.
(라) 涼風忽已至한데, ㉣游子衣無寒고?
　念此勞我懷하니, 種種報平安하라.
(마) 問余何意棲碧山고?
　㉤笑而不答心自□이라.
　桃花流水窅然去하니,
　別有天地非人間이라.

32 ㉠~㉤에 대한 설명으로 적절하지 않은 것은?

① ㉠: 닭의 발자국 모양을 비유하였다.
② ㉡: 밤송이 안의 가운데 밤을 묘사하였다.
③ ㉢: 속마음까지 알아주는 친한 친구를 말한다.
④ ㉣: 길 떠나는 아들을 걱정하는 마음이 드러나 있다.
⑤ ㉤: 속인(俗人)이 묻는 까닭을 분명하게 이해할 수 없기 때문이다.

33 (가)~(마) 중, 栗을 소재로 하는 것은?

① (가)　② (나)　③ (다)　④ (라)　⑤ (마)

34 (가)~(마) 중, 다음과 같은 답시를 받았으리라 예상되는 것은?

몸에 어머님 손수 지으신 두둑한 갖옷을 입었으니
새벽에 바람 불고 눈 내려도 추위를 알지 못합니다.
북녘으로 가는 농서 땅 삼백 리 길에
어찌하면 날마다 잘 있다는 안부 아뢸 수 있을까요?

① (가)　② (나)　③ (다)　④ (라)　⑤ (마)

35 (마)에 나오는 다음 구를 한 번 끊어 읽을 때 알맞은 곳은?

桃①花②流③水④窅然⑤去

출제 유력

36 (마)의 빈칸에 들어갈 한자로 알맞은 것은?

① 閑　② 樂　③ 愛　④ 忠　⑤ 香

37 두 자를 합하여 한자를 만들 때, ㉠과 ㉡에 들어갈 한자의 음으로 알맞은 것은?

• 宀 + 谷 = (㉠)　• 宀 + 各 = (㉡)

	㉠	㉡
①	곡	명
②	용	객
③	곡	객
④	용	각
⑤	곡	각

38 빈칸에 공통으로 들어갈 한자로 알맞은 것은?

• 下□: 높은 곳에서 아래로 향하여 내려옴
• □伏: 적이나 상대편의 힘에 눌리어 굴복함.

① 乘　② 降　③ 高　④ 是　⑤ 空

◎ 교과서 154, 155쪽

Ⅶ. 시공을 초월한 가르침

이 단원을 통해

- 글을 바르게 풀이하고 내용과 주제를 설명한다.
- 한자로 이루어진 일상용어를 맥락에 맞게 활용한다.
- 한자로 이루어진 다른 교과 학습 용어를 맥락에 맞게 활용한다.
- 한문 기록에 담긴 선인들의 지혜, 사상 등을 이해하고, 현재적 의미에서 가치가 있는 것을 내면화하여 건전한 가치관과 바람직한 인성을 함양한다.
- 한자 문화권의 문화에 대한 기초적 지식을 통해 상호 이해와 교류를 증진시키려는 태도를 형성한다.

공자와 맹자를 비롯한 춘추 전국 시대의 사상가인 제자백가들의 가르침은 과거의 유산으로 그치는 것이 아니라, 현대 사회에서도 적용되는 중요한 가치를 담고 있다. 또한 한자 문화권의 공통된 문화를 이해하는 바탕이 된다.

소단원 미리 보기

소단원	소단원 소개	소단원 학습 요소
22. 배우고 때때로 익히다	공자의 사상을 이해하여 건전한 가치관을 함양하고 한자 문화권을 이해하는 단원이다.	• 공자의 사상 이해 • 가치관 정립 • 한자 문화권의 상호 이해와 교류
23. 삶을 버리고 의를 취하다	맹자의 사상을 이해하여 건전한 가치관을 함양하고 한자 문화권을 이해하는 단원이다.	• 맹자의 사상 이해 • 가치관 정립 • 한자 문화권의 상호 이해와 교류
24. 적을 알고 나를 알다	제자백가의 사상을 이해하여 현재적 가치를 발견하고 한자 문화권을 이해하는 단원이다.	• 제자백가의 사상 이해 • 현재적 의미와 가치 발견 • 한자 문화권의 상호 이해와 교류

22. 배우고 때때로 익히다

○ 교과서 156, 157쪽

똑똑! 활동으로 열기

출제 유형
- 다음에서 설명하는 철학자와 그의 사상은?
- 孔子에 대한 설명으로 알맞지 않은 것은?

옛사람들 중에는 큰 깨달음을 얻어 이를 널리 전한 훌륭한 분들이 있어.

활동 1 다음 내용과 관련 있는 인물을 〈보기〉에서 찾아 써 보자.

- 유교(儒敎)의 창시자
  - 중국 춘추 시대 말기에 공자가 체계화한 사상인 유학을 종교적 관점에서 이르는 말. 삼강오륜을 덕목으로 하며 사서삼경을 경전으로 함.
- 『論語』
  - 논 어: 공자와 그의 제자들의 언행을 기록한 책
- 중국의 思想家 (사 상 가)
  - 어떤 사상에 대해서 조예가 깊은 사람
- 君子와 小人
  - 소 인: 도량이 좁고 간사한 사람
  - 군 자: 행실이 점잖고 어질며 덕과 학식이 높은 사람

? → 공자

• 보기 •
- 석가모니 (불교의 창시자)
- 예수 (기독교의 창시자)
- 소크라테스 (고대 그리스의 철학자)
- 공자 (중국 춘추 시대의 사상가·학자)

공자의 사상이 담겨 있는 책은 무엇일까?

활동 2 빈칸에 알맞은 음을 써 보자.

- 冊(책): 일정한 목적, 내용, 체재에 맞추어 사상, 감정, 지식 따위를 글이나 그림으로 표현하여 적거나 인쇄하여 묶어 놓은 것
- 過誤(과오): 부주의나 태만 따위에서 비롯된 잘못이나 허물
- 反省(반성): 자신의 언행에 대하여 잘못이나 부족함이 없는지 돌이켜 봄.
- 極盡(극진): 어떤 대상에 대하여 정성을 다하는 태도가 있음.
- 官職(관직): 공무원 또는 관리가 국가로부터 위임받은 일정한 직무나 직책
- 基本書(기본서): 사물이나 현상, 이론, 시설 따위의 기초와 근본을 담은 책

『논어』는 유교의 경전 중 가장 대표적인 것으로, 공자의 가르침이 담긴 冊이다. 자신의 過誤를 反省(❶ 반 성)하고 수양하여 군자가 되어야 하며, 매사에 자신의 마음을 極盡(❷ 극 진)히 해야 한다는 등의 내용이 실려 있다. 과거에는 官職(❸ 관 직)에 오르려는 사람들의 基本書(❹ 기 본 서)이기도 하였다.

▲논어

공자 사후에 제자들이 펴낸 공자의 언행록이라는 의견이 있다. 『논어』는 공자와 제자가 나눈 500여 개의 문답과 언설을 편집한 것으로, 공자의 도덕 철학, 정치 철학, 교육 철학 등이 제시되어 있다. 처세의 도, 군자의 도, 인생의 도, 학문의 도를 제시하였다. 중심 개념은 仁(인)으로 문장 중 60여 개의 문장에서 仁(인)을 언급하고 있다.

新 한자 모아 보기

한자	음	뜻	부수	획수	총획
冊	책	책	冂	3	5
過	과	허물, 지나치다	辵(辶)	9	13
誤	오	그르치다	言	7	14
反	반	돌이키다	又	2	4

한자	음	뜻	부수	획수	총획
省	성	살피다	目	4	9
	생	덜다			
盡	진	다하다	皿	9	14
官	관	벼슬	宀	5	8
職*	직	직책	耳	12	18

한자	음	뜻	부수	획수	총획
基	기	터	土	8	11
倫	륜	인륜	人(亻)	8	10
律	률	법칙	彳	6	9

공자는 어떤 가치를 중요하게 여겼을까?

활동 3 다음은 공자와의 가상 회견 내용이다. 빈칸에 공통으로 들어갈 한자를 〈보기〉에서 찾아 써 보자.

동양 철학의 스승, 공자와의 만남

기자: 선생님의 사상의 핵심은 무엇입니까?

공자: 그것은 바로 [仁]입니다.

기자: 그 [仁](이)란 무엇이라고 할 수 있을까요?

공자: [仁](이)란 人倫의 근본입니다. '사람다움' 또는 '사람을 사랑하는 마음'이라고도 할 수 있죠. 넓게는 '공손함, 관대함, 믿음직함, 지혜로움, 용기, 효' 등의 다양한 가치를 모두 포함한다고 할 수 있지요.

人倫: 사람이 지켜야 할 떳떳한 도리

기자: 선생님의 말씀이 담긴 『논어』에서도 [仁]에 대한 내용이 여러 번 나오는데요. 예를 하나 들어 주시겠습니까?

공자: '내가 원하지 않는 바를 남에게 시키지 말라.'는 것이 있습니다. 이는 자신의 처지를 미루어 다른 사람의 형편을 헤아려 공감하라는 말입니다.

• 보기 •

仁 (인) 어질다 — 남을 사랑하고 어질게 행동하는 일
人 (인) 사람
律 (률) 법칙

공자는 인(仁)을 설명할 때에 어떻게 하는 것이 인(仁)하는 것이라고 그 방법론을 주로 이야기했을 뿐, 인(仁)이 무엇이라고 구체적으로 언급하지는 않았다. 공자가 인(仁)을 논할 때 쓴 다양한 용어로는 효(孝)·제(悌)·예(禮)·충(忠)·서(恕)·경(敬)·공(恭)·관(寬)·신(信)·민(敏)·혜(惠)·온량(溫良)·애인(愛人) 등이 있다. 인(仁)을 구성하는 여러 덕목 중에서 핵심은 '사랑'이다. 그러나 이러한 덕목들은 인(仁)을 형성하는 일부분일 뿐, 인(仁) 자체는 아니다.

소단원 학습 계획

배울 내용에 관하여 얼마나 알고 있는지 스스로 점검해 보자.

• 중국의 사상가 공자를 알고 있는가?	☆☆☆☆☆
• 한자의 여러 가지 음과 뜻을 알고 있는가?	☆☆☆☆☆

잘하는 부분은 발전시키고, 부족한 부분은 보완할 수 있도록 스스로 학습 계획을 세워 보자.

나는 이 단원에서 ___ 예 공자, 한자의 여러 가지 음과 뜻 ___ 을/를 공부하겠다.

도움말 공자의 업적과 사상 등을 활동을 통해 살펴보았다. 이를 바탕으로 소단원 학습 내용에 관한 자신의 배경지식 정도를 점검해 보고, 스스로 소단원의 학습 계획을 세워 본다.

학습 요소 ▪ 공자의 사상 이해 ▪ 가치관 정립 ▪ 한자 문화권의 상호 이해와 교류

22. 배우고 때때로 익히다

교과서 158, 159쪽

출제 유형

- 문장을 바르게 풀이한 것은?
- 說의 의미로 알맞은 것은?
- 다음 문장에서 쓰인 한자의 음과 뜻으로 알맞은 것은?
- 乎에 대한 설명으로 알맞은 것은?

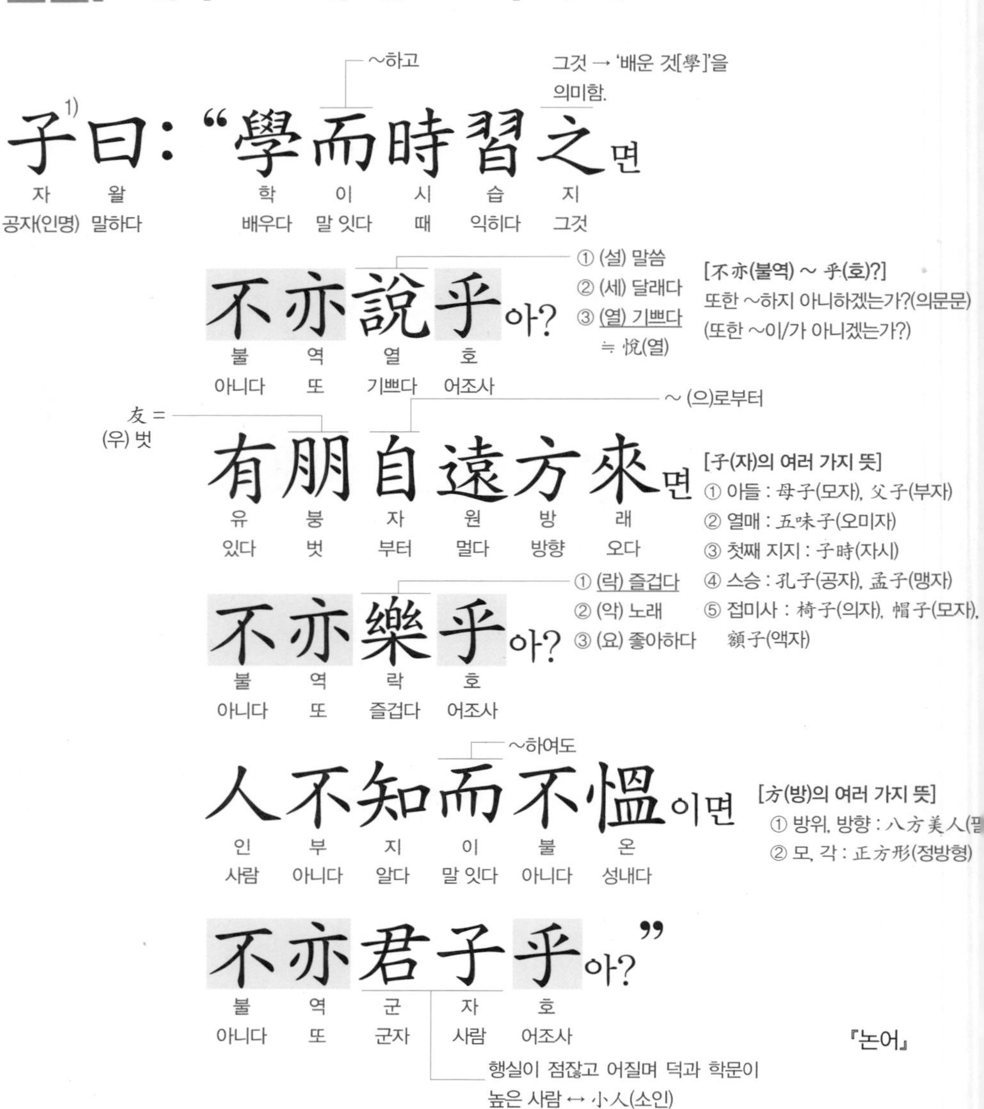

新 한자 모아 보기

한자	음	뜻	부수	획수	총획
習	습	익히다	羽	5	11
說	설	말씀	言	7	14
	세	달래다			
	열	기쁘다			
乎	호	어조사	丿	4	5
朋	붕	벗	月	4	8
慍*	온	성내다	心(忄)	10	13

스스로 확인

남들이 알아주지 않아도 성내지 않는 사람은 누구인가?

君子

군자

1) 자(子): '자(子)'는 '존경하는 선생님'의 뜻으로 주로 성씨 뒤에 붙여 썼는데, 성씨 없이 '자왈(子曰)'이라고 한 경우의 '자(子)'는 '공자(孔子)'를 가리킴.

• 『논어(論語)』: 유교 경전인 사서(四書)의 하나로 공자와 그의 제자들의 언행을 기록한 책

꼭꼭! 본문 다지기

교과서 160쪽

子曰: "學而時習之면 不亦說乎아?
자 왈 학 이 시 습 지 불 역 열 호

공자께서 말씀하셨다. "배우고 때때로 그것을 익힌다면 또한 기쁘지 아니하겠는가?

이 而는 '~하고'의 의미로 쓰임.

有朋自遠方來면 不亦樂乎아?
유 붕 자 원 방 래 불 역 락 호

벗이 있어 먼 곳으로부터 오면 또한 즐겁지 아니하겠는가?

人不知而不慍이면 不亦君子乎아?"
인 부 지 이 불 온 불 역 군 자 호

다른 사람이 알아주지 않아도 성내지 않는다면 또한 군자가 아니겠는가?"

이 而는 '~하여도'의 의미로 쓰임.

군자 君子: 행실이 점잖고 어질며 덕과 학식이 높은 사람 ↔ 소인 小人: 도량이 좁고 간사한 사람

- 之(지): 그것
- 說(설/세/열)의 여러 가지 음과 뜻
  ① (설) 말씀 예 說明(설명) — 어떤 일이나 대상의 내용을 상대편이 잘 알 수 있도록 밝혀 말함. 또는 그런 말
  ② (세) 달래다 예 遊說(유세) — 자기 의견 또는 자기 소속 정당의 주장을 선전하며 돌아다님.
  ③ (열) 기쁘다 = 悅(열)
  예 不亦說乎(불역열호) 또한 즐겁지 아니하겠는가?
- 自(자): ~(으)로부터
- 樂(락/악/요)의 여러 가지 음과 뜻
  ① (락) 즐겁다 예 苦樂(고락) 괴로움과 즐거움
  ② (악) 노래 예 聲樂(성악) 사람의 음성으로 하는 음악
  ③ (요) 좋아하다 예 樂山(요산) 산을 좋아함.

모양이 비슷한 한자

- 說 (설) 말씀 예 講說(강설)
- 稅 (세) 세금 예 免稅(면세)
- 設 (설) 세우다 예 設立(설립)
- 列 (렬) 벌이다 예 列車(열차)
- 烈 (렬) 세차다 예 熱烈(열렬)
- 例 (례) 법식 예 次例(차례)

- 講說(강설): 강론하여 설명함.
- 免稅(면세): 세금을 면제함.
- 設立(설립): 기관이나 조직체 따위를 만들어 일으킴.

- 列車(열차): 여러 개의 찻간을 길게 이어 놓은 차량
- 熱烈(열렬): 어떤 것에 대한 애정이나 태도가 매우 맹렬함.
- 次例(차례): 순서 있게 구분하여 벌여 나가는 관계 또는 그 구분에 따라 각각에게 돌아오는 기회

부수가 같은 한자 – 心(심)(忄, ⺗)

- 慍 (온) 성내다 예 慍色(온색)
- 憂 (우) 근심 예 憂患(우환)
- 忘 (망) 잊다 예 難忘(난망)
- 悲 (비) 슬프다 예 喜悲(희비)

- 慍色(온색): 성난 얼굴빛
- 憂患(우환): 집안에 복잡한 일이나 환자가 생겨서 나는 걱정이나 근심
- 難忘(난망): 잊기 어려움.
- 喜悲(희비): 기쁨과 슬픔

이해 더하기 공자

공자는 중국 춘추 시대의 사상가이자 학자로, 가르치는 데 신분의 차별을 두지 않았으며 인간의 근본은 어질게 사는 데 있음을 강조하였다. 공자의 사상은 한자 문화권에 널리 전파되어 지대한 영향을 미쳤으며, 공자는 시대를 초월하여 현재까지도 尊敬과 推仰을 받는 스승으로 꼽힌다.

- 尊敬(존경): 남의 인격, 사상, 행위 따위를 받들어 공경함.
- 推仰(추앙): 높이 받들어 우러러봄.

新 한자 모아 보기

한자	음	뜻	부수	획수	총획
遊	유	놀다	辵(辶)	9	13
悅	열	기쁘다	心(忄)	7	10
聲	성	소리	耳	11	17
講	강	외우다, 강의하다	言	10	17
稅	세	세금	禾	7	12
免	면	면하다	儿	5	7
設	설	베풀다, 세우다	言	4	11

한자	음	뜻	부수	획수	총획
列	렬	벌이다	刀(刂)	4	6
烈	렬	세차다	火(灬)	6	10
例	례	법식, 예	人(亻)	6	8
次	차	버금, 순서	欠	2	6
憂	우	근심	心	11	15
忘	망	잊다	心	3	7
悲	비	슬프다	心	8	12

한자	음	뜻	부수	획수	총획
敬	경	공경	攴(攵)	9	13
推	추	밀다	手(扌)	8	11
仰	앙	우러르다	人(亻)	4	6
遺	유	남기다	辵(辶)	12	16
猶	유	같다, 오히려	犬(犭)	9	12
終	종	마치다	糸	5	11

쑥쑥! 실력 향상 ○ 교과서 161쪽

생활 속 용어 활용

나는 오늘도 밤을 새워 遺傳子에 관해 공부하겠어.

• 遺傳子(유전자): 생물체의 개개의 유전 형질을 발현시키는 원인이 되는 인자

過猶不及이라잖아. 공부가 아무리 좋아도 잠은 제대로 자야지.

• 過猶不及(과유불급): 정도를 지나침은 미치지 못함과 같다는 뜻으로, 중용(中庸)이 중요함을 이르는 말

終日 공부해서 그런가, 갑자기 어지러운데…….

• 終日(종일): 아침부터 저녁까지 내내

건강이 제일 所重하니 무리는 마.

• 所重(소중): 매우 귀중함.

문제로 실력 확인

[1~2] 다음 글을 읽고 물음에 답해 보자.

> 學而時習之, 不亦㉠說乎? 학이시습지 불역열호
> 有朋自遠方來, 不亦㉡樂乎? 유붕자원방래 불역락호
> ㉮人不知而不慍, 不亦君子乎? 인부지이불온 불역군자호

1. ㉠, ㉡의 음과 뜻을 각각 써 보자.

(1) ㉠: ((열) 기쁘다)　　(2) ㉡: ((락) 즐겁다)

2. ㉮의 내용을 이야기해 주고 싶은 친구를 골라 보자. ⑤

다른 사람이 알아주지 않아도 성내지 않는다면 또한 군자가 아니겠는가?

① 낭비가 심한 친구
② 자신만 아는 이기적인 친구
③ 남의 마음을 잘 배려하지 못하는 친구
④ 자신의 의견을 이야기하지 못하는 친구
⑤ 자신의 장점을 알아주기를 바라는 친구

창의형

3. 자신이 생각하는 君子(군자)와 小人(소인)에 관하여 한 문장으로 써 보자.

예시

> "君子(군자)는 모든 탓을 자기에게서 찾고, 小人(소인)은 다른 사람에게서 찾는다."
> 공자

[예시 답안] "君子는 자신이 가진 것에 만족하지만, 小人은 항상 더 가지고 싶어하여 만족을 모른다."

소단원 자기 점검

학업 성취도를 스스로 점검해 보자.

• 글에 나타난 공자의 사상을 이해할 수 있는가?	잘함 / 보통 / 노력 필요
• 공자의 사상을 통해 바른 가치관을 정립할 수 있는가?	잘함 / 보통 / 노력 필요

□ □ 교과서 158~160쪽 다시 읽기

도움말 소단원 학습이 끝나면 소단원의 학습 목표에 해당하는 질문에 답하며 자신의 학업 성취도를 스스로 점검해 본다. 성취 목표에 도달하지 못한 경우에는 제시된 위치로 돌아가서 내용을 다시 읽고 공부하도록 한다.

소단원 스스로 정리

정답과 해설 312쪽

1. 한자

• 한자, 음, 뜻, 부수의 순서로 제시

冊 (책) 책 [冂]
過 ❶☐ 허물, 지나치다 [辵(辶)]
誤 (오) 그르치다 [言]
反 (반) 돌이키다 [又]
省 ❷☐ 살피다, ❸☐ 덜다 [目]
盡 (진) 다하다 [皿]
❹☐ (관) 벼슬 [宀]
職*(직) 직책 [耳]
基 (기) 터 [土]
倫 (륜) 인륜 [人(亻)]
律 (률) 법칙 [彳]
❺☐ (습) 익히다 [羽]

說 ❻☐ 말씀, (세) 달래다, (열) 기쁘다 [言]
乎 (호) 어조사 [丿]
❼☐ (붕) 벗 [月]
慍*(온) 성내다 [心(忄)]
遊 (유) 놀다 [辵(辶)]
悅 (열) 기쁘다 [心(忄)]
聲 (성) ❽☐☐ [耳]
講 (강) 외우다, 강의하다 [言]
❾☐ (세) 세금 [禾]
免 (면) 면하다 [儿]
設 (설) 베풀다, 세우다 [言]
列 (렬) 벌이다 [刀(刂)]

烈 (렬) 세차다 [火(灬)]
例 (례) 법식, 예 [人(亻)]
次 (차) 버금, 순서 [欠]
憂 ❿☐ 근심 [心]
忘 (망) 잊다 [心]
⓫☐ (비) 슬프다 [心]
敬 ⓬☐ 공경 [攴(攵)]
推 (추) 밀다 [手(扌)]
仰 (앙) 우러르다 [人(亻)]
遺 (유) 남기다 [辵(辶)]
猶 (유) 같다, 오히려 [犬(犭)]
終 ⓭☐ 마치다 [糸]

2. 어휘

(1) ❶☐☐(과오): 부주의나 태만 따위에서 비롯된 잘못이나 허물
(2) 極盡(❷☐☐): 어떤 대상에 대하여 정성을 다하는 태도가 있음.
(3) ❸☐☐(인륜): 사람이 지켜야 할 떳떳한 도리
(4) 反❹☐(반성): 자신의 언행에 대하여 잘못이나 부족함이 없는지 돌이켜 봄.
(5) ❺☐☐☐(유전자): 생물체의 개개의 유전 형질을 발현시키는 원인이 되는 인자
(6) 過猶不及(❻☐☐☐☐): 정도를 지나침은 미치지 못함과 같다.

3. 본문

원문	풀이
子曰(자왈): "❶☐而時習之(학이시습지)면 不亦❷☐乎(불역열호)아?	공자께서 말씀하셨다. "배우고 때때로 그것을 익힌다면 또한 기쁘지 아니하겠는가?
有朋❸☐遠方來(유붕자원방래)면 不亦❹☐乎(불역락호)아?	❺☐이 있어 먼 곳으로부터 오면 또한 즐겁지 아니하겠는가?
人不知而不慍(인부지이불온)이면 不亦君子乎(불역군자호)아?"	다른 사람이 알아주지 않아도 ❻☐내지 않는다면 또한 ❼☐☐가 아니겠는가?"

소단원 확인 문제

01 다음 설명과 가장 관계 깊은 한자는?

> 새끼 새가 날마다 또는 자주 날기 위해 날갯짓을 되풀이함.

① 亦 ② 學 ③ 習 ④ 朋 ⑤ 來

02 한자의 음과 뜻으로 바른 것은?

① 冊 (권) 책
② 推 (추) 당기다
③ 遊 (유) 놀다
④ 反 (반) 반
⑤ 職 (책) 직책

출제 유력

03 다음 한자와 부수가 다른 하나는?

> 慍

① 悲 ② 忘 ③ 烈 ④ 悅 ⑤ 憂

04 다음 한자와 뜻을 바르게 연결하시오.

(1) 列 • ㉠ 세차다
(2) 烈 • ㉡ 벌이다
(3) 例 • ㉢ 법식

05 한자 어휘의 독음이 바르지 않은 것은?

① 講說(강연)
② 免稅(면세)
③ 設立(설립)
④ 次例(차례)
⑤ 列車(열차)

06 不의 음이 나머지와 다른 하나는?

① 不若 ② 不達 ③ 不能
④ 不食 ⑤ 不貪

07 한자 어휘와 의미에 대한 설명으로 바르지 않은 것은?

① 君子: 어질며 덕이 높은 사람
② 小人: 학식이 높고 도량이 넓은 사람
③ 儒敎: 인을 근본으로 하는 유학을 받드는 교
④ 思想家: 어떤 사상에 대해서 조예가 깊은 사람
⑤ 論語: 공자와 그의 제자들의 언행을 적은 유교 경전

출제 유력

08 孔子에 대한 설명으로 알맞지 않은 것은?

① 중국 춘추 시대 사상가이자 학자이다.
② 인간의 근본은 어질게 사는 데 있음을 강조하였다.
③ 입신양명에 큰 뜻을 두고 세상을 떠나기 전까지 관직에 있었다.
④ 가르치는 데 신분의 차별을 두지 않았으며, 고향에 돌아와 후학 양성과 고전 정리 작업에 힘썼다.
⑤ 공자의 사상은 한자 문화권에 널리 전파되어 지대한 영향을 미쳤으며 현재까지도 존경을 받는다.

09 한자 어휘의 활용이 적절하지 않은 것은?

① 과거의 잘못을 깊이 反省하였다.
② 집에 오신 손님을 極盡하게 대접했다.
③ 오늘은 終日 꼼짝도 하지 않고 있었다.
④ 그는 人倫마저 저버린 패악무도한 사람이다.
⑤ 예술 활동에서 상상력이 所重해서는 안 된다.

출제 유력

10 빈칸에 공통으로 들어갈 한자로 알맞은 것은?

> □은 공자 사상의 핵심으로, 人倫의 근본이다. '사람다움' 또는 '사람을 사랑하는 마음'이라고도 할 수 있다. 넓게는 '공손함, 관대함, 믿음직함, 지혜로움, 용기, 효' 등의 다양한 가치를 모두 포괄한다.

① 德 ② 仁 ③ 法 ④ 忠 ⑤ 孝

11 다음 밑줄 친 부분과 관련된 성어는?

> 자공이 공자에게 물었다. 자장과 자하는 어느 쪽이 어집니까? 공자가 말하였다. "자장은 지나치고 자하는 미치지 못한다." 자공이 물었다. "그럼 자장이 낫다는 말씀입니까?" 공자가 말하였다. "지나친 것은 미치지 못한 것과 다를 바가 없다."

① 過猶不及 ② 不亦說乎 ③ 聞一知十
④ 朋友有信 ⑤ 學而時習

[12~20] 다음 글을 읽고 물음에 답하시오.

> 子曰: "學㉠而 時習㉡之면 不亦㉢說㉣乎아?
> 有朋㉤自遠㉥方來면 不亦㉦樂乎아?
> 人不知而不慍이면 不亦君子乎아?"

12 ㉠의 쓰임으로 적절한 것은?

① 하지만 ② 그런데 ③ 그러나
④ 그리고 ⑤ 그래서

13 ㉡이 가리키는 것으로 알맞은 것은?

① 시간 ② 공자 ③ 즐거움
④ 친구들 ⑤ 배운 것

출제 유력

14 ㉢의 의미로 알맞은 것은?

① 말씀 ② 말하다 ③ 달래다
④ 기쁘다 ⑤ 설명하다

15 ㉣에 대한 설명으로 알맞은 것은?

① 비교의 의미이다.
② '~에게'라고 풀이한다.
③ '~겠는가?' 라고 풀이한다.
④ '~보다 더 낫다' 라고 풀이한다.
⑤ 위치에 따라 의미가 달라지지 않는다.

16 自의 풀이가 ㉤과 유사한 것은?

① 自身 ② 自他 ③ 自信感
④ 自初至終 ⑤ 無爲自然

17 ㉥과 같은 의미로 쓰인 것은?

① 方法 ② 正方形 ③ 八方美人
④ 方式 ⑤ 今方

출제 유력

18 ㉦과 같은 의미로 쓰인 것은?

① 樂水 ② 音樂 ③ 樂山
④ 聲樂 ⑤ 苦樂

서술형

19 윗글의 내용을 참고하여 君子의 의미를 한 문장으로 서술하시오.

20 윗글에 쓰인 한자에 대한 설명으로 알맞은 것은?

① 時: '시간'을 의미한다.
② 之: 문장의 끝에 쓰이는 어조사이다.
③ 自: '스스로' 라고 풀이한다.
④ 不: '不慍'의 不는 '부'로 읽는다.
⑤ 人: '다른 사람'을 의미한다.

21 다음 문장의 띄어 읽기가 알맞은 것은?

> 有朋自遠方來不亦樂乎

① 有, 朋自, 遠方來, 不亦樂乎
② 有, 朋自遠方來, 不亦樂乎
③ 有朋, 自遠方, 來不亦, 樂乎
④ 有朋, 自遠, 方來不亦樂乎
⑤ 有朋, 自遠方來, 不亦樂乎

23. 삶을 버리고 의를 취하다

○ 교과서 162, 163쪽

똑똑! 활동으로 열기

출제 유형
- 빈칸에 알맞은 한자 또는 어휘는?
- 맹자와 대한 내용과 관련 있는 것은

孟母三遷之敎: 맹자의 어머니가 맹자에게 좋은 교육 환경을 만들어 주기 위해 세 번 이사한 일을 이름.

'맹모삼천지교'라는 말 들어 봤어?

활동 1 빈칸에 들어갈 장소를 〈보기〉에서 찾아 써 보자.

맹자는 어려서 묘지 근처에 살았는데, 늘 묘지 구덩이를 파고 곡소리를 흉내 내며 장례 치르는 놀이를 하였다.

↓

맹자의 어머니가 ❶ 市場 (으)로 이사를 가자, 맹자는 물건을 사고팔고 돈 계산을 하며 장사꾼 흉내를 내었다.

↓

다시 맹자의 어머니가 ❷ 書堂 근처로 이사를 가자, 맹자는 글 읽는 시늉을 하며 놀게 되어 마침내 큰 학자가 되었다.

• 보기 •

家戶	公園	書堂	市場	食堂
가 호	공 원	서 당	시 장	식 당
호적상의 집	국가나 지방 공공 단체가 공중의 보건·휴양·놀이 따위를 위하여 마련한 정원, 유원지, 동산 등의 사회 시설	글방(예전에, 한문을 사사로이 가르치던 곳)	여러 가지 상품을 사고파는 일정한 장소	① 건물 안에 식사를 할 수 있게 시설을 갖춘 장소 ② 음식을 만들어 손님들에게 파는 가게

맹자 사상의 핵심은 무엇일까?

활동 2 다음은 맹자의 말이다. 밑줄 친 부분에 해당하는 한자에 ○ 표시를 해 보자.

❶ <u>어짊</u>은 사람의 마음이요, ❷ <u>의로움</u>은 사람의 길이다.

(人, 忍, (仁)) — 人(인) 사람, 忍(인) 참다, 仁(인) 어질다

((義), 意, 依) — 義(의) 옳다, 意(의) 뜻, 依(의) 의지하다

新 한자 모아 보기

한자	음	뜻	부수	획수	총획
戶	호	집	戶	0	4
市	시	저자	巾	2	5

한자	음	뜻	부수	획수	총획
忍	인	참다	心	3	7

한자	음	뜻	부수	획수	총획
依	의	의지하다	人(亻)	6	8

맹자는 '인간의 성품은 태어날 때부터 착하다.'라는 성선설을 주장했대.

性善說: 사람의 본성은 선천적으로 착하나 나쁜 환경이나 물욕(物慾)으로 악하게 된다는 학설 ↔ 성악설(性惡說) / 성무선악설(性無善惡說)

활동 3 빈칸에 알맞은 음을 써 보자.

아이가 우물에 빠지려는 것을 본 사람은 누구나 깜짝 놀라고 불쌍한 마음이 들어 아이를 구하려 한다.

이는 사람들에게 칭찬을 듣기 위해서도 아니고, 아이를 구해 주지 않았다는 비난을 피하기 위해서도 아니다.

아이를 구하고 싶은 생각은 마음에서 우러나온 것이므로 사람의 本性(❶ 본 성)은 착한 것이다.

사람이 본디부터 가진 성질

만약 이러한 착한 마음이 주위 환경의 영향을 받아 나쁘게 변한다면 教育(❷ 교 육)을 통하여 착한 마음을 회복해야 한다.

지식과 기술 따위를 가르치며 인격을 길러 줌.

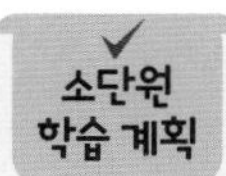

소단원 학습 계획

배울 내용에 관하여 얼마나 알고 있는지 스스로 점검해 보자.

• 중국의 사상가 맹자를 알고 있는가?	☆☆☆☆☆
• 맹자의 사상(인의, 성선설)에 관하여 알고 있는가?	☆☆☆☆☆

잘하는 부분은 발전시키고, 부족한 부분은 보완할 수 있도록 스스로 학습 계획을 세워 보자.

나는 이 단원에서 ㊞ 맹자, 맹자의 사상 을/를 공부하겠다.

도움말 맹자와 관련된 일화, 맹자의 사상 등을 활동을 통해 살펴보았다. 이를 바탕으로 소단원 학습 내용에 관한 자신의 배경지식 정도를 점검해 보고, 스스로 소단원의 학습 계획을 세워 보게 한다.

학습 요소 ■ 맹자의 사상 이해 ■ 가치관 정립 ■ 한자 문화권의 상호 이해와 교류

23. 삶을 버리고 의를 취하다

교과서 164, 165쪽

출제 유형

- 문장을 바르게 풀이한 것은?
- 我所欲에 해당하는 것끼리 짝지어진 것은?
- 윗글의 내용과 일치하는 것은?
- 맹자가 추구하는 궁극적인 삶의 태도를 표현한 한자로 알맞은 것은?

新 한자 모아 보기

한자	음	뜻	부수	획수	총획
孟*	맹	맏, 성씨	子	5	8
欲	욕	하고자 하다	欠	7	11
兼*	겸	겸하다	八	8	10
舍	사	집, 버리다	舌	2	8
取	취	가지다	又	6	8

스스로 확인

二者가 가리키는 것은 무엇인가?

生, 義 (생 의)

1인칭 대명사 = 吾(오)

① ~하는 바 ② 장소

孟子曰: "生亦我所欲也며

맹 자 왈 생 역 아 소 욕 야

맹자(인명) 말하다 살다 또 나 것(바) 하고자 하다 어조사

義亦我所欲也언마는

의 역 아 소 욕 야

옳다 또 나 것(바) 하고자 하다 어조사

生(생), 義(의)

二者를 不可得兼이면

이 자 불 가 득 겸

두 것 아니다 할 수 있다 얻다 겸하다

舍生而取義者也리라."

사 생 이 취 의 자 야

버리다 살다 말 잇다 가지다 옳다 사람 어조사

= 捨(사) 버리다

~하고

『맹자』

[者(자)의 쓰임]

① ~하는 것 예 舍生而取義者也(사생이취의자야)

② 사람 예 記者(기자)

[捨生取義(사생취의)]

목숨을 버리고 의로움을 따른다는 뜻으로, 목숨을 버릴지언정 옳은 일을 함을 이르는 말이다. 舍(사)와 捨(사)는 같은 뜻으로, 일반적으로 捨生取義(사생취의)로 많이 쓰인다.

▲안중근의 의거: 독립운동가 안중근은 일본의 조선 침략을 주도한 이토 히로부미를 1909년 만주의 하얼빈 역에서 사살하였다. 안중근은 현장에서 러시아 경찰들에게 체포되었고, 이듬해 뤼순 감옥에서 순국하였다. 안중근은 자신의 목숨보다 조국의 자주독립이라는 대의(大義)를 우선시한, 사생취의(捨生取義)의 가르침을 몸소 실천한 인물이다.

• 『맹자(孟子)』: 유교 경전인 사서(四書)의 하나로 맹자와 그의 제자들의 대화를 기록한 책

꼭꼭! 본문 다지기 ○ 교과서 166쪽

孟子曰: "生亦我所欲也며
맹 자 왈 생 역 아 소 욕 야
맹자께서 말씀하셨다. "삶 또한 내가 원하는 바이며

義亦我所欲也언마는
의 역 아 소 욕 야
의로움 또한 내가 원하는 바이건마는

二者를 不可得兼이면
이 자 불 가 득 겸
두 가지를 얻어 겸할 수 없다면

舍生而取義者也리라."
사 생 이 취 의 자 야
삶을 버리고 의로움을 취하는 사람일 것이다."

*참고 자료: 맹자(孟子)의 사단(四端)
맹자는 인간의 본성에는 인의예지(仁義禮智)라는 사덕(四德)이 있기 때문에 선하다고 말하였다. 그런데 인간의 본성인 사덕(四德)은 사람의 눈으로 볼 수 없고 경험도 할 수 없는 것이다. 즉, 인간의 본성으로 사덕을 확인할 수 없다는 것이다. 그래서 맹자는 사덕은 인간이 경험할 수 없지만, 사덕의 단서가 되는 것은 인간이 느낄 수 있다고 했으며, 인의예지의 단서로 측은지심, 수오지심, 사양지심, 시비지심을 말하였다.
- 惻隱之心(측은지심): 남의 곤경을 측은히 여기는 마음 – 仁(인)
- 羞惡之心(수오지심): 불의를 부끄러워하고 미워하는 마음 – 義(의)
- 辭讓之心(사양지심): 남을 공경하고 사양하는 마음 – 禮(예)
- 是非之心(시비지심): 옳고 그름을 판단하는 마음 – 知(지)

- 義(의): 사람으로서 지키고 행하여야 할 바른 도리
- 舍의 여러 가지 뜻
  ① 집 예 寄宿舍(기숙사) – 학교나 회사 따위에 딸려 있어 학생이나 사원에게 싼값으로 숙식을 제공하는 시설
  ② 버리다 예 舍己從人(사기종인) – 자기의 이전 행위를 버리고 타인의 선행을 본떠 행함.
- 舍(사): 버리다 = 捨(사)
- 捨生取義(사생취의): '삶을 버리고 의로움을 취하다.'라는 뜻으로, 목숨을 버릴지언정 옳은 일을 함을 이르는 말

- 仁(인): 남을 사랑하고 어질게 행동하는 일
- 義(의): 사람으로서 지키고 행하여야 할 바른 도리
- 善(선): 올바르고 착하여 도덕적 기준에 맞음. 또는 그런 것
- 性善說(성선설): 사람의 본성은 선천적으로 착하나 나쁜 환경이나 물욕(物慾)으로 악하게 된다는 학설
- 民本主義(민본주의): 국민의 이익과 행복의 증진을 근본이념으로 하는 정치 사상
- 各國(각국): 각 나라. 또는 여러 나라

이해 더하기 맹자

맹자는 중국 전국 시대의 유가(儒家) 사상가로, 따뜻하고 포용적인 사랑인 仁, 옳고 그름을 구분하는 사회적 정의인 義가 그의 핵심 사상이다. 또 인간의 본성은 원래 착하며 노력으로 善을 회복할 수 있다는 性善說을 주장하였다. 맹자는 民本主義를 강조하여 各國을 돌아다니며 군주들에게 貧困한 사람을 구제하고 농업을 장려하면서 백성의 삶을 안정시킬 것을 要請하고 勸勉하였다. 이러한 맹자의 사상은 동아시아의 여러 나라에 영향을 미쳐 왔으며, 현재에 이르러서도 지도자들이 지녀야 할 기본 덕목이라고 할 수 있다.

- 貧困(빈곤): 가난하여 살기가 어려움.
- 要請(요청): 필요한 어떤 일이나 행동을 청함. 또는 그런 청
- 勸勉(권면): 알아듣도록 권하고 격려하여 힘쓰게 함.

제부수 한자로 이루어진 어휘
(한자 자전에서 글자 자체가 부수인 글자)
- 子女(자녀): 아들과 딸
- 弓手(궁수): 활 쏘는 일을 맡아 하는 군사
- 長刀(장도): 긴 칼
- 大豆(대두): 콩
- 肉食(육식): 음식으로 고기를 먹음. 또는 그런 식사
- 止血(지혈): 나오던 피가 멈춤. 또는 나오던 피를 멈춤.

뜻이 상대되는 한자로 이루어진 어휘
- 取捨(취사): 쓸 것은 쓰고 버릴 것은 버림.
- 始終(시종): 처음과 끝
- 深淺(심천): 깊음과 얕음
- 首尾(수미): ① 사물의 머리와 꼬리 ② 일의 시작과 끝
- 利害(이해): 이익과 손해
- 君臣(군신): 임금과 신하

新 한자 모아 보기

한자	음	뜻	부수	획수	총획
宿	숙	자다	宀	8	11
	수	별			
從	종	좇다	彳	8	11
捨*	사	버리다	手(扌)	8	11
弓	궁	활	弓	0	3
刀	도	칼	刀	0	2
豆	두	콩	豆	0	7
肉	육	고기	肉	0	6
止	지	그치다	止	0	4
血	혈	피	血	0	6

한자	음	뜻	부수	획수	총획
始	시	비로소, 처음	女	5	8
淺	천	얕다	水(氵)	8	11
尾	미	꼬리	尸	4	7
害	해	해치다	宀	7	10
臣	신	신하	臣	0	6
各	각	각각	口	3	6
貧	빈	가난하다	貝	4	11
困	곤	괴롭다	囗	4	7
要	요	요긴하다	襾	3	9

한자	음	뜻	부수	획수	총획
請	청	청하다	言	8	15
勸	권	권하다	力	18	20
恒	항	항상	心(忄)	6	9
常	상	항상	巾	8	11
街	가	거리	行	6	12
路	로	길	足	6	13
紙	지	종이	糸	4	10
每	매	매양	毋	3	7

쑥쑥! 실력 향상 ○ 교과서 167쪽

생활 속 용어 활용

사람의 본성이 선하다는 性善說에 관해 어떻게 생각하니?

• 性善說(성선설): 사람의 본성은 선천적으로 착하나 나쁜 환경이나 물욕(物慾)으로 악하게 된다는 학설

몸이 불편한 친구를 恒常 돕는 철수를 보니 사람은 본래 착한 것 같아요.

• 恒常(항상): 언제나 변함없이

철수는 등하교를 할 때 街路燈 주변에 떨어진 休紙도 주워요.

• 街路燈(가로등): 거리의 조명이나 교통의 안전, 또는 미관(美觀) 따위를 위하여 길가를 따라 설치해 놓은 등

• 休紙(휴지): ① 쓸모없는 종이 ② 밑을 닦거나 코를 푸는 데 허드레로 쓰는 얇은 종이

아니야, 너희도 每日 함께 하는 일이잖아…….

• 每日(매일): ① 각각의 개별적인 나날 ② 하루하루마다

문제로 실력 확인

[1~2] 다음 글을 읽고 물음에 답해 보자.

㉠生(생)亦(역)我(아)㉡所(소)欲(욕)也(야), ㉢義(의)亦(역)我(아)所(소)㉣欲(욕)也(야), 二(이)者(자), 不(불)可(가)得(득) ㉤兼(겸), ㉮舍(사)生(생)而(이)取(취)義(의)者(자)也(야).

1. ㉠~㉤의 풀이로 알맞지 않은 것을 골라 보자. ②

① ㉠: 삶 ② ㉡: ~하는 곳 ③ ㉢: 의로움
④ ㉣: 원하다 ⑤ ㉤: 겸하다

2. ㉮에서 유래된 성어를 한자로 써 보자.

捨生取義

창의형

3. 자신이 원하는 것 두 가지를 빈칸에 각각 한자로 써 보자.

[예시 답안] 遊(유) 놀다 또한 내가 원하는 바이며
學(학) 배우다 또한 내가 원하는 바이건마는
두 가지를 얻어 겸할 수 없다면
遊(유)을/를 버리고 學(학)을/를 취하는 사람일 것이다.

소단원 자기 점검

학업 성취도를 스스로 점검해 보자.

• 글에 나타난 맹자의 사상을 이해할 수 있는가?	잘함 / 보통 / 노력 필요
• 맹자의 사상을 통해 바른 가치관을 정립할 수 있는가?	잘함 / 보통 / 노력 필요

교과서 164~166쪽 다시 읽기

도움말 소단원 학습이 끝나면 소단원의 학습 목표에 해당하는 질문에 답하며 자신의 학업 성취도를 스스로 점검해 본다. 성취 목표에 도달하지 못한 경우에는 제시된 위치로 돌아가서 내용을 다시 읽고 공부하도록 한다.

소단원 스스로 정리

정답과 해설 313쪽

• 한자, 음, 뜻, 부수의 순서로 제시

1. 한자

戶 (호) 집 [戶]
市 (시) 저자 [巾]
忍 (인) 참다 [心]
依 (의) 의지하다 [人(亻)]
孟* (맹) 맏, 성씨 [子]
欲 ❶□ 하고자 하다 [欠]
兼* (겸) 겸하다 [八]
舍 (사) 집, 버리다 [舌]
❷□ (취) 가지다 [又]
❸□ (숙) 자다, (수) 별 [宀]
從 (종) 좇다 [彳]
捨* ❹□ 버리다 [手(扌)]

弓 (궁) 활 [弓]
❺□ (도) 칼 [刀(刂)]
豆 ❻□ 콩 [豆]
肉 (육) 고기 [肉]
止 (지) 그치다 [止]
血 (혈) 피 [血]
❼□ (시) 비로소, 처음 [女]
淺 (천) 얕다 [水(氵)]
尾 (미) 꼬리 [尸]
害 (해) 해치다 [宀]
臣 ❽□ 신하 [臣]
各 ❾□ 각각 [口]

貧 (빈) 가난하다 [貝]
困 (곤) 괴롭다 [囗]
要 (요) 요긴하다 [襾]
請 (청) 청하다 [言]
❿□ (권) 권하다 [力]
恒 (항) 항상 [心(忄)]
常 ⓫□ 항상 [巾]
街 (가) 거리 [行]
路 (로) 길 [足]
紙 (지) 종이 [糸]
⓬□ (매) 매양 [毋]

2. 어휘

(1) ❶□□(가호): 호적상의 집
(2) 公園(❷□□): 국가나 지방 공공 단체가 공중의 보건·휴양·놀이 따위를 위하여 마련한 정원, 유원지, 동산 등의 사회 시설
(3) 書堂 (서당) : 글방
(4) ❸□□(시장) : 여러 가지 상품을 사고파는 일정한 장소
(5) 食堂(식당): ❹□□을 만들어 손님들에게 파는 가게
(6) ❺□□(항상): 언제나 변함없이
(7) 街路燈(❻□□□): 거리의 조명이나 교통의 안전, 또는 미관 따위를 위하여 길가를 따라 설치해 놓은 등
(8) 每日(매일): 각각의 개별적인 나날. 하루하루마다

3. 본문

孟子曰(맹자왈): "❶□亦我所欲也(생역아소욕야)며 ❷□亦我所欲也(의역아소욕야)언마는	맹자께서 말씀하셨다. "삶 또한 내가 원하는 바이며 의로움 또한 내가 원하는 바이건마는
二❸□를 不可得兼(이자불가득겸)이면	두 가지를 얻어 겸할 수 없다면
舍❹□而取❺□者也(사생이취의자야)리라."	삶을 버리고 의를 취하는 ❻□□일 것이다."

소단원 확인 문제

01 한자와 부수의 연결이 바른 것은?

① 恒 – 心　② 忍 – 刀　③ 取 – 耳
④ 淺 – 戈　⑤ 欲 – 谷

02 제부수 한자로 이루어진 어휘가 아닌 것은?

① 子女　② 弓手　③ 長刀
④ 大豆　⑤ 取捨

03 한자의 음으로 바른 것은?

① 孟(자)　② 亦(혹)　③ 得(덕)
④ 兼(겸)　⑤ 取(패)

04 밑줄 친 舍의 뜻이 알맞은 것을 연결하시오.

> 欲

(1) 寄宿舍 •　　　　ㄱ 집
(2) 舍期從人 •　　　ㄴ 버리다

출제 유력

05 뜻이 상대되는 한자로 이루어진 어휘가 아닌 것은?

① 死生　② 取捨　③ 始終
④ 君臣　⑤ 正義

06 한자 어휘의 독음이 바르지 않은 것은?

① 貧困(빈곤)　② 要請(요청)　③ 勸勉(근면)
④ 恒常(항상)　⑤ 休紙(휴지)

07 다음 빈칸에 들어갈 한자끼리 짝지어진 것은?

> □은 人心也요, □는 人路也라.

① 仁, 禮　② 善, 惡　③ 仁, 義
④ 性, 仁　⑤ 生, 義

출제 유력

08 제시된 내용과 다음과 관련 있는 것은?

> 맹자는 인간의 본성이 선하나 주위 환경에 의해 악해질 수 있어 교육에 의해 본성을 지켜 나가야 한다고 하였다.

① 性善說　② 性惡說　③ 君子三樂
④ 捨生取義　⑤ 性無善惡說

09 다음 대화 내용과 관련 있는 것은?

① 過猶不及　② 孟母斷機
③ 捨生取義　④ 五十步百步
⑤ 孟母三遷之敎

10 한자 어휘의 활용이 적절하지 않은 것은?

① 食堂에서 점심을 먹었다.
② 봄이 되면 公園에 다양한 꽃이 핀다.
③ 書堂에서 장도 보고 군것질도 해야지.
④ 훌륭한 인재를 敎育하는 것이 선생님의 즐거움이다.
⑤ 전통 市場 활성화를 위해 청년 상인들이 움직이고 있다.

[11~19] 다음 글을 읽고 물음에 답하시오.

孟子㉠曰: "生亦㉡我所欲也며
義亦我㉢所欲也언마는
二ⓐ者를 不可得兼이면
㉣舍生㉤而取義ⓑ者也리라."

11 ㉠에 대한 설명으로 알맞은 것은?

① 日과 통용된다.
② '세로'의 반대 의미이다.
③ '말하다'라고 풀이한다.
④ 의문문의 형태를 만들어 준다.
⑤ 문장을 마무리하는 역할을 한다.

출제 유력

12 ㉡에 해당하는 것끼리 짝지어진 것은?

① 生, 仁 ② 生, 義 ③ 仁, 義
④ 禮, 仁 ⑤ 兼, 義

13 밑줄 친 한자 중 ㉢과 같은 의미로 쓰인 어휘가 아닌 것은?

① 所聞 ② 場所 ③ 所有
④ 所用 ⑤ 所信

14 ㉣의 의미로 알맞은 것은?

① 집 ② 관청 ③ 버리다
④ 사양하다 ⑤ 평온하다

15 ㉤의 풀이로 알맞은 것은?

① 그리고 ② 그런데 ③ 그러나
④ 하지만 ⑤ 왜냐하면

16 ⓐ와 ⓑ의 의미를 바르게 짝지은 것은?

	ⓐ	ⓑ
①	~것	장소
②	~것	~와 같다
③	~것	~하는 사람
④	장소	~하는 사람
⑤	~와 같다	~하는 사람

출제 유력

17 맹자가 추구하는 궁극적인 삶의 태도를 표현한 한자로 알맞은 것은?

① 義 ② 生 ③ 死 ④ 兼 ⑤ 教育

서술형

18 윗글의 내용과 관계 깊은 사자성어를 쓰고, 그 의미를 풀이하시오.

출제 유력

19 윗글의 내용과 일치하는 것은?

① 삶은 맹자가 원하는 것이 아니다.
② 의(義)를 원할 때는 삶을 포기하여야 한다.
③ 삶과 의로움은 동시에 얻을 수 없는 것이다.
④ 목숨을 버리고 의로움을 따르지 말라는 말이다.
⑤ 목숨을 버릴지언정 옳은 일을 함을 이르는 말이다.

24. 적을 알고 나를 알다

◎ 교과서 168, 169쪽

똑똑! 활동으로 열기

출제 유형
- 다음과 같은 주장을 한 사상가로 알맞은 것은?
- 제자백가와 대표 사상가를 바르게 연결한 것은?

공자와 맹자를 포함하여, 춘추 전국 시대에 활약한 여러 학파를 제자백가(諸子百家)라고 하지.

활동 1 **제자백가들의 주장을 읽고, 빈칸에 알맞은 음을 쓰시오.**

• **제자백가(諸子百家)**
중국 춘추 시대 말기부터 전국 시대에 걸친 여러 학자 및 여러 학파를 통틀어 이르는 말. 유가(儒家)인 공자와 맹자와 순자, 묵가(墨家)인 묵자, 법가(法家)인 한비자, 도가(道家)인 노자와 장자, 병가(兵家)인 손자 등이 있음.

전쟁에 있어서는 적절한 전략과 전술이 필요합니다.

손자(孫子)
– 兵法(❶ 병 법)
군사를 지휘하여 전쟁하는 방법

법을 바로 세우고 그것을 강력한 힘으로 지켜 나간다면 나라는 부강해질 것입니다.

한비자(韓非子)
– 法(❷ 법)
국가의 강제력을 수반하는 사회 규범

사람을 차별하지 말고 모두 평등하게 사랑해야 합니다.

묵자(墨子)
– 兼愛(❸ 겸 애)
가리지 않고 모든 사람을 똑같이 두루 사랑함.

인공의 힘을 가하지 않은 자연스러운 상태가 가장 좋습니다.

노자(老子)
– 無爲自然 (❹ 무 위 자 연)
사람의 힘을 더하지 않은 그대로의 자연. 또는 그런 이상적인 경지

新 한자 모아 보기

한자	음	뜻	부수	획수	총획
法	법	법	水(氵)	5	8
治	치	다스리다	水(氵)	5	8

한자	음	뜻	부수	획수	총획
布	포	베, 펴다	巾	2	5
令	령	하여금, 명령	人	3	5

한자	음	뜻	부수	획수	총획
移	이	옮기다	禾	6	11

제자백가와 관련된 일화를 살펴볼까?

활동 2 다음 글을 읽고 물음에 답해 보자.

• 법치주의: 사람의 본성을 악하다고 생각하여 덕치주의를 배격하고 법률로써 백성을 다스려야 한다는 사상
• 공포: 이미 확정된 법률, 조약, 명령 따위를 일반 국민에게 널리 알리는 일

진나라의 재상인 상앙은 法治主義(법치주의)를 바탕으로 나라를 강하게 만들고자 했다. 그러나 상앙은 법률을 제정해 놓고도 즉시 公布(공포)하지 않았다. 백성들이 믿어 줄지 그것이 의문이었기 때문이다. 상앙은 한 가지 계책을 내었다.

남문: ① 남쪽으로 난 문 ② 성곽의 남쪽에 있는 문

북문: ① 북쪽으로 난 문 ② 성곽의 북쪽에 있는 문

南門에 있는 큰 나무를 北門으로 옮기는 자에게 십금(十金)을 주겠다.
못 믿겠는데…….

그럼 나무를 옮기는 자에게 오십금(五十金)을 주겠다.
혹시 모르니 내가 해 볼까?

정말이었어?

그리고 法令(법령)을 공포하자 백성들은 조정을 믿고 법을 잘 지켰다고 한다.

법령: 법률과 명령을 아울러 이르는 말

이 이야기에서 移木之信(이목지신)이라는 말이 나왔다. 이는 나무를 옮긴 사람에게 상을 주어 믿음을 갖게 한다는 말이다.

이목지신: 위정자가 나무 옮기기로 백성들을 믿게 한다는 뜻으로, 남을 속이지 않거나 약속을 반드시 지킨다는 말

(1) 윗글과 관련 있는 제자백가 사상을 〈보기〉에서 찾아 써 보자. 法家

• 보기 • 道家(도가) 墨家(묵가) 法家(법가) 兵家(병가)

• 도가: 중국 선진(先秦) 시대 제자백가의 하나. 노자와 장자의 허무, 염담(恬淡), 무위(無爲)의 설을 받든 학파로, 만물의 근원으로서의 자연을 숭배함. 유가와 더불어 양대 학파를 이룸.

(2) 다음과 같은 뜻을 지닌 성어를 윗글에서 찾아 써 보자. 移木之信

① 신용(信用)을 지킴. ② 남을 속이지 아니함.

• 묵가: 중국 춘추 전국 시대 때 노나라의 묵자(墨子)의 사상을 받들고 실천하던 제자백가의 한 파. 절대적인 천명에 따라 겸애(兼愛)와 흥리(興利)에 노력하여 근검할 것을 주장하고, 음악 · 전쟁에 반대하였으며 영혼과 귀신의 실재를 역설하여 종교적인 색채를 띠기도 하였음.
• 법가: 중국 전국 시대의 제자백가 가운데에 관자(管子), 상앙(商鞅), 신불해(申不害), 한비자 등의 학자. 또는 그들이 주장한 학파. 도덕보다도 법을 중하게 여겨 형벌을 엄하게 하는 것이 나라를 다스리는 기본이라고 주장하였음.
• 병가: 중국에서, 제자백가 가운데 병술(兵術)을 논하던 학파. 전국 시대에 크게 발달하여 손자(孫子) 82편, 오자(吳子) 48편 등 많은 병서(兵書)가 저술되었음.

소단원 학습 계획

배울 내용에 관하여 얼마나 알고 있는지 스스로 점검해 보자.

• 제자백가의 뜻을 알고 있는가?	☆☆☆☆☆
• 제자백가의 다양한 사상에 관하여 알고 있는가?	☆☆☆☆☆

잘하는 부분은 발전시키고, 부족한 부분은 보완할 수 있도록 스스로 학습 계획을 세워 보자.

나는 이 단원에서 ___예) 제자백가의 뜻, 제자백가의 다양한 사상___ 을/를 공부하겠다.

도움말 제자백가의 뜻과 여러 제자백가 사상들을 활동을 통해 살펴보았다. 이를 바탕으로 소단원 학습 내용에 관한 자신의 배경지식 정도를 점검해 보고, 스스로 소단원의 학습 계획을 세워 본다.

학습 요소 ■ 제자백가의 사상 이해 ■ 현재적 의미와 가치 발견 ■ 한자 문화권의 상호 이해와 교류

24. 적을 알고 나를 알다

교과서 170, 171쪽

출제 유형
- 윗글에서 '사랑'을 강조하고 있는 문장은?
- 善과 善의 의미를 바르게 짝지은 것은?
- (라)와 같이 말한 이유로 가장 알맞은 것은?

상대 / 나 / '많다'의 의미

知彼知己면 百戰不殆니라.

지 피 지 기 백 전 불 태
알다 저 알다 자기 일백 싸움 아니다 위태롭다

『손자』

※ 일반적으로는 '知彼知己 百戰百勝(지피지기백전백승)'이라는 표현이 널리 알려져 있지만, 출전인 『손자』에는 '知彼知己百戰不殆'로 되어 있음.

[뒤의 내용]
不知彼而知己 一勝一負.
(적의 상황을 모르고 나의 상황만 알고 있다면 한번은 승리하고 한번은 패한다.)
不知彼不知己 每戰必敗.
(적의 상황을 모르고 나의 상황도 모르면 매번 싸울 때마다 패한다.)

'집행하다'의 의미

奉法者強하면 則國強하고,

봉 법 자 강 즉 국 강
받들다 법 사람 강하다 곧 나라 강하다

奉法者弱하면 則國弱이라.

봉 법 자 약 즉 국 약
받들다 법 사람 약하다 곧 나라 약하다

『한비자』

新 한자 모아 보기

한자	음	뜻	부수	획수	총획
彼	피	저	彳	5	8
殆*	태	위태롭다	歹	5	9
強	강	강하다	弓	8	11
弱	약	약하다	弓	7	10
賊*	적	도둑, 해치다	貝	6	13

스스로 확인

손자가 말한, 전쟁에서 위태롭지 않게 하는 방법은 무엇인가?

상대를 알고 자신을 아는 것

① 주다
② ~와/과
③ 참여하다

人與人相愛면 則不相賊이라.

인 여 인 상 애 즉 불 상 적
사람 ~와/과 사람 서로 사랑하다 곧 아니다 서로 해치다

『묵자』

上善若水하니

상 선 약 수
위 덕목의 이름 같다 물

水善利萬物而不爭이라.

수 선 리 만 물 이 부 쟁
물 잘하다 이롭다 일만 물건 말 잇다 아니다 다투다

『노자』

[善(선)의 여러 가지 쓰임]
① 착하다 예 善惡(선악), 善意(선의)
② 잘하다 예 善利(선리), 善戰(선전)
③ 덕목의 이름 예 上善(상선)

- 『손자(孫子)』: 중국의 사상가 손자가 지은 병법서
- 『한비자(韓非子)』: 중국의 사상가 한비자가 법가 사상을 집대성한 책
- 『묵자(墨子)』: 중국의 사상가 묵자의 언행을 적은 책
- 『노자(老子)』: 중국의 사상가 노자의 도가 사상을 적은 책으로 『도덕경(道德經)』이라고도 함.

꼭꼭! 본문 다지기
교과서 172쪽

知彼知己면 百戰不殆니라.
지 피 지 기 백 전 불 태
상대를 알고 자신을 알면 백 번 싸워도 위태롭지 않다.

奉法者強하면 則國強하고, 奉法者弱하면 則國弱이라.
봉 법 자 강 즉 국 강 봉 법 자 약 즉 국 약
법을 받드는 사람이 강하면 나라가 강해지고, 법을 받드는 사람이 약하면 나라가 약해진다.

人與人相愛면 則不相賊이라.
인 여 인 상 애 즉 불 상 적
사람과 사람이 서로 사랑하면 서로 해치지 않는다.

上善若水하니 水善利萬物而不爭이라.
상 선 약 수 수 선 리 만 물 이 부 쟁
최고의 선은 물과 같으니 물은 만물을 잘 이롭게 하나 다투지 않는다.

- 與(여)의 여러 가지 쓰임
  ① 주다 예 給與(급여) 돈이나 물품 따위를 줌. 또는 그 돈이나 물품
  ② ~와/과 예 富與貴(부여귀) 부유함과 귀함
  ③ 참여하다 예 關與(관여) 어떤 일에 관계하여 참여함.
- 上善(상선): 최고의 선(덕목)
- 善利(선리): 잘 이롭게 하다

- 諸子百家(제자백가): 춘추 전국 시대의 여러 학파
- 兵法(병법): 군사를 지휘하여 전쟁하는 방법
- 嚴重(엄중): 몹시 엄함.
- 刑罰(형벌): 범죄에 대한 법률의 효과로서 국가 따위가 범죄자에게 제재를 가함. 또는 그 제재

이해 더하기 제자백가

諸子百家는 중국 춘추 전국 시대에 활약한 여러 학파를 총칭한 말이다. 諸子란 여러 학자들이라는 뜻이고, 百家란 수많은 학파를 뜻한다. 대표적인 제자백가에는 유가, 병가, 법가, 묵가, 도가 등이 있다. 병가는 兵法을 논하였고, 법가는 嚴重한 法과 刑罰의 執行으로 국민을 다스릴 것을 주장하였다. 묵가는 血緣에 얽매이지 않는 겸애, 도가는 自然의 도에 순종하는 無爲를 강조하였다. 제자백가의 사상은 한자 문화권에서 오랫동안 영향을 미쳤으며, 지금까지도 현대적 의미로 재해석되어 교양서로도 많이 읽히고 있다.

- 執行(집행): 실제로 시행함.
- 血緣(혈연): 같은 핏줄에 의하여 연결된 인연
- 無爲(무위): 중국의 노장 철학에서, 자연에 따라 행하고 인위를 가하지 않는 것. 인간의 지식이나 욕심이 오히려 세상을 혼란시킨다고 여기고 자연 그대로를 최고의 경지로 봄.

뜻이 상대되는 한자

- 強 (강) 강하다 ↔ 弱 (약) 약하다
- 左 (좌) 왼쪽 ↔ 右 (우) 오른쪽
- 將 (장) 장수 ↔ 卒 (졸) 군사
- 授 (수) 주다 ↔ 受 (수) 받다
- 高 (고) 높다 ↔ 低 (저) 낮다

- 海賊(해적): 배를 타고 다니면서, 다른 배나 해안 지방을 습격하여 재물을 빼앗는 강도
- 施賞(시상): 상장이나 상품, 상금 따위를 줌.
- 貯金(저금): 돈을 모아 둠. 또는 그 돈

부수가 같은 한자 – 貝 패

- 賊 (적) 도둑 예 海賊(해적)
- 賞 (상) 상 주다 예 施賞(시상)
- 貯 (저) 쌓다 예 貯金(저금)
- 財 (재) 재물 예 公共財(공공재)

- 公共財(공공재): 공중(公衆)이 공동으로 사용하는 물건이나 시설. 도로, 항만, 교량, 공원 따위를 이름.

新 한자 모아 보기

한자	음	뜻	부수	획수	총획
給	급	주다	糸	6	12
富	부	부유하다	宀	9	12
關	관	관계하다, 빗장	門	11	19
左	좌	왼쪽	工	2	5
右	우	오른쪽	口	2	5
卒	졸	마치다, 군사	十	6	8
授	수	주다	手(扌)	8	11
受	수	받다	又	6	8
低	저	낮다	人(亻)	5	7

한자	음	뜻	부수	획수	총획
貝	패	조개	貝	0	7
賞	상	상 주다	貝	8	15
施	시	베풀다	方	5	9
貯	저	쌓다	貝	5	12
金	금	쇠	金	0	8
	김	성씨			
財	재	재물	貝	3	10
共	공	함께	八	4	6
刑	형	형벌	刀(刂)	4	6
罰*	벌	벌하다	网(罒)	9	14

한자	음	뜻	부수	획수	총획
執	집	잡다	土	8	11
活	활	살다	水(氵)	6	9
希	희	바라다	巾	4	7
昨	작	어제	日	5	9
杯	배	잔	木	4	8
應	응	응하다	心	13	17
指	지	가리키다	手(扌)	6	9
針	침	바늘	金	2	10

쑥쑥! 실력 향상 ○ 교과서 173쪽

축구부 活動에 관한 다양한 意見을 나누어 보자.

- 活動(활동): ① 몸을 움직여 행동함. ② 어떤 일의 성과를 거두기 위하여 힘씀.
- 意見(의견): 어떤 대상에 대하여 가지는 생각

우리는 우승을 希望했는데, 昨年에는 시장 杯 대회 결승전에서 져서 너무 속상했어요.

- 希望(희망): ① 앞일에 대하여 어떤 기대를 가지고 바람. ② 앞으로 잘될 수 있는 가능성
- 昨年(작년): 지난해
- 杯(배): 운동 경기에서 우승한 팀이나 사람에게 주는 트로피

옆 학교의 전력을 분석해서 對應할 수 있는 방식을 다각도로 생각하고 있어요.

- 對應(대응): 어떤 일이나 사태에 맞추어 태도나 행동을 취함.

올해는 철저한 선수 관리 指針도 정해졌고, 선수들이 힘든 훈련에도 適應했으니 우승은 문제없어요.

- 指針(지침): 생활이나 행동 따위의 지도적 방법이나 방향을 인도하여 주는 준칙
- 適應(적응): 일정한 조건이나 환경 따위에 맞추어 응하거나 알맞게 됨.

문제로 실력 확인

1. 다음 글을 읽고 물음에 답하시오.

(가) 人㉠與人相愛, 則不相賊.
(인 여 인 상 애 즉 불 상 적)

(나) ㉡上善若水, 水善利萬物而不爭.
(상 선 약 수 수 선 리 만 물 이 부 쟁)

(1) ㉠의 뜻으로 알맞은 것을 골라 보자. ⑤

① 같다 ② 함께 ③ 주다
④ 참여하다 ⑤ ~와/과

(2) (나)에서 ㉡처럼 말한 이유를 써 보자.

물은 만물을 잘 이롭게 하나 다투지 않기 때문에

2. 풀이를 참고하여 □, ○에 들어갈 한자를 각각 써 보자.

풀이 법을 받드는 사람이 강하면 나라가 강해지고, 법을 받드는 사람이 약하면 나라가 약해진다.

奉法者[強], 則國[強], 奉法者(弱), 則國(弱).
(봉 법 자 강 즉 국 강 봉 법 자 약 즉 국 약)

창의형

3. 제자백가의 명구 중, 현대에도 가치가 있는 것을 조사하여 친구들 앞에서 발표해 보자.

과정

명구 선택하기 → 친구들 앞에서 명구 암송하기 → 명구의 뜻 말해 주기 → 명구를 선택한 까닭 설명하기

[예시 답안] • 명구: 己所不欲勿施於人(기소불욕물시어인).
- 명구의 뜻: 내가 하고자 하지 않는 바는 남에게 억지로 시키지 말아야 함.
- 명구를 선택한 까닭: 자신뿐 아니라 다른 사람도 존중해야 하기 때문에

소단원 자기 점검

학업 성취도를 스스로 점검해 보자.

• 글에 나타난 제자백가의 사상을 이해할 수 있는가?	잘함 / 보통 / 노력 필요
• 제자백가의 주장을 현재적 관점에서 판단하고 가치를 발견할 수 있는가?	잘함 / 보통 / 노력 필요

▢▢ 교과서 170~172쪽 다시 읽기

도움말 소단원 학습이 끝나면 소단원의 학습 목표에 해당하는 질문에 답하며 자신의 학업 성취도를 스스로 점검해 본다. 성취 목표에 도달하지 못한 경우에는 제시된 위치로 돌아가서 내용을 다시 읽고 공부하도록 한다.

정답과 해설 314쪽

• 한자, 음, 뜻, 부수의 순서로 제시

1. 한자

法 (법) 법 [水(氵)]	關 (관) 관계하다, 빗장 [門]	財 (재) 재물 [貝]
治 (치) 다스리다 [水(氵)]	左 ❹□ 왼쪽 [工]	共 ❽□ 함께 [八]
布 (포) 베, 펴다 [巾]	右 (우) 오른쪽 [口]	❾□ (형) 형벌 [刀(刂)]
❶□ (령) 하여금, 명령 [人]	卒 (졸) 마치다, 군사 [十]	罰* (벌) 벌하다 [网(罒)]
移 (이) 옮기다 [禾]	❺□ (수) 주다 [手(扌)]	執 (집) 잡다 [土]
彼 ❷□ 저 [彳]	受 (수) 받다 [又]	活 (활) 살다 [水(氵)]
殆* (태) 위태롭다 [歹]	低 (저) 낮다 [人(亻)]	希 (희) 바라다 [巾]
強 (강) 강하다 [弓]	貝 ❻□ 조개 [貝]	昨 ❿□ 어제 [日]
弱 (약) 약하다 [弓]	賞 (상) 상 주다 [貝]	杯 (배) 잔 [木]
賊* (적) 도둑, 해치다 [貝]	施 (시) 베풀다 [方]	應 (응) ⓫□□□ [心]
給 (급) 주다 [糸]	貯 (저) 쌓다 [貝]	指 (지) 가리키다 [手(扌)]
❸□ (부) 부유하다 [宀]	❼□ (금) 쇠, (김) 성씨 [金]	針 ⓬□ 바늘 [金]

2. 어휘

(1) 兼愛(❶□□): 가리지 않고 모든 사람을 똑같이 두루 사랑함.

(2) ❷□□ 自然(무위자연): 사람의 힘을 더하지 않은 그대로의 자연. 또는 그런 이상적인 경지

(3) 法治主義(❸□□□□): 사람의 본성을 악하다고 생각하여 덕치주의를 배격하고 법률로써 백성을 다스려야 한다는 사상

(4) 移木之❹□(이목지신): 위정자가 나무 옮기기로 백성을 믿게 한다는 뜻으로, 남을 속이지 않거나 약속을 반드시 지킨다는 말

(5) 對應(❺□□): 어떤 일이나 사태에 맞추어 태도나 행동을 취함.

(6) 指針(❻□□): 생활이나 행동 따위의 지도적 방법이나 방향을 인도하여 주는 준칙

3. 본문

知彼知❶□(지피지기)면 ❷□戰不殆(백전불태)니라.	상대를 알고 자신을 알면 백 번 싸워도 위태롭지 않다.
奉法者強(봉법자강)하면 ❸□國強(즉국강)하고, 奉法者弱(봉법자약)하면 則國弱(즉국약)이라.	❹□을 받드는 사람이 강하면 나라가 강해지고, ❹□을 받드는 사람이 약하면 나라가 약해진다.
人與人相❺□(인여인상애)면 則不相賊(즉불상적) 이라.	사람과 사람이 서로 사랑하면 서로 해치지 않는다.
上善若❻□(상선약수)하니 水善利萬物而不爭(수선리만물이부쟁)이라.	최고의 ❼□은 물과 같으니 물은 만물을 ❽□ 이롭게 하나 다투지 않는다.

소단원 확인 문제

01 한자와 부수의 연결이 바른 것은?

① 法 - 水 ② 治 - 台 ③ 強 - 虫
④ 彼 - 皮 ⑤ 弱 - 羽

02 한자의 음과 뜻으로 바른 것은?

① 移 (이) 머무르다 ② 授 (수) 받다
③ 昨 (작) 오늘 ④ 施 (시) 베풀다
⑤ 罰 (죄) 벌하다

03 다음 문장에 쓰인 不의 음을 바르게 짝지은 것은?

> 知彼知己, 百戰㉠不殆.
> 人與人相愛, 則㉡不相賊.
> 上善若水, 水善利萬物而㉢不爭.

	㉠	㉡	㉢		㉠	㉡	㉢
①	불	불	불	②	부	불	불
③	불	부	불	④	불	부	부
⑤	불	불	부				

04 다음 한자들의 공통점으로 알맞은 것은?

> 賊 賞 貯 財

① 음이 같다.
② 의미가 같다.
③ 부수가 같다.
④ 반대되는 한자가 같다.
⑤ 부수를 제외한 나머지 획수가 같다.

출제 유력
05 뜻이 상대되는 한자로 이루어진 어휘가 아닌 것은?

① 法則 ② 高低 ③ 授受
④ 左右 ⑤ 強弱

출제 유력
06 제자백가와 대표 사상가를 바르게 연결한 것은?

① 儒家(유가) - 손자 ② 兵家(병가) - 한비자
③ 墨家(묵가) - 공자 ④ 道家(도가) - 노자
⑤ 法家(법가) - 맹자

07 다음과 같은 주장을 한 사상가로 알맞은 것은?

> 적과 아군의 실정을 잘 비교 검토한 후 승산이 있을 때 싸운다면 백 번을 싸워도 결코 위태롭지 않다. 적의 실정을 모른 채 아군의 전력만 알고 싸운다면 승패의 확률은 반반이다. 적의 실정은 물론 아군의 전력까지 모르고 싸운다면 싸울 때마다 반드시 패한다.

① 老子 ② 孫子 ③ 墨子
④ 孟家 ⑤ 韓非子

08 한자 어휘의 활용이 적절하지 않은 것은?

① 중학생이 되어 잘 適應하였다.
② 다양한 活動을 통해 경험을 쌓자.
③ 선생님께서 학생들의 意見을 물어보셨다.
④ 나는 예술 고등학교에 진학하기를 方式한다.
⑤ 昨年에는 동생을 돌보느라 공부할 시간이 부족하였다.

[09~22] 다음 글을 읽고 물음에 답하시오.

> (가) 知彼知☐면 ㉠百戰不殆니라.
> (나) 奉法者強하면 則國強하고, 奉法者弱하면 則國弱이라.
> (다) 人㉡與人相愛( ) 則不相㉢賊이라.
> (라) ㉣上ⓐ善若水하니 水ⓑ善利萬物而不爭이라.

출제 유력

09 윗글에서 '사랑'을 강조하고 있는 문장은?

① 知彼知己면 百戰不殆니라.
② 奉法者強하면 則國強이라.
③ 奉法者弱하면 則國弱이라.
④ 人與人相愛면 則不相賊이라.
⑤ 上善若水하니 水善利萬物而不爭이라.

10 (가)의 빈칸에 들어갈 한자로 적절한 것은?

① 巳 ② 已 ③ 己 ④ 弓 ⑤ 乙

11 (가)에서 가장 마지막에 풀이되는 한자는?

① 知 ② 百 ③ 戰 ④ 不 ⑤ 殆

12 다음 성어를 바르게 읽은 것은?

百戰不殆

① 백전불패 ② 백전불태 ③ 백전백승
④ 백전부태 ⑤ 백전부패

출제 유력

13 ㉠의 풀이로 바른 것은?

① 희다 ② 백성 ③ 온갖
④ 많다 ⑤ 적절하다

14 밑줄 친 한자 중 ㉡과 같은 의미로 쓰인 것은?

① 給<u>與</u> ② 富<u>與</u>貴 ③ 關<u>與</u>
④ 干<u>與</u> ⑤ <u>與</u>信

15 (다)의 ( )에 들어갈 토로 적절한 것은?

① ~한데 ② ~하면 ③ ~하니
④ ~하여 ⑤ ~언마는

16 ㉢의 풀이로 적절한 것은?

① 도둑 ② 역적 ③ 죽이다
④ 해치다 ⑤ 그르치다

17 (나)에서 뜻이 서로 상대되는 한자들을 찾아 쓰시오.

18 ㉣의 풀이로 알맞은 것은?

① 위 ② 하늘 ③ 최고
④ 높다 ⑤ 오르다

19 (라)에서 若과 바꾸어 쓸 수 있는 한자로 적절한 것은?

① 於 ② 苦 ③ 與 ④ 右 ⑤ 如

출제 유력

20 ⓐ와 ⓑ의 의미를 바르게 짝지은 것은?

	ⓐ	ⓑ
①	잘	착하다
②	착하다	좋다
③	좋다	훌륭하다
④	선(덕목)	잘
⑤	훌륭하다	선(덕목)

21 (라)에서 가장 마지막에 풀이되는 한자는?

① 利 ② 物 ③ 而 ④ 不 ⑤ 爭

출제 유력

22 (라)와 같이 말한 이유로 가장 알맞은 것은?

① 물은 땅을 비옥하게 하기 때문에
② 물은 사람들을 이롭게 하기 때문에
③ 물은 자연을 아름답게 하기 때문에
④ 물은 사람들을 다투지 않게 하기 때문에
⑤ 물은 만물을 잘 이롭게 하나 다투지 않기 때문에

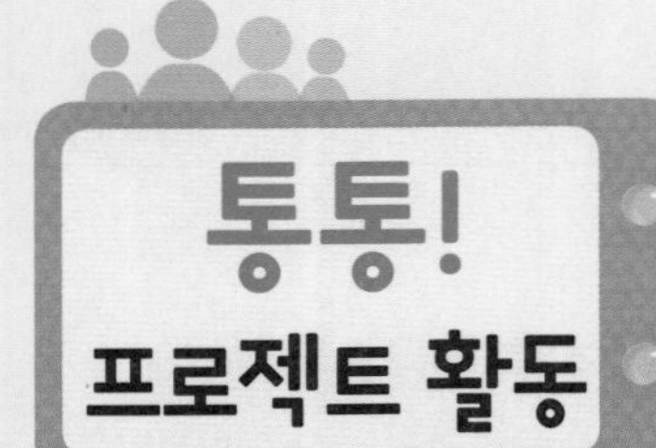

교과서 174쪽

"제자백가의 입장에서 토론하기"

제자백가는 춘추 전국 시대의 여러 학파들로, 그들의 다양한 사상은 오늘날에도 시사하는 바가 크다. 제자백가의 사상을 근거로 토론해 보는 활동을 통해 선인들의 지혜를 되새겨 보자.

【활동 과정】

1. 토론 주제에 관한 자신의 입장 정하기
2. 찬성과 반대 입장에 따라 모둠 구성하기
3. 모둠의 주장을 뒷받침할 만한 제자백가 사상을 찾아 근거 마련하기
4. 타 모둠과 토론하기

도움말
1. 4인 1모둠으로 모둠을 편성한다.
2. 제시된 모둠 활동 순서도와 평가 기준을 바탕으로 제자백가 사상가 중 하나를 택하여 모둠원의 의견을 정리한다.
3. 상반되는 의견을 가진 모둠별 토론을 한다.

【예시】

촉법소년* 도 법적 책임을 져야 하는가?

한비자

법적 책임을 져야 한다.

법은 엄격하고 강력하게 시행되어야 합니다. 잘못을 저지른 사람은 누구라도 벌을 받아야 합니다.

같은 죄를 저질렀는데 누구는 처벌하고 누구는 선처한다면 공정하다 할 수 없습니다.

법에 융통성이 발휘되어서는 안 됩니다. 엄격한 법의 적용만이 범죄를 막을 수 있습니다.

⋮

맹자

처벌보다 교화가 필요하다.

사람의 본성은 착합니다. 환경에 의해 나쁜 행동을 하였더라도 교육을 통해 착해질 수 있습니다.

반대 1

죄를 저지른 것은 그 사람이 나빠서라기보다는 제대로 된 교육을 받지 못해서일 수도 있습니다.

반대 2

엄격한 벌보다는 선도를 통해 교화하는 것이 장기적으로는 범죄율을 낮출 것입니다.

⋮

***촉법소년이란?** 형벌 법령에 저촉되는 행위를 한, 10세 이상 14세 미만의 소년. 형사 책임 능력이 없기 때문에 범죄 행위를 하였어도 처벌을 받지 않으며 보호 처분의 대상이 된다.

[예시답안]
- **맹자**: 사람의 본성은 착합니다. 환경에 의해 나쁜 행동을 하였더라도 교육을 통해 다시 착해질 수 있습니다.
- **모둠원의 의견**: 사람은 선천적으로 착하게 태어나기 때문에 성인이 아닌 만 14세의 미만인 학생은 가르침과 대화를 통해 충분히 교육할 수 있다.
- **한비자**: 법은 엄격하고 강력하게 시행되어야 합니다. 따라서 잘못을 저지른 사람은 누구라도 벌을 받아야 합니다.
- **모둠원의 의견**: 나이가 많든 적든, 죄의 정도에 따라 어른과 같이 처벌해야 한다. 사람이 착하게 태어났든 나쁘게 태어났든 죄의 정도는 약해지거나 달라지지 않기 때문이다.

스스로 평가

개인 평가표

잘된 부분	
아쉬운 부분	

모둠 평가표

수행 과정	토론 주제를 이해하였는가?	☆☆☆☆☆
	모둠원 간에 협력적으로 의견을 교환하였는가?	☆☆☆☆☆
	제자백가의 사상을 바탕으로 근거를 제시하였는가?	☆☆☆☆☆
	토론에서 모둠원이 골고루 발언하였는가?	☆☆☆☆☆

탄탄! 대단원 마무리

교과서 175쪽

요점 정리

1 제자백가의 사상

제자백가	대표 사상가	핵심 주장
유가(儒家)	공자, 맹자	인(仁), 의(義)
병가(兵家)	손자	병법(兵法)
법가(法家)	한비자	법(法)
묵가(墨家)	묵자	겸애(兼愛)
도가(道家)	노자	무위자연(無爲自然)

2 문장의 풀이

(1) 人不知而不慍, 不亦君子乎?
인 부 지 이 불 온 불 역 군 자 호
: 다른 사람이 알아주지 않아도 성내지 않는다면 또한 군자가 아니겠는가?

(2) 二者, 不可得兼, 舍生而取義者也.
이 자 불 가 득 겸 사 생 이 취 의 자 야
: 두 가지를 얻어 겸할 수 없다면 삶을 버리고 의로움을 취하는 사람일 것이다.

(3) 奉法者強, 則國強, 奉法者弱, 則國弱.
봉 법 자 강 즉 국 강 봉 법 자 약 즉 국 약
: 법을 받드는 사람이 강하면 나라가 강해지고, 법을 받드는 사람이 약하면 나라가 약해진다.

3 한문 기록에 담긴 선인들의 지혜와 사상

상 선 약 수 수 선 리 만 물 이 부 쟁
上善若水, 水善利萬物而不爭.
: 최고의 선은 물과 같으니 물은 만물을 잘 이롭게 하나 다투지 않는다.

물과 같이 만물을 이롭게 하나 남들과 다투지 않는 것을 최고의 덕목으로 여겼다.

4 한자 문화권의 상호 이해와 교류

중국의 제자백가 사상은 한국, 일본 등 한자 문화권의 나라에 많은 영향을 미쳤다. 제자백가 사상을 이해하는 것은 한자 문화권 나라들의 공통된 문화적 바탕을 이해하고, 교류할 수 있는 기초가 될 수 있다.

핵심 평가

1. 사상가와 핵심 주장을 바르게 연결해 보자.

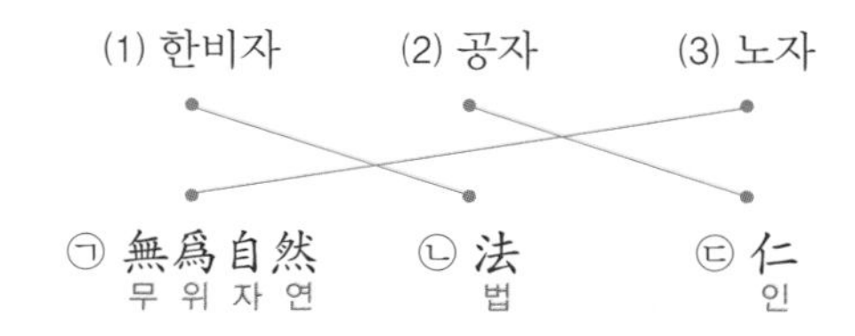

㉠ 無爲自然 무위자연 ㉡ 法 법 ㉢ 仁 인

2. ㉠~㉤에 대한 설명으로 옳은 것을 골라 보자. ①

㉠人㉡不知㉢而不㉣慍, 不亦㉤君子乎?
인 부지 이불 온 불역 군자호

① ㉠의 뜻은 '다른 사람'이다.
② ㉡의 음은 '불'이다. × → '부'
③ ㉢은 '그리고'로 풀이된다. × → '~하여도'
④ ㉣의 뜻은 '따뜻하다'이다. × → '성내다'
⑤ ㉤은 '간사한 사람'을 말한다. × → '행실이 점잖고 어질며 덕과 학식이 높은 사람'

3. ㉠, ㉡에 들어갈 한자를 각각 써 보자. ㉠ 生 ㉡ 義

생 역 아 소 욕 야 의 역 아 소 욕 야
(㉠)亦我所欲也, (㉡)亦我所欲也.
: 삶 또한 내가 원하는 바이며 의로움 또한 내가 원하는 바이다.

용어 활용형

4. 한자 용어의 쓰임이 적절한 것을 골라 보자. ②

① 그는 피곤해서 하루 每日 잠을 잤다. 매일: 하루하루의 모든 날
② 신체 活動을 규칙적으로 하면 건강에 좋지. 활동: 몸을 움직여 행동함.
③ 난 학생회장 선거에 떨어질 거라는 希望을 갖고 있어. 희망: 앞일에 대하여 어떤 기대를 가지고 바람.
④ 過猶不及이라지 않니. 더울 때는 찬 것을 많이 먹어야 해. 과유불급: 정도를 지나침은 미치지 못함과 같음.
⑤ 강력 범죄가 계속 일어나는 걸 보니, 性善說이 맞는 것 같아. 성선설: 사람의 본성은 선천적으로 착하나 나쁜 환경이나 물욕(物慾)으로 악하게 된다는 학설

✓ 대단원 자기 점검

학업 성취도를 스스로 점검해 보고, 부족한 부분을 보충해 보자.

점검 항목	잘함	보통	노력 필요	찾아보기
• 글을 바르게 풀이하고 내용과 주제를 설명한다.				158, 164, 170쪽
• 한문 기록에 담긴 선인들의 지혜와 사상을 이해할 수 있다.				158, 164, 170쪽
• 한자 문화권의 문화에 대한 기초적 지식을 통해 상호 이해와 교류를 증진시킬 수 있다.				158, 164, 170쪽

도움말 대단원 학습이 끝나면 대단원의 학습 목표에 해당하는 질문에 답하며 자신의 학업 성취도를 스스로 점검해 본다. 성취 목표에 도달하지 못한 경우에는 제시된 위치로 돌아가서 내용을 다시 읽고 공부하도록 한다.

대단원 실전 평가

22. 배우고 때때로 익히다

[01~04] 다음 글을 읽고 물음에 답하시오.

> 子曰: "學ⓐ而 時習之면 不亦㉠說乎아?
> 有㉡朋自遠方來면 不亦樂乎아?
> ㉮人不知ⓑ而不慍이면 不亦君子乎아?"

고난도

01 ㉠과 같은 뜻으로 쓰인 것은?

① 說明　② 演說　③ 遊說
④ 說伏　⑤ 說樂

02 ㉡과 바꾸어 쓸 수 있는 한자는?

① 友　② 人　③ 君　④ 王　⑤ 汝

출제 유력

03 ⓐ와 ⓑ의 풀이로 바른 것은?

	ⓐ	ⓑ
①	그리고	그래서
②	그러나	그런데
③	그리고	그러나
④	그래서	그리고
⑤	그러나	그러나

04 ㉮에 대한 설명으로 알맞은 것은?

① 人의 뜻은 '다른 사람' 이다.
② 不知에서 不의 음은 '불'이다.
③ 慍의 뜻은 '따뜻하다'이다.
④ 君子는 '간사한 사람'을 말한다.
⑤ 不亦君子乎의 물음에 대한 답은 '아니다' 이다.

23. 삶을 버리고 의를 취하다

[05~09] 다음 글을 읽고 물음에 답하시오.

> 孟子曰: "㉠生亦我所欲也며
> 義亦我㉡所欲也언마는
> ㉢二者를 不可得兼이면
> 舍生而取☐者也리라."

05 '하고자 하다'라는 뜻을 가진 한자로 알맞은 것은?

① 所　② 欲　③ 亦　④ 也　⑤ 者

06 ㉠의 풀이 순서로 알맞은 것은?

① 生→亦→我→所→欲→也
② 生→我→亦→欲→也→所
③ 亦→生→欲→所→我→也
④ 生→亦→我→欲→所→也
⑤ 亦→也→生→所→欲→我

07 ㉡의 풀이로 알맞은 것은?

① 도리　② 관아　③ 장소
④ ~하는 바　⑤ ~하는 사람

출제 유력

08 ㉢이 가리키는 것끼리 짝지은 것은?

① 生, 死　② 欲, 得　③ 生, 義
④ 取, 舍　⑤ 兼, 義

09 빈칸에 알맞은 한자를 써 넣으시오.

10 한자 어휘의 활용이 적절하지 않은 것은?

① 길에 떨어진 休紙를 줍자.
② 외출 후엔 恒常 손을 씻어야 한다.
③ 저녁이 되면 街路燈에 불이 켜진다.
④ 우리 할아버지는 每日 마을 봉사를 하신다.
⑤ 인간의 본성이 악하다는 性善說에 대해 이야기해 보자.

24. 적을 알고 나를 알다

[11~14] 다음 글을 읽고 물음에 답하시오.

(가) 奉法者強하면 □國強이라.
(나) ㉮人㉠與人相愛면 □不相賊이라.
(다) 上善㉡若水하니 水善利萬物而不爭이라.

11 빈칸에 공통으로 들어갈 알맞은 한자는?

① 則 ② 爲 ③ 與 ④ 亦 ⑤ 於

출제 유력

12 ㉠의 풀이로 알맞은 것은?

① ~와/과 ② 주다 ③ 허락하다
④ 간여하다 ⑤ 참여하다

13 ㉡의 풀이로 알맞은 것은?

① 너 ② 이에 ③ 만약
④ 같다 ⑤ 어리다

출제 유력

14 ㉮의 문장을 말한 사상가가 강조한 사상은?

① 人倫 ② 兵法 ③ 刑罰
④ 兼愛 ⑤ 無爲自然

15 다음의 설명에 해당하는 문장은?

상대를 알고 자신을 알면 백 번 싸워도 위태롭지 않다.

① 知彼知己면 百戰不殆니라.
② 奉法者強하면 則國強이라.
③ 奉法者弱하면 則國弱이라.
④ 人與人相愛면 則不相賊이라.
⑤ 上善若水하니 水善利萬物而不爭이라.

16 다음과 관계 깊은 사상가는?

다른 사람이 알아주지 않아도 성내지 않는다면 또한 군자가 아니겠는가?

① 손자 ② 맹자 ③ 공자
④ 노자 ⑤ 한비자

17 다음의 내용과 가장 관련 있는 성어는?

윤봉길 의사는 1932년 대한민국 임시 정부의 한인 애국단의 일원으로 김구의 명령을 받고 상하이 훙커우 공원에서 개최하는 일본의 천황 생일을 기념하는 축하 기념식장에서 폭탄을 던져 일본의 군부와 관부 주요 인사 여럿을 사상시켰다. 그리고 현장에서 체포된 후 사형당했다. 이 거사는 임시정부가 항일 운동을 활발하게 이어갈 수 있는 계기가 되었다.

① 學而時習 ② 上善若水
③ 捨生取義 ④ 知彼知己
⑤ 奉法自強

18 다음과 가장 관련 있는 것은?

맹자는 아이가 우물에 빠지려는 것을 본 사람은 누구나 깜짝 놀라고 불쌍한 마음이 드는데, 이러한 마음이 생기는 것은 칭찬을 듣기 위해서도 아니고, 아이를 구해 주지 않았을 때 받을 비난을 피하기 위해서도 아니라 마음에서 우러나온 것이라 하였다.

① 兼愛 ② 性善說
③ 性惡說 ④ 無爲自然
⑤ 性無善惡說

19 不이 같은 음으로 읽히는 경우끼리 짝지은 것은?

① 不義, 不德 ② 不可, 不知
③ 不義, 不知 ④ 不德, 不可
⑤ 不知, 不正行爲

교과서 176, 177쪽

VIII. 우리의 삶과 역사

이 단원을 통해

- 한문 산문의 내용을 이해하고 감상한다.
- 한문 기록에 담긴 선인들의 지혜, 사상 등을 이해하고, 현재적 의미에서 가치가 있는 것을 내면화하여 건전한 가치관과 바람직한 인성을 함양한다.
- 한문 기록에 담긴 우리의 전통문화를 바르게 이해하고, 미래 지향적인 새로운 문화 창조의 원동력으로 삼으려는 태도를 형성한다.
- 한자 문화권의 문화에 대한 기초적 지식을 통해 상호 이해와 교류를 증진시키려는 태도를 형성한다.

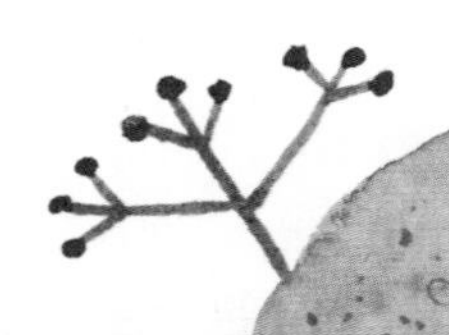

한문 기록에는 우리의 삶과 역사가 담겨 있다. 명절마다 세시 풍속을 행하고 천문 현상에 관심을 가졌으며, 한반도에 최초의 나라인 고조선을 세우고 우리 땅인 울릉도와 독도를 지켜 왔던 조상들의 모습을 살펴보자.

소단원 미리 보기

소단원	소단원 소개	소단원 학습 요소
25. 뿌리 깊은 우리 명절	4대 명절을 통해 전통문화를 알아보고 현재적 의미를 파악해 전통문화를 계승하고 발전시키고자 하는 단원이다.	• 명절에 대한 글의 이해 • 전통문화의 계승과 발전 • 한자 문화권의 상호 이해와 교류
26. 널리 인간을 이롭게	「단군 신화」에서 건국 이념이자 교육 이념인 '홍익인간'의 현재적 의미와 가치를 알아보는 단원이다.	• 여러 가지 음과 뜻을 지닌 한자 • 「단군 신화」의 이해 • '홍익인간'의 현재적 의미와 가치 발견
27. 둥근 모양의 지구	선인들도 과학적 사고를 하였고 천문 관측을 통해 지구가 둥글다는 것을 증명했음을 이해하는 단원이다.	• 천문 현상에 대한 글의 이해 • 선인들의 지혜와 사상에 대한 이해와 공감 • 현재적 의미와 가치 발견
28. 우리 땅, 울릉도와 독도	울릉도와 독도를 통해 국토의 중요성을 알고 나라 사랑하는 마음을 실천할 것을 강조하는 단원이다.	• 국토에 대한 글의 이해 • 현재적 의미와 가치 발견 • 나라 사랑하는 태도

25. 뿌리 깊은 우리 명절

○ 교과서 178, 179쪽

똑똑! 활동으로 열기

출제 유형
- 우리나라 4대 명절에 해당하지 않은 것은?
- 명절과 관련된 세시 풍속을 연결하시오.
- 한자 어휘의 독음이 바른 것은?
- 다음 내용과 관련 있는 명절은?

우리나라의 4대 명절을 알고 있니?

활동 1 그림과 관련 있는 명절을 〈보기〉에서 찾아 써 보자.

(1) (寒食)

(2) (元日)

(3) (秋夕)

(4) (端午)

• 보기 • 元日(원일) 寒食(한식) 端午(단오) 秋夕(추석)

명절에는 각 나라마다 고유의 전통 의상을 입지.

활동 2 전통 의상과 나라를 연결하여 보자.

다문화 시대로 접어든 우리의 현실을 고려하여 아시아의 다양한 전통 의상을 조사하는 활동을 해 볼 수 있다. 제시된 한국, 일본, 중국 외에도 베트남, 싱가포르 등 다른 한자 문화권 국가의 의복을 조사하는 것도 좋다.

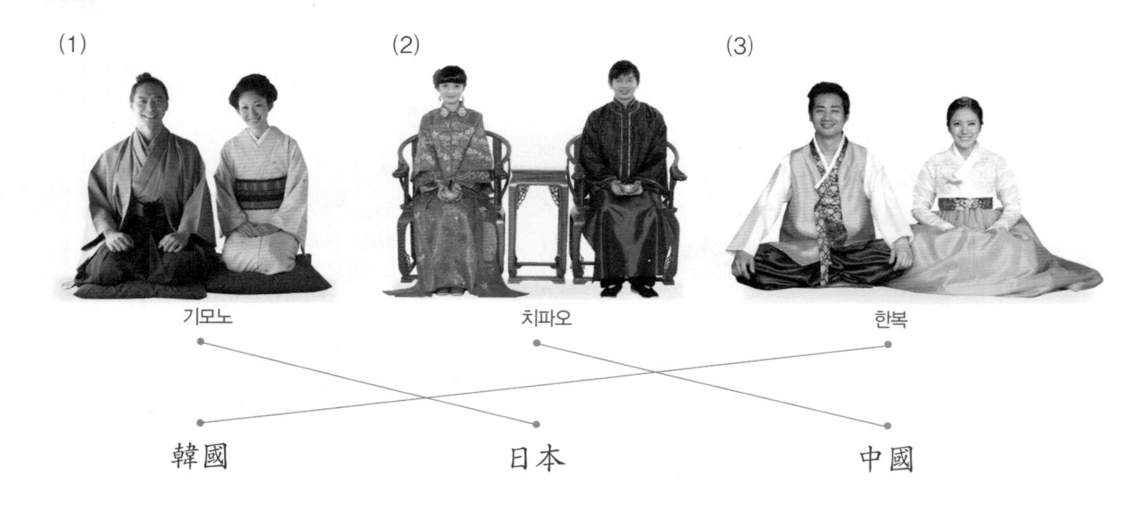

新 한자 모아 보기

한자	음	뜻	부수	획수	총획
元	원	으뜸	儿	2	4
端	단	실마리, 처음	立	9	14

한자	음	뜻	부수	획수	총획
茶*	다 / 차	차	艸(艹)	6	10
禮	례	예도	示	13	18

한자	음	뜻	부수	획수	총획
服	복	옷, 복종하다	月	4	8

추석을 외국인 친구에게 소개해 보자.

활동 3 빈칸에 들어갈 알맞은 한자를 〈보기〉에서 찾아 써 보자.

앤서니!

오곡백과가 무르익고, 밝은 보름달이 아름다운 ❶ 秋 夕 이 되었구나.

이날에는 많은 사람이 고향에 계신 어른들을 찾아뵙지.

나도 지금 부모님과 함께 할아버지, 할머니를 뵈러 가는 중이야.

❷ 歸 省 차량으로 도로 정체가 심하기는 하지만 그래도 설레네.

할머니께서 햅쌀로 직접 빚으신 송편이랑 햇과일 같은 맛있는 음식을 많이 준비하셨다지 뭐야?

내일 아침에는 ❸ 韓 服 을 곱게 차려입고 ❹ 茶 禮 를 지낼 거야.

너희 나라도 곧 추수 감사절이지?

가족들 만나서 맛있는 음식도 많이 먹고 즐겁게 지내렴.

• 보기 •

歸省	茶禮	秋夕	韓服
귀성	차례	추석	한복
부모를 뵙기 위하여 객지에서 고향으로 돌아가거나 돌아옴.	음력 매달 초하룻날과 보름날, 명절날, 조상 생일 등의 낮에 지내는 제사	우리나라 명절의 하나. 음력 팔월 보름날임.	우리나라의 고유한 옷

[茶禮(차례)의 유래]
우리나라는 고려 시대까지 차 문화가 널리 퍼져 있었다. 그래서 제사를 지낼 때도 차를 끓여 올렸는데 차 문화가 날이 갈수록 너무 사치스럽고 번거로워져서 조선 시대 정도전 등이 이를 금지시켰다. 하지만 제사를 '차례'라고 부르던 습속은 그대로 남아서 오늘날에도 제사를 '차례 지낸다'라고 한다.

배울 내용에 관하여 얼마나 알고 있는지 스스로 점검해 보자.

• 우리나라의 4대 명절을 알고 있는가?	☆☆☆☆☆
• 우리나라 명절의 풍속을 알고 있는가?	☆☆☆☆☆

잘하는 부분은 발전시키고, 부족한 부분은 보완할 수 있도록 스스로 학습 계획을 세워 보자.

나는 이 단원에서 ___㉮ 우리나라의 4대 명절, 우리나라 명절의 풍속___ 을/를 공부하겠다.

도움말 우리나라의 주요 명절과 풍속을 활동을 통해 살펴보았다. 이를 바탕으로 소단원 학습 내용에 관한 자신의 배경지식 정도를 점검해 보고, 스스로 소단원의 학습 계획을 세워 본다.

학습 요소 ▪ 명절에 대한 글의 이해 ▪ 전통문화의 계승과 발전 ▪ 한자 문화권의 상호 이해와 교류

출제 유형
- 윗글의 내용과 관련 있는 명절은?
- ㉡과 ㉢에 들어갈 한자 어휘를 바르게 짝지은 것은?
- 한자 어휘의 뜻이 바르지 않은 것은?

25. 뿌리 깊은 우리 명절

교과서 180, 181쪽

名節. 歲時風俗.
(명절 — 이름 명, 명절 절 / 세시풍속 — 해 세, 때 시, 풍속 풍, 풍속 속)
(風: ① 바람 ② 풍속)

元日. 寒食. 端午. 秋夕.
(원일 — 으뜸 원, 날 일 / 한식 — 차다 한, 먹다 식 / 단오 — 처음 단, 낮 오 / 추석 — 가을 추, 저녁 석)

京都俗에 歲謁家廟하고 行祭하니
(경 서울, 도 도읍, 속 풍속 / 세 해, 알 뵈다, 가 집, 묘 사당 / 행 행하다, 제 제사)

曰茶禮요, 男女年少卑幼者[1]가
(왈 말하다, 차 차, 례 예도 / 남 남자, 녀 여자, 년 해, 소 적다, 비 낮다, 유 어리다, 자 사람)

皆着新衣하니 曰歲粧이요,
(개 다, 착 붙다, 신 새롭다, 의 옷 / 왈 말하다, 세 형세, 장 단장하다)
(歲粧: 설빔)

訪族戚長老하니 曰歲拜라 하다.
(방 찾다, 족 겨레, 척 친척, 장 어른, 로 늙다 / 왈 말하다, 세 해, 배 절)

『동국세시기』

[茶(차)로 읽는 이유]
고려 시대 차 문화 → 제사 지낼 때도 차 끓여 올리던 풍습

1) 비유(卑幼): 항렬(行列)이 낮은 사람과 나이 어린 사람을 아울러 이르는 말. 항렬은 '같은 혈족의 직계에서 갈라져 나간 계통 사이의 대수(代數) 관계를 나타내는 말'을 뜻하며, 형제자매 관계는 같은 항렬로 같은 돌림자를 써서 나타냄.

新 한자 모아 보기

한자	음	뜻	부수	획수	총획
歲	세	해	止	9	13
謁*	알	뵈다	言	9	16
廟*	묘	사당	广	12	15
祭	제	제사	示	6	11
卑*	비	낮다	十	6	8
皆	개	다	白	4	9
粧*	장	단장하다	米	6	12
訪	방	찾다	言	4	11
戚*	척	친척	戈	7	11
拜	배	절	手	5	9

스스로 확인

우리나라의 4대 명절은 무엇인가?

元日, 寒食, 端午, 秋夕
원일 한식 단오 추석

元日
- 시기: 음력 1월 1일
- 음식: 떡국
- 세시 풍속: 차례, 세배, 덕담, 설빔, 복조리 걸기, 윷놀이, 널뛰기, 연날리기

寒食
- 시기: 양력 4월 5일이나 6일 (동지에서 105일째 되는 날)
- 음식: 불을 쓰지 않는 찬 음식
- 세시 풍속: 벌초, 성묘

端午
- 시기: 음력 5월 5일
- 음식: 수리취떡
- 세시 풍속: 창포물에 머리 감기, 씨름, 그네뛰기, 부채 선물하기

秋夕
- 시기: 음력 8월 15일
- 음식: 햇과일, 송편
- 세시 풍속: 벌초, 성묘, 차례, 강강술래, 가마싸움

- 『동국세시기(東國歲時記)』: 조선 후기의 학자 홍석모(洪錫謨)가 우리나라의 연중행사와 풍속을 정리한 민속 해설서

꼭꼭! 본문 다지기

○ 교과서 182쪽

- 長老(장로): 나이가 많고 학문과 덕이 높은 사람
- 永久(영구): 어떤 상태가 시간상으로 무한히 이어짐.
- 練習(연습): 학문이나 기예 따위를 익숙하도록 되풀이하여 익힘.
- 連續(연속): 끊이지 아니하고 죽 이어지거나 지속함.
- 發射(발사): 총포, 로켓 따위를 목표물을 향해 쏨.
- 洞里(동리): ① 마을 ② 지방 행정 구역의 최소 구획인 동(洞)과 이(里)를 아울러 이르는 말

名節.
명 절

해마다 일정하게 지키어 즐기거나 기념하는 때

歲時風俗.
세 시 풍 속

해마다 일정한 시기에 되풀이하여 행하는 의례적인 생활 풍속

京都俗에 歲謁家廟하고 行祭하니 曰茶禮요,
경 도 속 세 알 가 묘 행 제 왈 차 례

서울 풍속에 새해에는 집안의 사당에 배알하고 제사를 지내니 '차례'라 말하고,

男女年少卑幼者가 皆着新衣하니 曰歲粧이요,
남 녀 년 소 비 유 자 개 착 신 의 왈 세 장

남녀 중에 나이가 적거나 항렬이 낮으면서 어린 사람들이 모두 새 옷을 입으니 '세장'이라 말하고,

訪族戚長老하니 曰歲拜라 하다.
방 족 척 장 로 왈 세 배

친척과 웃어른들을 찾아뵈니 '세배'라 말한다.

- 拜謁(배알): 지위가 높거나 존경하는 사람을 찾아가 뵘.
- 招待(초대): ① 어떤 모임에 참가해 줄 것을 청함. ② 사람을 불러 대접함.
- 收拾(수습): ① 흩어진 재산이나 물건을 거두어 정돈함. ② 어수선한 사태를 거두어 바로잡음.

- 風의 여러 가지 뜻
  - ① 바람 예 東風(동풍) — ① 동쪽에서 부는 바람 ② 봄바람
  - ② 풍속 예 風習(풍습) 풍속과 습관을 아울러 이르는 말
- 京都: 서울
- 者: 사람
- 族戚: 친가와 외가의 친척을 모두 이르는 말

뜻이 비슷한 한자로 이루어진 어휘

- 長老(장로)
- 永久(영구)
- 練習(연습)
- 連續(연속)
- 發射(발사)
- 洞里(동리)

부수가 같은 한자 – 手(扌)

- 拜 (배) 절 예 拜謁(배알)
- 招 (초) 부르다 예 招待 (초대)
- 拾 (습) 줍다 예 收拾(수습)

- 無病長壽(무병장수): 병 없이 건강하게 오래 삶.
- 葉錢(엽전): 예전에 사용하던, 놋쇠로 만든 돈. 둥글고 납작하며 가운데에 네모진 구멍이 있음.
- 財福(재복): ① 재물과 복을 아울러 이르는 말 ② 재물로 인하여 얻는 복
- 幸運(행운): 좋은 운수. 또는 행복한 운수

이해 더하기 설날의 음식, 떡국

설날에는 가래떡을 얇게 썰어 맑은장국에 넣고 끓인 떡국을 먹는다. 길고 가는 가래떡에는 식구들이 無病長壽하기를 바라는 마음이, 葉錢 모양처럼 납작하게 썬 가래떡에는 가정에 財福이 가득하기를 바라는 마음이 담겨 있다. 또한 가래떡의 흰색과 둥근 모양은 밝고 둥근 태양을 나타내므로 가래떡을 먹으면 한 해의 시작이 밝고 幸運이 온다고 생각했다.

▲ 가래떡

新 한자 모아 보기

한자	음	뜻	부수	획수	총획
永	영	길다	水	1	5
久	구	오래다	丿	2	3
練	련	익히다	糸	9	15
連	련	잇다	辵(辶)	7	11
續	속	잇다	糸	15	21
發	발	피다, 쏘다	癶	7	12
射	사	쏘다	寸	7	10
洞	동	마을	水(氵)	6	9
	통	꿰뚫다			

한자	음	뜻	부수	획수	총획
招	초	부르다	手(扌)	5	8
待	대	기다리다, 대접하다	彳	6	9
拾	습	줍다	手(扌)	6	9
	십	열			
收	수	거두다	攴(攵)	2	6
病	병	병	疒	5	10
壽	수	목숨	士	11	14
錢	전	돈	金	8	16

한자	음	뜻	부수	획수	총획
廣	광	넓다	广	12	15
泰	태	크다	水(氵)	5	10
暴	폭	사납다, 쬐다	日	11	15
	포	사납다			
炎	염	불꽃	火	4	8
除	제	덜다	阜(阝)	7	10
		섣달그믐			
送	송	보내다	辵(辶)	6	10

쑥쑥! 실력 향상 ○ 교과서 183쪽

• 廣告(광고): 세상에 널리 알림. 또는 그런 일
• 多文化(다문화): 한 사회 안에 여러 민족이나 여러 국가의 문화가 혼재하는 것을 이르는 말

생활 속 용어 활용

공익 廣告에서 봤는데 우리나라에 거주하는 외국인이 200만 명이 넘는대.
多文化 시대로구나.

우리 文化와 風習을 잘 아는 외국인도 많더라.

泰國에서 유학 온 친구가 단오에 부채를 주면서 暴炎을 대비하라고 했어.

우리 원어민 선생님은 광화문 廣場의 除夜의 종소리에 送舊迎新의 뜻이 담긴 것도 아시더라.
송구영신!

• 泰國(태국): 타이(인도차이나 반도 가운데에 있는 입헌 군주국)
• 暴炎(폭염): 매우 심한 더위
• 廣場(광장): 많은 사람이 모일 수 있게 거리에 만들어 놓은, 넓은 빈터
• 除夜(제야): 섣달 그믐날 밤
• 送舊迎新(송구영신): 묵은해를 보내고 새해를 맞음.

문제로 실력 확인

1. ㉠~㉣을 시기 순서대로 배열해 보자. ㉢ - ㉠ - ㉣ - ㉡

㉠ 寒食(한식) ㉡ 秋夕(추석) ㉢ 元日(원일) ㉣ 端午(단오)

• 文化(문화): 자연 상태에서 벗어나 일정한 목적 또는 생활 이상을 실현하고자 사회 구성원에 의하여 습득, 공유, 전달되는 행동 양식이나 생활 양식의 과정 및 그 과정에서 이룩하여 낸 물질적·정신적 소득을 통틀어 이르는 말
• 風習(풍습): 풍속과 습관을 아울러 이르는 말

2. 명절과 풍속을 바르게 연결해 보자.

(1) 寒食(한식) • • ㉠ 어른들께 세배를 올린다.
(2) 秋夕(추석) • • ㉡ 햅쌀과 햇과일 등으로 차례를 지낸다.
(3) 端午(단오) • • ㉢ 불의 사용을 금지하며 찬 음식을 먹는다.
(4) 元日(원일) • • ㉣ 여자는 그네를 뛰며 남자는 씨름을 한다.

(정답: (1)-㉢, (2)-㉡, (3)-㉣, (4)-㉠)

창의형

3. 우리의 명절과 비슷한 세계의 명절을 조사해 보자.

예시

우리의 '추석'과 비슷한 미국의 명절

'추수 감사절'

• **시기:** 11월의 4번째 목요일
• **뜻:** 기독교 신자들이 한 해에 한 번씩 가을 곡식을 거둔 뒤에 감사 예배를 올리는 날
• **유래:** 1620년에 영국 청교도들이 미국으로 이주한 다음 해 가을에 처음으로 거둔 수확으로 감사제를 지낸 데서 유래한다.
• **풍속:** 추수 감사절 저녁에는 가족들이나 친구들이 한자리에 모여 구운 칠면조 요리, 크랜베리 소스, 감자, 호박 파이 등을 먹는다. 저녁 식사를 하기 전에는 자신들이 받은 축복에 감사하는 기도를 드린다.

소단원 자기 점검

학업 성취도를 스스로 점검해 보자.

• 4대 명절의 명칭과 시기를 알고 있는가?	잘함 / 보통 / 노력 필요
• 4대 명절에 행하는 세시 풍속에 관하여 설명할 수 있는가?	잘함 / 보통 / 노력 필요

교과서 180쪽 다시 읽기

도움말 소단원 학습이 끝나면 소단원의 학습 목표에 해당하는 질문에 답하며 자신의 학업 성취도를 스스로 점검해 본다. 성취 목표에 도달하지 못한 경우에는 제시된 위치로 돌아가서 내용을 다시 읽고 공부하도록 한다.

소단원 스스로 정리

정답과 해설 316쪽

• 한자, 음, 뜻, 부수의 순서로 제시

1. 한자

元 (원) 으뜸 [儿]
端 (단) 실마리, 처음 [立]
茶*(다), (❶□) 차 [艸(艹)]
禮 (례) 예도 [示]
服 (복) 옷, 복종하다 [月]
歲 (세) ❷□ [止]
謁*(알) ❸□□ [言]
廟*(묘) 사당 [广]
祭 (제) 제사 [示]
卑*(비) 낮다 [十]
皆 (개) 다 [白]
粧*(장) 단장하다 [米]
訪 (방) 찾다 [言]

戚*(척) 친척 [戈]
❹□ (배) 절 [手(扌)]
永 (영) 길다 [水(氵)]
久 ❺□ 오래다 [丿]
練 (련) 익히다 [❻□]
連 (련) 잇다 [辵(辶)]
續 (속) 잇다 [糸]
發 ❼□ 피다, 쏘다 [癶]
射 (사) 쏘다 [寸]
洞 (동) 마을, (통) 꿰뚫다 [水(氵)]
招 (초) 부르다 [❽□]
待 (대) 기다리다, 대접하다 [彳]

拾 (습) 줍다, (십) 열 [❾□]
收 (수) ❿□□□ [攴(攵)]
病 (병) 병 [疒]
壽 ⓫□ 목숨 [士]
錢 (전) 돈 [金]
廣 (광) 넓다 [广]
泰 (태) 크다 [水(氵)]
暴 (폭) 사납다, 쬐다,
(포) 사납다 [日]
炎 (염) 불꽃 [火]
除 (제) 덜다, 섣달그믐 [阜(阝)]
送 (송) ⓬□□□ [辵(辶)]

2. 어휘

(1) 元日(원일): 음력 ❶□월 ❷□일
(2) 寒食(❸□□): 양력 4월 5일이나 6일
(3) 端午(❹□□): 음력 5월 5일
(4) ❺□□(추석): 음력 8월 15일
(5) 送舊迎新(❻□□□□): 묵은해를 보내고 새해를 맞음.
(6) 名節(❼□□): 해마다 일정하게 지키어 즐기거나 기념하는 때
(7) 歲時風俗(❽□□□□): 해마다 일정한 시기에 되풀이하여 행하는 의례적인 생활 풍속
(8) 多文化(❾□□□): 한 사회 안에 여러 민족이나 국가의 문화가 혼재하는 것을 이르는 말
(9) ❿□□(풍습): 풍속과 습관을 아울러 이르는 말

3. 본문

京都俗(경도속)에 歲謁家廟(세알가묘)하고 行祭(행제)하니 曰❶□□(왈차례)요,	❷□□ □□에 새해에는 집안의 사당에 배알하고 제사를 지내니 '❸□□'라 말하고,
❹□□年少卑幼者(남녀년소비유자)가 皆着新❺□(개착신의)하니 曰歲粧(왈세장)이요,	남녀 중에 나이가 적거나 항렬이 낮으면서 어린 사람들이 모두 새 옷을 입으니 '세장'이라 말하고,
訪族戚長老(방족척장로)하니 曰❻□□(왈세배)라 하다.	친척과 웃어른들을 찾아뵈니 '세배'라 말한다.

소단원 확인 문제

01 음이 같은 한자끼리 짝지은 것은?

① 元 – 端　② 收–壽　③ 午 –牛
④ 粧 – 訪　⑤ 永–久

02 다음 어휘에서 밑줄 친 한자의 음을 쓰시오.

> 茶禮

출제 유력

03 부수가 나머지와 다른 하나는?

① 拾　② 招　③ 拜　④ 續　⑤ 手

04 우리나라의 4대 명절에 해당하지 않는 것은?

① 冬至　② 寒食　③ 端午
④ 秋夕　⑤ 元日

05 다음 어휘에서 밑줄 친 한자의 뜻으로 알맞은 것을 연결하시오.

(1) 風習 •　　• 바람
(2) 東風 •　　• 풍속

06 〈보기〉의 단어를 모두 포괄하는 한자 어휘로 알맞은 것은?

> 보기
> 秋夕　端午

① 名節　② 茶禮　③ 韓服
④ 歸省　⑤ 歲拜

07 다음 밑줄 친 명절과 유사한 한국의 명절은?

> 추수 감사절은 기독교 신자들이 한 해에 한 번씩 가을 곡식을 거둔 뒤에 감사 예배를 올리는 날이다. 이 날은 1620년에 영국 청교도들이 미국으로 이주한 다음 해 가을에 처음으로 거둔 수확으로 감사제를 지낸 데서 유래한다.

① 元日　② 端午　③ 冬至
④ 寒食　⑤ 秋夕

출제 유력

08 명절과 관련 있는 세시 풍속을 연결하시오.

(1) 元日 •　　• ㉠ 강강술래(음력 8월)
(2) 寒食 •　　• ㉡ 세배(음력 1월)
(3) 端午 •　　• ㉢ 부채선물(음력 5월)
(4) 秋夕 •　　• ㉣ 벌초(양력 4월 5일경)

09 한자 어휘의 독음이 바른 것은?

① 葉錢(엽서)　② 財福(재화)
③ 招待(초대)　④ 收拾(수거)
⑤ 韓服(한국)

10 다음 어휘를 한자로 바르게 표기하지 않은 것은?

① 장수: 長壽　② 행운: 幸運
③ 장로: 長老　④ 제야: 除夜
⑤ 광고: 廣場

11 다음 빈칸에 공통으로 들어갈 한자로 알맞은 것은?

> 練□　風□　學□

① 午　② 習　③ 長　④ 東　⑤ 生

12 한자 어휘의 뜻이 바르지 않은 것은?

① 廣告: 세상에 널리 알림.
② 廣場: 많은 사람이 모임.
③ 風習: 풍속과 습관을 아울러 이르는 말
④ 歸省: 객지에서 고향으로 돌아가거나 돌아옴.
⑤ 多文化: 여러 민족이나 국가의 문화가 혼재함.

13 다음 설명과 관련 있는 한자 어휘로 알맞은 것은?

묵은해를 보내고 새해를 맞음.

① 名節 ② 永久 ③ 男女老少
④ 無病長壽 ⑤ 送舊迎新

14 다음 밑줄 친 한자 어휘의 음을 쓰시오.

歲拜를 하면 어른들이 좋은 말을 해 주신다.

15 빈칸에 들어갈 한자를 쓰시오.

해마다 일정한 시기에 되풀이하여 행하는 의례적인 생활 풍속을 □□□□이라 한다.

출제 유력

16 다음 내용과 관련 있는 명절은?

음력 5월 5일로 수리취 떡을 먹으며 창포물에 머리 감기, 씨름, 그네뛰기, 부채 선물하기 등의 세시 풍속이 있다.

① 端午 ② 秋夕 ③ 寒食
④ 元日 ⑤ 茶禮

17 한자 어휘의 활용이 적절하지 않은 것은?

① 규칙적인 운동으로 幸運을 바랐다.
② 설날에는 親戚들을 만나 덕담을 들었다.
③ 소풍을 가기 위해 廣場에서 만나기로 했다.
④ 지난 여름은 暴炎으로 전력 소비량이 많아졌다.
⑤ 新舊 세대의 소통으로 문제를 해결해 나가야 한다.

[18~21] 다음 글을 읽고 물음에 답하시오.

京都俗에 ㉠歲謁家廟하고 行祭하니 曰(㉡)요, 男女年少卑幼者가 皆着新衣하니 曰(㉢)이요, ㉣訪族戚長老하니 曰歲拜라.

18 윗글의 내용과 관련 있는 명절은?

① 寒食 ② 元日 ③ 冬至
④ 秋夕 ⑤ 端午

19 ㉠의 음으로 알맞은 것은?

① 새해가묘 ② 세알가묘
③ 세계가정 ④ 계알가묘
⑤ 새알가묘

출제 유력

20 ㉡과 ㉢에 들어갈 한자 어휘를 바르게 짝지은 것은?

	㉡	㉢
①	歲粧	茶禮
②	歲時	茶禮
③	歲拜	歲粧
④	茶禮	歲粧
⑤	茶禮	風俗

서술형

21 ㉣의 풀이를 쓰시오.

26. 널리 인간을 이롭게 ○ 교과서 184, 185쪽

똑똑! 활동으로 열기

출제 유형
- 빈칸에 들어갈 신화의 이름으로 알맞은 것은?
- 다음 내용과 관련 있는 국경일은?
- 다음 인물들과 관련 있는 어휘로 알맞은 것은?

한반도에 최초의 나라를 세운 것은 누구일까?

활동 1 다음 설명에 해당하는 국경일을 〈보기〉에서 찾아 써 보자. 개천절(開天節)

- 우리나라의 건국을 기념하기 위하여 제정한 국경일
- 단군(檀君)이 왕검성에 도읍을 정하고 나라 이름을 朝鮮(조선)[1]이라 짓고 즉위한 날
- 이날에는 강화도 마니산의 참성단에서 제사를 지냄.

1) 단군이 세운 나라와 태조 이성계가 세운 나라의 이름이 같아 후에 옛 朝鮮(조선)을 古朝鮮(고조선)이라고 부르게 되었음.

▲ 마니산 참성단

• 보기 •
삼일절(三一節) 제헌절(制憲節) 광복절(光復節) 개천절(開天節) 한글날

- 삼일절: 국권 회복을 위해 민족자존의 기치를 드높였던 선열들의 위업을 기리고 1919년의 3·1 독립 정신을 계승하고 발전시켜 민족의 단결과 애국심을 고취하기 위하여 제정한 국경일. 3월 1일임.
- 제헌절: 우리나라의 헌법을 제정·공포한 것을 기념하기 위하여 제정한 국경일. 7월 17일임.
- 광복절: 우리나라의 광복을 기념하기 위하여 제정한 국경일. 1945년, 우리나라가 일본 제국주의자들에게 빼앗겼던 나라의 주권을 다시 찾은 날로, 8월 15일임.
- 개천절: 10월 3일임.
- 한글날: 세종 대왕이 창제한 훈민정음의 반포를 기념하기 위하여 제정한 국경일. 한글을 보급·연구하는 일을 장려하기 위하여 정한 날로 10월 9일임.

우리말과 한문의 어순은 달라. 한문은 '서술어+목적어'의 순서가 맞대.

활동 2 '널리 인간 세상을 이롭게 하다.'의 의미가 되도록 한자를 배열해 보자. 弘, 益, 人, 間

益 (익) 이롭다	人 (인) 사람	弘 (홍) 넓다	間 (간) 사이

新 한자 모아 보기

한자	음	뜻	부수	획수	총획
弘*	홍	크다, 넓다	弓	2	5
帝	제	임금	巾	6	9
許	허	허락하다	言	4	11
諾*	낙	허락하다	言	9	16
符*	부	부호, 부절	竹	5	11
印	인	도장	卩	4	6

「단군 신화」는 단군의 출생과 즉위에 관한 이야기인데, 우리 민족의 기원과 관련되어 있지.

활동 3 **다음은 「단군 신화」에 나오는 인물들을 정리한 것이다. 빈칸에 들어갈 인물을 〈보기〉에서 찾아 써 보자.**

天帝(천제: 하느님), 즉 세상을 만들고 다스리는 하느님. 아들이 인간 세상에 내려가 그곳을 다스리는 것을 許諾(허락: 청하는 일을 하도록 들어줌)함. … ❶(환인)

天帝(천제)의 아들. 아버지에게서 받은 天符印 3개를 지니고 무리 3천 명을 거느린 채 태백산 신단수 밑에 내려옴. … ❷(환웅)

부부

곰이었으나 백 일 동안 동굴 속에서 햇빛을 보지 않고 쑥과 마늘만 먹는 시련을 견디고 여자로 환생함. … ❸(웅녀)

천부인: 천자(天子)의 위(位), 곧 제위의 표지로서 하느님이 내려 전한 세 개의 보인(寶印). 단군이 고조선을 건국하였다는 신화에 나옴.

우리 민족의 시조로 받드는 태초의 임금. 기원전 2333년에 고조선을 세움. … ❹(단군)

• 보기 • 단군 환인 환웅 웅녀

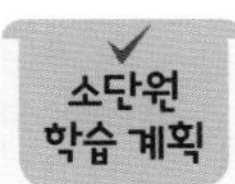

소단원 학습 계획

배울 내용에 관하여 얼마나 알고 있는지 스스로 점검해 보자.

•「단군 신화」의 줄거리와 주요 인물들을 알고 있는가?	☆☆☆☆☆
•「단군 신화」 속 '홍익인간'의 의미를 알고 있는가?	☆☆☆☆☆

잘하는 부분은 발전시키고, 부족한 부분은 보완할 수 있도록 스스로 학습 계획을 세워 보자.

나는 이 단원에서 예「단군 신화」의 줄거리와 주요 인물, '홍익인간'의 의미 을/를 공부하겠다.

도움말 「단군 신화」에 담긴 사상과 「단군 신화」에 등장하는 인물 등을 활동을 통해 살펴보았다. 이를 바탕으로 소단원 학습 내용에 관한 자신의 배경지식 정도를 점검해 보고, 스스로 소단원의 학습 계획을 세워 보게 한다.

학습 요소 ■ 여러 가지 음과 뜻을 지닌 한자 ■ 「단군 신화」의 이해 ■ '홍익인간'의 현재적 의미와 가치 발견

출제 유형

- 다음 인물과 소개가 관련 있는 것끼리 연결하시오.
- 윗글에 대한 설명으로 알맞은 것은?
- 降의 음과 뜻으로 알맞은 것은?
- 다음 내용과 관련 있는 것은?

26. 널리 인간을 이롭게

○ 교과서 186, 187쪽

昔에 有桓因庶子桓雄하니 數意天下하여 貪求人世라. 父知子意하여 下視三危太伯하니 可以弘益人間이라. [중략]

- 昔(석) 옛
- 有(유) 있다
- 桓因(환 인) 환인(인명)
- 庶(서) 여러
- 子(자) 아들
- 桓雄(환 웅) 환웅(인명)
- 數(삭) 자주 — ① (수) 셈 ② (삭) 자주 ③ (촉) 촘촘하다
- 意(의) 뜻
- 天(천) 하늘
- 下(하) 아래
- 貪(탐) 탐내다
- 求(구) 구하다
- 人(인) 사람
- 世(세) 세상
- 父(부) 아버지
- 知(지) 알다
- 子(자) 아들
- 意(의) 뜻
- 下視(하 시) 아래 보다 — 아래로 보다 → 내려다보다
- 三危(삼 위) 삼위(지명)
- 太伯(태 백) 태백(지명)
- 可(가) 가능하다, ~할 만하다
- 以(이) 어조사
- 弘(홍) 넓다
- 益(익) 이롭다
- 人(인) 사람
- 間(간) 사이

雄이 率徒三千하여 降於太伯山頂神壇樹下하니 謂之神市요 是謂桓雄天王也라.

- 雄(웅) 환웅(인명)
- 率(솔) 거느리다 — ① (률) 비율 ② (솔) 거느리다
- 徒(도) 무리
- 三(삼) 셋
- 千(천) 일천
- 降(강) 내리다 — ① (강) 내리다 ② (항) 항복하다
- 於(어) 어조사 — ~에
- 太伯山(태 백 산) 태백산(산 이름)
- 頂(정) 정수리
- 神壇樹(신 단 수) 신단수(나무명)
- 下(하) 아래
- 謂(위) 이르다
- 之(지) 그
- 神市(신 시) 신시(지명)
- 是(시) 이
- 謂(위) 이르다
- 桓雄天王(환 웅 천 왕) 환웅천왕(인명)
- 也(야) 어조사

환웅이 지상으로 내려와 인간 세상을 다스리던 어느 날, 곰과 호랑이가 사람이 되고 싶다며 찾아왔다. 환웅은 쑥과 마늘만 먹으며 햇빛을 보지 않고 100일을 수양하면 인간이 될 것이라고 말해 주었다. 호랑이는 견디지 못하고 달아났지만 곰은 여인이 되어 환웅과 혼인하여 아들을 낳았는데, 그 아들이 바로 훗날 우리 민족 최초의 국가인 고조선을 세운 단군왕검이다.

「삼국유사」

• 「삼국유사(三國遺事)」: 고려 중기의 승려 일연(一然)이 지은 역사책

新 한자 모아 보기

한자	음	뜻	부수	획수	총획
昔	석	옛	日	4	8
桓*	환	굳세다	木	6	10
因	인	인하다	囗	3	6
庶*	서	여러	广	8	11
雄	웅	수컷	隹	4	12
貪*	탐	탐내다	貝	4	11
求	구	구하다	水(氵)	2	7
視	시	보다	見	5	12
伯*	백	맏이	人(亻)	5	7
徒	도	무리	彳	7	10
頂	정	정수리	頁	2	11
壇*	단	제단	土	13	16
樹	수	나무	木	12	16

스스로 확인

이 글은 어느 나라의 건국 신화인가?

고조선

[단군 관련 역사 자료]

단군은 한민족의 시조로 고조선(古朝鮮: 檀君朝鮮)의 첫 국왕이다. 단군왕검(壇君王儉), 단웅천왕(檀雄天王)이라고도 한다. 천제(天帝)인 환인(桓因)의 손자이며, 환웅(桓雄)의 아들로 서기전 2333년 아사달(阿斯達)에 도읍을 정하고 단군 조선을 개국하였다. 고조선과 단군에 관한 최초의 기록은 중국의 『위서(魏書)』와 우리나라의 『고기(古記)』를 인용한 『삼국유사(三國遺事)』 「기이편(紀異篇)」에서 찾을 수 있다. 반면에 정사인 『삼국사기(三國史記)』에는 이와 같은 내용이 기록되어 있지 않아 대비된다. 한편, 고려 시대의 기록으로 이승휴의 『제왕운기(帝王韻紀)』가 있으며, 이와 비슷한 내용이 조선 초기의 기록인 권람의 『응제시주(應製詩註)』와 『세종실록지리지』 등에 나타나고 있다.

꼭꼭! 본문 다지기
교과서 188쪽

昔에 有桓因庶子桓雄하니 數意天下하여 貪求人世라.
석 유환인서자환웅 삭의천하 탐구인세

옛날에 환인의 서자 환웅이 있었으니 자주 천하에 뜻을 두어 인간 세상을 탐하여 구하였다.

父知子意하여 下視三危太伯하니 可以弘益人間이라.
부지자의 하시삼위태백 가이홍익인간

아버지가 자식의 뜻을 알아 삼위 태백을 내려다보니 널리 인간 세상을 이롭게 할 만했다.

雄이 率徒三千하여 降於太伯山頂神壇樹下하니
웅 솔도삼천 강어태백산정신단수하

환웅이 무리 삼천을 거느려서 태백산 꼭대기 신단수 아래에 내려오니

謂之神市요 是謂桓雄天王也라.
위지신시 시위환웅천왕야

그곳을 신시라 일렀고 이분을 환웅 천왕이라고 일렀다.

- 庶子(서자): 여러 아들 중 하나
- 數: (삭) 자주
- 三危太伯(삼위태백): 삼위산과 태백산으로 추정하기도 함.
- 可以(가이): ~할 만하다
- 弘益人間(홍익인간): 단군의 건국 이념으로서 우리나라 정치, 교육, 문화의 최고 이념임.
- 率의 여러 가지 음과 뜻 률/솔
  ① (률) 비율 예 比率(비율) — 다른 수나 양에 대한 어떤 수나 양의 비(比)
  ② (솔) 거느리다 예 引率(인솔) — 여러 사람을 이끌고 감.

부수가 같은 한자 – 人(亻) 인

- 伯 (백) 맏이 예 伯父(백부)
- 休 (휴) 쉬다 예 休眠(휴면)
- 位 (위) 자리 예 單位(단위)
- 偉 (위) 훌륭하다 예 偉大(위대)

• 伯父(백부): 큰아버지
• 休眠(휴면): 쉬면서 거의 아무런 활동도 하지 아니함.
• 單位(단위): 길이, 무게, 수효, 시간 따위의 수량을 수치로 나타낼 때 기초가 되는 일정한 기준
• 偉大(위대): 도량이나 능력, 업적 따위가 뛰어나고 훌륭함.

이해 더하기 「단군 신화」에 담긴 의미

「檀君神話」는 우리 민족 최초의 건국 신화로, 오랫동안 민족의식을 高揚하는 역할을 해 왔다. 또한 「단군 신화」에는 당시 우리 민족의 사상과 생활이 반영되어 있다. 우리 민족이 하늘나라 제왕의 아들인 환웅의 후손이라는 점에서는 당시 사람들이 하늘을 崇尚하였음을, 환웅이 이끌고 내려온 무리 가운데 風伯, 雨師, 雲師가 있었다는 점에서는 당시가 이미 농경 사회였음을 짐작할 수 있다.

• 檀君神話(단군신화): 단군의 출생과 즉위에 관한 신화
• 高揚(고양): ① 높이 쳐들어 올림. ② 정신이나 기분 따위를 북돋워서 높임.
• 崇尚(숭상): 높여 소중히 여김.
• 風伯(풍백), 雨師(우사), 雲師(운사): 각각 바람, 비, 구름을 주관하는 신

▲ 전남 곡성의 단군전
단군왕검의 영정을 봉안한 사당으로, 3·1 운동 당시 곡성에서 만세를 주도했던 신태윤(1885~1961)이 후학들의 민족의식을 고취시키기 위해 건립하였다. 일제 치하에서도 개천절에 국민들이 이곳에 모여 제사를 지내고 나라의 독립을 기원하였다고 한다.

新 한자 모아 보기

한자	음	뜻	부수	획수	총획
比	비	견주다	比	0	4
引	인	끌다	弓	1	4
眠	면	자다	目	5	10
位	위	자리	人(亻)	5	7
單	단	홑	口	9	12
偉	위	크다, 훌륭하다	人(亻)	9	11

한자	음	뜻	부수	획수	총획
檀*	단	박달나무	木	13	17
話	화	말씀	言	6	13
揚	양	날리다	手(扌)	9	12
崇	숭	높다	山	8	11
尚	상	오히려, 숭상하다	小	5	8
雲	운	구름	雨	4	12

한자	음	뜻	부수	획수	총획
紀*	기	벼리	糸	3	9
西	서	서녘	襾	0	6
全	전	온전	入	4	6
通	통	통하다	辵(辶)	7	11
計	계	세다	言	2	9

쑥쑥! 실력 향상 ○ 교과서 189쪽

• 檀紀(단기): 단군기원. 단군이 즉위한 해인 서력 기원전 2333년을 원년(元年)으로 하는 기원. 우리나라의 기원으로, 대한민국 정부 수립과 동시에 이를 사용하다가 1962년부터는 공식적으로 서기(西紀)를 사용함.

생활 속 용어 활용

檀紀가 뭐야?
단군이 즉위한 해를 원년으로 하는 우리나라의 기원을 말하지.
그게 언제데?
西紀前 2333년이야.
西紀는 또 뭐야?
예수가 태어난 해를 원년으로 하는 책력으로 현재 全 세계에서 通用되고 있어.
헷갈려…….
쉬워. 西紀에 2333년을 더하면 檀紀 計算 끝.

• 西紀前(서기전): 기원전(기원 원년 이전. 주로 예수가 태어난 해를 원년으로 하는 서력기원을 기준으로 하여 이름.)
- B.C: Before Chirst
- A.D: Anno Domini

• 西紀(서기): 기원후(기원 원년 이후. 주로 예수가 태어난 해를 원년으로 하여 이름.)

• 全(전): '모든' 또는 '전체'의 뜻을 나타내는 말

• 通用(통용): 일반적으로 두루 씀.

• 計算(계산): 수를 헤아림.

문제로 실력 확인

[1~2] 다음 글을 읽고 물음에 답해 보자.

> 雄, ㉠率徒三千, 降㉡於太伯山頂神壇樹下.
> 웅 솔도삼천 강 어태백산정신단수하

1. ㉠의 음과 풀이를 써 보자.

(1) 음: (솔도삼천)

(2) 풀이: 무리 삼천을 거느리다.

2. ㉡의 쓰임으로 알맞은 것을 골라 보자. ①

① ~에 ② ~을/를 ③ ~보다 ④ ~인가 ⑤ ~ 때문에

창의형

3. 우리나라의 건국 신화 중 한 편을 골라 이를 바탕으로 역사 신문에 실을 기사를 작성하여 발표해 보자.

과정
신화 선정하기 → 자료 조사하기 → 인상적인 장면이나 사건 선택하기 → 기사 작성하기 → 발표 및 평가하기

(예시) **긴급 속보! 환웅과 웅녀 득남**

오늘 오전 환웅 천왕과 웅녀 왕비 사이에서 아드님이 태어나셨다. 하늘나라 임금인 환인의 아들이지만 인간 세상을 사랑하여 하강하신 환웅 천왕은 그동안 백성들의 존경과 흠모의 대상이었다. 웅녀 왕비 역시 호랑이와의 인내심 대결에서 승리하고 아름다운 여성으로 변하여 환웅의 마음을 사로잡은 범상치 않은 인물이다. 이런 두 사람의 결합은 백성들의 환영을 받았는데, 오늘 둘 사이에 후계자가 태어난 사실 역시 백성들의 기쁨을 더해 줄 것이다.

소단원 자기 점검

학업 성취도를 스스로 점검해 보자.

•「단군 신화」의 내용을 말할 수 있는가?	잘함 / 보통 / 노력 필요
•'홍익인간'의 이념이 역사적, 현재적으로 어떤 의미를 갖는지 설명할 수 있는가?	잘함 / 보통 / 노력 필요

□ 교과서 186~188쪽 다시 읽기 □ 교과서 188쪽 우측 날개단 다시 읽기

도움말 소단원 학습이 끝나면 소단원의 학습 목표에 해당하는 질문에 답하며 자신의 학업 성취도를 스스로 점검해 본다. 성취 목표에 도달하지 못한 경우에는 제시된 위치로 돌아가서 내용을 다시 읽고 공부하도록 한다.

소단원 스스로 정리

정답과 해설 317쪽

• 한자, 음, 뜻, 부수의 순서로 제시

1. 한자

弘*(홍) 크다, 넓다 [弓]
帝 (제) 임금 [巾]
許 (허) ❶□□□□ [言]
諾* ❷□ 허락하다 [言]
符*(부) 부호, 부절 [竹]
印 (인) 도장 [卩(㔾)]
昔 (석) 옛 [日]
桓*(환) 굳세다 [木]
因 (인) 인하다 [口]
庶*(서) 여러 [广]
雄 ❸□ 수컷 [隹]
貪*(탐) 탐내다 [貝]

求 (구) ❹□□□ [水]
視 (시) 보다 [見]
❺□*(백) 맏이 [人(亻)]
徒 (도) 무리 [彳]
頂 (정) ❻□□□ [頁]
壇*(단) 제단 [土]
樹 (수) ❼□□ [木]
比 (비) 견주다 [比]
❽□ (인) 끌다 [弓]
眠 (면) 자다 [目]
位 (위) ❾□□ [人(亻)]
單 (단) 홑 [口]

偉 (위) 크다, 훌륭하다 [❿□]
檀*(단) 박달나무 [木]
話 (화) 말씀 [言]
揚 (양) 날리다 [手(扌)]
崇 ⓫□ 높다 [山]
尙 (상) 오히려, 숭상하다 [小]
雲 (운) 구름 [雨]
紀*(기) 벼리 [糸]
西 (서) 서녘 [襾]
全 (전) 온전 [入]
通 (통) ⓬□□□ [辵(辶)]
計 (계) 세다 [言]

2. 어휘

(1) 檀君(❶□□): 우리 민족의 시조로 받드는 태초의 임금. 기원전 2333년에 고조선을 세움.
(2) 弘益人間(홍익인간): 널리 ❷□□ 세상을 이롭게 하다.
(3) ❸□□(허락): 청하는 일을 하도록 들어줌.
(4) 高揚(❹□□): 높이 쳐들어 올림. 정신이나 기분 따위를 북돋워서 높임.
(5) 檀紀(❺□□): 단군이 즉위한 서력 기원전(紀元前) 2333년을 원년(元年)으로 하는 우리나라의 기원
(6) ❻□□(통용): 일반적으로 두루 씀.
(7) 計算(❼□□): 수를 헤아림.

3. 본문

昔(석)에 有桓因庶子桓雄(유환인서자환웅)하니 數意天下(❶□의천하)하여 貪求人世(탐구인세)라.	❷□□에 환인의 서자 환웅이 있었으니 ❸□□ 천하에 뜻을 두어 인간 세상을 탐하여 구하였다.
父知子意(부지자의)하여 ❹□□ 三危太伯(하시삼위태백)하니 可以❺□□□□(가이홍익인간)이라.	아버지가 자식의 뜻을 알아 삼위 태백을 내려다보니 널리 인간 세상을 이롭게 할 만했다.
雄(웅)이 率徒三千(❻□도삼천)하여 降於太伯山頂神壇樹下(강어태백산정신단수하)하니 謂之神市(위지신시)요 是謂桓雄天王也(시위❼□□□□야)라.	환웅이 무리 삼천을 거느려서 태백산 꼭대기 신단수 아래에 ❽□□□□ 그곳을 신시라 일렀고 이분을 환웅 천왕이라고 일렀다.

소단원 확인 문제

01 다음 한자의 공통되는 뜻으로 알맞은 것은?

許 諾

① 인하다 ② 통하다 ③ 숭상하다
④ 거느리다 ⑤ 허락하다

02 다음 한자들의 공통된 부수의 음과 뜻을 쓰시오.

伯 位 休 偉

03 한자의 뜻으로 바른 것은?

① 伯 – 희다 ② 昔 – 옛
③ 頂 – 보다 ④ 徒 – 달리다
⑤ 求 – 차갑다

출제 유력

04 다음 내용과 관련 있는 것은?

우리나라의 건국을 기념하기 위하여 제정한 국경일이다. 단군(檀君)이 왕검성에 도읍을 정하고 나라 이름을 조선(朝鮮)이라 짓고 즉위한 날로, 이날에는 강화도 마니산의 참성단에서 제사를 지낸다.

① 삼일절(三一節) ② 한글날
③ 광복절(光復節) ④ 개천절(開天節)
⑤ 제헌절(制憲節)

05 빈칸에 들어갈 한자로 알맞은 것은?

□算: 수를 헤아림.

① 通 ② 用 ③ 三 ④ 比 ⑤ 計

출제 유력

06 다음 서로 관련 있는 것끼리 연결하시오.

(1) 웅녀 • • ㉠ 천제의 아들로 태백산 신단수 밑으로 내려옴.
(2) 환웅 • • ㉡ 곰이었으나 백일 동안 동굴 속에서 쑥과 마늘만 먹는 시련을 견디고 여자로 환생함.
(3) 단군 • • ㉢ 우리 민족의 시조. 고조선을 세움.

07 〈보기〉와 관련 있는 한자 어휘로 알맞은 것은?

보기
단군 환인 환웅 웅녀

① 神話 ② 崇尚 ③ 通用
④ 檀紀 ⑤ 神市

08 한자 어휘의 독음이 바르지 않은 것은?

① 人間(인간) ② 偉大(위대)
③ 伯父(백부) ④ 休眠(휴식)
⑤ 單位(단위)

09 빈칸에 들어갈 한자 어휘로 알맞은 것은?

□□ 신화는 우리 민족 최초의 건국 신화이다.

① 檀君 ② 風伯 ③ 桓因
④ 桓雄 ⑤ 雲師

10 한자 어휘의 표기가 바르지 않은 것은?

① 숭상: 崇尚　② 고양: 高揚
③ 통용: 計算　④ 단기: 檀紀
⑤ 서기: 西紀

11 한자 어휘의 뜻이 바르게 연결된 것은?

① 伯父: 작은아버지
② 崇尚: 모든 사람이 평등함.
③ 引率: 여러 사람이 끌려감.
④ 偉大: 도량이나 능력, 업적 등이 훌륭함.
⑤ 休眠: 활동을 하면서 충분한 휴식을 가짐.

12 다음 문장의 밑줄 친 어휘를 한자로 표기한 것은?

> 西紀는 <u>전</u> 세계적으로 통용되고 있다.

① 前　② 典　③ 全　④ 傳　⑤ 專

13 다음 밑줄 친 어휘를 한자로 바르게 표기한 것은?

> 어머니께서는 내가 숙제를 마치고 물놀이하는 것을 <u>허락</u>하셨다.

① 許落　② 許洛　③ 許諾
④ 虛樂　⑤ 虛落

14 한자 어휘의 활용이 적절하지 않은 것은?

① 그는 소심해서 偉大한 인물이다.
② 백화점에서 상품권이 通用되기도 한다.
③ 공원에 가족 單位로 사람들이 모였다.
④ 단체 생활에서는 人間관계가 매우 중요하다.
⑤ 사고를 줄이려면 안전 의식이 高揚되어야 한다.

[15~19] 다음 글을 읽고 물음에 답하시오.

> 昔에 有桓因庶子桓雄하니 ㉠<u>數</u>意天下하여 貪求人世라. 父知㉡<u>子意</u>하여 下視三危太伯하니 可以㉢<u>弘益人間</u>이라. [중략] 雄이 率徒三千하여 ㉣<u>降</u>於太伯山頂神壇樹下하니 謂之神市요 是謂桓雄天王也라.

15 ㉠의 뜻으로 바른 것은?

① 수　② 자주　③ 셈하다
④ 뜻하다　⑤ 촘촘하다

서술형

16 ㉡의 내용을 구체적으로 서술하시오.

출제 유력

17 ㉢을 풀이 순서대로 배열한 것은?

① 弘 → 益 → 人 → 間
② 益 → 弘 → 人 → 間
③ 弘 → 人 → 間 → 益
④ 人 → 間 → 弘 → 益
⑤ 弘 → 間 → 益 → 人

18 ㉣의 음과 뜻으로 바른 것은?

① (강) 내리다　② (항) 내리다
③ (강) 항복하다　④ (복) 항복하다
⑤ (항) 항복하다

출제 유력

19 윗글에 대한 설명으로 알맞은 것은?

① 환웅과 환인은 형제이다.
② 환인은 천하에 뜻을 두었다.
③ 환웅은 삼천의 무리를 거느렸다.
④ 환인이 삼위 태백을 내려다 보았다.
⑤ 환웅과 환인이 태백산으로 내려갔다.

27. 둥근 모양의 지구

◎ 교과서 190, 191쪽

똑똑! 활동으로 열기

출제 유형
- 음이 같은 한자의 연결이 바른 것은?
- 한자 어휘와 뜻을 연결하시오.
- 빈칸에 들어갈 한자를 쓰시오.
- 한자 어휘의 활용이 적절하지 않은 것은?

우리 조상들은 과학 기술을 발휘하여 많은 발명품을 만들었어.

활동 1 다음 발명품에 관한 설명을 바르게 연결해 보자.

(1)

앙부일구

- 仰釜日晷[우러를 (앙), 가마솥 (부), 해 (일), 그림자 (구)]: 해를 우러러 보고[仰] 있는 솥[釜] 모양의 해시계[日晷].

(2)

측우기

- 測雨器[잴 (측), 비 (우), 그릇 (기)]: 비[雨]가 온 분량을 측정[測]하였던 기구[器].

(3)

거중기

- 擧重機[들 (거), 무거울 (중), 기계 (기)]: 무거운 [重] 돌을 들어[擧] 올리는 기계[機]

(4)

혼천의

- 渾天儀[온 (혼), 하늘 (천), 천문 기계 (의)]: 온[渾] 하늘[天]을 관측하던 천문 기계[儀]

㉠ 비가 내린 양을 재는 기구. 원통 모양의 본체에 고인 빗물의 깊이를 精密(정밀)하게 재어 강우량을 측정하였다.
- 정밀: 정교하고 치밀하여 빈틈이 없고 자세함.

㉡ 그림자 길이와 위치의 변화를 통해 時間(시간)과 節氣(절기)를 알려 주는 해시계. 오목한 솥의 모습을 하고 있다.
- 시간: 어떤 시각에서 어떤 시각까지의 사이
- 절기: 한 해를 스물넷으로 나눈, 계절의 표준이 되는 것

㉢ 천체의 운행과 위치를 측정하는 기구. 만 원권 지폐 뒷면에 北斗七星(북두칠성)을 비롯한 여러 별자리와 함께 그려져 있다.
- 북두칠성: 큰곰자리에서 국자 모양을 이루며 가장 뚜렷하게 보이는 일곱 개의 별

㉣ 도르레의 원리를 이용하여 무거운 물건을 들어 올리는 기계. 수원성 工事(공사) 등 큰 건축이나 토목 공사에 사용되었다.
- 공사: 토목이나 건축 따위의 일

新 한자 모아 보기

한자	음	뜻	부수	획수	총획
精	정	정밀하다	米	8	14
斗	두	말, 별이름	斗	0	4
星	성	별	日	5	9

한자	음	뜻	부수	획수	총획
厚	후	두텁다	厂	7	9
旅	려	나그네	方	6	10
速	속	빠르다	辵(辶)	7	11

한자	음	뜻	부수	획수	총획
考	고	생각하다	老	2	6
研	연	갈다, 궁구하다	石	6	11
究	구	연구하다	穴	2	7

조선 후기에는 실학의 등장으로 과학이 더욱 발전했어. 실학자이자 과학 사상가였던 홍대용에 관해 알아보자.

활동 2 빈칸에 알맞은 음을 써 보자.

실학자 '홍대용'

• 홍대용은 利用厚生[1](❶ 이 용 후 생)을 추구했던 실학자로, 북경 旅行(여행: 일이나 유람을 목적으로 다른 고장이나 외국에 가는 일)을 통해 체계화한 과학 사상을 담은 저서 『의산문답』을 남겼다. 이 책에는 지구가 둥글며 매우 빠른 速度(속도: 물체가 나아가거나 일이 진행되는 빠르기)로 돌고 있다는 깨달음과 중력에 관한 考察(고찰: 어떤 것을 깊이 생각하고 연구함), 地轉說(❷ 지 전 설)(지구가 돈다는 학설)과 우주 무한설 등의 주장이 담겨 있다.

• 국내 研究員(연구원: 연구에 종사하는 사람)이 發見(발견: 미처 찾아내지 못하였거나 아직 알려지지 아니한 사물이나 현상, 사실 따위를 찾아냄)한 小行星(❸ 소 행 성)(화성과 목성 사이의 궤도에서 태양의 둘레를 공전하는 작은 행성)에 조선 후기 과학 사상가의 이름이 붙여졌다. 한국천문연구원에서는 화성과 목성 사이에서 태양의 둘레를 돌고 있는 小行星(소행성)을 발견하여 '홍대용'으로 명명하였고, 2005년 국제천문연맹 산하 소행성센터의 최종 승인을 받았다.

1) 利用厚生(이용후생): 기구를 편리하게 쓰고 먹을 것과 입을 것을 넉넉하게 하여, 국민의 생활을 나아지게 함.

또 새로운 문물을 받아들여 각종 천문 현상의 모습과 원인도 정확히 파악하게 되었지.

활동 3 다음 설명에 해당하는 그림을 연결해 보자.

(1) 日蝕(일식) 달이 태양의 일부나 전부를 가리는 현상 ― ㉠

태양 달 지구

(2) 月蝕(월식) 달이 지구의 그림자에 가려 일부나 전부가 가려지는 현상 ― ㉡

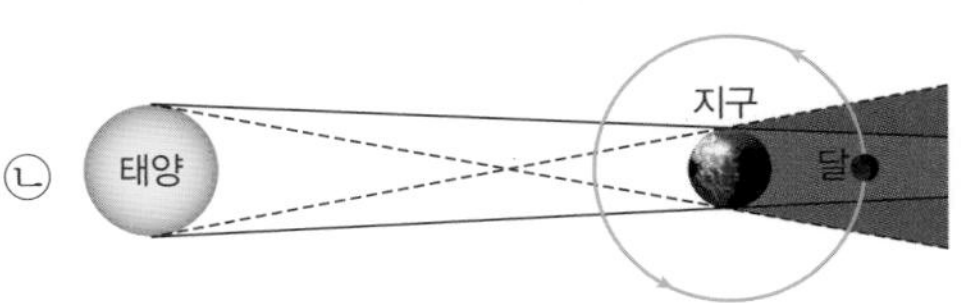

배울 내용에 관하여 얼마나 알고 있는지 스스로 점검해 보자.

• 실학자 홍대용의 과학 사상에 관하여 알고 있는가?	☆☆☆☆☆
• 일식과 월식 현상에 대하여 알고 있는가?	☆☆☆☆☆

잘하는 부분은 발전시키고, 부족한 부분은 보완할 수 있도록 스스로 학습 계획을 세워 보자.

나는 이 단원에서 ___예) 실학자 홍대용의 과학 사상, 일식과 월식 현상___ 을/를 공부하겠다.

도움말 우리 조상들의 과학 발명품, 과학 사상, 천문 현상에 관한 인식 등을 활동을 통해 살펴보았다. 이를 바탕으로 소단원 학습 내용에 관한 자신의 배경지식 정도를 점검해 보고, 스스로 소단원의 학습 계획을 세워 보게 한다.

출제 유형

- ㉡의 현상을 무엇이라고 하는지 쓰시오.
- 윗글의 내용을 가장 잘 이해한 사람은?
- 실옹이 자신의 주장을 뒷받침하는 근거로 제시한 것을 서술하시오.

27. 둥근 모양의 지구

교과서 192, 193쪽

虛子曰: "古人云 '天圓而地方'이라 한데, 今夫子言 '地體正圓'은 何也오?"

實翁曰: [중략] "地掩日而蝕於

月에 蝕體亦圜은 地體之圜也일세라."

월 달 / 식 좀먹다 / 체 몸 / 역 또 / 원 둥글다 / 지 땅 / 체 몸 / 지 어조사 / 원 둥글다 / 야 어조사

『담헌서』

※ 虛子(허자)와 實翁(실옹)은 작자의 사상을 전달하기 위해 설정한 가상의 인물이다. 그 이름을 통해 짐작할 수 있듯, 허자는 유학자로 헛된 지식에 매몰된 사람이고, 실옹은 실학자로 실용적인 지식을 갖춘 사람이다.

- 『담헌서(湛軒書)』: 조선 후기의 실학자 홍대용(洪大容)의 시문집으로, 『의산문답(醫山問答)』이 수록되어 있음.

新 한자 모아 보기

한자	음	뜻	부수	획수	총획
虛	허	비다	虍	6	12
圓	원	둥글다	口	10	13
翁*	옹	늙은이	羽	4	10
掩*	엄	가리다	手(扌)	8	11
圜*	원	둥글다	口	13	16
	환	두르다			

[天圓地方(천원지방)의 사상]

天圓地方(천원지방)은 '하늘은 둥글고 땅은 모나다.'라는 뜻으로, 동아시아 전통 우주론의 기본 명제의 하나이다. 고대 중국의 수학 및 천문학 문헌인 『주비산경(周髀算經)』에 '모난 것은 땅에 속하며, 둥근 것은 하늘에 속하니, 하늘은 둥글고 땅은 모나다.'라는 기록도 있다. 고대 중국의 여러 문헌에서도 비슷한 표현을 찾아볼 수 있다. 이 명제는 전근대 말까지 동아시아 사회에서 하늘과 땅의 모양에 관한 권위 있는 학설로 받아들여졌다. 이러한 우주관으로 만들어진 것이 바로 엽전이다. 엽전 테두리의 둥근 모양은 하늘의 형태를, 안에 네모진 구멍은 땅의 형태를 본뜬 것이다.

스스로 확인

지구의 모양에 대한 옛사람들과 실옹의 인식을 드러내는 말은 각각 무엇인가?
- 옛사람들: 天圓而地方
- 실옹: 地體正圓

꼭꼭! 본문 다지기

교과서 194쪽

虛子曰: "古人云 '天圓而地方'이라 한데,
허자왈 고인운 천원이지방

허자가 말했다. "옛사람들이 '하늘은 둥글고 땅은 네모나다.'라고 일렀는데,

今夫子言 '地體正圓'은 何也오?"
금부자언 지체정원 하야

지금 선생께서 '땅의 형체가 확실히 둥글다.'라고 말한 것은 무엇 때문입니까?"

實翁曰:
실옹왈

실옹이 말했다.

"地掩日而蝕於月에 蝕體亦圓은 地體之圓也일세라."
지엄일이식어월 식체역원 지체지원야

지구가 해를 가리며 (지구의 그림자가) 달을 먹어 들어감에 (달이) 먹히는 형체가 또한 둥근 것은 지구의 형체가 둥글기 때문입니다."

- 虛子(허자)는 성리학에 매몰된 당대의 지식인, 實翁(실옹)은 새로운 문물을 받아들인 홍대용 자신을 의미함.
- 方(방): 네모나다
- 夫子(부자): 선생(존칭) → 실옹을 가리킴.
- 正(정): 확실히
- 亦(역) = 且(차)
- 之(지): 어조사(~이/가)

모양이 비슷한 한자

- 虛 (허) 비다 예 空虛(공허) — ① 아무것도 없이 텅 빔. ② 실속이 없이 헛됨.
- 處 (처) 곳 예 近處(근처) 가까운 곳
- 元 (원) 으뜸 예 元祖(원조) — ① 첫 대의 조상 ② 어떤 일을 처음으로 시작한 사람 ③ 어떤 사물이나 물건의 최초 시작으로 인정되는 사물이나 물건
- 完 (완) 완전하다 예 完全(완전) — 필요한 것이 모두 갖추어져 모자람이나 흠이 없음.
- 求 (구) 구하다 예 渴求(갈구) — 간절히 바라며 구함.
- 救 (구) 구원하다 예 救命(구명) — 사람의 목숨을 구함.
- 波 (파) 물결 예 波浪(파랑) 잔물결과 큰 물결
- 破 (파) 깨뜨리다 예 破片(파편) 깨어지거나 부서진 조각

이해 더하기 홍대용의 과학관

- 宇宙論(우주론): 우주의 본체, 기원, 구성, 법칙, 운동 따위에 관한 근본 원리를 따지는 이론
- 非凡(비범): 보통 수준보다 훨씬 뛰어남.
- 著書(저서): 책을 지음. 또는 그 책

옛날 사람들은 하늘은 둥글고 땅은 네모나다는 宇宙論에 오랫동안 갇혀 있었다. 그러나 조선 후기의 非凡한 실학자인 홍대용은 자신의 著書『의산문답』에서 가상의 인물인 실옹과 허자의 대화를 빌려 기존의 堅固한 우주론을 果敢하게 깨고 지구가 둥글다고 주장한다. 홍대용은 월식 현상을 통해 지구가 둥근 모양인 것을 알 수 있다고 논리적으로 설명하고 있다.

- 堅固(견고): ① 굳고 단단함. ② 사상이나 의지 따위가 동요됨이 없이 확고함.
- 果敢(과감): 과단성이 있고 용감함.

▲ 천원지방의 사상을 담은 엽전

新 한자 모아 보기

한자	음	뜻	부수	획수	총획
且	차	또	一	4	5
完	완	완전하다	宀	4	7
渴	갈	목마르다	水(氵)	9	12
救	구	구원하다	攴(攵)	7	11
波	파	물결	水(氵)	5	8
浪	랑	물결	水(氵)	7	10

한자	음	뜻	부수	획수	총획
破	파	깨뜨리다	石	5	10
片	편	조각	片	0	4
宇	우	집	宀	3	6
宙	주	집	宀	5	8
凡	범	무릇	几	1	3
著	저	나타나다, 짓다	艸(艹)	9	13
堅	견	굳다	土	8	11
敢	감	감히	攴(攵)	8	12

한자	음	뜻	부수	획수	총획
探	탐	찾다	手(扌)	8	11
序	서	차례	广	4	7
看	간	보다	目	4	9
假	가	거짓, 빌리다	人(亻)	9	11
定	정	정하다	宀	5	8
式	식	법	弋	3	6
證	증	증거	言	12	19

쑥쑥! 실력 향상 ○ 교과서 195쪽

생활 속 용어 활용

探究 과정의
順序를
알고 싶어요.
처음은 '왜?'라는
문제 제기에서
始作합니다.
그러기 위해서는 사물을
走馬看山으로 대하지 말고
항상 주변에 관심을
가져야 해요.

그 다음엔
'아마 그럴 것이다.'라는
假說을 設定해야 해요.

마지막으로 다양한
方式으로 실험하여
假說을 證明해야 합니다.

- 探究(탐구): 진리, 학문 따위를 파고들어 깊이 연구함.
- 順序(순서): ① 정하여진 기준에서 말하는 전후, 좌우, 상하 따위의 차례 관계 ② 무슨 일을 행하거나 무슨 일이 이루어지는 차례
- 始作(시작): 어떤 일이나 행동의 처음 단계를 이루거나 그렇게 하게 함. 또는 그 단계
- 走馬看山(주마간산): 말을 타고 달리며 산천을 구경한다는 뜻으로, 자세히 살피지 아니하고 대충대충 보고 지나감을 이르는 말
- 假說(가설): 어떤 사실을 설명하거나 어떤 이론 체계를 연역하기 위하여 설정한 가정
- 設定(설정): 새로 만들어 정해 둠.
- 方式(방식): 일정한 방법이나 형식
- 證明(증명): 어떤 사항이나 판단 따위에 대하여 그것이 진실인지 아닌지 증거를 들어서 밝힘.

문제로 실력 확인

1. 方(방)의 풀이로 알맞은 것을 골라 보자. ④

古人云'天圓而地方'.
(고인운 천원이지방)

① 방법 ② 방향 ③ 둥글다 ④ 네모나다 ⑤ 바야흐로

2. 다음 구절과 그림이 나타내는 천문 현상을 한자로 써 보자.

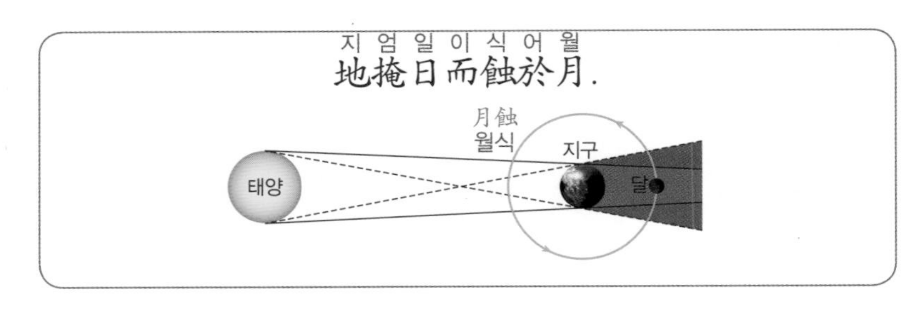

창의형

3. 인터넷이나 책 등의 다양한 매체를 이용하여, 다음 내용을 뒷받침할 수 있는 근거를 찾아보자.

地體正圓.
(지체정원)

[예시 답안]
- 인공위성에서 찍은 지구의 모습이 둥글다.
- 고위도 지방으로 갈수록 북극성의 고도가 높아진다.
- 먼바다에서 항구로 들어오는 배는 돛대부터(위쪽부터) 보인다.

소단원 자기 점검

학업 성취도를 스스로 점검해 보자.

• 월식 현상에 관한 글을 읽고 바르게 풀이할 수 있는가?	잘함 / 보통 / 노력 필요
• 지구의 모양에 관한 조상들의 인식이 어떻게 변화하였는지 말할 수 있는가?	잘함 / 보통 / 노력 필요

□ 교과서 191쪽 '활동 3' 다시 읽기 □ 교과서 192~194쪽 다시 읽기

도움말 소단원 학습이 끝나면 소단원의 학습 목표에 해당하는 질문에 답하며 자신의 학업 성취도를 스스로 점검해 본다. 성취 목표에 도달하지 못한 경우에는 제시된 위치로 돌아가서 내용을 다시 읽고 공부하도록 한다.

소단원 스스로 정리

정답과 해설 317쪽

• 한자, 음, 뜻, 부수의 순서로 제시

1. 한자

- 精 (정) 정밀하다 [米]
- 斗 (두) 말, 별이름 [斗]
- ❶□ (성) 별 [日]
- 厚 (후) 두텁다 [厂]
- 旅 (려) 나그네 [方]
- 速 (속) 빠르다 [辵(辶)]
- 考 (고) 생각하다 [老]
- 研 (연) 갈다, 궁구하다 [石]
- 究 ❷□ 연구하다 [穴]
- 虛 (허) 비다 [虍]
- ❸□ (원) 둥글다 [口]
- 翁* (옹) 늙은이 [羽]
- 掩* (엄) 가리다 [手(扌)]
- 圜* (원) 둥글다, (환) 두르다 [口]
- 且 (차) ❹□ [一]
- 完 (완) 완전하다 [❺□]
- 渴 (갈) 목마르다 [水(氵)]
- 救 ❻□ 구원하다 [攴(攵)]
- 波 (파) 물결 [水(氵)]
- 浪 (랑) 물결 [水(氵)]
- 破 (파) ❼□□□□ [石]
- 片 (편) 조각 [片]
- 宇 (우) 집 [宀]
- 宙 (주) 집 [宀]
- 凡 (범) 무릇 [几]
- 著 (저) 나타나다, 짓다 [艸(艹)]
- 堅 ❽□ 굳다 [土]
- 敢 (감) 감히 [攴(攵)]
- 探 (탐) ❾□□ [手(扌)]
- 序 (서) ❿□□ [广]
- 看 (간) 보다 [⓫□]
- 假 (가) 거짓, 빌리다 [人(亻)]
- 定 (정) 정하다 [宀]
- 式 (식) 법 [弋]
- 證 ⓬□ 증거 [言]

2. 어휘

(1) 精密(❶□□): 정교하고 치밀하여 빈틈이 없고 자세함.
(2) 利用厚生(❷□□□□): 기구를 편리하게 쓰고 먹을 것과 입을 것을 넉넉하게 하여, 국민의 생활을 나아지게 함.
(3) ❸□轉說(지전설): 지구가 돈다는 학설
(4) 月蝕(❹□□): 달이 지구의 그림자에 가려 일부나 전부가 가려지는 현상
(5) 探究(❺□□): 진리, 학문 따위를 파고들어 깊이 연구함.
(6) 走馬看山(주마간산): ❻□을 타고, 달리며 ❼□을 구경한다는 뜻
(7) ❽□□(가설): 어떤 사실을 설명하거나 어떤 이론 체계를 연역하기 위하여 설정한 가정
(8) 證明(❾□□): 어떤 사항이나 판단 따위에 대하여 그것이 진실인지 아닌지 증거를 들어서 밝힘.

3. 본문

虛子曰(허자왈): "古人云(고인운) '天圓而地方(천원이지방)'이라 한데, 今夫子言(금부자언) '地體正圓(지체정원)'은 ❶□也(하야)오?"	허자가 말했다. "옛사람들이 '하늘은 ❷□□□ 땅은 ❸□□□□.'라고 일렀는데, 지금 선생께서 '땅의 형체가 확실히 둥글다.'라고 말한 것은 무엇 때문입니까?"
實翁曰(실옹왈): "❹□掩日而蝕於❺□(지엄일이식어월)에 蝕體亦圜(식체역원)은 地體之圜也(지체지원야)일세라."	실옹이 말했다. "지구가 해를 가리며 (지구의 그림자가) 달을 먹어 들어감에 (달이) 먹히는 형체가 또한 ❻□□ 것은 지구의 형체가 둥글기 때문입니다."

소단원 확인 문제

01 두 자를 합하여 하나의 한자를 만들 때, ㉠에 들어갈 한자의 음을 쓰시오.

> 日 + 生 = (㉠)

02 음이 같은 한자끼리의 연결이 바른 것은?

① 圓 – 元 ② 也 – 之 ③ 掩 – 處
④ 何 – 於 ⑤ 言 – 體

03 한자와 부수의 연결이 바른 것은?

① 完 – 元 ② 堅 – 又 ③ 看 – 看
④ 破 – 石 ⑤ 浪 – 良

출제 유력

04 〈보기〉에서 뜻이 서로 반대되는 한자로 이루어진 어휘를 모두 고르시오.

> 보기
> 天地 完全 空虛 古今

05 밑줄 친 한자의 독음으로 알맞은 것은?

> 옛날 사람들은 하늘은 둥글고 땅은 네모나다는 우주론에 오랫동안 갇혀 있었다. 그러나 조선 후기의 실학자인 홍대용은 자신의 <u>著書</u>에서 지구와 달이 둥글다고 주장한다.

① 저서 ② 작품 ③ 저작
④ 서적 ⑤ 주장

06 다음 밑줄 친 한자 어휘의 음을 쓰시오.

> <u>堅固</u>한 성을 쌓아 침략을 막아냈다.

07 한자 어휘와 뜻을 연결하시오.

(1) 證明 •
(2) 順序 •
(3) 探究 •
(4) 設定 •

㉠ 정해진 차례
㉡ 새로 만들어 정해 둠.
㉢ 진리나 법칙 따위를 찾아 깊이 연구함.
㉣ 어떤 사실이나 판단 따위가 참인지 아닌지를 밝히는 일

출제 유력

08 한자 어휘의 독음이 바르지 <u>않은</u> 것은?

① 空虛(공허) ② 近處(근방)
③ 渴求(갈구) ④ 破片(파편)
⑤ 完全(완전)

09 ㉠에 들어갈 한자로 알맞은 것은?

	小
旅	㉠
	星

〈가로〉 길을 떠나 다님.
〈세로〉 화성과 목성 사이의 궤도에서 태양의 둘레를 공전하는 작은 행성

① 行 ② 斗 ③ 言 ④ 蝕 ⑤ 地

10 빈칸에 들어갈 한자를 쓰시오.

> □□□□(주마간산)은 '달리는 말에서 산을 보다'라는 뜻으로, 자세히 살피지 아니하고 대충대충 보고 지나감을 이르는 말이다.

출제 유력

11 한자 어휘의 뜻이 바르지 않은 것은?

① 救命: 사람의 목숨을 구함.
② 非凡: 보통 수준보다 부족함.
③ 渴求: 간절히 바라며 구함.
④ 果敢: 과단성이 있고 용감함.
⑤ 破片: 깨어지거나 부서진 조각

12 ㉠과 ㉡의 독음으로 알맞은 것은?

> 국내 ㉠研究員이 화성과 목성 사이에서 태양의 둘레를 돌고 있는 소행성을 ㉡發見하여 '홍대용'으로 명명하였다.

	㉠	㉡		㉠	㉡
①	연구원	발생	②	연구자	발전
③	연구자	발견	④	연구원	발견
⑤	연구원	발전			

13 다음 밑줄 친 한자 어휘의 음을 쓰시오.

> 앙부일구는 그림자 길이와 위치의 변화를 통해 시간과 節氣를 알려 주는 해시계로 오목한 솥의 모습을 하고 있다.

14 한자 어휘의 활용이 적절하지 않은 것은?

① 진정한 친구는 일정한 速度로 있다.
② 약속 時間에 항상 늦는 사람이 있다.
③ 어제부터 건강을 위해 운동을 始作했다.
④ 工事 현장에서 항상 안전을 우선시해야 한다.
⑤ 시계를 만들기 위해 精密하게 수작업을 했다.

[15~19] 다음 글을 읽고 물음에 답하시오.

> 虛子曰: "古人云 '天圓而地方'이라 한데, 今夫子言 ㉠'地體正圓'은 何也오?"
> 實翁曰: [중략] ㉡"地掩日而蝕於月에 蝕體亦圓은 地體㉢之圓也일세라."

15 ㉠과 문장의 유형이 같은 것은?

① 마음의 양식은 책이다.
② 이 연필은 제 것이 아닙니다.
③ 이곳에 쓰레기를 버리지 마라.
④ 이 나무의 이름은 무엇입니까?
⑤ 아랫사람에게 묻는 것을 부끄러워 마라.

출제 유력

16 ㉡의 현상을 무엇이라고 하는지 한자로 쓰시오.

17 ㉢의 풀이로 알맞은 것은?

① ~을/를　② ~이/가　③ ~하고
④ ~하나　⑤ ~하는

출제 유력

18 윗글의 내용을 가장 잘 이해한 사람은?

① 지학: 허자는 땅이 둥글다고 했어.
② 지수: 실옹은 땅이 둥글다고 했어.
③ 지연: 허자와 실옹의 의견이 같아.
④ 지순: 실옹은 허자에게 질문을 했지.
⑤ 민호: 실옹은 땅이 네모지다고 했어.

서술형

19 실옹이 자신의 주장을 뒷받침하는 근거로 제시한 것을 서술하시오.

28. 우리 땅, 울릉도와 독도

○ 교과서 196, 197쪽

똑똑! 활동으로 열기

출제 유형
- 부수가 나머지와 다른 하나는?
- 빈칸에 공통으로 들어갈 한자는?
- ㉠에 들어갈 한자로 알맞은 것은?

독도에 대해서 알고 있니? 잘 모른다면 노래를 통해서 알아볼까?

활동 1 다음 악보를 보고 물음에 답해 보자.

(1) 제목의 빈칸에 알맞은 한자를 써 보자.

(2) 독도를 지키는 경비대원에게 편지를 쓰려고 한다. 가사의 밑줄 친 부분을 참고하여 현재 도로명 주소의 빈칸을 채워 보자.

보내는 사람
POST
받는 사람
경 상 북 도 울 릉 군 울 릉 읍
독도이사부길55 독도경비대원 아저씨들께
40240

新 한자 모아 보기

한자	음	뜻	부수	획수	총획
鬱*	울	울창하다	鬯	19	29
郡	군	고을	邑(阝)	7	10
邑	읍	고을	邑	0	7
領	령	거느리다	頁	5	14
歷	력	지나다	止	12	16

한자	음	뜻	부수	획수	총획
史	사	역사	口	2	5
島	도	섬	山	7	10
責	책	꾸짖다	貝	4	11
守	수	지키다	宀	3	6

한자	음	뜻	부수	획수	총획
接	접	잇다	手(扌)	8	11
銀	은	은	金	6	14
認	인	알다	言	7	14
功	공	공	力	3	5

예전부터 우리 땅 울릉도와 독도를 지키려는 사람들이 있었지.

활동 2 빈칸에 알맞은 음을 쓰시오.

이사부 ▶

가 독도에 대한 역사적 기록은 『삼국사기』에서 “신라 지증왕 13년(512년)에 장군 이사부가 우산국(현재의 울릉도와 독도)을 정벌하였다.”라고 한 것이 최초이다. 이 사료는 이사부가 우산국을 신라 領土(❶ 영 토)에 편입시킨 歷史的(❷ 역 사 적) 사실을 전하고 있다.

- 영토: 국제법에서, 국가의 통치권이 미치는 구역
- 역사적: 역사에 관한. 또한 그런 것

나 숙종 19년(1693년) 안용복은 울릉도에서 일본 배에 붙들려 일본의 오키 섬에 끌려갔다. 안용복이 島主(도주)에게 “울릉도가 우리나라에서는 하루 길이요, 일본에서는 닷새 길이니 울릉도는 우리나라에 속한 것이 아니냐? 조선 사람이 조선 땅에 갔는데 어째서 구속하느냐?”라고 問責(문책)하니, 島主는 그를 굴복시키지 못할 듯하여 시마네 현으로 보냈다. 시마네 현의 太守(태수)는 안용복을 잘 待接(대접)하고 銀(은)을 주었으나, 안용복은 “나는 일본이 울릉도를 가지고 말썽을 부리지 않을 것을 원할 뿐이고, 은을 받을 생각은 없다.”라고 말하였다. 太守는 결국 관백에게 보고하여 울릉도가 일본의 영토가 아님을 認定(❸ 인 정)하는 서류를 만들어 주었다. 일본이 그 뒤로 울릉도가 자기네 땅이라고 주장하지 못하는 것은 다 안용복의 功(❹ 공)이다.

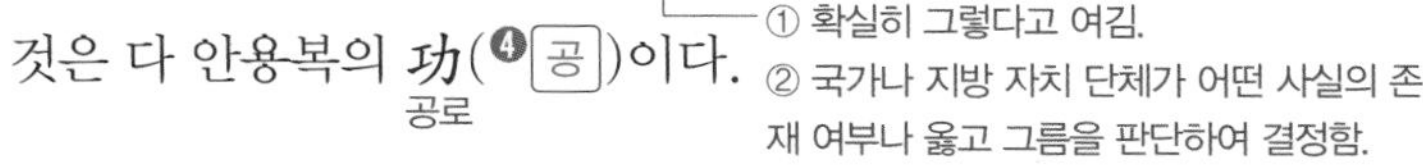
- 인정: ① 확실히 그렇다고 여김. ② 국가나 지방 자치 단체가 어떤 사실의 존재 여부나 옳고 그름을 판단하여 결정함.
- 공: 공로

- 도주: 섬의 영주
- 문책: 잘못을 캐묻고 꾸짖음.
- 태수: 현(縣)의 행정 책임을 맡았던 으뜸 벼슬
- 은: 금속 원소의 하나. 화학용 기구나 화폐·장식품 따위로 씀.
- 대접: ① 마땅한 예로써 대함. ② 음식을 차려 접대함.

▲ 안용복

다 사이버 외교 사절단 반크(VANK)는 우리나라를 모르는 외국인들에게 우리의 역사와 문화에 관해 알리는 민간 단체로, 우리나라와 관련된 잘못된 정보를 찾아내고 다양한 증명 자료를 제시하며 이를 바로잡아 줄 것을 요구하는 활동을 벌이고 있다. 특히 동해와 독도의 국제 表記(❺ 표 기)를 수정하려는 활동이 잘 알려져 있다.

- 표기: ① 적어서 나타냄. 또는 그런 기록 ② 문자 또는 음성 기호로 언어를 표시함.

소단원 학습 계획

배울 내용에 관하여 얼마나 알고 있는지 스스로 점검해 보자.

• 울릉도와 독도의 중요성을 알고 있는가?	☆☆☆☆☆
• 독도를 지키려는 사람들의 노력에 관하여 알고 있는가?	☆☆☆☆☆

잘하는 부분은 발전시키고, 부족한 부분은 보완할 수 있도록 스스로 학습 계획을 세워 보자.

나는 이 단원에서 ___(예) 울릉도와 독도의 중요성, 독도를 지키려는 사람들의 노력___ 을/를 공부하겠다.

도움말 독도에 관한 노래와 역사적 기록을 활동을 통하여 살펴보았다. 소단원의 학습 내용을 접하였다. 이를 바탕으로 소단원 학습 내용에 관한 자신의 배경지식 정도를 점검해 보고, 스스로 소단원의 학습 계획을 세워 본다.

학습 요소 ▪ 국토에 대한 글의 이해 ▪ 현재적 의미와 가치 발견 ▪ 나라 사랑하는 태도

28. 우리 땅, 울릉도와 독도 ○ 교과서 198, 199쪽

출제 유형

- 윗글에 대한 설명으로 알맞지 않은 것은?
- ㉠과 ㉡의 현재 지명을 쓰시오.
- ㉢이 가리키는 나라로 알맞은 것은?
- '元非日本之地'라고 한 이유를 찾아 한 문장으로 서술하시오.

新 한자 모아 보기

한자	음	뜻	부수	획수	총획
縣*	현	고을	糸	9	16
宗	종	마루	宀	5	8
疆*	강	지경, 국토	田	14	19

스스로 확인

독도, 울릉도의 옛 이름은 각각 무엇인가?

- 독도: 우산
- 울릉도: 무릉

于山[1]·武陵[2]二島는 在縣正東海中이라. 二島相去不遠하여 風日淸明하면 則可望見이라. 『세종실록지리지』

(우산 于山: 우산(지명) / 무릉 武陵: 무릉(지명) / 이 二: 두 / 도 島: 섬 / 재 在: 있다 / 현 縣: 고을 / 정 正: 바르다 / 동 東: 동녘 / 해 海: 바다 / 중 中: 가운데 / 이 二: 두 / 도 島: 섬 / 상 相: 서로 / 거 去: 거리 / 불 不: 아니다 / 원 遠: 멀다 / 풍 風: 바람 / 일 日: 날 / 청 淸: 맑다 / 명 明: 밝다 — 淸明 = 快晴(쾌청) / 즉 則: 곧 / 가 可: 할 수 있다 / 망 望: 바라다 / 견 見: 보다)

「 」: 주술목보 구조의 문장

此島는 高麗得之於新羅하고, 「我朝(주어) 得(서술어) 之(목적어) 於高麗(보어)」하니, 元非日本之地라. 祖宗疆土는 不可與之라. 『묵오유고』

(차 此: 이 / 도 島: 섬 / 고려 高麗: 고려(국명) / 득 得: 얻다 / 지 之: 그것 / 어 於: 어조사 / 신라 新羅: 신라(국명) / 아 我: 우리 / 조 朝: 조정 / 득 得: 얻다 / 지 之: 그것 / 어 於: 어조사 / 고려 高麗: 고려 / 원 元: 근원 / 비 非: 아니다 / 일본 日本: 일본(국명) / 지 之: 어조사 / 지 地: 땅 / 조 祖: 조상 / 종 宗: 마루 / 강 疆: 국토 / 토 土: 국토 / 불 不: 아니다 / 가 可: 할 수 있다 / 여 與: 주다 / 지 之: 그)

1) 우산(于山): 현재의 독도
2) 무릉(武陵): 현재의 울릉도

▼울릉도와 독도의 거리

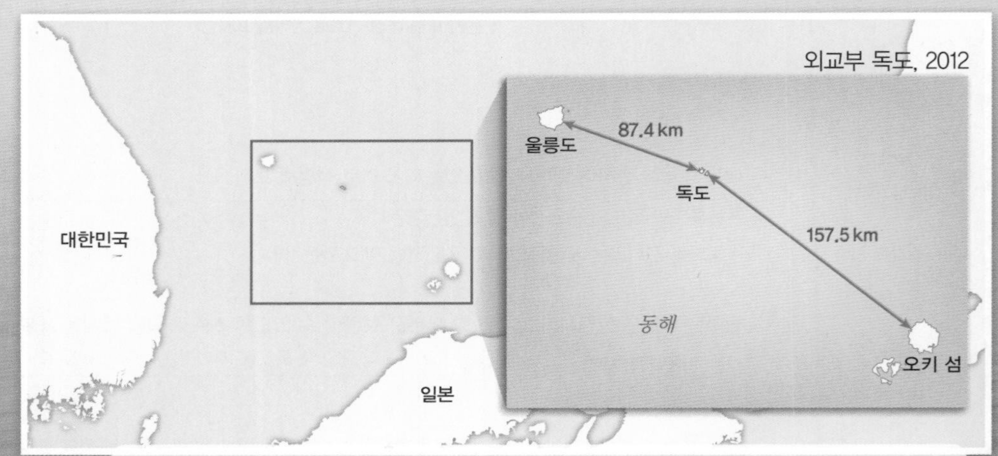

- 『세종실록지리지(世宗實錄地理志)』: 조선 단종 때 간행된 『세종실록』에 실린 지리지
- 『묵오유고(默吾遺稿)』: 구한말의 문신 이명우(李明宇)의 문집

꼭꼭! 본문 다지기

교과서 200쪽

于山·武陵二島는 在縣正東海中이라.
우산 무릉 이도 재현정동해중

우산 · 무릉 두 섬은 현(울진현)의 정 동쪽 바다 가운데에 있다.

二島相去不遠하여 風日淸明하면 則可望見이라.
이도상거불원 풍일청명 즉가망견

두 섬은 서로 거리가 멀지 않아서 바람이 불어 날이 청명해지면 바라볼 수 있다.

此島는 高麗得之於新羅하고,
차도 고려득지어신라

이 섬은 고려가 신라에서 그것을 얻었고,

我朝得之於高麗하니, 元非日本之地라.
아조득지어고려 원비일본지지

우리 조정이 고려에서 그것을 얻었으니, 원래 일본의 땅이 아니다.

祖宗疆土는 不可與之라.
조종강토 불가여지

조상에게 물려받은 영토는 그들에게 줄 수 없다.

- 去: 거리 (거)
- 淸明: 날씨가 맑고 밝음. = 快晴(쾌청) (청명)
- 此島: 이 섬 → 독도를 포함한 울릉도를 가리킴. (차도)
- 祖宗: 시조가 되는 조상, 임금의 조상 (조종)
- 與: 주다 (여)

모양이 비슷한 한자

- 島 (도) 섬 예 韓半島(한반도) — ① 아시아 대륙의 동북쪽 끝에 있는 반도(삼면이 바다로 둘러싸이고 한 면은 육지에 이어진 땅) ② '남북한'을 달리 이르는 말
- 鳥 (조) 새 예 鳥足之血(조족지혈) — 새 발의 피라는 뜻으로, 매우 적은 분량을 비유적으로 이르는 말
- 烏 (오) 까마귀 예 烏合之卒(오합지졸) — 까마귀가 모인 것처럼 질서가 없이 모인 병졸이라는 뜻으로, 임시로 모여들어서 규율이 없고 무질서한 병졸 또는 군중을 이르는 말
- 鳴 (명) 울다 예 自鳴鐘(자명종) — 미리 정하여 놓은 시각이 되면 저절로 소리가 나도록 장치가 되어 있는 시계
- 視 (시) 보다 예 視野(시야) — 시력이 미치는 범위
- 示 (시) 보이다 예 暗示(암시) — 넌지시 알림. 또는 그 내용

부수가 같은 한자 – 水(氵) (수)

- 海 (해) 바다 예 海水浴(해수욕) — 바닷물에서 헤엄을 치거나 즐기며 놂.
- 浮 (부) 뜨다 예 浮上(부상) — 물 위로 떠오름.
- 氷 (빙) 얼음 예 結氷(결빙) — 물이 얾.
- 消 (소) 사라지다 예 消防(소방) — 화재를 진압하거나 예방함.

이해 더하기 독도의 지명 변천

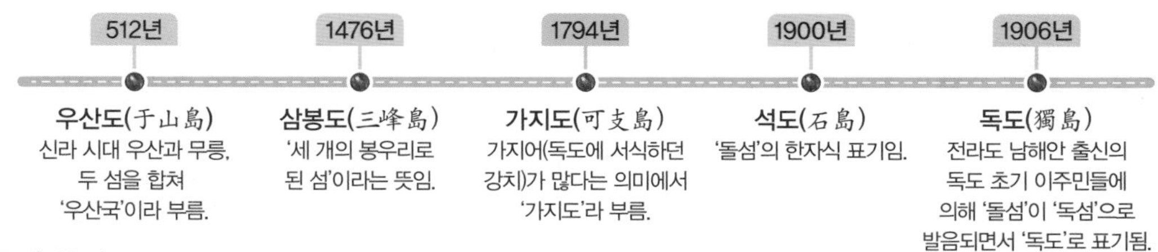

- **우산도(于山島)**: 신라 시대 우산과 무릉, 두 섬을 합쳐 '우산국'이라 부름.
- **삼봉도(三峰島)**: '세 개의 봉우리로 된 섬'이라는 뜻임.
- **가지도(可支島)**: 가지어(독도에 서식하던 강치)가 많다는 의미에서 '가지도'라 부름.
- **석도(石島)**: '돌섬'의 한자식 표기임.
- **독도(獨島)**: 전라도 남해안 출신의 독도 초기 이주민들에 의해 '돌섬'이 '독섬'으로 발음되면서 '독도'로 표기됨.

新 한자 모아 보기

한자	음	뜻	부수	획수	총획
快	쾌	상쾌하다	心(忄)	4	7
晴	청	개다	日	8	12
半	반	반	十	3	5
足	족	발, 만족하다	足	0	7
合	합	합하다	口	3	6
鳴	명	울다	鳥	3	14
鐘	종	쇠북	金	12	20

한자	음	뜻	부수	획수	총획
野	야	들	里	4	11
示	시	보이다	示	0	5
浴	욕	목욕하다	水(氵)	7	10
浮	부	뜨다	水(氵)	7	10
氷	빙	얼음	水	1	5
消	소	사라지다	水(氵)	7	10

한자	음	뜻	부수	획수	총획
防	방	막다	阜(阝)	4	7
陸	륙	뭍	阜(阝)	8	11
淨	정	깨끗하다	水(氵)	8	11
暖	난	따뜻하다	日	9	13
均	균	고르다	土	4	7
備	비	갖추다	人(亻)	10	12

쑥쑥! 실력 향상 ○ 교과서 201쪽

생활 속 용어 활용

저 섬은 獨島야.
독도에 관해 아는 점을
발표해 볼까?

• 獨島(독도): 경상북도 울릉군에 속하는 화산섬

陸地와 멀리 떨어져 생태적 환경이 독특해요.

주변 바다는 淸淨 수역이에요.

• 陸地(육지): ① 땅 ② 섬에 상대하여, 대륙과 연결되어 있는 땅을 이르는 말
• 淸淨(청정): 맑고 깨끗함.

暖流의 영향을 받아 기후가 온화하대요.

年平均 12度 정도래요.

• 暖流(난류): 적도 부근의 저위도 지역에서 고위도 지역으로 흐르는 따뜻한 해류
• 年平均(연평균): 1년을 단위로 하여 내는 평균
• 度(도): 섭씨 또는 화씨 온도의 단위

독도 警備를 담당하는 해양 경찰이 파견되어 있어요.

우리도 함께 獨島를 지켜야 해요.

• 警備(경비): 도난, 재난, 침략 따위를 염려하여 사고가 나지 않도록 미리 살피고 지키는 일

문제로 실력 확인

1. 與(여)의 의미로 알맞은 것을 골라 보자. ③

祖宗疆土, 不可與之.
조 종 강 토 불 가 여 지

① ~은/는 ② ~인가 ③ 주다
④ ~와/과 더불어 ⑤ 참여하다

2. 밑줄 친 문장을 풀이해 보자. (단, 我朝(아조)의 구체적인 이름을 포함할 것)

此島, 高麗得之於新羅, <u>我朝得之於高麗</u>.
차 도 고 려 득 지 어 신 라 아 조 득 지 어 고 려

✎ 우리 조정(조선)이 고려에서 그것을 얻었다.

3. 독도에 관한 내용으로 새로운 가사를 지어 기존의 노래에 맞추어 불러 보자.

(예시)

독도 (동요 「나비야」에 맞추어 부를 수 있음.)

독도야 독도야 우리 영토 독-도
신라 시대 우산도 지켜 줬던 이사부
안용복과 반-크 계속계속 이어서
이제는 우리가 지켜야 해 독-도

소단원 자기 점검

학업 성취도를 스스로 점검해 보자.

• 울릉도와 독도에 관한 글을 바르게 이해할 수 있는가?	잘함	보통	노력 필요
• 울릉도와 독도의 현재적 의미와 가치를 말할 수 있는가?	잘함	보통	노력 필요

○ ○ 교과서 198~200쪽 다시 읽기

도움말 소단원 학습이 끝나면 소단원의 학습 목표에 해당하는 질문에 답하며 자신의 학업 성취도를 스스로 점검해 본다. 성취 목표에 도달하지 못한 경우에는 제시된 위치로 돌아가서 내용을 다시 읽고 공부하도록 한다.

소단원 스스로 정리

정답과 해설 318쪽

• 한자, 음, 뜻, 부수의 순서로 제시

1. 한자

鬱*(울) 울창하다 [鬯]
郡 (군) ❶□□ [邑(阝)]
邑 ❷□ 고을 [邑]
領 (령) 거느리다 [頁]
歷 (력) 지나다 [止]
史 (사) 역사 [口]
❸□ (도) 섬 [山]
責 (책) 꾸짖다 [貝]
守 ❹□ 지키다 [宀]
接 (접) 잇다 [手(扌)]
銀 (은) 은 [金]
認 (인) 알다 [言]

功 (공) 공 [力]
縣*(현) 고을 [糸]
宗 (종) 마루 [宀]
疆*(강) 지경, 국토 [田]
快 (쾌) 상쾌하다 [心(忄)]
晴 (청) ❺□□ [日]
半 (반) 반 [十]
足 (족) 발, 만족하다 [足]
合 (합) ❻□□□ [口]
鳴 (명) 울다 [鳥]
鐘 ❼□ 쇠북 [金]
野 (야) 들 [里]

❽□ (시) 보이다 [示]
浴 (욕) 목욕하다 ❾□
浮 ❿□ 뜨다 [水(氵)]
氷 (빙) 얼음 [水]
消 (소) 사라지다 [水(氵)]
防 (방) ⓫□□ [阜(阝)]
陸 (륙) 뭍 [阜(阝)]
淨 (정) 깨끗하다 [水(氵)]
暖 (난) 따뜻하다 [日]
均 (균) 고르다 [土]
備 (비) ⓬□□□ [人(亻)]

2. 어휘

(1) 領土(❶□□): 국제법에서, 국가의 통치권이 미치는 구역
(2) 鳥足之血(조족지혈): ❷□ □의 피. 매우 적은 분량을 비유적으로 이르는 말
(3) 自鳴鐘(❸□□□): 미리 정하여 놓은 시각이 되면 저절로 소리가 나도록 장치가 되어 있는 시계
(4) ❹□合之卒(오합지졸): 까마귀가 모인 것처럼 질서가 없이 모인 병졸
(5) ❺□□(육지): 땅. 섬에 상대하여 대륙과 연결되어 있는 땅을 이르는 말
(6) ❻□流(난류): 적도 부근의 저위도 지역에서 고위도 지역으로 흐르는 따뜻한 해류
(7) 警備(❼□□): 도난, 재난, 침략 따위를 염려하여 사고가 나지 않도록 미리 살피고 지키는 일

3. 본문

于山·武陵二島(우산·무릉이도)는 在縣❶□東海中(재현정동해중)이라. 二島相❷□不遠(이도상거불원)하여 風日淸明(풍일청명)하면 則可望見(즉가망견)이라.	우산·무릉 두 섬은 현(울진현)의 정 동쪽 바다 가운데에 있다. 두 섬은 서로 거리가 멀지 않아서 바람이 불어 날이 청명해지면 바라볼 수 있다.
此島(차도)는 高麗得之於新羅(고려득지어신라)하고, 我朝得之於高麗(아조득지어고려)하니, 元非❸□□之地(원비일본지지)라. 祖宗疆土(조종강토)는 不可❹□之(불가여지)라.	이 섬은 고려가 신라에서 그것을 ❺□□□, 우리 조정이 고려에서 그것을 얻었으니, 원래 일본의 땅이 아니다. 조상에게 물려받은 영토는 그들에게 줄 수 없다.

소단원 확인 문제

01 뜻이 같은 한자끼리 짝지은 것은?

① 歷 – 史 ② 宗 – 邑 ③ 浴 – 浮
④ 浮 – 接 ⑤ 郡 – 邑

출제 유력

02 부수가 나머지와 다른 하나는?

① 消 ② 海 ③ 氷 ④ 浮 ⑤ 於

03 두 자를 합하여 하나의 한자를 만들 때, ㉠에 들어갈 한자의 음을 쓰시오.

> 金 + 童 = (㉠)

04 한자의 음과 뜻이 바르지 않은 것은?

① 島 (도) 섬 ② 防 (방) 방향
③ 視 (시) 보다 ④ 合 (합) 합하다
⑤ 非 (비) 아니다

05 한자와 뜻을 바르게 연결하시오.

(1) 烏 • • ㉠ 새
(2) 鳥 • • ㉡ 울다
(3) 鳴 • • ㉢ 까마귀

06 밑줄 친 한자 어휘의 독음을 쓰시오.

> 독도에 대한 <u>歷史的</u> 기록은 『삼국사기』에서 "신라 지증왕 13년(512년)에 장군 이사부가 우산국(현재의 울릉도와 독도)을 정벌하였다."라고 한 것이 최초이다.

07 빈칸에 공통으로 들어갈 한자로 알맞은 것은?

> 疆□ □地

① 土 ② 海 ③ 結 ④ 獨 ⑤ 陸

08 ㉠에 들어갈 한자로 알맞은 것은?

明	
㉠	示

〈가로〉 넌지시 알림.
〈세로〉 밝음과 어둠

① 暗 ② 均 ③ 淨 ④ 晴 ⑤ 快

09 다음 설명과 관련 있는 한자로 알맞은 것은?

> 제물을 차려놓은 제단의 모양을 본뜬 글자이다. 제물을 신에게 보여 준다는 의미로 '보이다'를 뜻하는 글자이다.

① 流 ② 示 ③ 合 ④ 守 ⑤ 史

출제 유력

10 한자 어휘의 독음이 바르지 않은 것은?

① 問責(문책) ② 太守(태수)
③ 接待(접대) ④ 認定(인정)
⑤ 表記(표현)

11 빈칸에 들어갈 한자 어휘를 한자로 쓰시오.

> □□은/는 시조가 되는 조상을 이르는 말이다.

12 다음 글과 관련 있는 성어로 알맞은 것은?

> 까마귀가 모인 것처럼 질서가 없이 모인 병졸이라는 뜻으로, 임시로 모여들어서 규율이 없고 무질서한 병졸 또는 사람들을 이르는 말이다.

① 自鳴鐘 ② 韓半島 ③ 鳥足之血
④ 烏合之卒 ⑤ 祖宗疆土

13 한자 어휘의 뜻이 바르지 않은 것은?

① 領土: 국가의 통치권
② 浮上: 물 위로 떠오름.
③ 淸明: 날씨가 맑고 밝음.
④ 視野: 시력이 미치는 범위
⑤ 消防: 화재를 진압하거나 예방함.

서술형
14 다음 밑줄 친 한문 속담의 독음과 풀이를 쓰시오.

> 아군의 피해는 적군의 피해에 비하면 鳥足之血에 불과했다.

15 한자 어휘의 활용이 적절하지 않은 것은?

① 미역이 淸淨 수역에서 자라 깨끗하다.
② 요즘 여름 平均 온도가 높아지고 있다.
③ 날씨가 淸明하여 체육 대회를 하기 좋았다.
④ 사면이 바다로 둘러싸인 半島 국가가 많다.
⑤ 불법 조업을 막기 위해 철저한 警備가 필요하다.

[16~20] 다음 글을 읽고 물음에 답하시오.

> ㉠于山·㉡武陵二島는 在縣正東海中이라. 二島相去不遠하여 風日淸明하면 則可望見이라.
> 此島는高麗得之於新羅하고,㉢我朝得之於高麗하니, ㉣元非日本之地라. 祖宗疆土는 不可㉤與之라.

출제 유력
16 ㉠과 ㉡의 현재 지명을 쓰시오.

㉠: (   ) ㉡: (   )

17 ㉢이 가리키는 나라로 알맞은 것은?

① 고려 ② 신라 ③ 백제
④ 일본 ⑤ 조선

서술형
18 ㉣이라고 한 이유를 찾아 한 문장으로 서술하시오.

19 ㉤의 뜻으로 알맞은 것은?

① 주다 ② ~와/과 ③ 함께
④ 더불어 ⑤ 일어나다

출제 유력
20 윗글에 대한 설명으로 알맞은 것은?

① 우산과 무릉은 주인이 없다.
② 우산과 무릉의 거리는 멀다.
③ 우산과 무릉의 날씨는 항상 좋다.
④ 우산과 무릉은 일본의 땅이 아니다.
⑤ 우산과 무릉은 현의 동쪽으로 치우쳐 있다.

교과서 202쪽

"한 · 중 · 일의 설날 문화"

예로부터 한자 문화권에서는 묵은해를 보내고 새해를 맞이하는 1월 1일을 중요한 명절로 여겨 왔다. 한국과 중국은 음력 1월 1일을, 일본은 양력 1월 1일을 명절로 쇠며, 각 나라들은 공통적으로 새해에 건강하고 좋은 일만 있기를 기원한다. 각국의 설날 풍속을 알아보고, 이를 바탕으로 서로의 전통문화를 이해해 보자.

중국의 춘지에[春節]
춘절

섣달그믐에는 온 가족이 한자리에 모여 교자를 빚고 명절 음식을 만들어 나누어 먹는다. 자정이 되면 액운을 쫓고 새해의 시작을 알리는 폭죽을 함께 터뜨린다. 춘절 당일에는 평소에 만나지 못했던 주변 사람들에게 새해 인사를 다닌다.

폭죽▶
◀교자

한국의 설날[元日]
원일

설을 맞이하여 새로 장만한 옷인 설빔을 입고 조상에게 차례를 지낸다. 손아랫사람은 웃어른께 세배를 드리고, 웃어른은 손아랫사람에게 덕담을 해 준다. 설날 아침에는 온 가족이 모여 떡국을 먹는다.

차례▶
◀떡국

일본의 오쇼가츠[お正月]
정월

집 앞에 소나무와 대나무로 만든 장식인 가도마츠를 세워 건강과 장수를 빌거나 절이나 신사(神社)를 찾아 새해 소원을 빌기도 한다. 오조니라는 일본식 떡국과 가가미모치라는 찹쌀떡, 오세치료리라는 정월 음식을 먹는다.

▼오조니
▲가도마츠

활동 한국, 중국, 일본의 명절에 행해지는 놀이 문화에 관해 조사하여 발표해 보자.

[예시 답안] 한국의 '추석'에는 강강술래나 가마싸움을 한다. 일본의 '오봉'에는 광장에 망루를 설치하고 그 위에서 북을 치며 망루 주변을 도는 원무인 봉오도리를 춘다. 중국의 '중추절'에는 달맞이와 등놀이를 한다.

탄탄! 대단원 마무리

교과서 203쪽

요점 정리

1 설날의 풍속

歲謁家廟, 行祭, 曰茶禮. (세알가묘 행제 왈차례)	새해에는 집안의 사당에 배알하고 제사를 지내니 '차례'라 말하고,
男女年少卑幼者, 皆着新衣, 曰歲粧. (남녀년소비유자 개착신의 왈세장)	남녀 중에 나이가 적거나 항렬이 낮으면서 어린 사람들이 모두 새 옷을 입으니 '세장'이라 말하고,
訪族戚長老, 曰歲拜. (방족척장로 왈세배)	친척과 웃어른들을 찾아뵈니 '세배'라 말한다.

2 한문 기록에 담긴 선인들의 지혜와 사상

父知子意, 下視三危太伯, 可以弘益人間. (부지자의 하시삼위태백 가이홍익인간)

: 아버지가 자식의 뜻을 알아 삼위 태백을 내려다보니 널리 인간 세상을 이롭게 할 만했다.

→ 弘益人間(홍익인간)은 인류 공영이라는 민주주의의 기본 정신과 부합되는 이념으로, 우리나라의 건국 이념이자 정치, 교육, 문화의 최고 이념이다.

地掩日而蝕於月, 蝕體亦圜, 地體之圜也. (지엄일이식어월 식체역원 지체지원야)

: 지구가 해를 가리며 (지구의 그림자가) 달을 먹어 들어감에 (달이) 먹히는 형체가 또한 둥근 것은 지구의 형체가 둥글기 때문입니다.

→ 월식을 통해 지구의 모양이 둥글다는 것을 논리적으로 설명하고 있다.

3 한문 산문의 내용 이해와 감상

此島, 高麗得之於新羅, 我朝得之於高麗, 元非日本之地. 祖宗疆土, 不可與之. (차도 고려득지어신라 아조득지어고려 원비일본지지 조종강토 불가여지)

: 이 섬은 고려가 신라에서 그것을 얻었고, 우리 조정이 고려에서 그것을 얻었으니, 원래 일본의 땅이 아니다. 조상에게 물려받은 영토는 그들에게 줄 수 없다.

→ 선조들이 대대로 물려준 영토를 우리도 소중히 지켜 후손에게 물려주어야 한다.

핵심 평가

1. 다음 문장과 관계 있는 어휘를 골라 보자. ②

男女年少卑幼者, 皆着新衣. (남녀년소비유자 개착신의)

① 茶禮 차례 ② 歲粧 세장 ③ 歲拜 세배
④ 歲時 세시 ⑤ 祭禮 제례

서술형

2. 다음 문장을 풀이해 보자.

數意天下. (삭의천하)

자주 천하에 뜻을 두었다.

[3~4] 다음 글을 읽고 물음에 답해 보자.

此島, 高麗得之於新羅, ㉠我朝得之於高麗, 元非日本之地. ㉡祖宗疆土, 不可與之.
(차도 고려득지어신라 아조득지어고려 원비일본지지 조종강토 불가여지)

3. ㉠에서 서술어에 해당하는 것을 골라 보자. ②

① 我朝 아조 ② 得 득 ③ 之 지
④ 於 어 ⑤ 高麗 고려

我朝: 주어 / 得: 서술어 / 之: 목적어 / 於高麗: 보어

4. ㉡의 음으로 바른 것을 골라 보자. ①

① 조종강토 ② 조상강토 ③ 조상영토
④ 조종강사 ⑤ 조상영사

용어 활용형

5. 한자 용어의 표기가 바르지 않은 것을 골라 보자. ③

① 독도는 해양 경찰이 警備(경비)한다.
② 檀紀(단기)가 西紀(서기)보다 2333년 빠르다.
③ 우리들은 多文花(다문화) 시대에 살고 있다.
④ 우리 민족의 명절 風習(풍습)을 지켜 나가자.
⑤ 김 박사는 새로운 이론을 探究(탐구)하고 있다.

多文花(×) → 多文化(○)

대단원 자기 점검

자신의 학업 성취도를 스스로 점검해 보고, 부족한 부분을 보충해 보자.

점검 항목	잘함	보통	노력 필요	찾아보기
• 한문 산문의 내용을 이해하고 감상할 수 있다.				180, 186, 192, 198쪽
• 한문 기록에 담긴 선인들의 지혜, 사상을 이해할 수 있다.				186, 192, 198쪽
• 한문 기록에 담긴 우리의 전통문화를 바르게 이해할 수 있다.				180쪽
• 한자 문화권의 문화에 대한 기초적 지식을 통해 상호 이해와 교류를 증진시킬 수 있다.				202쪽

도움말 대단원 학습이 끝나면 대단원의 학습 목표에 해당하는 질문에 답하며 자신의 학업 성취도를 스스로 점검해 본다. 성취 목표에 도달하지 못한 경우에는 제시된 위치로 돌아가서 내용을 다시 읽고 공부하도록 한다.

대단원 실전 평가

25. 뿌리 깊은 우리 명절

01 뜻이 비슷한 한자로 이루어진 어휘는?

① 招待 ② 暴炎 ③ 洞里
④ 除夜 ⑤ 風習

02 다음 설명과 관련이 있는 어휘는?

> • 벌초와 성묘를 한다.
> • 불의 사용을 금지하며 찬 음식을 먹는다.

① 寒食 ② 秋夕 ③ 元日
④ 端午 ⑤ 茶禮

[03~05] 다음 글을 읽고 물음에 답하시오.

> ㉠京都俗에 歲謁家㉡廟하고 行㉢祭하니 曰茶禮요, 男女㉮年少卑幼者가 皆着新衣하니 曰㉣歲粧이요, 訪㉤族戚長老하니 曰㉯歲拜라 하다.

03 ㉠~㉤의 의미로 바르지 않은 것은?

① ㉠: 서울 ② ㉡: 사당
③ ㉢: 제사 ④ ㉣: 설빔
⑤ ㉤: 나이 많고 덕이 높은 어른

출제 유력

04 ㉮와 짜임이 같은 것은?

① 家廟 ② 男女 ③ 日出
④ 新衣 ⑤ 天地

05 ㉯의 독음으로 알맞은 것은?

① 세알 ② 세배 ③ 제배
④ 세장 ⑤ 제례

26. 널리 인간을 이롭게

고난도

06 밑줄 친 한자의 음과 뜻을 쓰시오.

(1) 引率
(2) 比率

출제 유력

07 음이 같은 한자를 모두 고르시오.

> 偉 危 樹 謂 意

[08~10] 다음 글을 읽고 물음에 답하시오.

> 昔에 有桓因庶子桓雄하니 數意天下하여 貪求人世라. 父知子意하여 ㉠下視三危太伯하니 ㉡可以㉢______이라. [중략] 雄이 率徒三千하여 ㉢降於太伯山頂神壇樹下하니 謂之神市요 是謂桓雄天王也라.

출제 유력

08 ㉠의 품사로 알맞은 것은?

① 명사 ② 동사 ③ 부사
④ 형용사 ⑤ 어조사

고난도

09 ㉡의 풀이로 알맞은 것은?

① ~이 ② 옳다 ③ ~로써
④ ~하는 까닭 ⑤ ~할 만하다

10 다음 풀이를 참고하여 빈칸에 들어갈 내용을 한자로 쓰시오.

> 널리 세상을 이롭게 한다.

11 밑줄 친 한자 어휘의 음을 쓰시오.

> 아버지의 許諾으로 여행을 할 수 있었다.

27. 둥근 모양의 지구

출제 유력

12 어휘의 활용이 적절하지 않은 것은?

① 유리 破片이 사방으로 튀었다.
② 모든 면에서 完全한 사람은 없다.
③ 역사적 사건을 順序대로 배열하였다.
④ 가족에 대한 사랑을 매일 探究하였다.
⑤ 홍대용은 많은 著書에서 실용성을 강조하였다.

출제 유력

13 한자의 음과 뜻을 써 보자.

(1) 虛:
(2) 處:

14 제시된 내용과 관련된 한자 어휘로 가장 알맞은 것은?

月蝕　　日蝕　　小行星

① 工事　② 設定　③ 假設
④ 速度　⑤ 宇宙

출제 유력

15 빈칸에 공통으로 들어갈 한자는?

說□　　證□

① 求　② 書　③ 論　④ 明　⑤ 定

[16~19] 다음 글을 읽고 물음에 답하시오.

> 虛子曰: "古人云 '天(㉠)而地方'이라 한데, 今夫子言 ㉡'地體正圓'은 何也오?"
> 實翁曰: [중략] "地掩日而蝕於(㉢)에 蝕體亦圜은 地體之圜也일세라."

16 ㉠에 들어갈 한자로 알맞은 것은?

① 古　② 星　③ 始　④ 圓　⑤ 方

고난도

17 ㉡을 풀이할 때 세 번째로 풀이하는 한자는?

① 地　② 體　③ 正　④ 圓　⑤ 何

18 ㉢에 들어갈 한자를 쓰시오.

서술형

19 虛子와 實翁은 지구의 모양이 어떻다고 생각하는지 쓰시오.

• 虛子: (　　　　　　)
• 實翁: (　　　　　　)

20 한자와 부수의 연결이 바르지 않은 것은?

① 快 – 心　② 淨 – 水　③ 認 – 言
④ 功 – 力　⑤ 史 – 丿

28. 우리 땅, 울릉도와 독도

출제 유력

21 한자 어휘의 독음이 바른 것은?

① 海水(양수)　② 視野(시야)
③ 結氷(결과)　④ 陸地(육교)
⑤ 暖流(급류)

22 다음 暗示의 쓰임이 적절한 것은?

① 맛을 暗示하는 그릇이 예뻤다.
② 그는 모든 운동에 暗示를 나타냈다.
③ 만약 비가 온다면 소풍은 暗示될 것이다.
④ 드라마의 결말을 暗示하는 대사가 나왔다.
⑤ 온갖 고생을 暗示하며 전쟁에서 돌아왔다.

[23~24] 다음 글을 읽고 물음에 답하시오.

> ㉠于山·㉡武陵二島는 在㉢縣正東海中이라. 二島㉣相去不遠하여 風日㉤淸明하면 則可望見이라. 此島는 高麗得之於新羅하고, 我朝得之於高麗하니, 元非日本之地라. ㉮祖宗疆土는 不可與之라.

23 ㉠~㉤의 풀이가 바르지 않은 것은?

① ㉠: 독도 ② ㉡: 울릉도
③ ㉢: 울진현 ④ ㉣: 서로의 거리가
⑤ ㉤: 푸른 하늘

서술형

24 ㉮의 풀이를 쓰시오.

대단원 복합 문제

25 다음 어휘의 독음이 바르지 않은 것은?

① 弘益人間(홍익인간)
② 利用厚生(이용후생)
③ 鳥足之血(조족지혈)
④ 送舊迎新(송구영친)
⑤ 烏合之卒(오합지졸)

[26~27] 다음 물음에 답하시오.

> (가) 堅固 (나) 元祖 (다) 永久
> (라) 休眠 (라) 古今

26 뜻이 상대되는 한자로 이루어진 어휘는?

① (가) ② (나) ③ (다) ④ (라) ⑤ (마)

27 다음 설명과 관련 있는 어휘로 알맞은 것은?

> 어떤 사물이나 물건의 최초 시작으로 인정되는 사물이나 물건이다.

① (가) ② (나) ③ (다) ④ (라) ⑤ (마)

출제 유력

28 다음과 같은 뜻을 지닌 어휘로 알맞은 것은?

> • 수박 겉핥기
> • 달리는 말에서 산을 보다.

① 走馬看山 ② 利用厚生 ③ 送舊迎新
④ 鳥足之血 ⑤ 烏合之卒

29 ㉠과 ㉡이 의미하는 바를 서술하시오.

> 京都俗에 歲謁家廟하고 行祭하니 曰㉠茶禮요, 男女年少卑幼者가 皆着新衣하니 曰㉡歲粧이요,

㉠: (   )
㉡: (   )

서술형

30 ㉠의 풀이를 쓰시오.

> 實翁曰: [중략] "㉠地掩日而蝕於月에 蝕體亦圜은 地體之圜也일세라."

31 ㉠과 ㉡이 가리키는 것을 찾아 쓰시오.

> 昔에 有桓因庶子桓雄하니 數意天下하여 貪求人世라. ㉠父知㉡子意하여 下視三危太伯하니 可以弘益人間이라.

㉠: (   ) ㉡: (   )

서술형

32 ㉠과 ㉡의 지리적 위치를 설명하시오.

> ㉠于山·㉡武陵 二島는 在縣正東海中이라. 二島相去不遠하여 風日淸明하면 則可望見이라.

정답과 해설

정답과 해설

I. 한문을 시작하며

01. 처음 만나는 한문

소단원 스스로 정리 12쪽

1 ❶ 한나라 ❷ 文 ❸ 日 ❹ 出 ❺ 모양 ❻ 音 ❼ 邑(阝) ❽ 首 ❾ 근본 ❿ 心(忄) ⓫ 땅

2 ❶ 한자 ❷ 漢文 ❸ 모양 ❹ 뜻 ❺ 자

3 ❶ 기록 ❷ 한자 문화권

4 ❶ 자전 ❷ 옥편 ❸ 부수 ❹ 자음

소단원 확인 문제 13쪽

01 ㉠ 土 ㉡ (본) ㉢ 만나다 02 ④ 03 ⑤ 04 ①
05 ③ 06 ③ 07 부수(部首) 08 ⑤
09 (1) 자음 색인 (2) 부수색인 (3) 총획색인
10 ㉢-㉡-㉣-㉠

01 土(토) 흙, 本(본) 근본, 逢(봉) 만나다

02 形(형)의 뜻은 '모양'이다. 뜻이 '구슬'인 한자는 玉(옥)이다.

03 水 (수) 물 – 首 (수) 머리
| 오답풀이 | ① 典 (전) 법 – 篇 (편) 책
② 三 (삼) 셋 – 十 (십) 열
③ 乃 (내) 이에 – 川 (천) 내
④ 人 (인) 사람 – 日 (일) 날, 해

04 日記[(일) 날, (기) 기록하다]: 그날의 기록
日氣[(일) 해, (기) 기운]: 그날의 기상 상태(날씨)

05 한자는 지금까지도 계속 새로운 글자가 만들어진다.

06 ③ 字典은 '자전'으로 읽는다.

08 悟(오)의 부수는 '心(忄)'이다.
| 오답풀이 | ① 逢 – 辵(辶) ② 本 – 木 ③ 漢 – 水(氵) ④ 地 – 土

10 자전의 부수색인을 이용해서 한자를 찾으려면 먼저 한자의 부수를 알아야 한다.

02. 한자가 만들어진 원리

소단원 스스로 정리 18쪽

1 ❶ 手 ❷ 魚 ❸ 끝 ❹ 名 ❺ (력) ❻ 日 ❼ 좋다 ❽ 問 ❾ 듣다 ❿ 말씀 ⓫ 成 ⓬ 漁 ⓭ (충)

2 ❶ 사물 ❷ 추상

3 ❶ 모양 ❷ 지사자 ❸ 뜻 ❹ 형성자

소단원 확인 문제 19쪽

01 ⑤ 02 ① 03 (1) 상형 (2) 지사 (3) 회의 (4) 형성
04 ① 05 ㉠ 本 ㉡ 上 06 ③
07 ㉠: 林, ㉡: 休. 한자가 만들어지게 된 원리: 회의자로 이미 만들어진 둘 이상의 글자를 결합하여 새로운 글자를 만들되, 그 글자들이 지닌 뜻을 합쳐 새로운 뜻을 나타내는 글자
08 (1) 門 / 口 (2) 主 / 氵(水)

01 主의 음은 '주', 뜻은 '주인'이다.
| 오답풀이 | ① 羊 (양) 양 ② 末 (말) 끝 ③ 聞 (문) 듣다 ④ 男 (남) 사내

02 言 (언) 말씀 – 誠 (성) 정성
| 오답풀이 | ② 二 (이) 두 – 耳 (이) 귀
③ 門 (문) 문 – 問 (문) 묻다
④ 名 (명) 이름 – 明 (명) 밝다
⑤ 支 (지) 지탱하다, 지지 – 枝 (지) 가지

04 日(일)과 耳(이)는 각각 해와 귀의 모습을 본 뜬 것으로, 상형의 원리로 만들어진 한자이다.

05 本(본)과 上(상)은 점을 찍어 '근본'과 '위'라는 추상적인 뜻을 나타낸 것으로, 지사의 원리로 만들어진 한자이다.

06 제시된 표지판은 지사의 원리를 이용하여 만들어진 것이다. 上(상), 下(하), 末(말), 本(본)은 지사의 원리로 만들어진 한자이나 木(목)은 나무의 모양을 본뜬 것으로, 상형의 원리로 만들어진 한자이다.

07 • 林 (림) 수풀: 나무와 나무가 모여 '숲'이라는 뜻을 나타낸다.
• 休 (휴) 쉬다: 사람이 나무에 기대어 '쉬다'라는 뜻을 나타낸다. 林, 休 두 글자는 모두 회의자이다.

08 (1) 門[(문) 문] + 口[(구) 입] → 問[(문) 묻다]
(門: 음을 나타냄. 口: 뜻을 나타냄.)

(2) • 主[(주) 주인]+ 水[(수) 물] → 注[(주) 붓다]
(主: 뜻을 나타냄. 水: 음을 나타냄.)

대단원 실전 평가 22쪽

01 ① 02 ㉠ 편 ㉡ 책 03 ④ 04 ⑤ 05 ②
06 ③ 07 ① 08 ④ 09 ① 10 ⑤ 11 ③
12 추상적인 생각이나 뜻을 점이나 선으로 나타내어 만든 글자 13 ④ 14 ㉠ 듣다 ㉡ 살다 15 ② 16 ③
17 ④ 18 ⑤

01 ① 한자의 3요소는 모양, 음, 뜻이다.

03 한자를 쓸 때, 出과 같이 좌우의 모양이 같은 경우는 가운데를 먼저 쓴다. 丨 屮 屮 出 出
| 오답풀이 | ① 逢 – 받침은 나중에 쓴다.
② 三 – 위에서 아래로 쓴다.
③ 川 – 왼쪽에서 오른쪽으로 쓴다.
⑤ 風 – 안쪽과 바깥쪽이 있을 때에는 바깥쪽을 먼저 쓴다.

04 人과 같이 삐침과 파임이 만나는 글자에서는 삐침(丿)을 먼저 쓰고 파임(㇏)을 나중에 쓴다.
| 오답풀이 | ① 十 – 가로획과 세로획이 교차될 때에는 가로획을 먼저 쓴다.
② 中 – 꿰뚫는 획은 나중에 쓴다.
③ 尤 – 오른쪽 위의 점은 나중에 찍는다.
④ 逢 – 받침은 나중에 쓴다.

05 地(지)의 부수는 土이다.

06 총획은 8획이다.
| 오답풀이 | ① 뜻은 '창성하다'이다.
② 부수는 日이다. 부수를 알지 못하여도 부수를 뺀 나머지 획수가 4획이기 때문에 口는 부수가 아님을 알 수 있다.
④ 음은 '창'이다.
⑤ 부수를 뺀 나머지 부분의 획수는 4획이다.

07 日記(일기): 그날의 기록
日氣(일기): 그날의 기상 상태(날씨)

08 注 (주) 붓다

09 女(여)는 '여자', 男(남)은 '남자'를 뜻하므로 뜻이 상대되는 한자이다.
| 오답풀이 | ② 手(수) 손 – 羊(양) 양
③ 門(문) 문 – 口(구) 입
④ 言(언) 말씀 – 主(주) 주인
⑤ 成(성) 이루다 – 支(지) 지탱하다, 지지

10 회의자는 이미 만들어진 둘 이상의 글자를 결합하여 새로운 글자를 만들되, 그 글자들이 지닌 뜻을 합쳐서 새로운 뜻을 나타내는 글자이다. 각 글자의 뜻으로 전체 글자의 뜻을 짐작할 수 있다.
| 오답풀이 | ① 지사자는 수량, 위치 등을 나타낸 것이 많다.
② 手(수), 魚(어)가 만들어진 원리는 상형인데, 上(상)이 만들어진 원리는 지사이다.
③ 상형자는 자연, 신체, 동물을 나타낸 것이 많다.
④ 회의자, 형성자는 둘 이상의 글자를 결합하여 만들었다.

11 제시된 표지판은 상형의 원리를 이용하여 만들어진 것이다. 川(천)과 口(구) 또한 각각 '냇물'과 '입'의 모양을 본떠서 만들어진 상형자이다.
| 오답풀이 | ① 日(상형자) – 下(지사자)
② 水(상형자) – 一(지사자)
④ 火(상형자) – 末(지사자)
⑤ 山(상형자) – 林(회의자)

12 제시된 한자들은 모두 지사자이다.

13 男(남)은 한자의 뜻을 모아 만든 회의자이나, 忠(충)은 한자의 음과 뜻을 모아 만든 형성자이다.

14 • 聞[(문) 듣다] • 住[(주) 살다]

15 問(문)은 門(문)과 口(구)의 두 글자를 합하여 만든 형성자이며, 총획은 11획이다.
| 오답풀이 | ① 男(남) – 회의자, 총획 7획
③ 門(문) – 상형자, 총획 8획
④ 枝(지) – 형성자, 총획 8획
⑤ 忠(충) – 형성자, 총획 8획

16 水[(수) 물] + 主[(주) 살다] → 注[(주) 붓다]

17 • 林 음 – (림), 뜻 – 수풀, 부수 – 木, 총획수 – 8획, 만들어진 원리 – 회의
• 明 음 – (명), 뜻 – 밝다, 부수 – 日, 총획수 – 8획, 만들어진 원리 – 회의

18 한자는 자전(옥편)을 이용해서 찾을 수도 있지만, 컴퓨터의 워드 프로세서나 스마트폰의 한자 사전을 이용해서도 찾을 수 있다.
| 오답풀이 | ① 한국, 중국, 일본의 한자는 그 형태와 의미가 같은 것도 있지만 다른 것도 많다.
② 형성자는 뜻을 나타내는 한자가 부수가 되는 경우가 많다.
③ 구체적인 사물의 모습을 본떠서 만든 글자를 상형자라고 한다.
④ 회의자는 둘 이상의 글자들이 지닌 뜻을 합쳐 새로운 뜻을 나타내는 글자이며, 지사자는 추상적인 생각이나 뜻을 점이나 선으로 나타낸 글자이다.

정답과 해설

Ⅱ. 일상에서 만나는 어휘

03. 행복한 우리 집

소단원 스스로 정리 31쪽

1 ❶ 家 ❷ 뜰 ❸ 婦 ❹ (자) ❺ (매) ❻ 할아버지 ❼ 孝 ❽ 事 ❾ (친) ❿ 用 ⓫ 子
2 ❶ 食口 ❷ 가족 ❸ 家庭 ❹ 夫婦 ❺ 부모 ❻ 조부모 ❼ 兄弟 ❽ 자매 ❾ 男妹
3 ❶ 慈愛 ❷ 효성 ❸ 소중 ❹ 화목 ❺ 일
4 ❶ 주술 ❷ 병렬

소단원 확인 문제 32쪽

01 ㉠ 弟 ㉡ 효 ㉢ 화합하다 02 ① 03 (1) 집 (2) 가족 (3) 전문가 04 ④ 05 ④ 06 ④ 07 ① 08 ③ 09 子女 10 ④ 11 병렬 관계 12 ⑤ 13 ② 14 집안이 화목하면 모든 일이 이루어짐. 15 ② 16 ① 17 ④ 18 ① 19 ⑤ 20 男妹 21 ②

02 事의 음은 '사', 뜻은 '일, 섬기다'이다.
| 오답풀이 | ② 所 (소) 바 ③ 寸 (촌) 마디 ④ 夫 (부) 남편 ⑤ 曾 (증) 일찍, 거듭

03 (1) 人家: 사람이 사는 집
(2) 家庭: ① 한 가족이 생활하는 집 ② 가까운 혈연관계에 있는 사람들의 생활 공동체
(3) 作家: 문학 작품, 사진, 그림, 조각 따위의 예술품을 창작하는 사람

04 祖父(조부): 할아버지

05 ④ 兩親의 독음은 '양친'이다.
| 오답풀이 | ① 慈愛(자애) ② 叔母(숙모) ③ 孝誠(효성) ⑤ 結婚(결혼)

06 所重(소중)의 뜻은 '귀중하게 여기는 것'이다.
| 오답풀이 | ① 兩親(양친): 부친과 모친을 아울러 이르는 말
② 輕重(경중): 가벼움과 무거움. 또는 가볍고 무거운 정도
③ 曾孫子(증손자): 손자의 아들. 또는 아들의 손자
⑤ 祖父母(조부모): 할아버지와 할머니

07 食口(식구): 한집에서 함께 살면서 끼니를 같이하는 사람
| 오답풀이 | ② 家族(가족): 주로 부부를 중심으로 한 친족 관계에 있는 사람들의 집단. 또는 그 구성원
③ 家庭(가정): 한 가족이 생활하는 집. 가까운 혈연관계에 있는 사람들의 생활 공동체
④ 曾孫子(증손자): 손자의 아들. 또는 아들의 손자
⑤ 祖父母(조부모): 할아버지와 할머니

08 父母(부모): 아버지와 어머니
| 오답풀이 | ① 兄弟(형제): 형과 남동생
② 姉妹(자매): 언니와 여동생
④ 夫婦(부부): 남편과 아내
⑤ 孫子(손자): 아들의 아들. 또는 딸의 아들

09 子女(자녀): 아들과 딸

10 '한 가족이 생활하는 집'은 家庭(가정)이라고 한다. 家族(가족)은 주로 '부부를 중심으로 한, 친족 관계에 있는 사람들의 집단. 또는 그 구성원'을 의미한다.

11 慈愛[(자) 사랑, (애) 사랑]는 성분이 같은 말들이 나란히 놓여 이루어진 단어이므로, 단어의 짜임은 병렬 관계이다.

12 所 (소) 바, 重 (중) 무겁다

13 家族(가족)
| 오답풀이 | ① 姉妹(자매) ③ 兄弟(형제) ④ 親族(친족) ⑤ 親家(친가)

15 事成(사성)은 '일이 이루어지다.'의 뜻으로 주술 관계의 단어이다.
| 오답풀이 | ① 父母(부모)는 '아버지와 어머니', ③ 夫婦(부부)는 '남편과 아내', ④ 子女(자녀)는 '아들과 딸', ⑤ 兄弟(형제)는 '형과 남동생'의 뜻으로 모두 병렬 관계의 단어이다.

16 제시된 내용은 단어의 짜임 중 주술 관계에 대한 내용이다. ① 日出(일출)은 '해가 뜨다', 家和(가화)는 '집안이 화목하다.'의 뜻으로 모두 주술 관계의 단어이다.
| 오답풀이 | ② 男女(남녀): 남자와 여자 → 병렬 관계 / 父母(부모): 아버지와 어머니 → 병렬 관계
③ 男妹(남매): 오빠와 여동생 → 병렬 관계 / 姉妹(자매): 언니와 여동생 → 병렬 관계
④ 慈愛(자애): 사랑 → 병렬 관계 / 事成(사성): 일이 이루어짐. → 주술 관계
⑤ 母女(모녀): 어머니와 딸 → 병렬 관계 / 輕重(경중): 가벼움과 무거움 → 병렬 관계

17 ④ 萬事(만사): 모든 일
| 오답풀이 | ① 男妹(남매) → 兄弟(형제)

② 兄弟(형제) → 姉妹(자매)
③ 祖孫(조손) → 父子(부자)
⑤ 外叔父(외숙부) → 外叔母(외숙모)

18 • 할아버지: 祖父(조부), 할머니: 祖母(조모)
• 외할아버지: 外祖父(외조부), 외할머니: 外祖母(외조모)
※ 祖孫(조손): 조부모와 손주를 아울러 이르는 말

19 아버지와 어머니는 서로 夫婦(부부) 관계이다.

20 오빠와 여동생은 男妹(남매) 관계이다.

21 누나, 언니: 姉(자) / 남동생: 弟(제)

04. 사랑의 학교

소단원 스스로 정리 39쪽

1 ❶ 學 ❷ (업) ❸ 生 ❹ 열다 ❺ (교) ❻ (장) ❼ 樂 ❽ 言 ❾ (동) ❿ 長 ⓫ (서) ⓬ (난)
2 ❶ 학업 ❷ 入學 ❸ 방학 ❹ 개학 ❺ 登校 ❻ 질문
3 ❶ 교사 ❷ 學生 ❸ 감사 ❹ 學校 ❺ 사제동행 ❻ 相長
4 ❶ 수식 ❷ 술목 ❸ 보어

소단원 확인 문제 40쪽

01 ④ 02 ③ 03 ② 04 ② 05 ② 06 ①
07 ⑤ 08 弟, 行 09 教學相長(교학상장)
10 ④ 11 ⑤ 12 ② 13 ① 14 ① 15 ③
16 ④ 17 ⑤ 18 ⑤

01 敎 (교) 가르치다 – 校 (교) 학교
| 오답풀이 | ① 同 (동) 같다 – 行 (행) 다니다, 행하다
② 生 (생) 낳다, 살다, 사람 – 長 (장) 길다, 자라다
③ 動 (동) 옮기다, 움직이다 – 場 (장) 마당
⑤ 多 (다) 많다 – 技 (기) 재주

02 ③ 室의 음은 '실'이고, 뜻은 '방, 집'이다.

03 學校(학교): 배우는 곳
學生(학생): 배우는 사람

04 入 (입) 들어가다, 放 (방) 놓다, 開 (개) 열다

05 ① 學業(학업) ③ 教室(교실) ④ 運動場(운동장) ⑤ 音樂室(음악실)

06 ㉠ 教師(교사): 가르치는 스승
㉡ 學生(학생): 배우는 사람

07 感謝(감사): 고마움을 느끼어 사례하다.

08 弟 (제) 제자, 行 (행) 다니다

09 제시된 글은 教學相長(교학상장)의 유래를 알 수 있는 글의 일부분이다.

10 서술어와 목적어의 관계로 이루어진 단어의 짜임은 술목 관계이다.
| 오답풀이 | ① 수식 관계: 수식어와 피수식어의 관계로 이루어진 단어
② 병렬 관계: 성분이 같은 말이 나란히 모여 이루어진 단어
③ 주술 관계: 주어와 서술어의 관계로 이루어진 단어
⑤ 술보 관계: 서술어와 보어의 관계로 이루어진 단어

11 (나)는 단어의 짜임 중 수식 관계에 대한 내용이다. 教室(교실)은 '가르치는 방'이라는 뜻으로 수식 관계의 예로 알맞다.
| 오답풀이 | ① 師弟(사제) 스승과 제자 → 병렬 관계
② 長短(장단): 길고 짧음. 좋은 점과 나쁜 점 → 병렬 관계
③ 好學(호학): 배움을 좋아함. → 술목 관계
④ 難解(난해): 풀기가 어려움. → 술보 관계

12 ㉠ 讀書(독서): 책을 읽다.
㉡ 同行(동행): 함께 가다.

13 多情(다정): 정이 많다.
| 오답풀이 | ② 책을 읽다. → 讀書(독서)
③ 배움을 좋아하다. → 好學(호학)
④ 풀기가 어렵다. → 難解(난해)
⑤ 가르치고 배우다. → 教學(교학)

14 讀書(독서)에 관련된 명언들이다.

15 ㉠ 登校(등교): 학생이 학교에 감.
㉡ 出席(출석): 어떤 자리에 나아가 참석함.

16 ㉢ 學生(학생): 배우는 사람
㉣ 姓名(성명): 성과 이름

17 質問(질문): 알고자 하는 바를 얻기 위해 물음.

18 番(번): 일의 차례를 나타내는 말
| 오답풀이 | ① 姓 (성) 성씨 ② 名 (명) 이름 ③ 室 (실) 방, 집 ④ 相 (상) 서로

05. 속담 속의 절기

소단원 스스로 정리 47쪽

1 ❶(하) ❷冬 ❸春 ❹水(氵) ❺(로) ❻雨 ❼雨 ❽(서) ❾刀 ❿서리 ⓫(복)
2 ❶절기 ❷태양 ❸季節 ❹농사
3 ❶雨水 ❷망종 ❸처서 ❹大寒 ❺小寒
4 ❶春 ❷여름 ❸곡우 ❹서 ❺秋 ❻겨울 ❼백로 ❽雪 ❾한로 ❿寒

소단원 확인 문제 48쪽

01 ① 02 ② 03 ④ 04 ③ 05 ① 06 ③ 07 ② 08 ① 09 ⑤ 10 ④ 11 (1) 芒種 (2) 寒露 (3) 立夏 12 ① 13 處暑(처서) 14 ⑤ 15 ② 16 ② 17 ⑤ 18 ② 19 ②

01 節의 음은 '절', 뜻은 '마디, 절기'이다.

02 雨 (우) 비, 雪 (설) 눈, 霜 (상) 서리, 露 (로) 이슬

03 季節(계절)에는 봄, 여름, 가을, 겨울이 있다.

04 雨 (우) 비, 水 (수) 물
| 오답풀이 | ① 清明(청명) ② 處暑(처서) ④ 小暑(소서) ⑤ 芒種(망종)

05 冬至(동지)는 밤이 가장 길고 낮이 가장 짧은 절기로, 이 날에 팥죽을 먹어야 진짜 한 살을 더 먹는다고 하여 팥죽을 먹는 풍속이 있다.
| 오답풀이 | ② 立冬(입동) ③ 小寒(소한) ④ 大寒(대한) ⑤ 大雪(대설)

06 개구리가 겨울잠에서 깨어나는 절기는 驚蟄(경칩)이다.
| 오답풀이 | ① 立春(입춘) ② 雨水(우수) ④ 春分(춘분) ⑤ 清明(청명)

07 ② 夏至(하지)는 낮이 가장 긴 절기이다. '하지가 지나면 발을 물꼬에 담그고 산다.'는 벼농사를 잘 짓기 위해서는 하지 후에 논에 물을 잘 대는 것이 중요하기 때문에 논에 붙어 살다시피 하여야 함을 비유적으로 이르는 말이다. 또 스웨덴에서는 하지 축제를 연다.

08 태양의 움직임에 따라 한 해를 스물넷으로 나눈 것을 節氣(절기)라고 한다.
| 오답풀이 | ② 穀雨(곡우): 곡식을 기르는 비가 내리는 절기
③ 清明(청명): 만물이 맑고 밝아지는 절기
④ 季節(계절): 규칙적으로 되풀이되는 자연 현상에 따라서 일 년을 구분한 것
⑤ 寒露(한로): 찬 이슬이 내리는 절기

09 太陽(태양): 태양계의 중심이 되는 항성

10 봄[春(춘)], 여름[夏(하)], 가을[秋(추)], 겨울[冬(동)]의 네 계절을 사계절이라고 한다. 氣(기)는 '기운'을 뜻하는 한자로 사계절과 관련이 없다.

11 〈보기〉의 한자 어휘 풀이
- 立冬[입동]: 겨울이 시작됨.
- 芒種[망종]: 보리를 베고 모내기를 함.
- 寒露[한로]: 찬 이슬이 내림.
- 立夏[입하]: 여름이 시작됨.
- 大暑[대서]: 더위가 심함.

(1) 입하(立夏)에 바람이 불면 못자리에 뿌려 놓은 볍씨가 한쪽으로 몰리게 되어 좋지 않다는 뜻의 속담이다. 芒種은 6월 6일경으로 보리를 베고 모내기를 하는 시기이다.
(2) 한로와 상강 사이에 보리 파종을 마쳐야 한다는 뜻의 속담이다. 寒露(한로)는 10월 8일경이며, 찬 이슬이 맺히는 시기이다.
(3) 망종까지 보리를 모두 베어야 논에 벼도 심고 밭갈이도 하게 된다는 뜻의 속담이다. 立夏(입하)는 5월 6일경이며, 여름이 시작하는 시기이다.

12 '雨水(우수) 驚蟄(경칩)에 대동강 물이 풀린다.'는 우수와 경칩을 지나면 아무리 춥던 날씨도 누그러진다는 뜻이다. 雨水(우수)는 눈이 녹아 비로 내리는 절기이다.
| 오답풀이 | ② 穀雨(곡우) ③ 寒露(한로) ④ 小雪(소설) ⑤ 驚蟄(경칩)

13 '모기도 處暑(처서)가 지나면 입이 비뚤어진다.'는 處暑(처서)가 지나면 날씨가 선선해지므로 모기도 기세가 약해진다는 뜻이다. 處暑(처서)는 더위가 물러나는 절기이다.

14 '大寒(대한)이 小寒(소한)의 집에 가서 얼어 죽는다.'는 대한이 소한보다 추워야 할 것이나 사실은 소한 무렵이 더 춥다는 뜻이다. 大寒(대한) 추위가 심하고, 小寒(소한)은 추위가 시작되는 절기이다.

15 夏至(하지)는 낮이 가장 긴 절기로 여름에 속한다.
| 오답 피하기 | ① 秋分(추분): 낮과 밤의 길이가 같은 절기 → 가을
③ 立春(입춘): 봄이 시작되는 절기 → 봄
④ 驚蟄(경칩): 개구리가 겨울잠에서 깨는 절기 → 봄
⑤ 清明(청명): 만물이 맑고 밝아지는 절기 → 봄

16 處暑(처서)는 더위가 물러나는 절기로 가을에 속한다.
| 오답풀이 | ① 大暑(대서): 더위가 심한 절기 → 여름
③ 小暑(소서): 더위가 시작되는 절기 → 여름
④ 立夏(입하): 여름이 시작되는 절기 → 여름
⑤ 夏至(하지): 낮이 가장 긴 절기 → 여름

17 春分(춘분)과 秋分(추분)은 밤낮의 길이가 같은 절기이다. '덥고 추운 것도 春分(춘분)과 秋分(추분)까지이다.'는 더위와 추위가 절기의 일정한 순환에 따라 변한다는 것을 뜻하는 속담이다.
| 오답풀이 | ① 雨 (우) 비 ② 季 (계) 계절 ③ 節 (절) 절기 ④ 氣 (기) 기운

18 제시된 글은 淸明(청명)의 특징과 풍속에 대한 설명이다.
| 오답풀이 | ① 立春(입춘) ③ 立夏(입하) ④ 小滿(소만) ⑤ 小暑(소서)

19 사계절에 해당하는 절기는 6개씩으로 총 24절기가 있다.
| 오답풀이 | ① 절기는 태양의 황도상의 위치에 따라 1년의 날씨를 24개로 구분한 것이다.
③ 伏(복)날은 절기는 아니지만 夏至나 冬至 같은 절기를 기준으로 날짜가 정해진다.
④ 조상들은 절기에 맞추어 농사를 지었다.
⑤ 절기에는 생활과 밀접한 다양한 풍속을 행하였다.

06. 역사 속의 천간, 지지

소단원 스스로 정리 55쪽

1 ❶ (축) ❷ 巳 ❸ (오) ❹ 未 ❺ 바르다 ❻ (경) ❼ 日 ❽ 甲 ❾ (기) ❿ 辛 ⓫ (개) ⓬ 돌아오다
2 ❶ 삼경 ❷ 자정 ❸ 正午 ❹ 同 ❺ 回
3 ❶ 辛 ❷ 갑 ❸ 경 ❹ 계 ❺ 未 ❻ 酉 ❼ 지지 ❽ 묘 ❾ 쥐 ❿ 원숭이 ⓫ 임진 ⓬ 改革 ⓭ 독립운동

소단원 확인 문제 56쪽

01 ③ **02** ⑤ **03** ⑤ **04** ② **05** ③ **06** ④
07 ① **08** ② **09** 正 **10** ① **11** ㉠ 甲 ㉡ 庚 ㉢ 丑 ㉣ 酉 **12** ⑥ 己巳 ⑪ 甲戌 **13** ③
14 ⑤ **15** 庚申 **16** 同甲, 六十甲子 **17** ②

01 卯의 음은 '묘'이고, 뜻은 '넷째 지지'이다.

02 回 (회) 돌아오다 – 丙 (병) 남녘, 셋째 천간
| 오답 피하기 | ① 申 (신) 아홉째 지지 – 辛 (신) 맵다, 여덟째 천간
② 四 (사) 넷 – 巳 (사) 여섯째 지지
③ 正 (정) 바르다 – 丁 (정) 고무래, 장정, 넷째 천간
④ 地 (지) 땅 – 支 (지) 지탱하다, 지지

03 ㉠ 토끼에 해당하는 지지는 卯[(묘) 넷째 지지]이고, ㉡ 닭에 해당하는 지지는 酉[(유) 열째 지지]이다.

04 ㄱ. 丙: 셋째 천간 (병)
ㄴ. 戌: 열한째 지지 (술)
ㄷ. 辛: 여덟째 천간 (신)
ㄹ. 酉: 열째 지지 (유)
ㅁ. 巳: 여섯째 지지 (사)

05 서기 연도의 끝자리로 천간을 알 수 있다.

06 하나의 時(시)는 현재의 2시간을 의미한다.
| 오답풀이 | ① 하루를 12時로 나누었다.
② 현재의 새벽 4시는 寅時(인시: 3시~5시)에 해당한다.
③ 현재의 오전 10시는 巳時(사시: 9시~11시)에 해당한다.
⑤ 지지를 사용하여 하루 중의 시각을 나타내었다.

07 문맥상 밤 12시를 뜻하는 子正(자정)이 들어가는 것이 가장 알맞다.
| 오답풀이 | ② 未時(미시): 13시~15시
③ 辰時(진시): 07시~09시
④ 正午(정오): 낮 12시
⑤ 午時(오시): 11시~13시

08 저녁 6시 30분에 해당하는 시간은 17시~19시 사이의 시간인 酉時(유시)이다.

09 子正(자정): 밤 12시, 正午(정오): 낮 12시

10 ㉮ 天干(천간): 하늘을 상징하는 열 개의 줄기
㉯ 地支(지지): 땅을 상징하는 열두 개의 갈래

11 ㉠ 甲 (갑) 갑옷, 첫째 천간
㉡ 庚 (경) 별, 일곱째 천간
㉢ 丑 (축) 둘째 지지
㉣ 酉 (유) 열째 지지

12 천간과 지지를 순서대로 결합하면 육십갑자표를 완성할 수 있다.

13 제시된 글은 丙子胡亂(병자호란)에 대한 설명이다. 이 사건이 일어난 서기 연도인 1636년의 끝자리가 6이므로 천간은 丙(병)이고, 서기 연도를 12로 나눈 나머지가 4이

므로 지지는 子(자)이다.

| 오답풀이 | ① 壬辰(임진) ② 乙巳(을사) ④ 戊午(무오) ⑤ 己卯(기묘)

14 ⑤ 天干(천간)은 하늘을 상징하는 열 개의 줄기를 地支(지지)는 땅을 상징하는 열두 개의 갈래를 말한다.

| 오답풀이 | ① 壬辰倭亂(임진왜란)은 임진년에 일본이 침입한 전쟁으로 이순신 장군이 큰 공을 세웠다.

② 甲午改革(갑오개혁)은 갑오년에 추진된 조선의 개혁 운동이다.

③ 己未獨立運動(기미독립운동)은 기미년에 독립할 목적으로 일으킬 운동으로 3월 1일에 시작되어 삼일 운동이라고도 한다.

④ 子時(자시)는 三更(삼경)이라고도 하며 23시~ 01시이다.

15 서기 연도인 2100년의 끝자리가 0이므로 천간은 庚(경)이고, 서기 연도를 12로 나눈 나머지가 0이므로 지지는 申(신)이다.

16 같은 나이는 六十甲子(육십갑자)도 같기 때문에 同甲(동갑)이라고 한다.

17 ② 回甲(회갑)은 만 60세로 還甲(환갑)이라고도 한다.

| 오답풀이 | ① 地支(지지) ③ 天干(천간) ④ 同甲(동갑) ⑤ 甲子(갑자)

대단원 실전 평가 60쪽

01 ①	02 ②	03 ⑤	04 ③	05 ②	06 ④
07 ①	08 ⑤	09 ④	10 ③	11 ④	12 ⑤
13 ④	14 師弟同行		15 ②	16 ①	17 ③
18 ⑤	19 ②	20 ③	21 ①	22 ②	23 ①
24 ②	25 ⑤	26 ④	27 ⑤	28 ③	29 ⑤
30 ㉠ 丁酉 ㉡ 戊戌			31 ②	32 ③	33 ②
34 ②					

01 ① 所重(소중)은 '귀중하게 여기는 것'을 뜻하며, 여기에서 所는 '것'의 의미로 사용되었다.

02 가로에 들어갈 어휘는 作家(작가), 세로에 들어갈 어휘는 家族(가족)이다.

| 오답풀이 | ① 親 (친) 친하다 ③ 食 (식) 먹다 ④ 子(자) 아들 ⑤ 父 (부) 아버지

03 아버지를 나타내는 한자는 父(부)이다. 夫(부)는 남편을 뜻하는 한자이다.

① 家 (가) 집 ② 母 (모) 어머니 ③ 外三寸(외삼촌): 어머니의 남자 형제 ④ 外祖母(외조모): 외할머니

04 병렬 관계는 성분이 같은 말들이 나란히 놓여 이루어진 단어의 짜임을 말한다. 兩親(양친)은 '양쪽 부모님(부친과 모친)'의 뜻으로 수식어와 피수식어의 관계로 이루어진 단어이다.

| 오답풀이 | ① 夫婦(부부): 남편과 아내 → 병렬 관계

② 子女(자녀): 아들과 딸 → 병렬 관계

④ 慈愛(자애): 사랑 → 병렬 관계

⑤ 父母(부모): 아버지와 어머니 → 병렬 관계

05 '형과 남동생'을 나타내는 어휘는 兄弟(형제)이다. 男妹(남매)는 '오빠와 여동생' 또는 '누나와 남동생'을 나타내는 어휘이다.

| 오답풀이 | ① 父女(부녀) ③ 母子(모자) ④ 姉妹(자매) ⑤ 祖孫(조손)

06 孝誠(효성)은 '어버이를 섬기는 정성'을 뜻하는 어휘이다. 또 '효성이 지극하면 돌 위에 꽃이 핀다.'는 속담은 '효성이 극진하면 어떤 조건에서도 자식 된 도리를 다할 수 있다는 말이다.

| 오답풀이 | ① 所重(소중): 귀중하게 여기는 것

② 食口(식구): 한집에서 함께 살면서 끼니를 같이하는 사람

③ 親族(친족): 촌수가 가까운 일가

⑤ 父母(부모): 아버지와 어머니

07 빈칸에 '들어가다'의 뜻을 지닌 入(입)이 들어가야 '학교에 들어감.'을 뜻하는 入學(입학)이 된다.

| 오답 피하기 | ② 開 (개) 열다 ③ 放 (방) 놓다 ④ 教 (교) 가르치다 ⑤ 同 (동) 같다

08 長은 음이 '장'으로 場[(장) 마당]과 음이 같다. 또 '자라다, 길다, 어른' 등의 뜻이 있으며, 총획수는 8획이다.

| 오답 피하기 | ① 教 (교) 가르치다 – 총획수 11획 ② 相 (상) 서로 – 총획수 9획

③ 成 (성) 이루다 – 총획수 7획

④ 生 (생) 낳다, 살다, 사람 – 총획수 5획

09 教室[(교) 가르치다, (실) 방]

| 오답 피하기 | ① 開學(개학) ② 放學(방학) ③ 學業(학업) ⑤ 音樂室(음악실)

10 ㉠ 교사(教師): 가르치는 스승

ⓛ 학생(學生): 배우는 사람

11 感謝(감사): (고마움을) 느끼어 사례하다.

12 敎學相長(교학상장)은 '敎 → 學 → 相 → 長'의 순서로 풀이하며, 뜻은 '가르치는 것과 배우는 것은 서로 자라게 함.'이다. 따라서 맨 마지막에 풀이하는 글자는 長이다.

| 오답 피하기 | ① '교학상장'으로 읽는다.

② 敎學은 '가르치는 것과 배우는 것'을 뜻한다.

③ 相은 '서로'를 뜻한다.

④ 長은 '자라다'로 풀이한다.

13 빈칸에는 '알고자 하는 바를 얻기 위해 물음.'의 의미인 質問(질문)이 들어가는 것이 알맞다.

| 오답 피하기 | ① 登校(등교): 학생이 학교에 가다.

② 姓名(성명): 성과 이름을 아울러 이르는 말

③ 難解(난해): 풀기가 어렵다.

⑤ 出席(출석): 어떤 자리에 나아가 참석하다.

14 빈칸에는 '교사와 학생이 함께 감.'의 의미인 師弟同行(사제동행)이 들어가는 것이 적절하다.

15 好學(호학)은 '배움을 좋아함.'의 뜻으로 술목 관계의 단어이다.

| 오답풀이 | ① 敎室(교실): 가르치는 방 → 수식 관계

③ 讀書(독서): 책을 읽음. → 술목 관계

④ 同行(동행): 함께 감. → 수식 관계

⑤ 多情(다정): 정이 많음. → 술보 관계

16 節氣(절기)는 태양의 움직임에 따라 한 해를 스물넷으로 나눈 것으로 춘하추동 사계절의 표준이 된다.

| 오답풀이 | ② 季節(계절): 규칙적으로 되풀이되는 자연 현상에 따라서 일 년을 구분한 것

③ 農事(농사): 곡류, 과채류 따위의 씨나 모종을 심어 기르고 거두는 따위의 일

④ 四季(사계): 봄·여름·가을·겨울의 네 계절

⑤ 太陽(태양): 태양계의 중심이 되는 항성

17 春 (춘) 봄 / 夏 (하) 여름 / 秋 (추) 가을 / 冬 (동) 겨울

18 立春(입춘)의 풍속인 입춘첩에 대한 설명이다.

19 春分[(춘) 봄, (분) 나누다]

| 오답풀이 | ㉠: 우수 ㉢: 입하 ㉣: 망종 ㉤: 입춘

20 '여름이 시작되는 시기'로 볼 때 立夏(입하)에 대한 설명임을 알 수 있다.

21 빈칸에 들어갈 절기는 눈이 녹아 비로 내리는 雨水(우수)이다.

22 冬至(동지)는 12월 22일경으로 겨울의 절기에 해당한다. 또 이때 팥죽을 먹으면 진짜 한 살 더 먹는다고도 한다.

| 오답풀이 | ㉡ '동지'라고 읽는다.

㉣ 밤이 가장 긴 날이다.

23 大雪(대설)은 눈이 많이 내리는 시기로 겨울[冬]의 절기에 해당한다.

| 오답풀이 | ② 霜降(상강): 서리가 내림. → 가을 [秋]의 절기

③ 大寒(대한): 추위가 심함. → 겨울[冬]의 절기

④ 處暑(처서): 더위가 물러남. → 가을[秋]의 절기

⑤ 大暑(대서): 더위가 심함. → 여름[夏]의 절기

24 小雪(소설)은 눈이 내리기 시작하는 시기이다. 추위가 시작되는 시기는 小寒(소한)이다.

| 오답 풀이 | ① 霜降(상강) ③ 立秋(입추) ④ 驚蟄(경칩) ⑤ 穀雨(곡우)

25 甲(갑)은 갑옷 또는 첫째 천간을 의미한다.

| 오답 풀이 | ① 辛(신) 맵다 ② 丑(축) 둘째 지지 ③ 子(자) 아들, 첫째 지지 ④ 申(신) 아홉째 지지

26 지지는 땅을 상징하는 열두 개의 갈래를 뜻한다.

28 子時(자시)는 三更(삼경)이라고도 하며, 23~01시를 나타낸다.

| 오답 풀이 | ① 正午(정오): 낮 12시

② 子正(자정): 밤 12시

④ 卯時(묘시): 05시~07시

⑤ 未時(미시): 13시~15시

29 '나'는 닭띠이다. 닭을 나타내는 지지는 酉(유)이다.

① 할아버지는 호랑이띠이다. - 寅

② 할머니는 용띠이다. - 辰

③ 아버지는 말띠이다. - 午

④ 어머니는 양띠이다. - 未

30 2016년은 丙申(병신)년이다. 이로 미루어 육십갑자를 계산해 보면, 2017년은 丁酉(정유)년, 2018년 戊戌(무술)년이다.

31 己未獨立運動(기미독립운동)에 대한 설명이다. 서기 연도인 1919년의 끝자리가 9이므로 천간은 己(기)이고, 서기 연도인 1919를 12로 나눈 나머지가 11이므로 지지는 未(미)이다.

32 壬辰倭亂(임진왜란)은 임진년(1592년)에 일본이 침입한 전란이다. 갑오년에 추진된 조선의 개혁 운동은 甲午改革(갑오개혁)이다.

| 오답풀이 | ① 師弟同行(사제동행) ② 曾孫子 (증손자) ④ 家和萬事成(가화만사성) ⑤ 敎學相長(교학상장)

33 大暑(대서)는 더위가 심한 시기를 말한다.
| 오답풀이 | ① 家族(가족) ③ 回甲(회갑) ④ 感謝(감사) ⑤ 所重(소중)

34 두 명언 모두 책의 가치를 말하고 있으므로, '책을 읽음.'을 뜻하는 讀書(독서)가 주제에 가장 가깝다.
| 오답풀이 | ① 季節(계절) ③ 同甲(동갑) ④ 質問(질문) ⑤ 孝誠(효성)

Ⅲ. 언어생활을 살찌우는 성어

07. 숫자로 배우는 성어

소단원 스스로 정리 71쪽

1 ❶(칠) ❷여덟 ❸百 ❹(수) ❺起 ❻(지) ❼鳥 ❽(우) ❾先 ❿(어) ⓫度 ⓬(상)
2 ❶數 ❷용량 ❸선분 ❹度 ❺천 ❻만
3 ❶一擧兩得 ❷셋째 ❸넷째 ❹칠전팔기 ❺아홉 ❻열 ❼辛 ❽苦
4 ❶실사 ❷허사

소단원 확인 문제 72쪽

01 ⑤	02 ⑤	03 ④	04 百, 一		05 ⑤
06 ④	07 ②	08 ③	09 ①	10 ③	11 ②
12 ③	13 ①	14 ⑤	15 ④	16 성명이나 신분이 특별하지 아니한 평범한 사람들	
17 ③	18 ④	19 ①			

01 匹(필)은 '짝'을 뜻하는 한자이다.
| 오답풀이 | ① 六 (륙) 여섯 ② 七 (칠) 일곱 ③ 九 (구) 아홉 ④ 十 (십) 열

02 1,000,000,000,000(일조)에 해당하는 한자는 兆(조)이다.
| 오답풀이 | ① 4에 해당하는 한자는 四이다. 西(서)는 '서녘'을 의미하는 한자이다.
② 5에 해당하는 한자는 五이다. 正(정)은 '바르다'를 의미하는 한자이다.
③ 8에 해당하는 한자는 八이다. 人(인)은 '사람'을 의미하는 한자이다.
④ 100,000,000(일억)에 해당하는 한자는 億이다. 意(의)는 '뜻'을 의미하는 한자이다.

03 石(석)의 부수는 石이다.

04 百 (백) 일백 / 一 (일) 하나

05 千 (천) 일천
| 오답풀이 | ① 天 (천) 하늘 ② 于(우) 어조사 ③ 午 (오) 낮 ④ 干 (간) 방패

06 ㉠: 十 (십) 열 ㉡: 七 (칠) 일곱 ㉢: 八 (팔) 여덟 ㉣: 三 (삼) 셋 ㉤: 二 (이) 두 ㉥: 萬 (만) 일만

07 百貨店은 '여러 가지 상품을 부문별로 나누어 진열·판매하는 대규모의 현대식 종합 소매점'을 의미한다. 千態萬象은 '천 가지 모습과 만 가지 형상'이라는 뜻으로, 세상 사물이 한결같지 아니하고 각각 모습·모양이 다름을 이르는 말이다. 이 두 단어에서 百, 千, 萬은 모두 '많다'의 의미로 쓰인다.

08 聞一知十(문일지십)은 '하나를 듣고 열 가지를 (미루어) 앎.'으로 풀이된다. 따라서 마지막으로 풀이되는 한자는 知이다.

09 一擧兩得, 九死一生, 聞一知十

10 一擧兩得(일거양득)은 '한 가지의 행동으로 두 가지의 이익을 얻음.'을 뜻하는 성어로, 비슷한 뜻의 성어로는 一石二鳥(일석이조)가 있다.
| 오답풀이 | ① 聞一知十(문일지십): 하나를 듣고 열 가지를 (미루어) 알다. → 지극히 총명함.
② 九死一生(구사일생): 아홉 번 죽을 뻔하다 한 번 살아남. → 죽을 고비를 여러 차례 넘기고 겨우 살아남.
④ 甲男乙女(갑남을녀): 평범한 사람들
⑤ 千辛萬苦(천신만고): 천 가지 매운 맛과 만 가지 쓴 것 → 온갖 어려운 고비를 다 겪으며 심하게 고생함.

11 문맥상 '여러 번 실패하여도 굴하지 않고 꾸준히 노력함.'을 뜻하는 七顚八起(칠전팔기)가 들어가는 것이 가장 적절하다.

12 聞一知十(문일지십)은 一聞十知(2-1-4-3)의 순서로 풀이된다.
| 오답풀이 | ① 一擧兩得(일거양득): 一 → 擧 → 兩 → 得(1-2-3-4)
② 張三李四(장삼이사): 張 → 三 → 李 → 四(1-2-3-4)
④ 九死一生(구사일생): 九 → 死 → 一 → 生(1-2-3-4)
⑤ 七顚八起(칠전팔기): 七 → 顚 → 八 → 起(1-2-3-4)

13 '도랑 치고 가재 잡는다.'는 한 가지 일로 두 가지 이익을 봄을 비유적으로 이르는 말이다.

14 聞一知十(문일지십)에 대한 유래이다.

15 九死一生(구사일생)은 '죽을 고비를 여러 차례 넘기고 겨우 살아남.'을 의미한다.

16 張三李四(장삼이사)은 '장씨 집안의 셋째 아들, 이씨 집안의 넷째 아들'로 풀이되며, '성명이나 신분이 특별하지 아니한 평범한 사람들'을 뜻한다.

17 사소한 시련에 쉽게 포기하는 사람에게는 七顚八起(칠전팔기)에 담긴 교훈(포기하지 말고 다시 도전하는 자세)이 필요하다.

18 '밖으로는 실제적인 이익이 있게 되고, 안으로는 관용을 베푸는 일이 되어'라는 구절로 미루어 볼 때, 一擧兩得(일거양득)이 들어가는 것이 알맞다.

19 넘어져도 다시 일어설 수 있다는 내용의 시이므로, 시의 제목으로는 '일곱 번 넘어지고 여덟 번 일어남.'을 뜻하는 七顚八起(칠전팔기)가 알맞다.

08. 삶을 따뜻하게 하는 성어

소단원 스스로 정리 79쪽

1 ❶ 自 ❷ (신) ❸ 道 ❹ (신) ❺ 馬 ❻ (우) ❼ 之 ❽ (이) ❾ 易 ❿ 仁 ⓫ (남) ⓬ 安

2 ❶ 화랑 ❷ 親舊 ❸ 부모 ❹ 살생

3 ❶ 竹馬故友 ❷ 막역지우 ❸ 믿음 ❹ 相扶相助 ❺ 之 ❻ 仁

4 ❶ 명사 ❷ 형용사 ❸ 개사 ❹ 어조사

소단원 확인 문제 80쪽

01 ④ 02 ② 03 ① 04 ③ 05 ④ 06 ②
07 ① 08 ② 09 故
10 [예시 답안] 우리는 유치원 때부터 항상 함께 놀던 竹馬故友(죽마고우)이다.
11 ⑤ 12 友 13 ② 14 ⑤ 15 ④ 16 ⑤
17 ⑤ 18 ① 19 ⑤

01 友(우)의 부수는 又이다.

02 扶(부)와 助(조)는 모두 '돕다'의 뜻을 지닌 한자이다.
| 오답풀이 | ① 故 (고) 옛, 까닭 / 友 (우) 벗
③ 交 (교) 사귀다 / 信 (신) 믿다, 소식
④ 易 (역) 바꾸다, (이) 쉽다 / 思 (사) 생각
⑤ 成 (성) 이루다 / 人 (인) 사람

03 道理는 '사람이 어떤 입장에서 마땅히 행하여야 할 바른 길(참된 도리)'를 뜻한다. 여기서의 道는 길보다는 '도리'의 의미로 사용되었다.
| 오답풀이 | ② 信義 – 믿다
③ 交易 – 바꾸다
④ 殺身成仁 – 죽이다
⑤ 易地思之 – 그것

04 親舊(친구)는 '가깝게 오래 사귄 사람'의 뜻을 지닌 어휘이다.
| 오답풀이 | ① 時間(시간): 어떤 시각에서 어떤 시각까지의 사이
② 自身(자신): 그 사람의 몸 또는 바로 그 사람을 이르는 말
④ 親近感(친근감): 사귀어 지내는 사이가 아주 가까운 느낌
⑤ 信義(신의): 믿음, 의리를 아울러 이르는 말

06 莫逆之友(막역지우)를 풀이하면 '거스름이 없는 친구'가 된다. 여기에서 之는 '~한'의 의미로 쓰였다.

07 성어의 풀이로 미루어 볼 때, 빈칸에는 '믿음'의 뜻을 지닌 信(신)이 들어가는 것이 알맞다.
| 오답풀이 | ② 仁 (인) 어질다 ③ 助 (조) 돕다 ④ 思 (사) 생각 ⑤ 馬 (마) 말

08 竹馬故友(죽마고우)는 '대나무 말을 타고 놀던 옛 벗'을 의미하므로, 여기에서 故는 '옛'의 의미로 쓰였다.

09 竹(죽), 馬(마), 友(우)는 각각 '대나무, 말, 벗'을 뜻하는 한자이므로 모두 명사이다. 故(고)는 '옛'이라는 뜻으로 쓰여 명사인 友(우)를 수식하므로 형용사이다.

10 竹馬故友(죽마고우)는 '대나무 말을 타고 놀던 옛 친구 → 어릴 때부터 같이 놀며 자란 친구'를 뜻한다. 이로 미루어 볼 때, 어린 시절부터 함께 놀던 친구라는 내용을 포함하여 문장을 구성하는 것이 적절하다.

11 以(이)는 '(으로)써'라는 뜻을 지닌 개사이므로 허사이고, 나머지 한자는 모두 실사이다.
| 오답풀이 | ① 相(상)은 '서로'라는 뜻을 지닌 부사이므로 실사이다.
② 助(조)는 '돕다'라는 뜻을 지닌 동사이므로 실사이다.
③ 故(고)는 '옛'이라는 뜻으로 쓰일 때는 형용사이고, '까

닭'이라는 뜻으로 쓰일 때는 명사이다. 두 경우 모두 실사이다.
④ 交(교)는 '사귀다'라는 뜻을 지닌 동사이므로 실사이다.

12 竹馬故友(죽마고우): 대나무 말을 타고 놀던 옛 친구
莫逆之友(막역지우): 거스름이 없는 친구
交友以信(교우이신): 친구를 믿음으로써 사귐.

13 易地思之(역지사지)에서의 易의 음은 '역', 뜻은 '바꾸다'이다. 이와 음이 같은 한자는 '거스르다'의 뜻을 지닌 逆(역)이다.

14 易地思之(역지사지)는 '처지를 바꾸어서 그것(상대방의 입장)을 생각함.'이다. 따라서 여기서의 地는 '처지'의 의미로 쓰였다.

15 易地思之(역지사지)에서의 之(지)는 단어의 표면적 의미로는 '그것'을 의미하며, 문맥상으로는 '상대방의 입장'을 가리킨다.

16 제시된 글은 서로 돕는 우리 고유의 풍속인 두레와 품앗이에 관한 내용이다. 이와 관련 있는 성어는 '서로 돕고 서로 돕는다'는 의미인 相扶相助(상부상조)이다.

17 제시된 그림은 서로의 입장을 배려하지 않아 곤란한 지경에 빠진 여우와 두루미의 모습이다. 둘에게는 처지를 바꾸어 상대방의 입장을 생각하는 易地思之(역지사지)의 자세가 필요하다.

18 제시된 글은 위험을 무릅쓰고 자신을 희생하여 다른 사람을 도운 부부에 대한 내용이다. 부부는 옳은 일을 위해서 자신을 희생하는 殺身成仁(살신성인)을 실천했다고 볼 수 있다.

19 교우이신(交友以信)은 '친구를 믿음으로써 사귐.'을 의미하므로 우정과 관련된다.
| 오답풀이 | ① 사군이충(事君以忠)은 '임금을 충성으로써 섬김.'을 의미하므로 충성심과 관련된다.
② 사친이효(事親以孝)는 '부모를 효도로써 섬김.'을 의미하므로 효심과 관련된다.
③ 임전무퇴(臨戰無退)는 '전쟁에서 물러서지 않음.'을 의미하므로 용기와 관련된다.
④ 살생유택(殺生有擇)은 '함부로 살생하지 않음.'을 의미하므로 자비와 관련된다.

09. 이야기가 있는 성어

소단원 스스로 정리 87쪽

1 ❶ 車 ❷ (면) ❸ 對 ❹ (리) ❺ (익) ❻ 草 ❼ (고) ❽ 平 ❾ 老 ❿ (달) ⓫ 由 ⓬ (고)
2 ❶ 고전 ❷ 由來 ❸ 타산지석 ❹ 日 ❺ 月
3 ❶ 결초보은 ❷ 漁父之利 ❸ 호랑이 ❹ 楚歌 ❺ 多多益善

소단원 확인 문제 88쪽

01 ① 02 ⑤ 03 ② 04 함흥차사 05 ①
06 ④ 07 ① 08 ② 09 ④ 10 ②
11 漁父之利 12 (1) ㉢ (2) ㉡ (3) ㉠ 13 ②
14 ② 15 ② 16 ①

01 勝(승)의 부수는 力이다.

02 고사성어는 4자로 이루어진 것이 많지만, 2자나 3자 또는 5자로 이루어진 것도 있다.

03 ②에는 문맥상 '겨루어서 이김.'을 뜻하는 勝利(승리)보다는 '겨루어서 짐.'을 뜻하는 敗北(패배)가 들어가는 것이 적절하다.
| 오답풀이 | ① 名將(명장): 이름난 장수
③ 對決(대결): 양자(兩者)가 맞서서 우열이나 승패를 가림.
④ 古典(고전): 오랫동안 많은 사람에게 널리 읽히고 모범이 될 만한 문학이나 예술 작품
⑤ 由來(유래): 사물이나 일이 생겨남. 또는 그 사물이나 일이 생겨난 바

04 제시된 글은 우리나라의 성어인 함흥차사(咸興差使)의 유래이다.

05 水魚之交(수어지교)는 『삼국지』에 나온 말로, 유비가 자신과 제갈공명과의 관계를 '물과 물고기의 사귐.'과 같다고 한 데서 유래하였다.
| 오답풀이 | ② 多多益善(다다익선): 많으면 많을수록 더욱 좋음.
③ 漁父之利(어부지리): 어부의 이익 → 둘이 다투는 사이에 엉뚱한 사람이 얻게 된 이익
④ 結草報恩(결초보은): 풀을 묶어서 은혜를 갚음. → 죽은 뒤에라도 은혜를 잊지 않고 갚음.
⑤ 五十步百步(오십보백보): 오십 걸음, 백 걸음 → 조

금 낫고 못한 정도의 차이는 있으나 본질적으로는 차이가 없음.

06 結草報恩(결초보은)은 '草 → 結 → 恩 → 報'의 순서로 풀이된다. 따라서 마지막으로 풀이하는 글자는 報이다.

| 오답풀이 | ① 結은 '맺다, 묶다'라고 풀이한다.

② 報는 '갚다'라고 풀이한다.

③ 가장 먼저 풀이하는 글자는 草이다.

⑤ 속뜻은 '죽은 뒤에라도 은혜를 잊지 않고 갚음.'이다.

07 빈칸에 '이루다'의 의미의 成(성)이 들어가면 三人成虎(삼인성호)가 되어 '세 사람이 호랑이를 만듦.'으로 풀이된다.

| 오답풀이 | ② 姓 (성) 성씨 ③ 城 (성) 성 ④ 盛 (성) 성하다 ⑤ 誠 (성) 정성

08 多多益善(다다익선)은 '많으면 많을수록 더욱 좋음.'으로 풀이된다. 여기에서 善(선)은 '좋다'의 의미로 사용되었다.

09 한나라를 세운 유방과 명장 한신이 장수의 역량에 대하여 얘기한 사건에서 비롯된 성어이다.

10 漁父之利(어부지리)의 '어'는 '물고기'를 뜻하는 魚(어)가 아니라 '고기 잡다'를 뜻하는 漁(어)로 표기해야 한다.

| 오답풀이 | ① 結草報恩(결초보은)

③ 三人成虎(삼인성호)

④ 四面楚歌(사면초가)

⑤ 多多益善(다다익선)

11 조개와 도요새의 다툼을 틈타 어부가 이익을 얻을 것을 걱정하고 있으므로, 漁父之利(어부지리)의 유래임을 알 수 있다.

12 ㉠ 結草報恩(결초보은): 풀을 묶어서 은혜를 갚음. → 죽은 뒤에라도 은혜를 잊지 않고 갚음.

㉡ 四面楚歌(사면초가): 사방에서 들리는 초나라의 노래 → 적에게 둘러싸인 상태나 누구의 도움도 받을 수 없는 고립 상태에 빠짐.

㉢ 五十步百步(오십보백보): 오십 걸음, 백 걸음 → 조금 낫고 못한 정도의 차이는 있으나 본질적으로는 차이가 없음.

13 '많이 참여할수록 당첨 확률이 높아지는'이라는 구절로 볼 때 多多益善(다다익선)과 의미가 통한다고 볼 수 있다.

14 제시된 대화는 여럿이서 허무맹랑한 이야기를 하자, 그것을 믿게 되는 사람의 모습을 보여 준다. 따라서 '근거 없는 말이라도 여러 사람이 말하면 곧이듣게 됨.'을 이르는 성어인 三人成虎(삼인성호)와 뜻이 통한다고 볼 수 있다.

15 제시된 시는 열심히 학문을 닦는 모습에 대한 내용이다. 특히 밑줄 친 부분은 나날이 '다달이 자라거나 발전함.'을 뜻하는 日就月將(일취월장)의 유래가 된다.

16 제시된 시는 他山之石(타산지석)의 유래이다. 이는 다른 산의 나쁜 돌이라도 자신의 산의 옥돌을 가는 데에 쓸 수 있다는 뜻으로, 본이 되지 않은 남의 말이나 행동도 자신의 지식과 인격을 수양하는 데에 도움이 됨을 비유적으로 이르는 말이다.

대단원 실전 평가

92쪽

01 ③ 02 ③ 03 ④ 04 ① 05 ④, ⑤
06 ① 07 ④ 08 ⑤ 09 ⑤ 10 ② 11 ③
12 ③ 13 ③ 14 ④ 15 結草報恩 16 ①
17 (1) 九 (2) 千 (3) 四 (4) 百 18 (1) 一擧兩得: 한 가지의 행동으로 두 가지의 이익을 얻음. (2) 三人成虎: 세 사람이 호랑이를 만듦. 19 ①

01 7에 해당하는 한자는 七(칠)이다. 九(구)는 9에 해당하는 한자이다.

02 死(사)는 '죽다', 生(생)은 '살다'의 의미를 지닌 한자이므로, 서로 의미상 상대되는 한자로 볼 수 있다.

| 오답풀이 | ① 張 (장) 베풀다, 성씨 – 李 (이) 오얏, 성씨

② 擧 (거) 들다, 행하다 – 得 (득) 얻다

④ 辛 (신) 맵다, 여덟째 천간 – 苦 (고) 쓰다

⑤ 千 (천) 일천 – 萬 (만) 일만

03 □一知十(문일지십)의 풀이가 '하나를 듣고 열 가지를 (미루어) 앎.'인 것으로 볼 때, 빈칸에 들어갈 한자는 '듣다'의 의미인 聞(문)이다.

| 오답풀이 | ① 門 (문) 문 ② 問 (문) 묻다 ③ 文 (문) 글월 ⑤ 開 (개) 열다

04 七顚八起(칠전팔기)는 '일곱 번 넘어지고 여덟 번 일어남. → 여러 번 실패하여도 굴하지 아니하고 꾸준히 노력함.'의 뜻을 지닌 성어이다.

| 오답풀이 | ② 聞一知十(문일지십): 하나를 듣고 열 가지를 (미루어) 알다. → 지극히 총명함.

③ 張三李四(장삼이사): 장씨 집안의 셋째 아들, 이씨 집안의 넷째 아들 → 성명이나 신분이 특별하지 아니한 평범

한 사람들

④ 一擧兩得(일거양득): 한 가지의 행동으로 두 가지의 이익을 얻음.

⑤ 九死一生(구사일생): 아홉 번 죽을 뻔하다 한 번 살아남. → 죽을 고비를 여러 차례 넘기고 겨우 살아남.

05 張三李四(장삼이사)는 '성명이나 신분이 특별하지 아니한 평범한 사람들'을 뜻하는 성어로, 비슷한 뜻을 가진 성어로는 甲男乙女(갑남을녀)와 匹夫匹婦(필부필부)가 있다.

06 一石二鳥(일석이조)는 '돌 하나를 던져서 새 두 마리를 잡음.'을 뜻하는 성어로, 한 가지 행동으로 두 가지의 이익을 얻는 상황을 나타낸다. 이와 뜻이 통하는 속담으로는 '꿩 먹고 알 먹기'가 알맞다.

| 오답풀이 | ② 어떤 사물이 지나치게 미미하여 일을 하는 데에 효과나 영향이 전혀 없다는 말

③ 애써 하던 일이 실패로 돌아가거나 남보다 뒤떨어져 어찌할 도리가 없이 됨을 비유적으로 이르는 말

⑤ 아무도 안 듣는 데서라도 말조심해야 한다는 말

④ 힘에 겨운 일을 억지로 하면 도리어 해만 입는다는 말

07 음과 뜻이 '(살) 죽이다'인 한자는 殺이다. 殺은 이 외에도 '(쇄) 빠르다'의 음과 뜻도 있다.

| 오답풀이 | ① (우) 벗 – 友 ② (북) 북녘 – 北 ③ (자) 스스로 – 自 ⑤ (사) 생각하다 – 思

08 易地思之(역지사지)는 '처지를 바꾸어 그것을 생각함.', 莫逆之友(막역지우)는 '거스름이 없는 친구'로 풀이된다. 따라서 ㉠은 '그것'으로, ㉡은 '한'으로 풀이된다.

09 竹馬故友(죽마고우)는 '대나무 말을 타고 놀던 옛 친구'로 풀이되며, 속뜻은 '어릴 때부터 같이 놀며 자란 친구'이다.

10 親舊(친구)는 '가깝게 오래 사귄 사람'을 뜻하는 어휘이므로 죽마고우와 가장 관련이 있다.

| 오답풀이 | ① 時間(시간): 어떤 시각에서 어떤 시각까지의 사이

③ 自身(자신): 그 사람의 몸 또는 바로 그 사람을 이르는 말

④ 正直(정직): 마음에 거짓이나 꾸밈이 없이 바르고 곧음

⑤ 知識(지식): 어떤 대상에 대하여 배우거나 실천을 통하여 알게 된 명확한 인식이나 이해

11 相扶相助(상부상조)는 '서로 돕고 서로 도움.'의 뜻을 지닌 성어이므로, '힘을 합하여 서로 도움.'을 뜻하는 '협력'을 강조한다고 볼 수 있다.

12 易地思之(역지사지)는 '처지를 바꾸어서 그것을 생각함.'으로 풀이되므로, 思(사)는 '생각하다'의 뜻을 지닌 동사임을 알 수 있다.

| 오답풀이 | ① 易(역)은 '바꾸다'의 뜻을 지닌 동사이다.

② 地(지)는 '처지'의 뜻을 지닌 명사이다.

④ 相(상)은 '서로'의 의미를 지닌 부사이다.

⑤ 仁(인)은 '인(덕목)'의 의미를 지닌 명사이다.

13 둘이 싸우는 사이에 엉뚱한 사람이 이익을 얻게 된 상황이다.

14 四面楚歌(사면초가)는 '사방에서 들리는 초나라의 노래'로 풀이되며, 속뜻은 '적에게 둘러싸인 상태나 누구의 도움도 받을 수 없는 고립 상태에 빠짐.'이다.

| 오답풀이 | ① 結草報恩(결초보은)의 속뜻이다.

② 漁父之利(어부지리)의 속뜻이다.

③ 三人成虎(삼인성호)의 속뜻이다.

⑤ 五十步百步(오십보백보)의 속뜻이다.

15 노인은 풀을 미리 묶어 놓아 적이 걸려 넘어지게 하여 딸의 목숨을 구해 준 위과에게 은혜를 갚은 것이다.

16 易 (역/이) – 思(사)

| 오답풀이 | ② 地(지) – 之(지) ③ 以(이) – 李(이) ④ 信(신) – 身(신) ⑤ 苦(고) – 故(고)

17 (1) 九死一生(구사일생): 아홉 번 죽을 뻔하다 한 번 살아남.

(2) 千辛萬苦(천신만고): 천 가지 매운 것과 만 가지 쓴 것

(3) 四面楚歌(사면초가): 사방에서 들리는 초나라의 노래

(4) 五十步百步(오십보백보): 오십 걸음, 백 걸음

18 (1) 물고기와 문어를 동시에 잡은 낚시꾼 그림이므로 '한 가지의 행동으로 두 가지의 이익을 얻음.'을 의미하는 一擧兩得(일거양득)이 관련 있다.

(2) 세 사람이 호랑이가 나타났다고 말하자 이를 믿은 사람들이 도망가는 그림이므로, '근거 없는 말이라도 여러 사람이 말하면 곧이듣게 됨.'을 의미하는 三人成虎(삼인성호)가 관련 있다.

19 漁父之利(어부지리)에서 之는 어조사(~의)로 쓰였다.

| 오답풀이 | ② 交友以信 – 명사(믿음)

③ 殺身成仁 – 동사(이루다)

④ 四面楚歌 – 수사(넷)

⑤ 多多益善 – 형용사(좋다)

IV. 울림이 있는 짧은 글

10. 속담에 담긴 삶의 지혜

소단원 스스로 정리 101 쪽

1 ❶(소) ❷俗 ❸코 ❹火(灬) ❺날다 ❻經 ❼그늘 ❽(차) ❾낮 ❿耳 ⓫(야) ⓬美 ⓭(거) ⓮心(忄) ⓯벌레

2 ❶吾鼻三尺 ❷이란투석 ❸까마귀 ❹배 ❺讀 ❻哀惜

3 ❶陰 ❷陽 ❸又 ❹이미 ❺晝 ❻새 ❼밤말 ❽何

4 ❶평서문 ❷질문

소단원 확인 문제 102 쪽

01 ② 02 ③ 03 ② 04 ④ 05 ① 06 ⑤ 07 ③ 08 ⑤ 09 ① 10 ④ 11 ③ 12 吾鼻三尺, 내 사정이 급하고 어려워서 남을 돌볼 여유가 없다. 13 (1) ㄴ (2) ㄹ (3) ㄷ (4) ㄱ 14 ② 15 주어작청, 야어서청 16 ② 17 ③ 18 ① 19 ⑤

01 俗의 음은 '속', 뜻은 '풍속'이다.
| 오답풀이 | ① 晝 (주) 낮 ③ 旣 (기) 이미 ④ 齒 (치) 이 ⑤ 烏 (오) 까마귀

02 梨 (리) 배나무
| 오답풀이 | ① 牛 (우) 소 ② 鼠 (서) 쥐 ④ 烏 (오) 까마귀 ⑤ 雀 (작) 참새

03 자음 색인은 ㄱㄴㄷ순이므로 '② 去 (거) 가다 → ③ 卵 (란) 알 → ⑤ 名 (명) 이름 → ④ 石 (석) 돌 → ① 蟲 (충) 벌레' 순으로 찾을 수 있다.

04 크고 살찐[大] + 양(羊) → 아름답다[美]
| 오답풀이 | ① 素 (소) 희다, 바탕
② 落 (락) 떨어지다
③ 哀 (애) 슬프다
⑤ 轉 (전) 구르다, 변하다

05 陰 (음) 그늘 – 陽 (양) 볕
| 오답풀이 | ② 鼻 (비) 코 –飛 (비) 날다
③ 轉 (전) 구르다, 변하다 – 變 (변) 변하다
④ 哀 (애) 슬프다 – 惜 (석) 아끼다, 아깝다
⑤ 素 (소) 희다, 바탕 – 朴 (박) 순박하다, 성

06 談 (담) 말씀
• 俗談: 예로부터 민간에 전하여 오는 교훈이나 경계를 담은 쉽고 짧은 말
• 相談: 문제를 해결하거나 궁금증을 풀기 위하여 서로 의논함.
| 오답풀이 | ① 投 (투) 던지다 ② 變 (변) 변하다 ③ 借 (차) 빌리다 ④ 聽 (청) 듣다

07 哀(애) 슬프다, 惜(석) 아깝다
| 오답풀이 | ① 名言(명언) ② 食堂(식당) ④ 蟲齒(충치) ⑤ 素朴(소박)

08 俗談(속담)
| 오답풀이 | ① 漢字(한자) ② 漢文(한문) ③ 名言(명언) ④ 成語(성어)

09 愛惜(애석) → 哀惜(애석)
| 오답풀이 | ② 蟲齒(충치) ③ 名言(명언) ④ 成語(성어) ⑤ 食堂(식당)

10 까마귀 날자 배 떨어진다. → 烏飛梨落
| 오답풀이 | ① 吾鼻三尺: 내 코가 석 자
② 牛耳讀經: 쇠귀에 경 읽기
③ 以卵投石: 달걀로 바위 치기
⑤ 一擧兩得: 한 가지의 행동으로 두 가지의 이익을 얻음.

11 牛何之: 소가 어디로 가는가? → 의문문
| 오답풀이 | ① 牛耳讀經: 쇠귀에 경 읽기 ② 吾鼻三尺: 내 코가 석 자 ④ 陰地變: 음지가 변하다. ⑤ 又借房: 또 방을 빌리다. → 평서문

12 내 사정이 급하고 어려워서 남을 돌볼 여유가 없음. → 吾鼻三尺(내 코가 석 자)

13 (1) 烏飛梨落(오비이락): 아무 관계도 없이 한 일이 공교롭게도 때가 같아 억울하게 의심을 받거나 난처한 위치에 서게 됨을 이르는 말 → 까마귀 날자 배 떨어진다.
(2) 以卵投石(이란투석): 아주 약한 것으로 강한 것에 대항하려는 어리석음을 비유적으로 이르는 말 → 달걀로 바위 치기
(3) 吾鼻三尺(오비삼척): 내 사정이 급하고 어려워서 남을 돌볼 여유가 없음. → 내 코가 석 자
(4) 牛耳讀經(우이독경): 아무리 가르치고 일러 주어도 알아듣지 못함을 이르는 말 → 쇠귀에 경 읽기

14 陰地轉하여 陽地變이라.: 음지가 바뀌어 양지로 변한다. → 쥐구멍에도 볕 들 날 있다.

| 오답풀이 | ① 세 살 버릇 여든까지 간다. → 三歲之習이 至于八十이라. ③ 대청 빌리고 또 안방을 빌리려 한다. → 旣借堂하고 又借房이라. ④ 가는 말이 고와야 오는 말이 곱다. → 來語不美어늘 去語何美리오? ⑤ 낮말은 새가 듣고, 밤말은 쥐가 듣는다. → 晝語雀聽하고 夜語鼠聽이라.

16 旣借堂하고 又借房이라.: 이미 대청을 빌리고 또 안방을 빌리려 한다.

17 夜 (야) 밤 ↔ 晝 (주) 낮

| 오답풀이 | ① 陰 (음) 그늘 ② 房 (방) 방 ④ 語 (어) 말씀 ⑤ 去 (거) 가다

18 語(어) 말씀 – 言(언) 말씀

| 오답풀이 | ② 吾 (오) 나
③ 轉 (전) 구르다, 변하다
④ 聽(청) 듣다
⑤ 耳 (이) 귀

19 來語不美어늘 去語何美리오?: 오는 말이 곱지 않은데 가는 말이 어찌 고우리오? → 내가 상대방에게 좋은 말을 해야 상대방도 나에게 좋은 말을 한다.

11. 마음에 품은 큰 뜻

소단원 스스로 정리 109쪽

1 ❶ 心(忄) ❷ 뜻 ❸ 者 ❹ 公 ❺ 力 ❻ (유) ❼ 어조사 ❽ 於 ❾ 멀다 ❿ 後 ⓫ 必 ⓬ (이)
2 ❶ 특기 ❷ 전망 ❸ 立志 ❹ 順 ❺ 지천명
3 ❶ 志 ❷ 일 ❸ 固 ❹ 근심 ❺ 成 ❻ 원대 ❼ 須 ❽ 必 ❾ 처음 ❿ 먼저
4 ❶ 현토 ❷ 부호

소단원 확인 문제 110쪽

01 ② 02 ④ 03 ⑤ 04 ③ 05 ③ 06 ④
07 ④ 08 ③ 09 ② 10 立志 11 ① 12 ⑤
13 (1) 유지자는 사경성야라 (2) 유지자, 사경성야. 14 ③
15 ① 16 ④ 17 ③ 18 ③ 19 처음 배우는 사람은 먼저 모름지기 뜻을 세우되 반드시 성인으로서 스스로를 기약해야 한다. 20 ①

01 軍(군) 군사

| 오답풀이 | ① 望 (망) 바라다 ③ 在 (재) 있다 ④ 固 (고) 굳다 ⑤ 遠 (원) 멀다

02 자음 색인은 ㄱㄴㄷ순이므로 '⑤ 公 (공) 공평하다, 관청 → ② 順 (순) 차례, 순하다 → ③ 醫 (의) 의원 → ① 特 (특) 특별하다 → ④ 患 (환) 근심' 순으로 찾을 수 있다.

03 有 (유) 있다 – 在 (재) 있다

| 오답풀이 | ① 警 (경) 경계하다 – 竟 (경) 마침내
② 性 (성) 성품 – 聖 (성) 성인
③ 員 (원) 인원 – 遠 (원) 멀다
④ 志 (지) 뜻 – 之 (지) 어조사

04 員의 음은 '원', 뜻은 '인원', 부수는 '口'이다.

05 師 (사) 스승

• 敎師(교사): 일정한 자격을 가지고 학생을 가르치는 사람
• 醫師(의사): 일정한 자격을 가지고 병을 고치는 것을 직업으로 하는 사람
• 料理師(요리사): 요리를 전문으로 하는 사람

| 오답풀이 | ① 員 (원) 인원 ② 事 (사) 일 ④ 士 (사) 선비 ⑤ 者 (자) 사람

07 경찰 → 警察

| 오답풀이 | ① 判事(판사) ② 學者(학자) ③ 軍人(군인) ⑤ 選手(선수)

08 ① 15 → 志學 ② 30 → 而立 ④ 50 → 知天命 ⑤ 60 → 耳順

09 생각하는 것이 원만하여 어떤 일을 들으면[耳] 곧 이해가 되는[順] 때: 耳順 → 60세

| 오답풀이 | ① 而立: 자립하는 때 → 30세
③ 不惑: 세상일에 흔들리지 않는 때 → 40세
④ 志學: 학문에 뜻을 두는 때 → 15세
⑤ 知天命: 천명을 아는 때 → 50세

10 뜻을 세우는 것 → 立志

11 四業 → 事業

| 오답풀이 | ② 特技(특기) ③ 展望(전망) ④ 適性(적성) ⑤ 遠大(원대)

12 (가)는 '뜻이 있는 사람은 일이 마침내 이루어진다.'는 뜻으로, (다)는 '뜻을 세움이 원대해진 뒤에 일이 이루어질 수 있다.'는 뜻으로 (가)와 (다) 모두 입지(立志)를 강조하고 있다.

14 有志者事竟成也: 뜻이 있는 사람은 일이 마침내 이루어진다.

15 人之患은 在於立志不固니라.: 사람의 근심은 뜻을 세

움이 굳지 못함에 있다.

16 立志遠大然後에 事業可成이라.: 뜻을 세움이 원대해진 뒤에 일이 이루어질 수 있다. 業(업) 일 – 事 (사) 일
| 오답풀이 | ① 竟 (경) 마침내 ② 固 (고) 굳다 ③ 遠 (원) 멀다 ⑤ 須 (수) 모름지기

17 (다) 立志遠大然後에 事業可成이라.: 뜻을 세움이 원대해진 뒤에 일이 이루어질 수 있다.
| 오답풀이 | ① 뜻이 있는 사람은 일이 마침내 이루어진다. → 有志者는 事竟成也라.
② 사람의 근심은 뜻을 세움이 굳지 못함에 있다. → 人之患은 在於立志不固니라.

18 初學은 先須立志하되: 처음 배우는 사람은 먼저 모름지기 뜻을 세우되. '먼저'는 부사이다.

20 立志(입지): 뜻을 세우다.

12. 나를 채우는 배움

소단원 스스로 정리 117쪽

1 ❶ (필) ❷ 몸 ❸ 國 ❹ 모이다 ❺ (정) ❻ 則 ❼ 없다 ❽ (물) ❾ 今 ❿ (능) ⓫ (풍) ⓬ 言
2 ❶ 書案 ❷ 열심 ❸ 풍성 ❹ 行動 ❺ 題
3 ❶ 學 ❷ 물 ❸ 師 ❹ 근본 ❺ 幼 ❻ 老 ❼ 봄 ❽ 가을 ❾ 勿 ❿ 而 ⓫ 오늘 ⓬ 내년
4 ❶ 명령문 ❷ 감정

소단원 확인 문제 118쪽

01 ⑤ 02 ③ 03 ④ 04 ① 05 ⑤ 06 ④
07 ③ 08 ⑤ 09 ③ 10 ③ 11 明若觀火
12 ② 13 師 14 ⑤ 15 ② 16 ① 17 ①
18 ③ 19 ⑤ 20 (다), 어려서 배우지 않으면 늙어서 아는 것이 없고, 봄에 만약 밭을 갈지 않으면 가을에 바랄 것이 없다.

01 科 (과) 과목 – 課 (과) 과정, 매기다
| 오답풀이 | ① 音 (음) 소리 – 樂 (악) 노래, (락) 즐기다, (요) 좋아하다
② 如 (여) 같다 – 呼 (호) 부르다
③ 社 (사) 모이다 – 會 (회) 모이다
④ 書 (서) 글 – 算 (산) 세다

02 社 (사) 모이다
| 오답풀이 | ① 體 (체) 몸 ② 若 (약) 만약, 같다 ④ 訓 (훈) 가르치다 ⑤ 進 (진) 나아가다

03 算(산)의 부수는 '竹'이다.
| 오답풀이 | ① 政(정)의 부수는 '攴(攵)'이다.
② 洗(세)의 부수는 '水(氵)'이다.
③ 案(안)의 부수는 '木'이다.
⑤ 社의 부수는 '示'이다.

04 進 (진) 나아가다 – 退 (퇴) 물러나다
| 오답풀이 | ② 無 (무) 없다 – 幼(유) 어리다
③ 耕 (경) 밭 갈다 – 德 (덕) 덕, 크다
④ 勿 (물) 말다 – 不 (불, 부) 아니다
⑤ 能 (능) 능하다 – 豐 (풍) 풍성하다

05 則 (즉) ~하면 곧
| 오답풀이 | ① 育 (육) 기르다 ② 德 (덕) 덕, 크다 ③ 謂 (위) 말하다 ④ 勿 (물) 말다

06 書 (서) 글, 책
• 書案(서안): 책상
• 書算(서산): 글을 읽은 횟수를 세는 데 쓰는 물건
• 書堂(서당): 글방
| 오답풀이 | ① 筆 (필) 붓 ② 語 (어) 말씀 ③ 學 (학) 배우다 ⑤ 訓 (훈) 가르치다

07 첫소리가 ㄷ, ㅈ으로 소리나는 한자 앞에서는 '부', 그 외에는 '불'로 발음한다. 不能(불능)
| 오답풀이 | ① 不動(부동) ② 不正(부정) ④ 不德(부덕) ⑤ 不進(부진)

08 미술 → 美術[아름다울 (미), 재주 (술)]
| 오답풀이 | ① 漢文(한문) ② 道德(도덕) ③ 英語(영어) ④ 科學(과학)

09 수량 및 공간의 성질에 관하여 연구하는 학문 → 數學(수학)
| 오답풀이 | ① 音樂(음악) ② 體育(체육) ④ 社會(사회) ⑤ 技術(기술)

10 退報 → 退步(퇴보)
| 오답풀이 | ① 學問(학문) ② 進步(진보) ④ 熱心(열심) ⑤ 豐盛(풍성)

11 불을 보듯 분명하고 뻔함. → 明若觀火(명약관화)

12 學者는 須如上水니 不進則退니라.: 배움이라는 것은 모름지기 물을 (거슬러) 오르는 것과 같으니 나아가지 않으면 퇴보하게 된다. → 上의 뜻은 '오르다'로 동사에 해당한다.

13 學은 必由師而明하니 學之本은 在於尊師니라. 배움은 반드시 스승으로 말미암아 밝아지니 배움의 근본은 스승을 존경함에 있다.

14 必由師而明은 '반드시[必] 스승[師]으로 말미암아[由][而] 밝아지니[明]'로 풀이하며, 해석 순서는 '1-3-2-4-5'이다.

15 幼而不學이면 老無所知하고, 春若不耕이면 秋無所望이니라.: 어려서 배우지 않으면 늙어서 아는 것이 없고, 봄에 만약 밭을 갈지 않으면 가을에 바랄 것이 없을 것이다. → 幼 (유) 어리다 ↔ 老 (로) 늙다
| 오답풀이 | ① 學 (학) 배우다 ③ 春 (춘) 봄 ④ 耕 (경) 밭 갈다 ⑤ 秋 (추) 가을

16 勿謂今日不學而有來日하고, 勿謂今年不學而有來年하라.: 오늘 배우지 아니하고 내일이 있다고 말하지 말고(勿), 올해 배우지 아니하고 내년이 있다고 말하지 말라(勿).

17 今日은 '오늘 날'로 풀이하며, 해석 순서는 '1-2'이다. 學者: 배움이라는 것(1-2)
| 오답풀이 | ② 上水: 물을 거슬러 오르다 (2-1) ③ 不學: 배우지 아니하다 (2-1) ④ 所知: 아는 것 (2-1) ⑤ 勿謂: 말하지 말라 (2-1)

18 學者는 須如上水니 不進則退니라.: 배움이라는 것은 모름지기 물을 (거슬러) 오르는 것과 같으니 나아가지 않으면 퇴보하게 된다.

20 어려서 배우지 않으면 늙어서 아는 것이 없고, 봄에 밭 갈지 않으면 가을에 바랄 것이 없다. → 春若不耕, 秋無所望.

13. 착한 마음, 바른 사람

소단원 스스로 정리 125쪽

1 ❶ (악) ❷ (오) ❸ 目 ❹ (비) ❺ 爲 ❻ 보다 ❼ (건) ❽ 팔다 ❾ 사다 ❿ (복) ⓫ 言
2 ❶ 善 ❷ 凶惡 ❸ 선 ❹ 步 ❺ 競爭 ❻ 봉사
3 ❶ 必 ❷ 경사 ❸ 非 ❹ 爲 ❺ 말하는 ❻ 행하는 ❼ 修 ❽ 惡 ❾ 착한 ❿ 草 ⓫ 長 ⓬ 봄 동산 ⓭ 날마다

소단원 확인 문제 126쪽

01 ③ 02 ⑤ 03 ⑤ 04 ① 05 ⑤ 06 ⑤
07 ① 08 ① 09 ㉮ 나쁜 행동, ㉯ 선을 쌓음.
10 ③ 11 ④ 12 ② 13 ② 14 수기악, 즉위악인.
15 ① 16 ③ 17 선을 쌓는 집에는 반드시 남는 경사가 있다. 18 ④ 19 ③ 20 ⑤ 21 ②

01 難 (난) 어렵다
| 오답풀이 | ① 積 (적) 쌓다 ② 集 (집) 모으다 ④ 競 (경) 다투다 ⑤ 增 (증) 더하다

02 增 (증) 더하다 – 價 (가) 값
| 오답풀이 | ① 慶 (경) 경사 – 競 (경) 다투다
② 賣 (매) 팔다 – 買 (매) 사다
③ 餘 (여) 남다 – 與 (여) 더불다, 주다
④ 園 (원) 동산 – 願 (원) 바라다

03 幸 (행) 다행 – 福 (복) 복
| 오답풀이 | ① 善 (선) 착하다 ↔ 惡 (악) 악하다
② 內 (내) 안 ↔ 外 (외) 밖
③ 乾 (건) 하늘 ↔ 坤 (곤) 땅
④ 明 (명) 밝다 ↔ 暗 (암) 어둡다

04 加의 부수는 '力'이다.

05 惡 (악) 악하다, (오) 미워하다
- 善惡(선악): 착한 것과 악한 것
- 凶惡(흉악): 성질이 악하고 모짊.
- 惡寒(오한): 몸이 오슬오슬 춥고 떨리는 증상.

| 오답풀이 | ① 極 (극) 다하다, 끝 ② 非 (비) 아니다 ③ 爲 (위) 하다, 되다 ④ 散 (산) 흩어지다

06 恩 (은) 은혜 – 惠 (혜) 은혜
| 오답풀이 | ① 他 (타) 다르다 – 人 (인) 사람
② 文 (문) 글월 – 化 (화) 되다
③ 空 (공) 비다 – 間 (간) 사이
④ 春(춘) 봄 – 園 (원) 동산

07 선플운동 → 善플
| 오답풀이 | ② 參 (참) 참여하다 ③ 其 (기) 그 ④ 增 (증) 더하다 ⑤ 惡 (악) 악하다

08 국가나 사회 또는 남을 위하여 자신을 돌보지 아니하고 힘을 바쳐 애씀. → 奉仕(봉사)
| 오답풀이 | ② 競爭(경쟁) ③ 讓步(양보) ④ 內容(내용) ⑤ 目的(목적)

10 福 (복) 복

| 오답풀이 | ① 減 (감) 덜다 ② 集 (집) 모으다 ④ 的 (적) 과녁 ⑤ 餘 (여) 남다

11 ④ 수입과 지출을 賣買(매매)해서 저축 액수를 정하였다. → 加減(가감): 더하거나 빼는 일

| 오답풀이 | ① 競爭(경쟁) ② 明暗(명암) ③ 集散(집산) ⑤ 恩惠(은혜)

12 積善之家에는 必有餘慶이라.: 선을 쌓는 집에는 반드시 남는 경사가 있다. 선을 쌓다 ≒ 선을 행하다 → 行善

| 오답풀이 | ① 言 말하다 ③ 見 보다 ④ 長 자라다 ⑤ 賣 팔다

13 修其善하면 則爲善人하고: 그 착한 성품을 닦으면 착한 사람이 되고

14 그 악한 성품을 닦으면 악한 사람이 된다. → 惡 (악) 악하다, (오) 미워하다.

15 如春園之草는 '봄[春] 동산[園]의[之] 풀[草]과 같다[如]'로 풀이하며, 해석 순서는 '5-1-2-3-4'이다.

16 不見其長이라도 日有所增이라. → 그것이 자라는 것은 보이지 않더라도 날마다 더해지는 것이 있다. 成長(성장): 자라다

| 오답풀이 | ① 長短(장단) – 길다
② 校長(교장) – 우두머리, 어른
④ 長技(장기) – 잘하다
⑤ 長老(장로) – 어른

18 선을 말하는 것이 어려운 것이 아니요, 선을 행하는 것이 어려운 것이 된다.: 言善非難이요 行善爲難이라. 難 (난) 어렵다

| 오답풀이 | ① 易 (이) 쉽다 ② 安 (안) 편안하다 ③ 福 (복) 복 ⑤ 學 (학) 배우다

19 所 (소) ~하는 것 → 所增 더해지는 것

20 行善은 '선을 행하다'로 풀이하며, 해석 순서는 '2-1'이다. 所增: 더해지는 것(2-1)

| 오답풀이 | ① 餘慶: 남은 경사(1-2)
② 善人: 착한 사람(1-2)
③ 春園: 봄 동산(1-2)
④ 其長: 그것이 자라다(1-2)

대단원 실전 평가 130쪽

01 ④ 02 ③ 03 ④ 04 ② 05 ③
06 知天命 07 ③ 08 초학은 선수입지하되 필이성인자기니라. 09 ④ 10 ④ 11 ① 12 ③
13 ⑤ 14 ① 15 ㉠ 來日 ㉡ 來年 16 ①
17 ① 18 ④ 19 그 착한 성품을 닦으면 착한 사람이 되고, 그 악한 성품을 닦으면 악한 사람이 된다. 20 ⑤
21 ④ 22 ③ 23 ① 24 則 25 ② 26 ③
27 ④ 28 ② 29 (마), 오늘 배우지 아니하고 내일이 있다고 말하지 말고, 올해 배우지 아니하고 내년이 있다고 말하지 말라. 30 ① 31 ① 32 若 33 ③
34 ③ 35 ⑤ 36 ① 37 ② 38 ④ 39 ⑤

01 陰地(음지) – 陽地(양지)

02 ① 以卵投石: 달걀로 바위 치기 ② 牛耳讀經: 쇠귀에 경 읽기 ④ 吾鼻三尺: 내 코가 석 자 ⑤ 晝語雀聽 夜語鼠聽: 낮말은 새가 듣고 밤말은 쥐가 듣는다.

03 旣借堂 又借房: 이미 대청을 빌리고 또 안방을 빌리려 한다.

| 오답풀이 | ① 세 살 버릇 여든까지 간다. → 三歲之習, 至于八十.
② 음지가 바뀌어 양지로 변한다. → 陰地轉, 陽地變.
③ 낮말은 새가 듣고 밤말은 쥐가 듣는다. → 晝語雀聽 夜語鼠聽.
⑤ 오는 말이 곱지 않은데 가는 말이 어찌 곱겠는가? → 來語不美, 去語何美?

04 ① 以卵投石. → 약한 것으로 강한 것을 당해 내려는 어리석은 짓 ③ 旣借堂, 又借房. → 욕심이 한이 없어서 염치없이 이것저것을 요구한다. ④ 晝語雀聽, 夜語鼠聽. → 아무도 안 듣는데서라도 말조심해야 한다. 아무리 비밀스럽게 한 말이라도 반드시 남의 귀에 들어가게 된다. ⑤ 來語不美, 去語何美? → 내가 상대방에게 좋은 말을 해야 상대방도 나에게 좋은 말을 한다.

05 敎師(교사)

| 오답풀이 | ① 學者(학자) ② 判事(판사) ④ 公務員(공무원) ⑤ 運動選手(운동선수)

06 천명(天命)을 아는[知] 50세를 뜻하는 말 → 知天命(지천명)

07 사람의 근심은 뜻을 세움이 굳지 못함에 있다. → 人之

患, 在於立志不固.

| 오답풀이 | ① 特 (특) 특별하다 ② 適 (적) 알맞다 ④ 遠 (원) 멀다 ⑤ 順 (순) 순하다

09 처음 배우는 사람은 먼저 모름지기 뜻을 세우되 반드시 성인으로서 스스로를 기약해야 한다. → 뜻을 세우는 것

10 • 有志者, 事竟成也.: 뜻이 있는 사람은 일이 마침내 이루어진다.

• 立志遠大然後, 事業可成.: 뜻을 세움이 원대해진 뒤에 일이 이루어질 수 있다.

| 오답풀이 | ① 展 (전) 펴다 ② 望 (망) 바라다 ③ 察 (찰) 살피다 ⑤ 在 (재) 있다

11 먹이나 물감이 묻은 붓을 빠는 그릇 → 筆洗(필세)

| 오답풀이 | ② 書案(서안): 예전에, 책을 얹던 책상
③ 書算(서산): 글을 읽은 횟수를 세는 데 쓰는 물건
④ 書堂(서당): 글방
⑤ 木筆(목필): 연필

12 ① 미술 – 美術 ② 국어 – 國語 ④ 도덕 – 道德 ⑤ 수학 – 數學

13 • 學者는 須如上水니 不進則退니라.: 배움이라는 것은 모름지기 물을 거슬러 오르는 것과 같으니 나아가지 않으면 퇴보하게 된다.

• 學은 必由師而明하니 學之本은 在於尊師니라.: 배움은 반드시 스승으로 말미암아 밝아지니 배움의 근본은 스승을 존경함에 있다.

| 오답풀이 | ① 訓 (훈) 가르치다 ② 行 (행) 행하다 ③ 言 (언) 말하다 ④ 耕 (경) 밭 갈다

16 ② 惡行: 악한 행동 ③ 奉仕: 받들어 섬기다(국가나 사회 또는 남을 위하여 자신을 돌보지 아니하고 힘을 바쳐 애씀.) ④ 讓步: 걸음을 사양하다(길이나 자리, 물건 따위를 사양하여 남에게 미루어 줌.) ⑤ 恩惠: 은혜

17 積(적) 쌓다

| 오답풀이 | ② 言 (언) 말씀 ③ 惡 (악) 악하다 ④ 則 (즉) 곧 ⑤ 行 (행) 행하다

18 선(善)을 쌓는[積之] 집[家]에는 반드시[必] 남는[餘] 경사[慶]가 있다[有].

20 行善之人, 如春園之草, 不見其長, 日有所增.: 선을 행하는 사람은 봄 동산의 풀과 같아서 그것이 자라는 것은 보이지 않더라도 날마다 더해지는 것이 있다.

21 上 오르다, 退 물러나다 ↔ 進 나아가다

| 오답풀이 | ① 陰 (음) 그늘 – 陽 (양) 볕
② 晝 (주) 낮 – 夜 (야) 밤
③ 來 (래) 오다 – 去 (거) 가다
⑤ 善 (선) 착하다 – 惡 (악) 악하다

22 須 (수) 모름지기 – 修 (수) 닦다

| 오답풀이 | ① 轉 (전) 구르다, 변하다 – 變(변) 변하다
② 語 (어) 말씀 – 聽 (청) 듣다
④ 則 (즉) 곧 – 其 (기) 그
⑤ 何 (하) 어찌 – 爲 (위) 하다

23 (나) 晝語雀聽하고 夜語鼠聽이라.: 낮말은 새가 듣고 밤말은 쥐가 듣는다.

(다) 來語不美어늘 去語何美리오?: 오는 말이 곱지 않은데 가는 말이 어찌 고우리오?

(라) 學者는 須如上水니 不進則退니라.: 배움이라는 것은 모름지기 물을 거슬러 오르는 것과 같으니 나아가지 않으면 퇴보하게 된다.

(마) 修其善하면 則爲善人하고 修其惡하면 則爲惡人이라.: 그 착한 성품을 닦으면 착한 사람이 되고, 그 악한 성품을 닦으면 악한 사람이 된다.

24 修其善하면 則爲善人하고 修其惡하면 則爲惡人이라.: 그 착한 성품을 닦으면 착한 사람이 되고, 그 악한 성품을 닦으면 악한 사람이 된다.

25 ㉠ 必 (필) 반드시 → 부사, ㉡ 則 (즉) 곧 → 접속사, ㉢ 於 (어) 어조사, ㉣ 知 (지) 알다 → 동사, ㉤ 年 (년) 해 → 명사

26 ③ 上: 오르다 → 동사

| 오답풀이 | ① 初: 처음 → 부사 ② 須: 모름지기 → 부사 ④ 之: ~의 → 어조사 ⑤ 本: 근본 → 명사

27 ① 立志: 뜻을 세우다. ② 聖人: 지혜와 덕이 매우 뛰어나서 길이 우러러 본받을 만한 사람 ③ 自期: 스스로를 기약하다. ⑤ 來日: 오늘의 다음날, 내일

30 有志者는 事竟成也라.: 뜻이 있는 사람은 일이 마침내 이루어진다.

31 (가) 有志者는 事竟成也라.: 뜻이 있는 사람은 일이 마침내 이루어진다.

(나) 立志遠大然後, 事業可成.: 뜻을 세움이 원대해진 뒤에 일이 이루어질 수 있다.

32 須如上水: 모름지기 물을 거슬러 오르는 것과 같다. ≒ 若 (약) 같다

33 (라) 幼而不學이면 老無所知하고, 春若不耕이면 秋無所望이니라.: 어려서 배우지 않으면 늙어서 아는 것이

없고, 봄에 만약 밭을 갈지 않으면 가을에 바랄 것이 없을 것이다.

(마) 行善之人은 如春園之草하여 不見其長이라도 日有所增이라.: 선을 행하는 사람은 봄 동산의 풀과 같아서 그것이 자라는 것은 보이지 않더라도 날마다 더해지는 것이 있다.

| 오답풀이 | ① 幼 (유) 어리다 ② 水 (수) 물 ④ 晝 (주) 낮 ⑤ 明 (명) 밝다

34 社 (사) 모이다 – 會 (회) 모이다

| 오답풀이 | ① 可 – 加(가) ② 公 – 空(공) ④ 科 – 課(과) ⑤ 無 – 務(무)

35 觀 (관) 보다

| 오답풀이 | ① 慶(경) 경사 ② 競(경) 다투다 ③ 耕(경) 밭 갈다 ④ 經(경) 지나다, 글

36 ① 恩–惠 은혜

| 오답풀이 | ② 加 (가) 더하다 – 減 (감) 덜다
③ 性 (성) 성품 – 聖 (성) 성인
④ 其 (기) 그 – 期 (기) 기약하다
⑤ 談 (담) 말씀 – 訓 (훈) 가르치다

37 遠大 → 병렬

| 오답풀이 | ① 立志: 뜻을 세우다. → 술목
③ 積善: 선을 쌓다. → 술목
④ 行善: 선을 행하다. → 술목
⑤ 讓步: 걸음을 사양하다. → 술목

38 熱心(열심)

| 오답풀이 | ① 哀惜(애석) ② 志學(지학) ③ 書堂(서당) ⑤ 幸福(행복)

39 국민을 위해 奉事하다. 봉사 → 奉仕

V. 선인들의 특별한 이야기

14. 문화를 전파한 왕인

소단원 스스로 정리 141 쪽

1 ❶(랭) ❷菜 ❸나라 ❹(세) ❺가지다 ❻云 ❼향하다 ❽(전) ❾恨 ❿(옥) ⓫打 ⓬노래
2 ❶大衆文化 ❷飮 ❸전통문화 ❹參與 ❺옥외 ❻사람 ❼歌曲
3 ❶千家文 ❷無限感謝 ❸서적

소단원 확인 문제 142 쪽

01 (1) 世 (세) 세상 (2) 界 (계) 지경 (3) 韓(한) 나라
02 ④ 03 ⑤ 04 ② 05 (1) 雪馬 (2) 白菜 (3) 熟冷
06 ② 07 ② 08 ④ 09 ③ 10 ③ 11 ③
12 ⑤ 13 ② 14 ③ 15 ④ 16 ① 17 ④
18 ② 19 ① 20 한없는 감사의 뜻을 보내고 있다.
21 (1) 我人 (2) 書籍 22 ⑤

01 世 (세) 세상, 界 (계) 지경, 경계, 韓 (한) 나라

02 恨, 愁, 憶, 感의 부수는 '心(忄)'이다.

03 ⑤ 唱의 음은 '창', 뜻은 '부르다', 부수는 '口'이다.

| 오답풀이 | ① 電 (전) 번개 ② 論(론) 논하다 ③ 持 (지) 가지다 ④ 向 (향) 향하다,

04 打(타)의 총획은 5획이다.

05 雪馬(설마) → 썰매, 白菜(백채) → 배추, 熟冷(숙랭) → 숭늉

06 追憶: 追 (추) 쫓다, 憶 (억) 생각하다

07 限 (한) 한정하다 – 恨 (한) 한

| 오답풀이 | ① 曲 (곡) 노래 ③ 造 (조) 짓다 ④ 致 (치) 드리다 ⑤ 采 (채) 나물

08 天文學: 天 (천) 하늘, 文(문) 글월, 學 (학) 배우다

| 오답풀이 | ① 佛敎(불교) – 儒敎(유교)
② 論語(논어) – 孟子(맹자)
③ 飮食(음식) – 間食(간식)
⑤ 大衆文化(대중문화) – 傳統文化(전통문화)

09 韓流(한류): 한국의 대중문화가 중국, 일본, 동남아시아 지역에서 유행하는 현상

| 오답풀이 | ① 流行(유행) ② 人氣(인기) ④ 千家門(천가

문) ⑤ 歌曲(가곡)

10 ③ 名唱(명창)

| 오답풀이 | ① 大吹打(대취타): 취타와 세악을 갖춘 대규모의 군악. 징, 자바라, 장구, 용고와 나각, 나발, 태평소 따위로 편성되며, 주로 진문(陣門)을 크게 여닫을 때, 군대가 행진하거나 개선할 때, 능행에 임금이 성문을 나갈 때에 취주하였다. ≒ 큰취타. ② 參與(참여) ④ 世界的(세계적) ⑤ 韓國語(한국어)

11 今 (금) 이제

| 오답풀이 | ① 至 (지) 이르다 ② 道 (도) 길 ④ 携 (휴) 가지다 ⑤ 向 (향) 향하다

12 至天家文而持는 '천가문을 가지고 이르렀다.'로 풀이하며, 해석 순서는 '天家文→持→而→至(2-4-3-1)'이다.

13 而(이)는 '그리고, 그러나'로 쓰이는데 여기서는 '그리고(순접 접속사)'로 쓰였다.

14 ㉡ 又 (우) 또한

15 ㉢ 師(사)는 명사로 '스승', 동사로 '스승으로 삼다'로 풀이된다.

16 ㉣ 之(지)는 지시 대명사로 사용되는데, 여기서는 王仁(왕인)을 가리킨다.

17 ㉤ 我(아)는 1인칭 대명사로, 문맥상 '우리'라는 의미로 풀이된다.

18 ㉥ 三國(삼국)은 삼국 시대의 고구려, 백제, 신라를 의미한다.

19 ㉦ 以(이)는 접속사로 사용되므로, 而(이)와 바꾸어 쓸 수 있다.

20 ㉧ 致無限感謝之意는 '한없는 감사의 뜻을 보내고 있다.'로 풀이하며, 해석 순서는 '無→限→感謝→之→意→致(3-2-4-5-6-1)'이다.

21 我人(아인): 우리나라 사람, 書籍(서적): 책 또는 도서

22 '至今向我人, 致無限感謝之意'를 통해 일본인들이 우리나라 사람들에게 감사하고 있음을 알 수 있다.

| 오답풀이 | ① 道稚는 일본 사람이다.
② 道稚가 王仁을 스승으로 삼았다.
③ 일본으로 책을 가지고 간 사람은 王仁이다.
④ 이 글은 백제와 일본의 문화적 교류에 관한 내용이다.

15. 새의 눈을 속인 솔거

소단원 스스로 정리 149 쪽

1 ❶ (유) ❷ 青 ❸ 붉다 ❹ (색) ❺ 경치 ❻ 興 ❼ 거느리다 ❽ (황) ❾ 往 ❿ (건) ⓫ 禁 ⓬ 열매
2 ❶ 耕 ❷ 야독 ❸ 유화 ❹ 자연 ❺ 建物 ❻ 엄금 ❼ 效
3 ❶ 者 ❷ 老松 ❸ 往往 ❹ 경지
4 ❶ 서술어 ❷ 주술목

소단원 확인 문제 150 쪽

01 ④ 02 (1) 書(서) 책 (2) 晝(주) 낮 (3) 畫(화) 그림
03 木 04 ⑤ 05 ① 06 ⑤ 07 낮에는 농사짓고, 밤에는 글을 읽는다. 08 ③ 09 ② 10 ④ 11 ③
12 ⑤ 13 ④ 14 ① 15 ① 16 ⑤ 17 ④
18 ⑤ 19 ① 20 色 21 人畫青松

01 景의 음은 '경', 뜻은 경치, 부수는 日, 총획은 12획이다.

02 書 (서) 책, 晝 (주) 낮, 畫 (화) 그림

03 朱 (주) 붉다, 松 (송) 소나무, 果 (과) 열매. 이 한자들의 부수는 '木'이다.

04 興의 총획은 16획이다.

05 綠 (록) 푸르다

| 오답풀이 | ② 黃 (황) 누렇다 ③ 藍(람) 남빛 ④ 黑 (흑) 검다 ⑤ 青 (청) 푸르다

06 赤 (적) 붉다, 丹 (단) 붉다, 朱 (주) 붉다, 紅 (홍) 붉다

07 晝耕夜讀: 晝 (주) 낮, 耕 (경) 밭 갈다, 夜 (야) 밤, 讀 (독) 읽다

08 제시된 그림은 김득신의 「파적도」로 風俗畫(풍속화)에 해당한다.

09 기술이나 기예 따위가 매우 뛰어나 신과 같은 정도의 영묘한 경지에 이르다. → 入神(입신)

| 오답풀이 | ① 立身(입신): 사회에 나아가서 자기의 기반을 확립하여 출세하다.
③ 入道(입도): 깨달음의 경지에 이르기 위한 수행을 시작하다.
④ 青松(청송): 푸른 소나무
⑤ 黑白(흑백): 검은색과 흰색

10 ④ 由畫 → 油畫(유화)

| 오답풀이 | ① 畫家(화가) ② 嚴禁(엄금) ③ 建物(건물) ⑤ 效果(효과)

11 壁 (벽) 벽
| 오답풀이 | ① 時 (시) 때 ② 老 (로) 늙다 ④ 飛 (비) 날다 ⑤ 入 (입) 들다

12 鳥雀(조작): 鳥 (조) 새, 雀(작) 참새

13 有率居者는 '솔거라는 사람이 있었다.'로 풀이된다.

14 於(어)는 어조사로, '~에'로 풀이되며 장소를 나타낸다.

15 往往(왕왕): 이따금, 云(운): ~라고 이르다.

16 蓋 (개) 덮다, 아마도. 여기서는 '아마도'로 풀이된다.

17 蓋其畫入神는 '아마도 그의 그림이 신묘한 경지에 들었을 것이다.'로 풀이된다.

18 솔거의 그림은 크게 칭송을 받았다.

19 鳥飛는 '새가 날아들다.'로 풀이되는 주술 관계이다.

20 靑 (청) 푸르다, 黃 (황) 누렇다, 赤 (적) 붉다, 朱 (주) 붉다, 白 (백) 희다, 黑 (흑) 검다, 玄 (현) 검다, 綠 (록) 푸르다, 藍 (남) 남빛, 丹 (단) 붉다, 靑 (홍) 붉다 – 色(색)을 의미하는 한자들이다.

21 人畫靑松으로 주술목 구조로 배열하면 된다.

16. 서희의 외교 담판

소단원 스스로 정리 157쪽

1 ❶ (려) ❷ 朝 ❸ 날래다 ❹ (의) ❺ 말하다 ❻ 卽 ❼ 도읍 ❽ (군) ❾ 復 ❿ (망) ⓫ 坐
2 ❶ 興亡 ❷ 권력 ❸ 좌정관천 ❹ 이익
3 ❶ 新羅 ❷ 所有 ❸ 침입 ❹ 故 ❺ 고구려 ❻ 고려
4 ❶ 1 ❷ 우리 ❸ 너희

소단원 확인 문제 158쪽

01 ⑤ 02 ⑤ 03 ④ 04 ② 05 ⑤ 06 ②
07 ② 08 ② 09 ③ 10 우물 안에 앉아서 하늘을 본다는 뜻으로, 견문이 아주 좁음을 이르는 말 11 ④
12 ⑤ 13 ④ 14 ④ 15 ④ 16 ②
17 號朝鮮都漢陽 18 ① 19 ② 20 ④

01 제시된 내용은 '曰 (왈) 말하다, 이르다, 가로다'의 변천 과정이다.

02 協 (협) 화합하다
| 오답풀이 | ① 井 (정) 우물. 부수는 二 ② 坐 (좌) 앉다. 부수는 土 ③ 亡 (망) 망하다. 부수는 亠 ④ 商 (상) 헤아리다, 장사. 부수는 口

03 甚의 총획은 9획이다. 음은 '심', 뜻은 '심하다'.

04 鮮의 부수는 '魚'이다. 음은 '선', 뜻은 '곱다'

05 猛 (맹) 사납다

06 '백제'는 百濟로 표기한다.

07 侵入(침입), 國土(국토)

08 國語(국어): 한 나라의 국민이 쓰는 말

09 ③ 和義(화의): 화해하는 의론

10 坐井觀天(좌정관천): 우물 속에 앉아서 하늘을 본다는 뜻으로, 사람의 견문(見聞)이 매우 좁음을 이르는 말. ≒ 정중관천

11 卽 (즉) 곧

12 平陽(평양)

13 말하는 사람이 소손녕이므로 ㉠은 고려이다. 汝 (여) 너

14 我 (아) 나. 我(아)는 1인칭 대명사로 쓰였다. '余 (여) 나'와 의미가 통한다.

15 而(이): 그러나, 그렇지만 – 故(고): 그러므로, 따라서

16 號(호)는 명사로 '이름', 동사로 '부르다'로 사용된다. 여기서는 동사로 쓰이고 있다.

17 號(호)는 '부르다', 都(도)는 '도읍하다'로 사용된다. 朝鮮(조선), 漢陽(한양). ⓜ을 보면 2-1-4-3으로 풀이되고 있음을 알 수 있다.

18 之(지)의 쓰임을 보면 고구려의(ⓐ) 옛 땅, 너희가 그것(ⓑ)을 침식하였다. 즉 고구려의(ⓒ) 옛 땅이다. 따라서 之는 ⓐ와 ⓒ에서는 관형격 조사 '~의, ~하는'으로, ⓑ에서는 지시 대명사 '이것, 저것, 그것'으로 사용되었다.

19 蕭遜寧(소손녕)과 徐熙(서희)의 대화이다. 서희는 熙로 표기되었다.

20 소손녕은 고려가 고구려의 옛 땅을 침식하였다고 주장한다.

17. 조화를 소중히 여긴 광해

소단원 스스로 정리 165쪽

1 ❶ (경) ❷ 墨 ❸ 부드럽다 ❹ (제) ❺ 고르다 ❻ 麥 ❼ 쌀 ❽ 다리 ❾ 當 ❿ (급) ⓫ 頭 ⓬ 귀하다
2 ❶ 珍貴 ❷ 어두일미 ❸ 材料 ❹ 산해진미 ❺ 사람
3 ❶ 王子 ❷ 소금 ❸ 故 ❹ 調和百味 ❺ 소금
4 ❶ 주술보 ❷ 주어 ❸ 보어

소단원 확인 문제 166쪽

01 맛 02 ② 03 (1) 勉(면) 힘쓰다 (2) 京(경) 서울 (3) 甘(감) 달다 04 ② 05 ④ 06 ③ 07 ③ 08 ⑤ 09 ② 10 ③ 11 ㉠ 안목 ㉡ 실리 12 ③ 13 ⑤ 14 ③ 15 ① 16 ③ 17 ④ 18 ① 19 ⑤ 20 ⑤ 21 ① 22 산해진미, 산과 바다에서 나는 온갖 진귀한 물건으로 차린, 맛이 좋은 음식

01 味 (미) 맛
02 제시된 한자의 변천 과정은 '食 (식) 먹다, 밥'의 변천 과정이다.
03 勉 (면) 힘쓰다, 京 (경) 서울, 甘 (감) 달다
04 墨의 음은 '묵', 뜻은 '먹', 부수는 '土'이다.
05 實(실)의 총획은 14획이다.
06 '饌 (찬) 반찬, 飮 (음) 마시다, 養 (양) 기르다'의 공통된 부수는 '食'이다.
07 天上(천상): 하늘 위, 上京(상경): 서울에 오르다, 主上(주상): 임금
08 다섯 가지[五] 맛[味]이 조화를 이룬다 하여 붙여진 이름은 五味子(오미자)이다.
| 오답풀이 | ① 筆墨(필묵): 붓과 먹
② 飮食(음식): 먹는 것과 마시는 것
③ 米飮(미음): 입쌀이나 좁쌀에 물을 넉넉하게 붓고 푹 끓이어 체에 받아 낸 걸쭉한 음식
④ 麥飯石(맥반석): 누런 흰색을 띠며 거위알 또는 뭉친 보리밥 모양을 한 천연석
09 異色(이색): 다른 빛깔. 보통의 것과 색다름. 또는 그런 것이나 곳
10 柔順(유순), 有利(유리)
11 眼目: 眼 (안) 눈, 目 (목) 눈
實利: 實 (실) 열매, 利 (리) 이롭다
12 饌 (찬) 반찬
13 선조와 광해의 대화이다.
14 장소를 나타내는 어조사 '於(어)'가 적절하다.
15 饌品: 饌 (찬) 반찬, 品 (품) 물건. 반찬거리를 의미한다.
16 何物爲上은 '어떤 물건이 최상이 되겠는가?(1-2-4-3)'로 풀이한다.
17 故 (고) 옛날, 죽다, 까닭, 그러므로. 여기서는 '까닭'의 의미로 사용되었다.
18 대답의 주체는 光海(광해)이다.
19 非鹽則不成矣는 '소금이 아니면 이루어지지 않습니다(2-1-3-5-4-6).'로 풀이한다. 矣(의) 어조사는 종결사로 맨 마지막에 풀이한다.
20 광해가 소금을 최상의 반찬거리로 뽑은 이유는 소금이 온갖 맛을 조화롭게 하는 것이라고 여겨서이다.
21 材料(재료), 才 (재) 재주
| 오답풀이 | ① 美食家(미식가) ③ 珍貴(진귀) ④ 飮食(음식) ⑤ 王子(왕자)
22 山海珍味: 山 (산) 산, 海 (해) 바다, 珍 (진) 보배, 味 (미) 맛. 산과 바다에서 나는 온갖 진귀한 물건으로 차린, 맛이 좋은 음식

대단원 실전 평가 170쪽

01 ⑤ 02 ③ 03 ⑤ 04 ⑤ 05 王仁 06 ② 07 ⑤ 08 한없는 감사의 뜻을 보내고 있다. 09 ⑤ 10 ② 11 ④ 12 ① 13 ④ 14 ⑤ 15 ④ 16 率居畫鳥雀 17 ② 18 ③ 19 ④ 20 거란 21 ④ 22 ⑤ 23 ④ 24 ① 25 ② 26 (1) ㉢ (2) ㉡ (3) ㉣ (4) ㉠ 27 ② 28 ⑤ 29 ③ 30 王問於光海 31 ③ 32 感謝 33 畫家畫風景於壁 34 (1) 我 (2) 汝 35 ④ 36 ① 37 ①

01 向 (향) 향하다
| 오답풀이 | ① 王 (왕) 임금 ② 持 (지) 가지다 ③ 我 (아) 나 ④ 云 (운) 이르다
02 우리나라의 텔레비전 드라마나 대중 음악 등이 일본이나 중국, 동남아시아에서 유행하는 현상 → 韓流(한류)
| 오답풀이 | ① 日流(일류) ② 中流(중류) ④ 文學(문학)

⑤ 國家(국가)

03 왕인이 가져간 것은 天家文(천가문)과 書籍(서적)이다.

04 持千家文而至는 '천가문을 가지고 이르렀다.'로 풀이되며, 풀이 순서는 '千家文-持-而-至(2-1-3-4)'이다.

05 之(지)는 지시 대명사로 王仁(왕인)을 가리킨다.

06 書籍: 書 (서) 책, 籍 (적) 문서

07 我人은 우리나라 사람을 의미한다.

08 致無限感謝之意는 '무한한 감사의 뜻을 보내고 있다.'라고 풀이된다.

09 赤 (적) 붉다, 黑 (흑) 검다, 綠 (녹) 푸르다, 靑 (청) 푸르다. 하얀색은 들어 있지 않다.

10 敎科書(교과서) 그림이므로 書와 관련이 있다.

| 오답풀이 | ① 晝 (주) 낮 ③ 畫 (화) 그림 ④ 盡 (진) 다하다 ⑤ 目 (목) 눈

11 效果: 效 (효) 보람, 果 (과) 열매

① 建物(건물), ② 嚴禁(엄금), ③ 畫家(화가), ⑤ 赤色(적색)

12 者(자)는 '사람, ~하는 것, 시간'의 의미가 있다. 여기서는 '사람'이라는 의미로 쓰였다.

13 老松: 老 (로) 늙다, 松 (송) 소나무

14 飛入(비입): 날아서 들어오다.

15 蓋其畫入神은 '아마도 그의 그림은 신묘한 경지에 들었다.'로 풀이되며, 풀이 순서는 '蓋-其-畫-神-入(1-2-3-5-4)'이다.

16 주술목 구조로 배열한다. 率居[주어]+畫[서술어]+鳥雀[목적어]

17 大韓民國(대한민국)

18 坐井觀天(좌정관천): 우물 속에 앉아서 하늘을 본다는 뜻으로, 사람의 견문이 매우 좁음을 이르는 말이다. 우물 안 개구리

19 敵軍(적군), 將軍(장군)

20 소손녕과 서희의 대화 중, 소손녕이 서희에게 말하는 부분이므로 我는 소손녕 즉 거란을 의미한다.

21 서희의 대화 내용이므로 我國은 우리나라 즉 고려를 의미한다.

22 故(고)는 '옛날, 죽다, 까닭, 그러므로'의 의미가 있다. 여기서는 '그러므로'로 쓰였다.

23 都(도)는 명사로 '도읍', 동사로는 '도읍하다'로 쓰인다. 여기서는 동사로 쓰였다.

24 甘 (감) 달다, 苦 (고) 쓰다, 辛 (신) 맵다. 모두 맛을 의미한다. 味 (미) 맛

25 물고기는 머리쪽이 맛이 있다. → 魚頭一味(어두일미), 魚頭肉尾(어두육미)와 통한다.

26 美食家(미식가), 麥飯石(맥반석), 米飮(미음), 調和(조화)

27 試問於諸王子는 '여러 왕자에게 시험 삼아 물었다.'로 풀이되며, 풀이 순서는 '諸-王子-於-試-問(4-5-3-1-2)'이다.

28 광해는 소금이 맛을 조화롭게 한다고 말하고 있다.

29 '곧~하면'으로 풀이되는 한자는 '則'이다.

30 주술보 구조로 배열한다. 光海[주어] + 問[서술어] + 於王[보어], 問 (문) 묻다, 於 (어) ~에게

31 往往(왕왕): 往 (왕) 가다

| 오답풀이 | ① 天家文(천가문) ② 皇龍寺(황룡사) ④ 侵蝕 (침식) ⑤ 饌品(찬품)

32 感謝: 感 (감) 느끼다, 謝 (사) 사례하다

33 주술목보 구조로 배열한다. 畫家[주어] + 畫[서술어] + 風景[목적어] + 於壁[보어]

34 인칭 대명사를 찾는다. 我(아) 나, 汝(여) 너

35 술목 구조와 술보 구조를 구분한다. ㉠ 그를 스승으로 삼다. ㉡ 책을 가지고 갔다. ㉢ 노송을 그렸다. ㉣ 시험 삼아 여러 왕자에게 물었다. ㉤ 그 까닭을 물었다.

36 선조와 광해군에 얽힌 일화로 조화를 소중히 여긴 광해군의 지혜로움을 엿볼 수 있다. 그러나 한문 속담과 관련된 내용은 찾을 수 없다.

37 ① 晝耕夜讀(주경야독)

| 오답풀이 | ② 坐井觀天(좌정관천) ③ 山海珍味(산해진미) ④ 五味子(오미자) ⑤ 敎科書(교과서)

VI. 한시의 멋과 향기

18. 한집의 세 아이

소단원 스스로 정리 181쪽

1 ❶ (견) ❷ 走 ❸ 밤 ❹ (역) ❺ 가늘다 ❻ 前 ❼ 가죽 ❽ (절) ❾ 童 ❿ (암) ⓫ 泉 ⓬ 연기
2 ❶ 素材 ❷ 희로애락 ❸ 암석 ❹ 샘 ❺ 煙氣
3 ❶ 生 ❷ 한집 ❸ 者 ❹ 양면 ❺ 落 ❻ 바람 ❼ 難 ❽ 형
4 ❶ 3
5 ❶ 형제

소단원 확인 문제 182쪽

01 ② 02 (1) (온) (2) 따뜻하다 03 ⑤ 04 ④
05 ④ 06 ③ 07 ④ 08 ② 09 ② 10 ②
11 ③ 12 ⑤ 13 대나무 14 ① 15 한집에 세 아이가 태어났는데 16 ⑤ 17 ② 18 ②
19 ② 20 ③

01 植 (식) 심다 – 栽 (재) 심다
02 溫泉(온천): 溫 (온) 따뜻하다, 泉(천) 샘
03 誰 (수) 누구, 雖(수) 비록
| 오답풀이 | ① 殼 (각) 껍질 ② 栗 (률) 밤 ③ 骨 (골) 뼈 ④ 隨 (수) 따르다
04 走의 음은 '주', 뜻은 '달리다', 부수는 제부수이다.
05 採의 부수는 手(扌)이고, 나머지 한자의 부수는 木이다.
06 지각을 구성하고 있는 단단한 물질 →巖石(암석)
| 오답풀이 | ① 花草(화초): 꽃이 피는 풀과 나무
② 素材(소재): 예술 작품에서 지은이가 말하고자 하는 바를 나타내기 위해 선택하는 재료
④ 溫泉(온천): 지열에 의하여 지하수가 그 지역의 평균 기온 이상으로 데워져 나오는 샘
⑤ 煙氣(연기): 무엇이 불에 탈 때 생겨나는 흐릿한 기체나 기운
07 예술 작품에서 지은이가 말하고자 하는 바를 나타내기 위해 선택하는 재료 → 素材 (소재)
08 童心(동심), 變心(변심)
09 難兄難弟(난형난제): 누구를 형이라 하기도 어렵고 아우라 하기도 어렵다는 뜻으로, 누가 더 낫다고 할 수 없을 정도로 서로 비슷함. 또는 사물의 우열이 없다는 말로 곧 비슷하다는 말
| 오답풀이 | ① 張三李四(장삼이사): 장씨(張氏)의 셋째 아들과 이씨(李氏)의 넷째 아들이라는 뜻으로, 이름이나 신분이 특별하지 아니한 평범한 사람들을 이르는 말
③ 相扶相助(상부상조): 서로서로 도움.
④ 師弟同行 (사제동행): 스승과 제자가 함께 길을 감.
⑤ 敎學相長(교학상장): 가르침과 배움이 서로 진보시켜 준다는 뜻으로, 사람에게 가르쳐 주거나 스승에게 배우거나 모두 자신의 학업(學業)을 증진(增進)시킴.
10 한 구가 다섯 글자로 된 한시는 '○○/○○○'로 2자와 3자로 끊어 읽고 풀이한다.
11 葉 (엽) 잎
12 닭이 지나가니 대나무 잎이 생기네. → 鷄 (계) 닭
14 '犬走(견주): 개가 달리다, 日出(일출): 해가 뜨다.'는 주술 관계의 단어이다.
| 오답풀이 | ② 讀書(독서): 책을 읽다. – 술목 관계
③ 慈愛(자애): 사랑 – 유사 관계
④ 學生(학생): 배우는 사람 – 수식 관계
⑤ 難解(난해): 풀기가 어렵다 – 술보 관계
15 一家生三子: 한집에 세 아이가 태어났다(1-2-5-3-4).
16 5언 절구의 운자는 짝수 구 끝에 온다.
17 (나)는 5언 절구이다.
18 '隨風先後落(수풍선후락): 隨 (수) 따르다, 風 (풍) 바람, 先(선) 먼저, 後 (후) 뒤, 落 (락) 떨어지다
19 아우라 하기도 어렵고 또한 형이라 하기도 어렵네 (2-1-3-5-4)
20 中者: 가운데 밤 톨 → 가운데 사람

19. 비 내리는 가을밤에

소단원 스스로 정리 189쪽

1 ❶ (약) ❷ 及 ❸ 오직 ❹ (음) ❺ 아름답다 ❻ 約 ❼ 짓다 ❽ 只 ❾ 才 ❿ (포) ⓫ 代 ⓬ 책
2 ❶ 유학 ❷ 歸國 ❸ 及 ❹ 音 ❺ 친구 ❻ 降伏
3 ❶ 唯 ❷ 가을 ❸ 音 ❹ 세상 ❺ 雨 ❻ 창 ❼ 燈 ❽ 마음
4 ❶ 가을

소단원 확인 문제 190쪽

01 ③ 02 ④ 03 ② 04 ② 05 ⑤ 06 ⑤
07 (1) 降伏 (2) 時代 (3) 卷 08 ④ 09 ③ 10 ④
11 ② 12 ① 13 ⑤ 14 ⑤ 15 ㉠ 燈前
㉡ 萬里 ㉢ 心 16 ⑤ 17 ⑤ 18 ⑤
19 • 풀이: 등불 앞에는 만 리의 마음이라네. • 의미: (1) 멀리 타국에서 고향을 그리워하는 마음 (2) 자신의 뜻을 펴지 못하는 현실에서 멀어진 화자의 마음 20 ⑤

01 傷 (상) 다치다
| 오답풀이 | ① 臥 (와) 눕다 ② 喪 (상) 잃다 ④ 佳 (가) 아름답다 ⑤ 歡 (환) 기쁘다
02 但 (단) 다만
| 오답풀이 | ① 抱 (포) 안다 ② 只 (지) 다만 ③ 製 (제) 짓다 ⑤ 降 (항) 항복하다, (강) 내리다
03 吟 (음) 읊다
04 酒의 부수는 '酉'이다.
05 客의 부수는 '宀'이며, 나머지 한자의 부수는 '口'이다.
06 喪失: (상) 잃다, 失 (실) 잃다
07 (1) 적이나 상대편의 힘에 눌리어 굴복하다. → 降伏(항복)
(2) 역사적으로 어떤 표준에 의하여 구분한 일정한 기간 → 時代(시대)
(3) 책을 세는 단위 → 卷(권)
08 抱負(포부)
09 歡迎(환영), 觀 (관) 보다, 英 (영) 꽃부리
10 知音(지음), 知己(지기): 자기를 알아주는 사람
11 앞으로 큰일을 할, 초야에 묻혀 있는 큰 인물 → 臥龍(와룡)
| 오답풀이 | ① 安否(안부): 어떤 사람이 편안하게 잘 지내고 있는지 그렇지 아니한지에 대한 소식. 또는 인사로 그것을 전하거나 묻는 일
③ 混亂(혼란): 뒤죽박죽이 되어 어지럽고 질서가 없음.
④ 秀才(수재): 뛰어난 재주. 또는 머리가 좋고 재주가 뛰어난 사람
⑤ 抱負(포부): 마음속에 지니고 있는, 미래에 대한 계획이나 희망
12 藥 (약) 약, 樂 (락) 즐겁다
13 '孫子'와 '祖父', '夜夜'와 '朝朝', '讀書不'과 '藥酒猛'이 대우를 이룬다.
14 祖父朝朝藥酒猛(조부조조약주맹): 할아버지께서는 아침마다 약주를 많이 드시네요.
15 窓外三更雨(창외삼경우): 창밖에는 한밤의 비가 내리고 ↔ 燈前萬里心(등전만리심): 등불 앞에는 만 리의 마음이라네.
16 唯苦吟: 唯 (유) 오직, 苦 (고) 쓰다, 吟 (음) 읊다
17 (나)의 운자는 '吟(음), 音(음), 心(심)'이다.
18 '萬里心(만리심)'은 '고향에 대한 그리움' 또는 '이 세상과 떠나 있는 작자의 심회'를 나타낸다.
20 (나)는 뜻을 펼치지 못하는 지식인의 고뇌 또는 고국에 대한 그리움을 노래하고 있다.

20. 길 떠나는 아들에게

소단원 스스로 정리 197쪽

1 ❶ (사) ❷ 寄 ❸ 갑자기 ❹ (유) ❺ 수고하다
❻ 潔 ❼ 울다 ❽ (화) ❾ 使 ❿ (시) ⓫ 乘 ⓬ 붙다
2 ❶ 公私 ❷ 친정 ❸ 他地 ❹ 정류장 ❺ 승하차
3 ❶ 涼 ❷ 어느덧 ❸ 衣 ❹ 아들 ❺ 懷 ❻ 報
❼ 종종
4 ❶ 승 ❷ 전환 ❸ 걱정 ❹ 당부

소단원 확인 문제 198쪽

01 ① 02 ④ 03 ⑤ 04 ① 05 ② 06 ④
07 (1) 到着 (2) 安心 (3) 或是 08 ⑤ 09 ③
10 ④ 11 賢母良妻 12 ② 13 ③ 14 ②
15 ① 16 ④ 17 ⑤ 18 ② 19 종종 평안하다는 소식 알려나 다오. 20 ②

01 此 (차) 이, 是 (시) 이
02 叔 (숙) 아저씨
| 오답풀이 | ① 江(강) 강 ② 泣 (읍) 울다 ③ 勞(로) 수고하다 ⑤ 榮 (영) 영화
03 乘 (승) 타다
04 念, 懷, 想은 마음이나 생각과 관련된 한자로 心을 부수로 갖는다.
05 寒의 음은 '한', 뜻은 '차다', 부수는 '氷(冫)'이다.
06 停留場: 停 (정) 머무르다, 留 (류) 머무르다, 場 (장) 마당
07 (1) 목적한 곳에 다다름. → 到着(도착)
(2) 마음이 편안함. → 安心(안심)

(3) 그러할 리는 없지만 만일에 →或是(혹시)
08 公私(공사): 공공의 일과 사사로운 일
09 到着: 到 (도) 이르다, 着 (착) 붙다
10 溫涼(온량), 溫泉(온천)
11 賢母良妻(현모양처): 어진 어머니이면서 착한 아내
12 승구에서는 시상을 이어받아 확대·발전시킨다.
13 기: 서늘한 바람 어느덧 불어오는데, → ㉠
승: 길 떠나는 아들, 옷은 춥지 않을까? → ㉢
전: 이를 생각함에 내 마음 괴로우니, → ㉡
결: 종종 평안하다는 소식 알려나 다오. → ㉣
14 忽已(홀이): 어느덧
15 기(起)·승(承)·전(轉)·결(結)의 네 구로 된 5언 절구이다.
16 화자는 승구에서 옷은 춥지 않냐며 길 떠나는 아들을 걱정하고 있다.
17 念此勞我懷는 '이를 생각함에 내 마음 괴로우니'로 풀이하며, 해석 순서는 '此-念-我-懷-勞(2-1-5-3-4)'이다.
18 5언 시는 2자와 3자로 끊어 읽는다.
19 種種報平安: 종종 평안하다는 소식 알려나 다오.
20 화자는 중국 북경으로 연행을 가는 아들을 걱정하며 배웅하고 있다. 추운 날씨에 아들의 옷차림을 염려하고, 종종 평안하다는 안부를 전해 주기를 당부하고 있다.

21. 자연과 더불어

소단원 스스로 정리 205쪽

1 ❶(도) ❷武 ❸동녘 ❹(별) ❺웃다 ❻早 ❼늦다 ❽(벌) ❾存 ❿(곡) ⓫舞 ⓬향기
2 ❶由來 ❷고택 ❸와당 ❹香氣 ❺별천지
3 ❶問 ❷무슨 ❸答 ❹절로 ❺去 ❻복사꽃 ❼別 ❽인간 세상
4 ❶4

소단원 확인 문제 206쪽

01 ② 02 (1) 예 (2) 재주 03 ③ 04 ②
05 人(亻) 06 ② 07 ③ 08 ④ 09 ④
10 ① 11 ③ 12 ㉠ 詩仙 ㉡ 詩聖 13 ④
14 ② 15 ② 16 ① 17 • 음: 소이부답심자한
• 풀이: 웃으며 대답하지 않아도 마음 절로 한가롭네.
18 ⑤ 19 ① 20 別有天地/非人間 21 ⑤

01 武(무) 무사, 舞(무) 춤추다
| 오답풀이 | ① 洋 (양) 큰 바다, 清 (청) 맑다
③ 笑 (소) 웃다, 答 (답) 대답하다
④ 碧 (벽) 푸르다, 棲 (서) 깃들다, 살다
⑤ 何 (하) 어찌, 可 (가) 옳다
03 閑 (한) 한가하다
04 谷의 음은 '곡', 뜻은 골(골짜기), 부수는 제부수(谷)이다.
05 何(하), 價(가), 伐(벌), 存(존), 保(보)는 모두 부수가 '人(亻)'이다.
06 密閉(밀폐): 密 (밀) 빽빽하다, 閉 (폐) 닫다
07 神仙(신선)
08 伐木(벌목): 나무를 벰. 伐(벌) 치다 – 代(대) 시대
09 '池 (지) 연못, 流 (류) 흐르다, 源 (원) 근원, 洋 (양) 바다'는 모두 부수가 '氵= 水'이다.
10 옛날에 지은, 오래 된 집 → 古宅
| 오답풀이 | ② 瓦當(와당): 기와의 마구리. 막새나 내림새의 끝에 둥글게 모양을 낸 부분
③ 歌舞(가무): 노래와 춤을 아울러 이르는 말
④ 香氣(향기): 꽃, 향, 향수 따위에서 나는 좋은 냄새
⑤ 藝術的(예술적): 예술의 특성을 지닌. 또는 그런 것
11 問答(문답): 묻고 대답함. 問 (문) 묻다 – 聞 (문) 듣다
12 이백을 '詩仙'이라 하고, 두보를 '詩聖'이라 한다.
13 ④ 桃花는 복숭아 꽃. ①~③, ⑤는 이상향을 의미한다.
14 武陵桃源(무릉도원)의 유래이다. 武陵桃源(무릉도원): '이상향', '별천지'를 비유적으로 이르는 말
| 오답풀이 | ① 四面楚歌(사면초가): 아무에게도 도움을 받지 못하는, 외롭고 곤란한 지경에 빠진 형편을 이르는 말
③ 交友以信(교우이신): 세속 오계의 하나. 벗을 사귐에 믿음으로써 함을 이르는 말
④ 多多益善(다다익선): 많으면 많을수록 더욱 좋음.
⑤ 漁父之利(어부지리): 두 사람이 이해관계로 서로 싸우는 사이에 엉뚱한 사람이 애쓰지 않고 가로챈 이익을 이르는 말
15 問 (문) 묻다
| 오답풀이 | ① 門 (문) 문 ③ 聞 (문) 듣다 ④ 閉 (폐) 닫다 ⑤ 閑 (한) 한가하다.
16 초탈(超脫)은 '세속을 벗어남'을 의미한다.
18 7언 절구는 1, 2, 4구의 끝에 운자(韻字)가 있다.
19 1, 2구에 문답법(問答法)이 쓰였다.
20 한 구가 일곱 글자로 이루어진 한시는 4자와 3자로 끊어

읽는다. → 別有天地/非人間.

21 이 시의 화자는 자연 속에서 한가로운 웃음을 지으며 무릉도원과 별천지를 형상화하였다.

대단원 실전 평가 210쪽

01 ③ 02 ④ 03 ⑤ 04 ② 05 ② 06 ③
07 ④ 08 ⑤ 09 • 형식: 5언 절구 • 특징: 2자와 3자로 끊어 읽는다. 운자는 대체로 짝수 구의 끝 글자에 단다.
10 ② 11 ① 12 ④ 13 ③ 14 ④ 15 萬里心 16 ⑤ 17 ⑤ 18 ④ 19 ① 20 到着
21 ② 22 ⑤ 23 ③ 24 ④ 25 • 주제: 연행 가는 아들을 걱정함. • 음: 염차노아회 26 ⑤ 27 ⑤
28 2구, 소이부답심자한 29 ④ 30 ② 31 ⑤
32 ⑤ 33 ② 34 ④ 35 ④ 36 ① 37 ②
38 ②

01 犬 (견) 개의 총획은 4획이다.
| 오답풀이 | ① 虎 (호) 호랑이 ② 牛 (우) 소 ④ 天 (천) 하늘 ⑤ 光 (광) 빛

02 犬走梅花落: 개가 달리니 매화꽃이 떨어지네

03 難兄(난형)
| 오답풀이 | ① 一家(일가) ② 兩面(양면) ③ 隨風(수풍) ④ 先後(선후)

04 오언시는 2자와 3자로 끊어 읽는다. → 隨風/先後落

05 子는 밤송이 속의 '밤'을 의미한다.

06 兩面[양면: 두 면(두 볼)]은 수식 관계이고, 讀書(독서: 책을 읽다)는 술목 관계이다.

07 平은 '평평하다'는 뜻이다.

08 先後(선후: 앞과 뒤)는 병렬 관계이다.

09 한 구가 5글자로 이루어진 한시인 5언 절구이다. 5언 절구는 2자와 3자로 끊어 읽는다. 운자는 대체로 짝수 구의 끝 글자에 다는데, 첫째 구의 끝 글자에도 달 수 있다.

10 떨어지는 밤송이를 소재로 하였으므로 계절적 배경은 '秋(가을)'이다.

11 佳(가) 아름답다, 但(단) 다만

12 時間(시간), 時代(시대)

13 知己之友(지기지우): 자기의 가치나 속마음을 잘 알아주는 참다운 벗
| 오답풀이 | ① 教學相長(교학상장): 사람에게 가르쳐 주거나 스승에게 배우거나 모두 자신의 학업을 증진시킴.
② 易地思之(역지사지): 처지를 바꾸어서 생각하여 봄.
④ 殺身成仁(살신성인): 자기의 몸을 희생하여 인(仁)을 이룸.
⑤ 結草報恩(결초보은): 죽은 뒤에라도 은혜를 잊지 않고 갚음을 이르는 말

14 窓外(창외)는 수식 관계이며, 天地(천지)는 병렬 관계이다.

15 '萬里心(만리심)'에 자신을 알아주지 않는 세상에 대한 번민과 방황의 정서가 드러나 있다.

16 선경후정(先景後情)의 시상 전개 방식은 시의 앞에 경치를 묘사하고 뒷부분에 정서를 나타내는 수사법이다. 제시된 시에서는 경치 묘사가 없고 모두 괴롭고 외로운 정서를 나타내었다.

17 제시된 내용을 참조할 때, 귀국한 뒤 정치 개혁을 위한 노력이 좌절되자 세상이 자신을 알아주지 않는 데서 오는 고통과 외로움을 표현한 것으로 볼 수 있다.

18 降伏(항복)

19 ① 貞(정) – 停(정)
| 오답풀이 | ② 華(화) – 淑(숙) ③ 章(장) – 賢(현) ④ 着(착) – 妻(처) ⑤ 到(도) – 此(차)

20 到着(도착): 목적한 곳에 다다름.

21 몸이 귀하게 되어 이름이 세상에 빛남. → 榮華(영화)
| 오답풀이 | ① 勞苦(노고): 힘들여 수고하고 애씀.
③ 溫涼(온량): 따뜻하고 서늘함.
④ 貞淑(정숙): 여자로서 행실이 곧고 마음씨가 맑고 고움.
⑤ 純潔(순결): 잡된 것이 섞이지 아니하고 깨끗함.

22 想 (상) 생각
| 오답풀이 | ① 葉 (엽) 잎 ② 根 (근) 뿌리 ③ 榮 (영) 영화 ④ 柳 (류) 버들

23 忽已(홀이)는 '갑자기, 문득, 어느덧'으로 풀이한다.

24 '游子(유자)'는 '연행 가는 아들'을 뜻한다.

26 이 시에서는 이별과 관련된 내용은 찾을 수 없다.

27 자연 속의 한적한 삶을 노래한 작품으로 한가로움을 느낄 수 있다.

28 제시된 시구는 '笑而不答心自閑(웃으며 대답하지 않아도 마음 절로 한가롭네.)'와 유사하다.

29 한 폭의 동양화를 보는 듯한 느낌으로 시각적인 이미지가 두드러지게 나타난다.
| 오답풀이 | ① 대우법은 나란히 이어지는 두 구가 내용상, 어법상 서로 짝을 이루도록 하는 것으로 이 시에서는 찾을

수 없다.
② 7언 절구이다.
③ 복사꽃으로 보아 계절적 배경은 봄이다.
⑤ 운자는 1, 2, 4구의 끝에 있는 '山, 閑, 間'이다.

30 산속에서 유유자적하는 화자의 모습과 연관지어 볼 때 주제로 적절한 것은 '은자(隱者)의 즐거움'이다.

31 存 (존) 있다

32 '笑而不答'이라고 답한 이유는 ㉠ 답한다고 속인이 자신을 이해할 수 없고, ㉡ 대답하기보다는 스스로 마음 편히 여기면 되고, ㉢ 세속적인 말로 대답하여 설명될 것이 아니기 때문이다.

33 '栗 (률) 밤'을 소재로, 가을날 떨어지는 밤송이를 보고 느낀 정취를 노래한 한시는 (나)이다.

34 제시된 시는 홍석주가 보낸 '어머님께서 보내 주신 시에 삼가 차운하다.'는 시의 풀이로 (라)와 관련이 있다.

35 7언 시는 4자와 3자로 끊어 읽는다.

36 '마음이 절로 한가롭다'는 뜻이 되어야 하기 때문에 '閑(한)'이 들어가야 한다.

37 宀 (면) 집 + 谷(곡) 골 → 容 (용) 얼굴
宀 (면) 집 + 各(각) 각각 → 客 (객) 나그네

38 降 (강) 내리다 → 下降(하강)
降 (항) 항복하다 → 降伏(항복)

VII. 시공을 초월한 가르침

22. 배우고 때때로 익히다

소단원 스스로 정리 221쪽

1 ❶ (과) ❷ (성) ❸ (생) ❹ 官 ❺ 習 ❻ (설) ❼ 朋 ❽ 소리 ❾ 稅 ❿ (우) ⓫ 悲 ⓬ (경) ⓭ (종)
2 ❶ 過誤 ❷ 극진 ❸ 人倫 ❹ 省 ❺ 遺傳子 ❻ 과유불급
3 ❶ 學 ❷ 說 ❸ 自 ❹ 樂 ❺ 벗 ❻ 성 ❼ 군자

소단원 확인 문제 222쪽

01 ③ 02 ③ 03 ③ 04 (1) ㉡ (2) ㉠ (3) ㉢
05 ① 06 ② 07 ② 08 ③ 09 ⑤ 10 ②
11 ① 12 ④ 13 ⑤ 14 ④ 15 ③ 16 ④
17 ③ 18 ⑤ 19 군자는 남들이 알아주지 않아도 성내지 않는 사람이다. 20 ⑤ 21 ⑤

01 새끼 새[白]가 날마다 또는 자주 날기 위해 날갯짓[羽]을 되풀이하다. → 習 (습) 익히다
| 오답풀이 | ① 亦 (역) 또 ② 學 (학) 배우다 ④ 朋 (붕) 벗 ⑤ 來 (래) 오다

02 遊 (유) 놀다
| 오답풀이 | ① 冊 (책) 책 ② 推 (추) 밀다 ④ 反 (반) 돌이키다 ⑤ 職 (직) 직책

03 慍(온)의 부수는 '心(忄)'이며, 烈(렬)의 부수는 '火(灬)'이다.

04 列 (렬) 벌이다, 烈 (렬) 세차다, 例 (례) 법식

05 講說(강설), 講演(강연)

06 不達(부달)
| 오답풀이 | ① 不若(불약) ③ 不能(불능) ④ 不食(불식) ⑤ 不貪(불탐)

07 小人은 간사하고 도량이 좁은 사람을 의미한다.

08 공자는 50세때 잠시 관직에 있다가 그만두고 고향에 돌아와 후학을 양성하였다.

09 ⑤는 예술 활동에서 상상력을 무시해서는 안 된다는 내용이므로 '輕視(경시)'가 알맞다. 所重(소중)
| 오답풀이 | ① 反省(반성) ② 極盡(극진) ③ 終日(종일) ④ 人倫(인륜)

10 공자 사상의 핵심인 仁에 대한 설명이다.

11 過猶不及(과유불급): 지나친 것은 미치지 못한 것과 같다.

| 오답풀이 | ② 不亦說乎(불역열호): 또한 즐겁지 아니하겠는가?

③ 聞一知十(문일지십): 하나를 들으면 열을 알다.

④ 朋友有信(붕우유신): 친구끼리는 믿음이 있어야 한다.

⑤ 學而時習(학이시습): 배우고 때때로 익히다.

12 學而時習之 : 배우고 때때로 그것을 익힌다. 而가 순접의 의미로 사용되었다.

13 배우고 때때로 그것(배운 것)을 익힌다. 之는 '배운 것'을 가리킨다.

14 說 (설) 말씀, (세) 달래다, (열) 기쁘다. 여기서는 '기쁘다'의 의미로 사용되었다.

15 乎는 '~겠는가?'로 풀이되며 의문문임을 알 수 있다.

16 ④ 自初至終 (자초지종): ~로부터

| 오답풀이 | ① 自身(자신) → 스스로 ② 自他(자타) → 자기 ③ 自炊(자취) → 스스로 ⑤ 無爲自然(무위자연) → 스스로

17 八方美人(팔방미인): 방향

| 오답풀이 | ① 方法(방법) → 방법 ② 正方形(정방형) → 모, 각 ④ 方式(방식) → 방법 ⑤ 今方(금방) → 바야흐로

18 不亦樂乎 → (락) 즐겁다, 苦樂(고락)

| 오답풀이 | ① 樂水(요수) → (요) 좋아하다

② 音樂(음악) → (악) 음악

③ 樂山(요산) → (요) 좋아하다

④ 聲樂(성악) → (악) 음악

19 '人不知而不慍이면 不亦君子乎아?'라하였으므로'君子'란 남들이 알아주지 않아도 성내지 않는 사람이라고 할 수 있다.

20 人不知而不慍: 다른 사람이 알아주지 않아도 성내지 않는다.

| 오답풀이 | ① 時는 '때때로'로 풀이한다.

② 之는 '그것'을 의미하는 지시 대명사이다.

③ 自는 '~로부터'로 풀이한다.

④ 不慍에서 不의 음은 '불'이다.

21 벗이 있어 먼 곳으로부터 오면 / 또한 즐겁지 아니한가.

23. 삶을 버리고 의를 취하다

소단원 스스로 정리 229 쪽

1 ❶ (욕) ❷ 取 ❸ 宿 ❹ (사) ❺ 刀 ❻ (두) ❼ 始 ❽ (신) ❾ (각) ❿ 勸 ⓫ (상) ⓬ 每

2 ❶ 家戶 ❷ 공원 ❸ 市場 ❹ 음식 ❺ 恒常 ❻ 가로등

3 ❶ 生 ❷ 義 ❸ 者 ❹ 生 ❺ 義 ❻ 사람

소단원 확인 문제 230 쪽

01 ①	02 ⑤	03 ④	04 (1) ㉠ (2) ㉡		05 ⑤
06 ③	07 ③	08 ①	09 ③	10 ③	11 ③
12 ②	13 ②	14 ③	15 ①	16 ③	17 ①

18 捨生取義: 삶을 버리고 의로움을 취하다. 19 ⑤

01 恒 – 心

| 오답풀이 | ② 忍 – 心 ③ 取 – 又 ④ 淺 – 水 ⑤ 欲 – 欠

02 取(취)의 부수는 '又'이고, 捨(사)의 부수는 '扌(手)'이다.

03 ④ 兼(겸)

| 오답풀이 | ① 孟(맹) ② 亦(역) ③ 得(득) ⑤ 取(취)

04 寄宿舍(기숙사) → 집, 舍己從人(사기종인) → 버리다

05 正義: 正(정) 바르다, 義(의) 옳다

| 오답풀이 | ① 死 (사) 죽다 – 生 (생) 살다 ② 取 (취) 가지다 – 捨 (사) 버리다 ③ 始 (시) 처음 – 終 (종) 마치다 ④ 君 (군) 임금 – 臣 (신) 신하

06 勸勉(권면), 勤勉(근면)

07 仁은 人心也요, 義는 人路也라.: 어짊은 사람의 마음이요, 의로움은 사람의 길이다.

08 性善說(성선설): 인간의 본성은 이기적이고 악하므로 선(善) 행위는 후천적 습득에 의해서만 가능하다고 보는 학설

| 오답풀이 | ② 性惡說(성악설): 인간의 본성이 본래 악하나 교육에 의해서 악한 본성을 선하게 할 수 있음.

③ 君子三樂(군자삼락): 군자의 세 가지 즐거움. 부모가 살아 계시고 형제가 무고한 것, 하늘과 사람에게 부끄러워할 것이 없는 것, 천하의 영재를 얻어서 가르치는 것을 이름.

④ 捨生取義(사생취의): 삶을 버리고 의를 취함.

⑤ 性無善惡說(성무선악설): 인간의 본성에는 선과 불선함이 없음.

09 대화 내용을 보면 위험에 빠진 아이를 구하기 위해 용기를

내어 뛰어들었다고 말하고 있다. 이와 관련 있는 내용은 삶을 버리고 의를 취한다는 ③ 捨生取義와 관련 있다.
| 오답풀이 | ① 過猶不及(과유불급): 정도를 지나침은 미치지 못함과 같다는 뜻으로, 중용(中庸)이 중요함을 이르는 말
② 孟母斷機(맹모단기): 맹자의 어머니가 베를 끊음.
④ 五十步百步(오십보백보): 정도의 차이는 있지만 본질적으로는 같음.
⑤孟母三遷之教(맹모삼천지교): 맹자의 어머니가 맹자를 위해 세 번 이사함.

10 書堂(서당)은 예전에, 한문을 사사로이 가르치던 곳이다. 이 곳에서 장도 보고 한다는 것은 어울리지 않는다. 市場(시장)이 적절하다.
| 오답풀이 | ① 食堂(식당) ② 公園(공원) ④ 教育(교육) ⑤ 市場(시장)

11 孟子曰 : 맹자께서 말씀하셨다.

12 生亦我所欲也, 義亦我所欲也.: 삶 또한 내가 원하는 바이며 의로움 또한 내가 원하는 바이건마는

13 所는 '~하는 바'의 의미로 사용되었다.
場所(장소): 어떤 일이 이루어지거나 일어나는 곳
| 오답풀이 | ① 所聞 (소문): 들은 바
③ 所有(소유): 가진 바
④ 所用(소용): 쓰이는 바
⑤ 所信(소신): 믿는 바

14 舍(사) = 捨(사) 버리다

15 舍生而取義: 삶을 버리다. 그리고 의를 취하다.

16 二者를 不可得兼이면 : 두 가지(개/것)를 얻어 겸할 수 없다면, 舍生而取義者也리라.: 삶을 버리고 의로움을 취하는 사람일 것이다.

17 맹자는 옳고 그름을 구분하는 사회적 정의인 義를 중요하게 생각했다. 義 (의) 의롭다
| 오답풀이 | ② 生 (생) 살다 ③ 死 (사) 죽음 ④ 兼 (겸) 겸하다 ⑤ 教育(교육)

18 捨生取義(사생취의): 삶을 버리고 의로움을 취하다.

19 목숨을 버릴지언정 옳은 일을 하라고 말하고 있다.

24. 적을 알고 나를 알다

소단원 스스로 정리 237 쪽

1 ❶令 ❷(피) ❸富 ❹(좌) ❺授 ❻(패) ❼金 ❽(공) ❾刑 ❿(작) ⓫응하다 ⓬(침)
2 ❶겸애 ❷無爲 ❸법치주의 ❹信 ❺대응 ❻지침
3 ❶己 ❷百 ❸則 ❹법 ❺愛 ❻水 ❼선 ❽잘

소단원 확인 문제 238 쪽

01 ①	02 ④	03 ⑤	04 ③	05 ①	06 ④
07 ②	08 ④	09 ④	10 ③	11 ④	12 ②
13 ④	14 ②	15 ②	16 ④	17 強, 弱	
18 ③	19 ⑤	20 ④	21 ④	22 ⑤	

01 法의 부수는 '水(氵)'이다.
| 오답풀이 | ② 治 – 水(氵) ③ 強 – 弓 ④ 彼 – 彳 ⑤ 弱 – 弓

02 施 (시) 베풀다
| 오답풀이 | ① 移 (이) 옮기다 ② 授 (수) 주다 ③ 昨 (작) 어제 ⑤ 罰 (벌) 벌하다

03 不殆: 불태, 不相: 불상, 不爭: 부쟁

04 賊 (적), 賞 (상), 貯 (저), 財 (재)의 부수는 모두 '貝'이다.

05 法則: 法(법) 법, 則(칙) 법
| 오답풀이 | ② 高 (고) 높다 – 低 (저) 낮다
③ 授 (수) 주다 – 受 (수) 받다
④ 左 (좌) 왼쪽 – 右 (우) 오른쪽
⑤ 強 (강) 강하다 – 弱 (약) 약하다

06 ④ 道家(도가) – 노자
| 오답풀이 | ① 儒家(유가) – 공자, 맹자 ② 兵家(병가) – 손자 ③ 墨家(묵가) – 묵자 ⑤ 法家(법가) – 한비자

07 제시된 주장은 군사를 지휘하여 전쟁하는 법에 관한 내용으로, 孫子의 사상이다.

08 나는 예술 고등학교에 진학하기를 希望(희망)한다.
| 오답풀이 | ① 適應(적응) ② 活動(활동) ③ 意見(의견) ⑤ 昨年(작년)

09 人與人相愛면 則不相賊이라.: 사람과 사람이 서로 사랑하면 서로 해치지 않는다.
| 오답풀이 | ① 知彼知己면 百戰不殆니라.: 상대를 알고

자신을 알면 백 번 싸워도 위태롭지 않다.

②, ③ 奉法者強하면 則國強하고, 奉法者弱하면 則國弱이라.: 법을 받는 사람이 강하면 나라가 강해지고, 법을 받드는 사람이 약하면 나라가 약해진다.

⑤ 上善若水하니 水善利萬物而不爭이라.: 최고의 선은 물과 같으니 물은 만물을 잘 이롭게 하나 다투지 않는다.

10 知彼知己면 百戰不殆니라.: 상대를 알고 자신을 알면 백 번 싸워도 위태롭지 않다

| 오답풀이 | ① 巳 (사) 뱀 ② 已 (이) 이미 ④ 弓 (궁) 활 ⑤ 乙 (을) 새

11 상대를 알고 자신을 알면 백 번 싸워도 위태롭지 않다[不].

12 百戰不殆(백전불태): 백 번 싸워도 위태롭지 않다.

13 百은 '여러 번, 많다'로 풀이한다.

14 人與人: 사람과 사람, 富與貴(부여귀): 부와 귀함

| 오답풀이 | ① 給與(급여) – 주다

③ 關與(관여) – 참여하다

④ 干與(간여) – 참여하다

⑤ 與信(여신) – 주다

15 사람과 사람이 서로 사랑하면 서로 해치지 않는다.

16 賊은 '도둑, 해치다'의 의미이다. 여기서는 '해치다'는 의미로 사용되었다.

17 強 (강) 강하다, 弱 (약) 약하다

18 최고의 선은 물과 같다.

19 若水: 물과 같다. ≒ 如 (여) 같다

| 오답풀이 | ① 於 (어) 어조사 ② 苦 (고) 쓰다 ③ 與 (여) 주다 ④ 右 (우) 오른쪽

20 上善若水: 최고의 선(덕목)은 물과 같다, 水善利萬物而不爭: 물은 만물을 잘 이롭게 하나 다투지 않는다.

21 水善利萬物而不爭은 '물은 만물을 잘 이롭게 하나 다투지 않는다.'로 풀이한다.

23 물은 만물을 잘 이롭게 하나 다투지 않기 때문이다.

대단원 실전 평가 242쪽

01 ⑤	02 ①	03 ③	04 ①	05 ②	06 ④
07 ④	08 ③	09 義	10 ⑤	11 ①	12 ①
13 ④	14 ④	15 ①	16 ③	17 ③	18 ②
19 ⑤					

01 不亦說乎: 또한 기쁘지 아니한가, 說樂(열락): 기쁘고 즐거움

| 오답풀이 | ① 說明(설명) → 말씀 ② 演說(연설) → 말씀 ③ 遊說(유세) → 달래다 ④ 說伏(설복) → 달래다

02 朋 (붕) 벗, 友(우) 벗

| 오답풀이 | ② 人 (인) 사람 ③ 君 (군) 임금 ④ 王 (왕) 임금 ⑤ 汝 (여) 너

03 • 學而時習之: 배우다 그리고 때때로 그것을 익히다.

• 人不知而不慍: 남이 알아주지 않는다 그러나 성내지 아니하다.

04 人은 '다른 사람'을 의미한다.

| 오답풀이 | ② 不知의 음은 '부지'이다. ③ 慍은 '성내다'는 의미이다. ④ 君子는 어질며 덕과 학식이 높은 사람이다. ⑤ 不亦君子乎의 답은 '군자이다(예)'이다.

05 欲 (욕) 하고자 하다

| 오답풀이 | ① 所 (소) ~하는 바 ③ 亦 (역) 또 ④ 也 (야) ~이다 ⑤ 者 (자) 사람

06 生亦我所欲也는 '의로움 또한 내가 원하는 바이다'로 풀이하며, 풀이 순서는 '生-亦-我-欲-所-也'이다.

07 의로움 또한 내가 하고자 하는 바이다.

08 내가 원하는 바는 生과 義이다.

| 오답풀이 | ① 生 (생) 살다, 死 (사) 죽다

② 欲 (욕) 하고자 하다, 得 (득) 얻다

③ 生 (생) 살다, 義 (의) 옳다

④ 取 (취) 취하다, 舍 (사) 집, 버리다

⑤ 兼 (겸) 겸하다, 義 (의) 옳다

09 삶을 버리고 의를 취하는 자일 것이다.

10 인간의 본성은 선하다. → 性善說(성선설)

11 ~하면, ~면: 則

12 人與人: 사람과 사람

13 上善若水(상선약수): 최고의 선은 물과 같다.

14 兼愛(겸애): 가리지 않고 모든 사람을 똑같이 두루 사랑함.

| 오답풀이 | ① 人倫(인륜) ② 兵法(병법) ③ 刑罰(형벌) ⑤ 無爲自然(무위자연)

15 상대를 알고 자신을 알면 백 번 싸워도 위태롭지 않다. → 知彼知己, 百戰百勝

| 오답풀이 | ② 법을 받드는 사람이 강하면 나라가 강해진다.

③ 법을 받드는 사람이 약하면 나라가 약해진다.

④ 사람과 사람이 서로 사랑하면 서로 해치지 않는다.

⑤ 최고의 선은 물과 같으니 물은 만물을 잘 이롭게 하나

다투지 않는다.

17 捨生取義(사생취의): 삶을 버리고 의를 취하다.
| 오답풀이 | ① 學而時習(학이시습): 배우고 때때로 익힘.
② 上善若水(상선약수): 최상의 선은 물과 같음.
④ 知彼知己(지피지기): 적을 알고 나를 앎.
⑤ 奉法自強(봉법자강): 법을 받드는 자가 강함.

19 不義(부지), 不正行爲(부정행위)
| 오답풀이 | ① 不義(불의), 不德(부덕)
② 不可(불가), 不知(부지)
③ 不義(불의), 不知(부지)
④ 不德(부덕), 不可(불가)

VIII. 우리의 삶과 역사

25. 뿌리 깊은 우리 명절

소단원 스스로 정리 251쪽

1 ❶(차) ❷해 ❸뵈다 ❹拜 ❺(구) ❻糸 ❼(발) ❽手(扌) ❾手(扌) ❿거두다 ⓫(수) ⓬보내다
2 ❶1 ❷1 ❸한식 ❹단오 ❺秋夕 ❻송구영신 ❼명절 ❽세시풍속 ❾다문화 ❿風習
3 ❶茶禮 ❷서울 풍속 ❸차례 ❹男女 ❺衣 ❻歲拜

소단원 확인 문제 252쪽

01 ② 02 (차) 03 ④ 04 ① 05 (1) 풍속 (2) 바람
06 ① 07 ⑤ 08 (1) ㉡ (2) ㉣ (3) ㉢ (4) ㉠ 09 ③
10 ⑤ 11 ② 12 ② 13 ⑤ 14 세배 15 歲時風俗
16 ① 17 ① 18 ② 19 ② 20 ④
21 친척과 웃어른들을 찾아뵈니 '세배'라 말한다.

01 收 (수) 거두다 – 壽 (수) 목숨
| 오답풀이 | ① 元 (원) 으뜸 – 端 (단) 실마리, 처음
③ 午 (오) 낮 – 牛 (우) 소
④ 粧 (장) 단장하다 – 訪(방) 찾다
⑤ 永 (영) 길다 – 久(구) 오래다

02 茶禮에서 茶의 음은 '차'이다.

03 拾(습), 招(초), 拜(배), 手(수)의 부수는 '手'이며, 續(속)의 부수는 '糸'이다.

04 우리나라의 4대 명절은 元日(원일), 端午(단오), 寒食(한식), 秋夕(추석)이다.

05 風은 '바람, 풍속'이라는 뜻이 있다.

06 秋夕(추석)과 端午(단오)는 名節(명절)이다.
| 오답풀이 | ② 차례 ③ 한복 ④ 귀성 ⑤ 세배

07 추수 감사절과 비슷한 한국의 명절은 秋夕(추석)이다.
| 오답풀이 | ① 원일 ② 단오 ③ 동지 ④ 한식

08 (1) 元日(원일): 음력 1월 1일 (2) 寒食(한식): 양력 4월 5일이나 6일 (3) 端午(단오): 음력 5월 5일 (4) 秋夕(추석): 음력 8월 15일

09 招待: 招 (초) 부르다, 待 (대) 대접하다
| 오답풀이 | ① 葉錢(엽전), 葉書(엽서) ② 財福(재복), 財貨(재화) ④ 收拾(수습), 收去(수거) ⑤ 韓服(한복), 寒國(한국)

10 ⑤ 廣場의 음은 '광장'이다.

11 練習(연습), 風習(풍습), 學習(학습)으로 공통으로 들어갈 한자는 '習'이다.

12 廣場(광장)은 '많은 사람이 모일 수 있게 거리에 만들어 놓은, 넓은 빈터'이다.

13 送舊迎新(송구영신): 묵은 해를 보내고 새해를 맞음.
| 오답풀이 | ① 名節(명절) ② 永久(영구) ③ 男女老少(남녀노소) ④ 無病長壽(무병장수)

14 歲拜: 歲 (세) 해, 拜 (배) 절

15 歲時風俗: 歲 (세) 해, 時 (시) 때, 風(풍) 풍속, 俗 (속) 풍속

16 端午(단오)에 대한 설명이다.

17 幸運(행운)은 '좋은 운수, 또는 행복한 운수'를 뜻하는 어휘로, 규칙적인 운동으로 행운을 바랐다는 활용은 적절하지 않다.
| 오답풀이 | ② 親戚(친척) ③ 廣場(광장) ④ 暴炎(폭염) ⑤ 新舊(신구)

18 제시된 글은 설날에 대한 내용이다. 元日(원일)은 설날이다.

19 歲謁家廟: 歲(세) 해, 謁 (알) 뵈다, 家 (가) 집, 廟 (묘) 사당

20 새해에 집안의 사당에 배알하고 제사를 지내는 것을 '茶禮'라 한다. 새해에 나이가 적거나 항렬이 낮으면서 어린 사람들이 새 옷을 입는 것을 '歲粧'이라 한다.

21 ㉣ 訪族戚長老(방족척장로), 曰歲拜(왈세배)는 '친

척과 웃어른들을 찾아뵈니(5-1-2-3-4) '세배'라 말한다(3-1-2).'로 풀이한다.

26. 널리 인간을 이롭게

소단원 스스로 정리 259쪽

1 ❶ 허락하다 ❷ (낙) ❸ (웅) ❹ 구하다 ❺ 伯 ❻ 정수리 ❼ 나무 ❽ 引 ❾ 자리 ❿ 人(亻) ⓫ (숭) ⓬ 통하다

2 ❶ 단군 ❷ 인간 ❸ 許諾 ❹ 고양 ❺ 단기 ❻ 通用 ❼ 계산

3 ❶ 삭 ❷ 옛날 ❸ 자주 ❹ 下視 ❺ 弘益人間 ❻ 솔 ❼ 환웅천왕 ❽ 내려오니

소단원 확인 문제 260쪽

01 ⑤ **02** (인) 사람 **03** ② **04** ④ **05** ⑤
06 (1) ㉡ (2) ㉠ (3) ㉢ **07** ① **08** ④ **09** ①
10 ③ **11** ④ **12** ③ **13** ③ **14** ① **15** ②
16 자주 천하에 뜻을 두어 인간 세상을 탐하여 구하였다.
17 ③ **18** ① **19** ③

01 許 (허) 허락하다, 諾 (락) 허락하다

02 伯(백), 位(위), 休(휴), 偉(위)의 부수는 '人(亻)'이다.

03 昔 (석) 옛
| 오답풀이 | ① 伯 (백) 맏이 ③ 頂 (정) 정수리 ④ 徒 (도) 무리 ⑤ 求 (구) 구하다

04 제시된 내용은 개천절에 대한 설명이다.

05 計算: 計 (계) 세다, 算 (산) 셈

07 단군, 환인, 환웅, 웅녀는 '단군 신화(檀君神話)'에 등장하는 인물이다.

08 休眠(휴면), 休息(휴식)

09 檀君(단군)은 우리나라 최초의 건국 신화의 인물로 최초의 나라인 고조선을 세웠다.

10 통용은 '通用'으로 표기하고, 計算의 음은 '계산'이다.

11 偉大(위대): 도량이나 능력, 업적 등이 훌륭함.
| 오답풀이 | ① 伯父(백부): 큰아버지 ② 崇尙(숭상): 높여 소중히 여김. ③ 引率(인솔): 여러 사람을 이끌고 감. ⑤ 休眠(휴면): 쉬면서 거의 아무런 활동도 하지 않는 상태

12 全 (전) 온전
| 오답풀이 | ① 前 (전) 앞 ② 典 (전) 법 ④ 傳 (전) 전하다 ⑤ 專 (전) 오로지

13 許諾: 許 (허) 허락하다, 諾 (락) 허락하다

14 偉大(위대)는 '도량이나 능력, 업적 등이 훌륭함.'을 뜻한다.
| 오답풀이 | ② 通用(통용): 일반적으로 두루 씀. 서로 넘나들어 두루 씀.
② 單位(단위): 길이, 무게, 수효, 시간 따위의 수량을 수치로 나타낼 때 기초가 되는 일정한 기준
⑤ 高揚(고양): 높이 쳐들어 올림. 정신이나 기분 따위를 북돋아서 높임.

15 數: (삭) 자주, (수) 셈. 여기서는 '자주'의 의미로 쓰였다.

16 子意란 환웅의 뜻으로, 자주 천하에 뜻을 두어 인간 세상을 탐하여 구한 것을 말한다.

17 弘益人間(홍익인간): 널리(弘) 인간(人間) 세상을 이롭게 하다(益).

18 降: (항) 항복하다, (강) 내리다. 여기서는 '(강) 내리다'로 쓰였다.

19 환웅은 무리 삼천을 거느리고 태백산 신단수 아래에 내려왔다.
| 오답풀이 | ① 환인과 환웅은 부자 관계이다.
② 천하에 뜻을 둔 사람을 환웅이다.
④ 삼위 태백을 내려다본 사람은 환웅이다.
⑤ 태백산 꼭대기 신단수 아래에 내려온 사람은 환웅이다.

27. 둥근 모양의 지구

소단원 스스로 정리 267쪽

1 ❶ 星 ❷ (구) ❸ 圓 ❹ 또 ❺ 宀 ❻ (구) ❼ 깨뜨리다 ❽ (견) ❾ 찾다 ❿ 차례 ⓫ 目 ⓬ (증)

2 ❶ 정밀 ❷ 이용후생 ❸ 地 ❹ 월식 ❺ 탐구 ❻ 말 ❼ 산 ❽ 假說 ❾ 증명

3 ❶ 何 ❷ 둥글고 ❸ 네모나다 ❹ 地 ❺ 月 ❻ 둥근

소단원 확인 문제 268쪽

01 성 **02** ① **03** ④ **04** 天地, 古今 **05** ①
06 견고 **07** (1) ㉣ (2) ㉠ (3) ㉢ (4) ㉡ **08** ② **09** ①
10 走馬看山 **11** ② **12** ④ **13** 절기 **14** ①
15 ④ **16** 月蝕 **17** ② **18** ② **19** 지구가 해를 가리며 (지구의 그림자가) 달을 먹어 들어감에 (달이) 먹히는 형체가 또한 둥근 것은 지구의 형체가 둥글기 때문이다.

01 星 (성) 별

02 圓 (원) 둥글다 – 元 (원) 으뜸

| 오답풀이 | ② 也 (야) 어조사 – 之 (지) 가다

③ 掩 (엄) 가리다 – 處 (처) 곳

④ 何 (하) 어찌 – 於 (어) 어조사

⑤ 言 (언) 말씀 – 體 (체) 몸

03 破의 부수는 '石'이다.

| 오답풀이 | ① 完의 부수는 '宀'이다.

② 堅의 부수는 '土'이다.

③ 看의 부수는 '目'이다.

⑤ 浪의 부수는 '水(氵)'이다.

04 天 (천) 하늘 ↔ 地 (지) 땅, 古 (고) 옛 ↔ 今 (금) 이제

| 오답풀이 | 完全(완전), 空虛(공허)

05 著書: 著 (저) 짓다, 書 (서) 글

06 堅固: 堅 (견) 굳다, 固 (고) 굳다

07 (1) 證明(증명) (2) 順序(순서) (3) 探究(탐구) (4) 設定(설정)

08 近處(근처), 近方(근방)

09 • 길을 떠나 다님. → 旅行(여행)

• 화성과 목성 사이의 궤도에서 태양의 둘레를 공전하는 작은 행성 → 小行星(소행성)

㉠에 공통적으로 들어가는 한자는 行(행)이다.

10 走馬看山: 走 (주) 달리다, 馬 (마) 말, 看 (간) 보다, 山 (산) 산

11 非凡(비범): 보통 수준보다 훨씬 뛰어남.

12 ㉠ 研究員(연구원), ㉡ 發見(발견)

13 節氣(절기): 한 해를 스물넷으로 나눈 것으로 계절의 표준이 되는 것을 말한다.

14 速度(속도)

| 오답풀이 | ② 時間(시간) ③ 始作(시작) ④ 工事(공사) ⑤ 精密(정밀)

15 '地體正圓은 何也오?'는 '땅의 형체가 둥글다고 말한 것은 무엇 때문입니까?'로 풀이되는 의문문이다.

16 月蝕(월식)은 달이 지구의 그림자에 가려 일부나 전부가 가려지는 현상이다.

17 之가 주격 조사 '이/가'로 쓰였다.

18 옛사람들은 땅이 네모나다고 생각했는데, 實翁은 땅이 둥글다고 생각했다.

19 實翁은 월식을 이해하였다.

28. 우리 땅, 울릉도와 독도

소단원 스스로 정리 275쪽

1 ❶ 고을 ❷ (읍) ❸ 島 ❹ (수) ❺ 개다 ❻ 합하다 ❼ (종) ❽ 示 ❾ 水(氵) ❿ (부) ⓫ 막다 ⓬ 갖추다

2 ❶ 영토 ❷ 새 발 ❸ 자명종 ❹ 鳥 ❺ 陸地 ❻ 暖 ❼ 경비

3 ❶ 正 ❷ 去 ❸ 日本 ❹ 與 ❺ 얻었고

소단원 확인 문제 276쪽

01 ⑤ 02 ⑤ 03 종 04 ② 05 (1) ㉢ (2) ㉠ (3) ㉡ 06 역사적 07 ① 08 ① 09 ② 10 ⑤ 11 祖宗 12 ④ 13 ① 14 조족지혈, 새 발의 피라는 뜻. 매우 적은 분량 15 ④ 16 ㉠ 독도 ㉡ 울릉도 17 ⑤ 18 우산과 무릉은 고려가 신라에서 얻었고, 우리 조정이 고려에서 얻었기 때문에 일본의 땅이 아니라 우리의 땅이다. 19 ① 20 ④

01 郡 (군) 고을, 邑 (읍) 고을

| 오답풀이 | ① 歷 (력) 지나다, 史 (사) 역사

② 宗 (종) 마루, 邑 (읍) 고을

③ 浴 (욕) 목욕하다, 浮 (부) 뜨다

④ 浮 (부) 뜨다, 接 (접) 잇다

02 ①~④ 消(소), 海(해), 氷(빙), 浮(부)의 부수는 水(氵), 於의 부수는 方이다.

03 鐘 (종) 쇠북

04 防 (방) 막다

05 (1) 烏 (오) 까마귀 (2) 鳥 (조) 새 (3) 鳴 (명) 울다

06 歷史的(역사적)

07 疆土(강토), 土地(토지)

08 밝음과 어둠 → 明暗(명암), 넌지시 알림. → 暗示(암시)

09 示 (시) 보이다

10 表記(표기), 表現(표현)

11 祖 (조) 조상, 宗 (종) 마루

12 烏合之卒: 까마귀가 모인 것처럼 질서가 없이 모인 병졸이라는 뜻으로, 임시로 모여들어서 규율이 없고 무질서한 병졸 또는 군중을 이르는 말

烏 (오) 까마귀, 合 (합) 합하다, 之 (지) 어조사, 卒 (졸) 군사

13 領土(영토): 국가의 통치권이 미치는 구역

| 오답풀이 | ② 浮上(부상) ③ 淸明(청명) ④ 視野(시야) ⑤ 消防(소방)

14 鳥足之血: 鳥 (조) 새, 足 (족) 발, 之 (지) 어조사, 血 (혈) 피

15 半島(반도)는 '삼면이 바다로 둘러싸이고 한 면은 육지에 연결된 땅'을 말한다.

16 于山은 '독도', 武陵은 '울릉도'를 말한다.

17 我朝는 '조선'을 말한다.

18 우산과 무릉은 고려가 신라에서 얻었고, 우리 조정이 고려에서 얻은 것이다.

19 與 (여) 주다

20 우산과 무릉은 우리나라 땅이다.

| 오답풀이 | ⑤ 우산과 무릉은 현(울진현)의 정 동쪽 바다 가운데에 있다.

대단원 실전 평가

280쪽

01 ③ 02 ① 03 ⑤ 04 ③ 05 ② 06 (1) (솔) 거느리다 (2) (율) 비율 07 偉, 危, 謂 08 ② 09 ⑤ 10 弘益人間 11 허락 12 ④ 13 (1) (허) 비다 (2) (처) 곳 14 ⑤ 15 ④ 16 ④ 17 ③ 18 月 19 • 虛子(허자): 지구가 네모지다라고 생각함. • 實翁(실옹): 지구가 둥글다고 생각함. 20 ⑤ 21 ② 22 ④ 23 ⑤ 24 조상에게 물려받은 영토는 그들에게 줄 수 없다. 25 ④ 26 ⑤ 27 ② 28 ①
29 ㉠ 새해에는 집안의 사당에 배알하고 제사지내는 것을 '차례'라 한다. ㉡ 남녀 중에서 나이가 적거나 항렬이 낮으면서 어린 사람들이 모두 새옷을 입는 것을 '세장'이라 한다.
30 지구가 해를 가리며 (지구의 그림자)가 달을 먹어 들어간다.
31 ㉠ 환인 ㉡ 환웅 32 현(울진현)의 정 동쪽 바다 가운데에 있으며 서로 가까이 있다.

01 洞里: 洞 (동) 마을, 里 (리) 마을

| 오답풀이 | ① 招待: 招 (초) 부르다, 待 (대) 대접하다
② 暴炎: 暴 (폭) 쬐다, 炎 (염) 불꽃
④ 除夜: 除 (제) 섣달그믐, 夜 (야) 밤
⑤ 風習: 風 (풍) 바람, 習 (습) 익히다

02 寒食(한식)과 관련된 설명이다.

| 오답풀이 | ② 秋夕(추석) ③ 元日(원일) ④ 端午(단오) ⑤ 茶禮(차례)

03 ㉤은 '친척과 웃어른들'이란 뜻이다.

04 年少는 '나이가 어리다.'로 주술 관계이다. 日出은 '해가 나오다.'로 주술 관계이다.

| 오답풀이 | 家廟(①)와 新衣(④)는 수식 관계이며, 男女(②)와 天地(⑤)는 병렬 관계이다.

05 歲拜: 歲 (세) 해, 拜 (배) 절

06 引率(인솔)에서 '率'은 '(솔) 거느리다', 比率(비율)에서 '率'은 '(률) 비율'로 쓰였다.

07 偉 (위) 훌륭하다, 危 (위) 위태롭다, 樹 (수) 나무, 謂 (위) 이르다, 意 (의) 뜻

08 下視三危太伯: 삼위태백을 내려다보니. 동사로 쓰였다.

09 可以(가이)는 '~할 만하다'로 풀이된다.

10 널리 세상을 이롭게 한다. → 弘益人間(홍익인간)

11 許諾: 許 (허) 허락하다, 諾 (락) 허락하다.

12 探究(탐구)

| 오답풀이 | ① 破片(파편) ② 完全(완전) ③ 順序(순서) ⑤ 著書(저서)

13 虛 (허) 비다, 處 (처) 곳

14 月蝕(월식), 日蝕(일식), 小行星(소행성)은 모두 宇宙(우주)와 관련이 있다.

15 說明(설명), 證明(증명)

16 天圓而地方: 하늘이 둥글고, 땅은 네모지다.

17 地體正圓, 何也는 '땅의 형체가 확실히 둥글다 (1-2-3-4).'로 풀이한다.

18 月蝕에 대해 설명하고 있다.

19 虛子(허자)는 地方이라고 했으며, 實翁(실옹)은 地體之圓이라고 하였다.

20 史의 부수는 '口'이다.

21 視野(시야)

| 오답풀이 | ① 海水(해수) ③ 結氷(결빙) ④ 陸地(육지) ⑤ 暖流(난류)

22 暗示(암시): 명확히 드러내지 않고 넌지시 알린다.

23 淸明(청명): 날씨가 맑고 밝다.

24 祖宗疆土, 不可與之는 '조상에게 물려받은 영토는 그들에게 줄 수 없다.'로 풀이한다.

25 送舊迎新의 독음은 '송구영신'이다.

[26~27] (가) 견고 (나) 원조 (다) 영구 (라) 휴면 (마) 고금

26 古今(고금): 古는 '옛날', 今은 '지금'이라는 뜻이다.

27 元祖: 元 (원) 으뜸, 祖 (조) 조상

28 走馬看山(주마간산): '말을 타고 달리며 산천을 구경한다.'는 뜻으로, 자세히 살피지 아니하고 대충대충 보고 지나감을 이르는 말이다.

| 오답풀이 | ② 利用厚生(이용후생): 기구를 편리하게 쓰고 먹을 것과 입을 것을 넉넉하게 하여, 국민의 생활을 나아지게 함.

③ 送舊迎新(송구영신): 묵은해를 보내고 새해를 맞음.

④ 鳥足之血(조족지혈): '새 발의 피'라는 뜻으로, 매우 적은 분량을 비유적으로 이르는 말

⑤ 烏合之卒(오합지졸): '까마귀가 모인 것처럼 질서가 없이 모인 병졸'이라는 뜻으로, 임시로 모여들어서 규율이 없고 무질서한 병졸 또는 군중을 말함.

29 歲粧을 설빔이라 한다.

30 地掩日而蝕於月는 '지구가 해를 가리며 달을 먹어 들어감.'으로 풀이한다.

31 父는 아버지인 '환인'을, 子는 아들인 '환웅'을 의미한다.

32 '在縣正東海中', '二島相去不遠'를 통해 독도와 울릉도의 지리적 위치를 알 수 있다.